‘Dwi’n siŵr taw yn y symlrwydd s
ar draws y wlad a bod yn un â’r w
Waldo’n cael ysbrydoliaeth i greu !

‘Chlywais i mohono’n gweddïo fan hyn chwaith ond yn angladd Crynwr a gollodd ei olwg, y bu Waldo’n ymweld ag ef yn gyson bob Sul, mi gofiaf o’n gweddïo, a’r weddi fel petai’n arllwys ohono. Dwi’n siŵr ei fod yn cael goleuni yng nghanol tawelwch creadigol yn y cyfarfodydd fan hyn.’

Steffan Griffith am bresenoldeb Waldo yn oedfaon y Crynwyr

‘Dwi’n ei gofio’n dweud wrthon ni rhywbryd wrth gyrraedd Pont Canaston, “O, roeddwn i’n sefyll wrth y bont ’ma am hanner nos neithiwr”. Pawb wedi syfrdanu a rhywun yn mentro gofyn, “Beth oeddech chi’n gneud fan hyn amser ’na ’te, Waldo?” Fynte’n ateb yn ddidaro, “O, athronyddu”, a dyna ni, dim mwy o esboniad, a dyna i chi Waldo; neb yn holi rhagor wedyn.’

Dilys Parry wrth gerdded yng nghwmni Waldo

‘Dyn hynod, hynod o garedig. Dyn ysbrydol iawn. Dyn nad oedd o’r byd hwn. Dyn a oedd yn sant. Doedd ganddo ddim gwerthoedd materol.’

Y Chwaer Bosco

‘Yn fy ngolwg i, roedd Waldo’n ddyn eangfrydig, cyfeillgar a chwbl egwyddorol.’

Dr Patrick Fenton (Dr Pádraig Ó Fiannachta)

‘… er colli ei dymer yn gaclwm ar adegau… yr ydym yn ormod o ffrindiau yn y gwaelod i wahanu ein cyfeillgarwch byth, rwy’n deimlo, er ei bod yn dipyn o brawf ar y ddau ohonom weithiau. Bardd a chyfrinydd â thragwyddol heol athrylith yw Waldo ymhob dim. Eto, y mae’n un o ragorolion y ddaear yn ddi-os. Mae’n arswydus o onest, ond heb fod bob amser yn ddealladwy i’w gyfeillion. Athrylith yw Waldo ac fel llawer o’r cyfryw yn rheol iddo’i hun ar bob peth.’

D. J. Williams

'Cofiwch, wên i'n ffrindie mowr 'da Waldo ond bydde fe'n colli'i natur yn amal. Clipsen am y cluste fydde'r bechgyn yn ga'l gan amla a hwpo ni rocesi mas tu fas drws nethe fe. Ond wedyn bydde fe'n mynd lan i siop y pentre amser cino a dod 'nôl â losin i rannu 'da ni'r plant fel byse fe'n flin 'i fod e wedi colli'i dymer a wedi'n cosbi ni, ch'wel.'

Olive Williams

'Dwi'n cofio amdano'n galw wedyn a'r ddau ohonom yn bwriadu mynd i gynhadledd ym Mhlas y Cilgwyn ger Castellnewydd Emlyn a minne'n gosod fy hat 'Anthony Eden' ar ei ben wrth fynd mas trwy'r pasej. Wnaeth e'r un sylw, fel petai yna ddim wedi digwydd, ac ar ei ben y bu'r hat gydol y daith'.

Canon Dewi Thomas

'Dwi'n gallu'i weld e nawr, wedi hwpo'i drywser tu fewn ei sane, yn gweud 'Drato, drato' wrth i Beti ddamshel ar ei drâd, a hynny am fod Waldo'n lletchwith yn fwy na dim; dim ond gweud 'Ji yp' wedd ishe wrth y goben a bydde hi'n neud ei gwaith, ch'wel.'

Vernon Beynon yn cofio Waldo'n arwain pitsiwr yn yr ydlan

'Ddele Waldo am ddiod i'r Farmers Arms bob hyn a hyn, falle gyda J. J. Evans, sgwlyn yr Ysgol Ramadeg ambell waith; a rhaid cifadde bydde fe'n gweud wrtha i "Slaca lawr ar y peth ifed" yn amal ond 'nes i ddim. Dwi'n cofio ca'l copi o *Dail Pren* 'dag e wedyn. "Dail y Pren ddyle'r teitl fod," wedodd e, ond dwi wedi colli'r copi, wedi rhoi fentyg e i rywun.'

Raymond 'Togo' John

ar drywydd Waldo ar gewn beic

Hefin Wyn

Cyflwynir y gyfrol i neiaint Waldo – Eluned a Gareth, David a Gerwyn, heb anghofio Glenys a Selwyn ac yn arbennig Teifryn, a fu'n gyfaill triw wrth seiclo. Heb eu cydweithrediad nhw ni fyddai'r gyfrol yn bosib. Rhaid cofio hefyd am gymorth y plismon tal ar Orsaf King's Cross, Llundain, yn ogystal â thrylwyredd Meinir Wyn Edwards, Y Lolfa.

Dymuna'r awdur ddiolch i Lenyddiaeth Cymru am nawdd i'w alluogi i dreulio cyfnod yn canolbwyntio ar baratoi'r gyfrol.

Diolch i'r canlynol am ganiatâd i gynnwys lluniau:
Vernon Beynon, Dewi Rhys Jones, Aled Jones, Stuart Ladd, Eluned Richards, Hefin Parri-Roberts, Eleri Tyler, Geoffrey Eynon, Huw Ethall, Huw Roberts a Beti Huws.

Argraffiad cyntaf: 2012

Dymuna'r cyhoeddwyr gydnabod cymorth ariannol Cyngor Llyfrau Cymru.

Llun y clawr: Hefin Wyn a Huw Ethall
Cynllun y clawr: Y Lolfa

Rhif Llyfr Rhyngwladol: 978 1 84771 492 3

Cyhoeddwyd, rhwymwyd ac argraffwyd yng Nghymru gan
Y Lolfa Cyf., Talybont, Ceredigion SY24 5HE
gwefan www.ylolfa.com
e-bost ylolfa@ylolfa.com
ffôn 01970 832 304
ffacs 832 782

CYNNWYS

	Cyflwyniad	7
1	Ar fy meic i Aberdaugleddau	16
2	'Nachlog-ddu amdani	23
3	'Fe gewch chi gwpwl bach o dato 'da fi nawr'	47
4	Y dderwen na chwympai	54
5	Pedlo i Ben Llŷn	63
6	'Wnewch chi fadde i mi?'	82
7	Ar Weun Cas' Mael	102
8	Sul y Crynwyr	118
9	Yr awr a gollwyd	125
10	Am dro i Tudra'th	142
11	Siwrne i Aberteifi	150
12	Siwrne i Aberystwyth	165
13	Siwrne i Hwlffordd	182
14	Capel Millin	201
15	Sunnyside	218
16	Eltham a'r Trotting Horse	235
17	Chippenham	251
18	Iwerddon amdani	266
19	An Daingean a'r siwrne ofer	295
20	Sbectols a'r carthwr moch	312
21	Abergweun a dal ati	327
22	Cysgod D.J.	340
23	Dai'r nai	366
24	Epilog	377
	Crynodeb o fywyd Waldo	393
	Llyfryddiaeth	396
	Mynegai	397

Cyflwyniad

WYDDWN I DDIM beth oedd ystyr angerdd ar y pryd ond tebyg mai dyna oedd wedi hoelio fy sylw; ynghyd â'r ffluwchyn o wallt a'r breichie aflonydd, fel melin wynt mewn storm, yn pwysleisio'r dweud.

Digwyddodd yr annisgwyl ar nos Sadwrn fwyn ym mis Hydref 1959 pan ddisgwyliwn y Cardi Bach i wneud ei siwrne olaf am y diwrnod ar hyd y cledre i gyfeiriad Hendy-gwyn ar Daf. Byddai'r trên teithwyr yn gadael pentref y Glôg, ger Crymych, chwap wedi saith o'r gloch, a finne wedyn yn ei rasio ar fy meic nerth fy nhraed, wrth iddo godi stêm ar hyd y pum can llath tuag at fy nghartref, a'r ddau ohonom yn cydredeg â llif afon Taf.

Mae'n rhaid mai ystwytho cyhyre fy nghoese naw mlwydd oed ar gyfer y fenter a wnawn trwy bedlo 'nôl a mlân ar hyd y gwastad heb fentro ymhell o olwg y stashon, pan ddisgynnodd y gŵr bychan o gerbyd twt, a bwrw ati'n ddiymdroi ar y sgwâr.

Ni ddaeth neb i wrando arno ond traethai fel petai yno dorf o bum mil yn sefyll ger ei fron. Nid agorwyd clicied yr un o ddryse'r tai teras cyfagos ond daliai ati heb ddiffygio. Rhoddais inne'r gore i dindroi a gollyngais y beic i bwyso yn erbyn y wal gerrig a amgylchynai'r siop ar y gornel. Eisteddais ar un o'r fflagie cerrig a naddwyd yn y cwarre gyferbyn. Gwrandewais.

Ni ddeallwn yr araith ac ni wyddwn ystyr y gair huotledd ond gwyddwn ei fod yn siarad fy iaith inne a bod ei lais yn llawn taerineb anghyffredin a ddeisyfai wrandawiad. Nid adwaenwn y dieithryn ac ni wyddwn ei gymhelliad dros fynd i'r fath hwyl pan nad oedd neb yn gwrando arno nac yn ei borthi; arferwn gysylltu hwyl o'r fath â'r pulpud Anghydffurfiol.

Ni chofiaf a gaewyd llidiarde'r orsaf yn barod ar gyfer

dyfodiad y trên pan oedd yr areithiwr ar gewn ei geffyl gwyn y noson honno. Ond yr hyn a gofiaf yw dyfodiad cerbyd bychan o rywle i godi'r areithiwr tanbaid ac iddo ynte a'r gyrrwr ei gwân hi i gyfeiriad pentref Tegryn. Clywaf sŵn y cerbyd megis cacwn yn fy nghlustie o hyd, yn taranu heibio Siop Mari a'i charej trên o gartref, yn tuchan ar hyd y dynfa serth i ben 'rhiw'r injin', heibio i fynedfa'r cwarre a throeon sydyn Ael-y-bryn ac yna pabwyr iddi ar hyd yr inclein gyda sŵn rhathellog y newid gêr yn diasbedain nes cyrraedd pen feidiroedd Fferm y Glôg a'r Garth, a thawelu yn y pellter.

Euthum adref â'm gwynt yn fy nwrn i ddweud yr hanes dros swper. Pwy oedd y gŵr dieithr, holwn, wrth geisio rhoi disgrifiad ohono i gynorthwyo ymdrechion fy rhieni i ddyfalu'r ateb? Ni allwn dderbyn yr awgrym mai un o'r Pentecostiaid o Ben-y-groes, ger Llanelli, roeddwn wedi'i glywed. Roeddwn yn gyfarwydd â'u hymweliade mynych ar nos Sadyrne yn yr haf, yn gosod baner ac arni adnod i bwyso ar reilie'r orsaf, ac yna'n pregethu tân a brwmstan gan sôn am ryw le o'r enw Pyrth Uffern a oedd yn ein disgwyl oni bai ein bod yn edifarhau; clywswn y gair hwnnw yn ddigon mynych i'w gofio.

Mynnais fod y gŵr hwn yn sôn am Gymru yn hytrach na'r Beibl ac yn sôn am lecsiwn yn hytrach na Dydd y Farn. O dipyn i beth ac o ddeall ei fod yn traethu yn Gymraeg, cefais enw i'r dieithryn a greodd argraff arnaf a glynodd yr enw Waldo Williams yn y cof. Clywais lawer o sôn amdano yn ystod y blynyddoedd dilynol a gwrandawn yn awchus bob tro y clywn rywun yn crybwyll ei enw. Wedi'r cyfan, roedd yna hud a chyfaredd yn perthyn i ddyn a fedrai annerch cynulleidfa nad oedd yn bod.

Dros y blynyddoedd ceisiais berswadio fy hun fod y Cardi Bach wedi amharu ar ymgais Waldo i ddenu pleidleisie o blith trigolion y Glôg y nos Sadwrn honno ym mis Hydref. Chwery'r cof dricie arnaf yn aml ond, yn wir, o gael fy ngoleuo ynghylch ei hiwmor, tebyg y byddai Waldo ei hun wedi dweud bod sŵn hwtian a hisian y trên wrth iddo ei ddisychedu ei hun wedi boddi neges Plaid Cymru ym mhentref y Glôg, a bod llidiarde caeedig y rheilffordd wedi atal ymdaith cenedlaetholdeb rhag cadw at ei hamserlen ar nos Sadwrn, 3 Hydref, 1959. Rhyw anlwc felly ddeuai i'w ran beunydd. Doedd hi ddim yn ddigon na chaniateid llawer o ddarllediade gwleidyddol i'r blaid, a oedd ar ei thyfiant ar y pryd, ond roedd y Great Western Railway yn ei herbyn hefyd!

Tebyg bod llythrenne fy enw'n dal wedi'u cerfio ar gerrig y bont dros afon Taf, gerllaw'r orsaf reilffordd, a chofiaf yn dda am y digwyddiad o dan y bont pan benderfynodd fy mhartner fedyddio un o'r rhocesi lleol trwy efelychu ei weinidog o dad gyda'r Bedyddwyr, y Parch. O. E. Roberts. Cael a chael oedd hi i beidio â'i bedyddio i ebargofiant yn y dŵr bas a'r graean mân wrth i Irfon deimlo rheidrwydd i ddal pen Marilyn yn y llif cyn hired â phosib i gwblhau'r ddefod o fedydd trochiad heb yr un cyfaddawd.

Cofiaf yn dda hefyd am y pysgotwr a'r postmon, Fred Haliday, yn ceisio fy nenu i ymddiddori yn ei wialennod a'm rhwydo i'w fan las dywyll. Tebyg mai'r ffaith nad oeddwn yn gysurus yn siarad Saesneg ar y pryd a'm rhwystrodd rhag cael fy nal yn ei grafange. Pe bawn wedi mentro, hwyrach y buaswn inne hefyd erbyn heddiw wedi treulio orie dirifedi ar lan Loch Ness yn cadw llygad crediniol am ymddangosiad yr anghenfil.

Ond am nad euthum i'r weinidogaeth nac ymddiddori mewn pysgota, prin fu dylanwad y digwyddiade uchod ar sgwâr y pentref arnaf o gymharu â'r chwarter awr honno o wrando ar Waldo.

Mewn cyfnod diweddarach, a than y dydd heddiw, pan holaf fy hun ynghylch natur Cymreictod, daw myfyrdode'r bardd i'r adwy.

A phan ystyriaf natur hiwmor a smaldod cynhenid ni allaf beidio â chofio am yr hanesyn am Tom Cwm a'r llidiarde rheilffordd yng nghyd-destun 'Idwaldod'; roedd Tom Davies yn dipyn o fardd, yn un o ddisgyblion selog 'Y Babell Awen' o eiddo Dewi Emrys yn *Y Cymro* ac yn go freuddwydiol ei anian. Roedd hefyd yn un o'r criw a gyflogwyd i gynnal a chadw'r cledre. Rhyw fore llwyd collwyd rheolaeth ar y wagen fach a ddefnyddiai'r criw i gario eu hoffer, yn ogystal â nhw eu hunain, pan oedden nhw tua hanner ffordd i Grymych.

Pan sylweddolwyd nad oedd y brêc yn gafael, neidiodd y mwyafrif o'r bois oddi ar y wagen. Ond nid felly T. R. Davies. Doedd e ddim mor effro â'r lleill. Am ei fod wrthi'n cynnau ei bib ar y pryd doedd hi ddim yn gyfleus iddo neidio. Ei arfer oedd gorffen un gorchwyl cyn dechre ar orchwyl arall. Cyflymai'r wagen ar ei siwrne ar hyd y gwaered gan ei gwneud yn anos iddo reoli fflam y fatsien.

Daeth gorsaf y Glôg i'r golwg ac yn ffodus, neu'n anffodus, roedd y llidiarde ar gau. Clywyd gwrthdrawiad nerthol. Chwalwyd yr iet yn jibidêrs gan drwyn y wagen. Ond yn eistedd yn jycôs yng nghefn y wagen heb deimlo fawr o ysgydwad, ac erbyn hynny'n tynnu'n braf ar ei getyn, roedd Tom Cwm.

"Mae'n fore bach digon llaith, on'd yw hi 'te; odi wir," oedd ei sylw hamddenol wrth y sawl a redodd i'r fan yn llawn ffrwst i fwrw golwg ar y difrod; bydde, bydde honna wedi goglish Waldo, mae'n siŵr.

Ni allaf ddweud fy mod wedi treulio amser yng nghwmni Waldo erioed ond credaf i mi ei weld ar un achlysur yng Nghilmeri, ddeng mlynedd yn ddiweddarach, pan gynhaliwyd Rali Gwrth-Arwisgo ym mis Mehefin 1969, dridie cyn yr Arwisgiad Prydeinllyd yng Nghaernarfon, ac ychydig fisoedd cyn iddo gael ei daro'n sâl a threulio bron y cyfan o weddill ei fywyd yn orweddog.

Os nad oeddwn wedi sylwi arno yng nghanol y dorf gwyddwn ei fod yno. Mae'r llun ohono yn y gyfrol *Bro a Bywyd,* a olygwyd gan James Nicholas, yn gosod torch o flode wrth gofgolofn Llywelyn ein Llyw Olaf yn galw'r achlysur i gof. Oedd, roedd yn gwisgo siwt a thei er nad mor drwsiadus â'i gyfaill D. J. Williams, sy'n sefyll yn ei ymyl, mewn siwt a wasgod, coler â styden a het ar ei ben ar hirddydd haf.

Tebyg fy mod â'm bryd yn bennaf ar ddyfalu pwy oedd y plismyn cudd yn ein plith yn hytrach nag ymgolli yn y gwewyr o glywed Dafydd Iwan yn holi 'Pa le y mae Owain yn awr?' ar gân, wrth iddo gydio yn hen sgerbwd y genedl a'i hysgwyd, a chyflwyno ychydig o ysgafnder dychanol hefyd gyda'i gân deyrnged i 'Carlo', gwrthrych y sioe yn nhre'r Cofi.

Wedi'r cyfan, onid oeddwn wedi fy hebrwng o Aberystwyth dridie ynghynt i'r hyn na allaf ond ei ddisgrifio fel 'commune', yn ôl ffasiwn hipïaidd y cyfnod, rhywle yng nghyffinie Rhaeadr, gan gerbyd plismyn yn eu dillad eu hunain? Doedd hi ddim yn bosib dewis a dethol pwy fydde'n eich cario wrth ffawdheglu. Ac o safbwynt y plismyn onid haws oedd cadw llygad ar fyfyrwyr anystywallt a chenedlaetholgar, pan ddyfelid y byddai yna weithredu treisgar yn erbyn yr Arwisgo, trwy gludo eu prae yn eu cerbyd eu hunain yn hytrach na cheisio eu dilyn o hirbell wrth iddyn nhw deithio yng ngherbyde dieithriaid?

Ond hyd yn oed ym merw Cilmeri a'r hyn oll a olygai'r diwrnod o ran Cymreictod y canrifoedd, amheuaf mai gweithred ychydig yn anghysurus i Waldo oedd gosod y dorch wrth fôn y maen. Ychydig wythnose ynghynt clywais R. M. (Bobi) Jones, un o ddarlithwyr Adran y Gymraeg, Coleg Prifysgol Cymru, Aberystwyth, yn darllen y gerdd 'Ar Weun Cas' Mael' yn ei ddull dihafal ei hun.

Wrth wrando ar y dadansoddiad treiddgar deuthum i ddeall mai awen argyhoeddiad oedd eiddo Waldo ac na fyddai'n medru cyfansoddi'r un dim yn mawrygu rhyfelwr na rhyfela; ac roedd Bobi yn ei adnabod. Ofer y chwiliem am gerddi o'i eiddo yn moli tywysogion treisgar y gorffennol waeth beth oedd eu gorchestion dros Gymru. Deuthum i ddeall nad oedd y gair 'gelyn' yn rhan o eirfa barddonol Waldo Williams.

O dipyn i beth deuthum i sylweddoli nad bardd i'w edmygu am ei gampe cynganeddol, ei delynegion swynol na'i wobre eisteddfodol aneirif oedd hwn. Onid oedd Waldo yn fardd a feddai agwedd bendant a oedd bownd o ddylanwadu ar deithi meddwl y darllenydd? Cynigiai hwn atebion i gwestiyne ac allwedd i ddeall ein dyheade dyfnaf wrth ymgiprys ag ystyr a goblygiade Cymreictod a bodolaeth ei hun. Cynigiai ei feddwl awchlym, trwy ei gerddi am Gymru, athroniaeth ar gyfer seilio ymgyrchoedd di-drais a fyddai'n mawrygu gwladgarwch.

Llanc pedair ar bymtheg oed oeddwn i'n ceisio gwneud synnwyr o bob dim a ddeuai tuag ataf blith draphlith. Hwyrach nad oedd disodli trefn wleidyddol yn bosib ond roedd disodli trefn feddyliol o daeogrwydd yn rheidrwydd, gan osod trefn feddyliol o bendantrwydd a sicrwydd Cymreictod ymosodol a diedifar yn ei lle.

Tebyg mai dyna pam y bûm wrthi'n peintio a difrodi tua 500 o arwyddion o amgylch Aberystwyth un noson braf ychydig wythnose ynghynt, o dan drwyn yr holl heddlu ychwanegol oedd yno'n gwarchod y Tywysog Siarl, a oedd wedi cofrestru fel myfyriwr dros dro i ddysgu ychydig o Gymraeg.

Cymryd cyfrifoldeb am ein gweithredoedd wedyn a dilyn Ffred Ffransis, yr arch-weithredwr, i Swyddfa'r Heddlu i gyfaddef ein gorchest gydag arwydd neu ddau yn dystiolaeth o dan ein ceseilie. Er ein gwysio a'n cyhuddo, gollyngwyd yr achosion a hynny, yn ôl pob tebyg, am y bydde holl gyhoeddusrwydd achos llys yn taflu sen ar blismyn y dref ar adeg pan oedd disgwyl iddyn nhw gadw llygad barcud ar bob symudiad o eiddo pob cenedlaetholwr, a hwythe wedi methu'n garlibwns y noson honno.

Heblaw am yr esboniad tactegol o dynnu sylw at statws eilradd y Gymraeg roedd yna gyfiawnhad uwch dros weithredu o'r fath i'w ganfod ym marddoniaeth Waldo. A phrin fod yr un bardd erioed wedi'i ddyfynnu mor gyson fel rhan o'r amddiffyniad mewn achosion llys na phan ymddangosai aelode o Gymdeithas yr Iaith Gymraeg gerbron yr ynadon. Os nad ymddangosodd Waldo ei hun erioed gerbron yr un llys ar fater yn ymwneud â'r iaith roedd ei ysbryd a'i anogaeth yno droeon. Pwy na fyddai'n adrodd y mantra 'Cadwn y mur rhag y bwystfil/Cadwn y ffynnon rhag y baw'?

Y trydydd achlysur i mi deimlo fy mod wedi ymwneud yn uniongyrchol â Waldo Goronwy oedd ar achlysur dathlu canmlwyddiant ei eni yn 2004 a hynny wrth y gofeb iddo ar gomin Rhos-fach, Mynachlog-ddu. Rhaid bod y maen hwnnw o'r garreg las o'r un maintioli o ran ei arwyddocâd â'r maen yng Nghilmeri bellach.

Cefais y fraint, yn 54 oed, o gyfrannu at sioe awyr agored yn cloriannu ei fywyd, ymhlith pobl ei gynefin, ar lwyfan wedi'i godi o amgylch y maen gyda'r geirie, 'Mur fy mebyd, Foel Drigarn, Carn Gyfrwy, Tal Mynydd./Wrth fy nghefn ym mhob annibyniaeth barn' i'w gweld yn amlwg, yn ogystal â'r union dirnode hynny eu hunain wrth ein cefne ar y gorwel.

Tebyg y byddai Waldo ei hun wedi datgan "Beth yw'r dwli sy arnyn nhw nawr?" gan wadu ei fod yn haeddu'r fath sylw. Yn wir, byddai wedi chwerthin yn dawel iddo'i hun pe gwyddai na lwyddwyd i lwyfannu'r sioe y noson gyntaf honno ar nos Iau ym mis Gorffennaf am ei bod yn arllwys y glaw. Ni wnaed dilledyn gan yr un teiliwr hyd yma a fyddai wedi gwrthsefyll y fath wlybaniaeth. Prin fod yna eitem deledu wlypach erioed wedi'i darlledu'n fyw ar raglen *Wedi Saith* ar S4C. Do, chwalwyd yn chwildrins obeithion Gwyn Llywelyn o gyflwyno ychydig o flas y sioe i'r genedl.

Ta waeth, erbyn y noson olaf, ar y nos Sadwrn, gwelwyd môr o oleuni'n llithro ar hyd y llethre'n chwarae mig â'r rhedyn a'r grug a hyd yn oed un o'r machludoedd mwyn hynny sy'n ddelwedd annatod o'r gerdd 'Cofio' bellach. Disgynnodd y darne i'w lle a chafwyd ymdeimlad o gyflawnder wrth i'r gwlith ddisgyn ar y meini llaith a'r tir anial yng nghysgodion y nos. Pwy a ŵyr os nad oedd y cyfrinydd mawr ei hun, erbyn hynny, wedi cynhesu at y syniad ein bod yn ei gofio ar yr union erwau lle bu'n chware ac yn meistroli'r Gymraeg yng nghwmni Dai Mwntan, Stanley Glynsaithmaen, Edgar Tŷ Cwta a Dai Carnabwth.

Os dysgodd y profiad hwnnw o sgriptio *Môr o Oleuni* rywbeth o'r newydd i mi am Waldo mae'n rhaid taw ei hoffter o seiclo oedd hwnnw. Naddo, ni wnaeth erioed yrru car; ni fu Waldo erioed yn berchen ar y fath declyn. Ond seiclodd filoedd o filltiroedd ymhob tywydd a hynny nid am ei fod yn fabolgampwr ond am mai dyna oedd yn hwylus iddo i fynd i'r fan a'r fan. Hwyrach mai dyna pryd y byddai'n chwalu meddylie ar eu mireiniaf ac yn ymgodymu ag ef ei hun i geisio cyrraedd gwaelodion deall dyn a'i amgylchiade. Tybed?

Un o sylwade canolog llawer o drigolion hŷn yr ardal bron yn ddi-feth wrth sgwrsio amdano oedd cofio ei weld ar ei feic yn rhywle. Hwyrach y bydde eu hatgofion neu'r hyn a gofient o wrando ar sgyrsie aelode hŷn o'r teulu yn ddi-nod yn eu golwg a bron y byddent yn ymddiheuro am eu datgelu. Teimlent y dylai fod ganddynt amgenach atgofion am ŵr a ystyrir bellach yn ots i'r cyffredin gydag elfen o eurgylch o fawredd o'i amgylch. Ond dyn cyffredin ymhlith pobl gyffredin oedd Waldo ar un olwg ac roedd yr 'atgofion' hynny, er yn siprys yng ngolwg eu perchnogion, yn dalpe o aur i ambell wrandawr a geisiai ddirnad yr hyn a godai Waldo'n uwch na'r cyffredin ar lawer i wedd.

Dyma'r dyn a ysgrifennodd ei gerdd olaf yn mawrygu Sant Tysilio am iddo wrthod y cyfle i etifeddu teyrnas ei dad ym Maldwyn am y bydde hynny'n golygu codi arfe ac ynte'n credu yn nheyrnasiad heddwch. Hwn oedd ei arwr pennaf. Myfyriodd Waldo'n ddwys ynghylch argyhoeddiad a phenderfyniad Tysilio i ymgartrefu dros dro yn Llandysilio-yn-Nyfed 'rhag gorfod tynnu cledd'.

Rhychwantai myfyrdod Waldo ar draws y canrifoedd a hynny, bid siŵr, pan oedd ar ei feic. A pha well ffordd o geisio ei adnabod na dilyn ei drywydd ar gefn beic? Rhown lonydd i'r academyddion i ddyrys ddadansoddi cilfache cudd ei feddylie a ffureta am y dylanwade astrus ar ei farddoniaeth. Awn ni ar drywydd y dyn a cheisio deall pam y gadawodd gymaint o argraff ar gynifer o'r bobl a'i hadwaenai.

Bant â ni i Aberdaugleddau at un o'i neiaint sy'n seiclwr o fri ac sy'n barod i rannu'r daith. Oedd, roedd Teifryn yng Nghilmeri ar 28 Mehefin 1969 pan ddychwelodd yn unswydd o Burnham-on-sea, yng Ngwlad yr Haf, lle gweithiai mewn ffatri laeth, i weld "Beth *wedd* yr holl ffwdan obwti" ac ynte'n 27 oed.

Roedd Teifryn hefyd ar gomin Mynachlog-ddu ar 17 Gorffennaf 2004 yng nghanol brynie'r Preselau, brynie sydd yn ôl rhai yn gysegredig ar gownt y 38 o henebion a ganfyddir ar hyd eu llethre a'u gwastadedde. Yn ôl eraill mae'r union dir lle troediodd Waldo, pan oedd yn grwt, yr un mor gysegredig bellach.

O, ie, cofiaf yn dda i mi gael fy nharo'n stond wrth eistedd ar y bont ym mhentref y Glôg yn y dyddie cynnar hynny, pan na wnawn ddim mwy na whilibowan ar ryw brynhawn o wanwyn pêr, o weld cyfres o gysgodion gole yn rhuthro ar draws trwch porfa'r ddôl obry ac ar hyd wyneb y cwarre fry, un ar ôl y llall, gan feddwl pwy oedd y tu ôl i'r fath symudiad chwim a di-stŵr a wnâi i mi godi fy mhen a rhythu'n syn? Deuai'r ateb yn y man.

1

Ar fy meic i Aberdaugleddau

GOHIRIWYD Y DAITH ar ddau achlysur ond pan glustnodwyd y trydydd cynnig penderfynwyd y byddid yn ei chyflawni doed a ddelo, ceser neu drwste, llifogydd neu luwchfeydd, dirgryniad neu dirlithriad. Ni fyddwn yn cyflyru fy hun ar gyfer y dasg drachefn a chanfod ar y funud olaf nad oedd dewis ond gohirio a danto.

Yn wir, ar y bore Llun hwnnw, rhwng hydref a gaeaf, gwelwn golsyn o haul rhwng y llenni ar orwel y dwyrain yn y bore bach. Am fod y penderfyniad wedi'i wneud ni thrafferthais wrando ar y rhagolygon tywydd rhag blaen. Onid oedd y wawr rhuddgoch ar draws y nen yn ddigon o sbardun i'r mwyaf dioglyd o blant dynion godi ar amrant o'r cae nos? Na, ni fydde hyd yn oed holl gŵn Annwfn â'u hudo amhersain wedi amharu arnaf.

Erbyn wyth o'r gloch roeddwn yn rhodio'n braf o Faenclochog i gyfeiriad pentrefi Gwastad a Llys-y-frân heb yr un oriawr i wirio'r amser bob whip stitsh, heb yr un rhestr o ddyletswydde i'w cyflawni cyn trymder nos a heb yr un gofid i'm llesteirio. Dyma beth oedd rhyddid llwyr wrth i'r awel grafu fy moche a minne'n edrych i'r aswy law yn ogystal ag i gyfeiriad fy neheulaw am yn ail i werthfawrogi gogonianne byd natur; rhywbeth na fyddwn yn medru ei wneud petawn wrth lyw cerbyd ac yn gwrando ar raglen radio.

Wrth fynd heibio pen feidir Brisgwêd cofiwn am y stori honno am Waldo a glywais gan ddyn o'r un enw a fagwyd yn y cyffinie. Cofiai amdano'n blentyn yn y 1940au yn chwarae yn yr allt ar hyd tarddiant afon Syfynwy pan ddaeth ar draws Waldo, i bob pwrpas yn borcyn, ar ei ben ei hun yng nghanol carped o facse'r brain.

Dychrynodd y crwt o weld oedolyn yn y fath gyflwr annisgwyl a dihangodd o'r fan ar ras. Ond roedd y cyfarfyddiad hwnnw wedi llywio ei agwedd tuag at y bardd weddill ei oes wrth iddo dybied nad oedd dim yn anrhydeddus yn ei gymhellion dros ddiosg ei ddillad. Ni fedrai ddirnad efallai fod gan Waldo awyddfryd y rhamantydd i fod yn un â natur ar brynhawn tesog o wanwyn a'i fod am flasu'r diniweidrwydd hwnnw a fodolai yng Ngardd Eden cyn y Cwymp.

Wrth droi i gyfeiriad fferm Parc-y-marl gwelwn dyddyn Llwyncelyn draw lle bu Waldo'n treulio amal i noson yn chwedleua yng nghwmni Lloyd ac Anita Richards tan yr orie mân. Hanai prifathro'r ysgol leol o Drefdraeth a doedd mo'i debyg am adrodd stori 'Siwsan yr Hwch' a ffantasïe eraill o eiddo dychymyg byw Daniel y Pant a adwaenai yn nyddie ei fachgendod. Diau y bydde Waldo ynte'n adrodd rhai o helyntion Wil Canaan a'r ddau'n rhyfeddu at allu dyn i weu celwydd gole mor gelfydd. Mynych y bydde Anita'n stwmo'r tân a noswylio a chyn pen dim bydde'r ddau wedyn, wrth i'r aelwyd oeri, yn mynd i'r llofft i rannu gwely er mwyn parhau â'r chwedleua.

"A cofiwch, wedd Waldo'n sgrifennu poetri," meddai Anita weddw wrthyf mewn syndod un noson wrth inni'n dau chwedleua o amgylch ei thân glo.

Erbyn cyrraedd Pont Grwca ar draws afon Syfynwy dechreuais duchan wrth wynebu rhiw serth, a rhag trethu cyhyre'r coese'n ormodol o gofio am yr orie o seiclo a'm hwynebai, penderfynais fwynhau'r pleser o wthio'r beic am ganllath neu ddau. Cyfle bob hyn a hyn i oedi a gwerthfawrogi lliwie'r dail ar y canghenne uwchben. Pa mor gyfoethog yw'r Gymraeg o ran ei geirfa i ddisgrifio holl gochni dail y ffawydden sgwn i... rhuddgoch, fflamgoch, cringoch, ysgarlad, gwaetgoch, purgoch, betysgoch, haulgoch, browngoch a chadnogoch.

Rhywle yn y cyffinie yr oedais rywdro ger llannerch hud

pan welais haid o genawon yn chware blith draphlith yn heulwen y gwanwyn cynnar heb iddyn nhw synhwyro fy mod yn fy nghar gerllaw yn eu gwylio. Eu blinder hwy yn hytrach na'm presenoldeb inne ddaeth â'r chware i ben a'u diflaniad i'w ffau.

Erbyn croesi afon Cartlett ar draws Pont Newydd gwyddwn na fyddwn fawr o dro cyn cyrraedd Crwndél a chyrion Hwlffordd a thrafnidiaeth gweithwyr y swyddfeydd a'r siope. Hawdd oedd osgoi canol y dref a seiclo i gyfeiriad Pont Fadlen ar ddarn hir a gwastad o ffordd heb fod angen newid gêr na thuchan na thyngu.

Taflu cipolwg sydyn y tro hwn i gyfeiriad ardal Prendergast a Thŷ'r Ysgol, ger Capel Hill Park, lle cynhaliwyd y seremoni gofiadwy honno i ddadorchuddio llechen yn cofnodi man geni Waldo ar ddiwrnod ei ben-blwydd ar Fedi 30, 1998. Roedd James Nicholas yn ei hwylie yn moli Waldo i'r entrychion yng ngŵydd yr arweinwyr dinesig gan eu canmol am eu gweledigaeth a'u goleuo ynghylch eu braint wrth dynnu llinyn y gorchudd. Deil ei sylw cloi am ei bartner, sef 'may the eternal light shine on the soul of Waldo Williams forever', i atseinio yn fy nghlustie.

Bellach, dymchwelwyd yr ysgol a Thŷ'r Ysgol a thebyg bod y plac mewn rhyw ddrâr yn swyddfeydd Cyngor Sir Penfro rhywle.

Da o beth oedd cyrraedd y llwybr seiclo ger Coleg Sir Benfro am nad cysurus fydde pedlo ar hyd y ffordd fawr A4078 yr holl ffordd i Aberdaugleddau yng nghesail lorïe trymion. Yn unol â'i air daw Teifryn i gwrdd â mi o fewn rhyw hanner milltir a gŵyr ynte am bob troad a chornel ar hyd y llwybr fel cefn ei law.

Does dim pall ar ei sgwrs ond cymaint ag y medrwn ei wneud i'w borthi yw hymian gair neu ddau cadarnhaol bob hyn a hyn am fod y dasg o sicrhau bod gêrs fy nwy olwyn yn cyfateb wrth droelli ar hyd ambell dyle bron â bod yn drech na mi. Ac am brydferthwch wrth seiclo drwy elltydd llawn coed praff a hynafol a ninne mae'n amlwg ym mherfeddion cefn gwlad er yn dilyn cledre rheilffordd mewn ambell fan. Does dim rhyfedd bod yna eraill yn seiclo, loncian neu gerdded yng nghwmni eu cŵn ar hyd Llwybr Brunel; a digon o ryfeddod oedd y ci dall hwnnw a fu bron â chamu o afael ei feistr i lwybr yr olwynion. Doedd y perchennog clir ei olygon yn amlwg ddim yn dywysydd mor ddarbodus â'r ci clir ei olygon a dywysa berchennog dall.

Ni chlywsom sŵn yr un cerbyd am saith milltir a bu raid oedi am getyn wrth ymyl llyn hirgul i wrando ar y tawelwch llethol pan oedd byd natur ei hun yn ei nefoedd. Nid cyn y gwelem Bont Cleddau yn y pellter y sylweddolem ein bod ar fin ailymuno â gwareiddiad modern. Wrth y cei yn Neyland roedd blas arbennig ar y coffi o Gaffi'r Siandler a yfem yn yr awyr agored.

Cyn i mi gael cyfle i holi Teifryn am arferion seiclo ei ewythr roedd ynte a'r weinyddes yn sgwrsio'n hwyliog am seiclo ac am ei gobeithion hithe o drefnu taith noddedig i Ffrainc yn y gwanwyn er mai prin oedd ei phrofiad o farchogaeth y ceffyl haearn. Doedd Teifryn ddim yn brin o sôn am ei brofiade ynte'n seiclo yn Sbaen a Chiwba a'i wybodaeth am y cwmnïe sy'n trefnu'r teithie nawdd ar ran elusenne. Cyn cymryd y dracht olaf cefais wybod mai dyn un beic oedd Waldo ac mai Enfield oedd hwnnw, heb iddo'r un gêr. Fyddai'n ddim iddo deithio can milltir mewn diwrnod ar ei feic gan gerdded i ben pob tyle.

Daeth dawn ddihafal Teifryn i dynnu sgwrs ar sail chwilfrydedd i'r amlwg drachefn ar ôl ailgydio yn y daith pan welodd wyneb a welsom yn cerdded ar hyd y llwybr yng nghyffinie Hwlffordd. Ar ôl cadarnhau bod y gŵr bonheddig wedi cerdded yr holl ffordd cafwyd ar ddeall nad oedd yn ystyried hynny'n gamp anghyffredin am ei fod yn ei chyflawni bron yn ddyddiol ac yna'n defnyddio ei docyn bws henoed i ddychwelyd i Hwlffordd i gael ei ginio wedyn. Petai gennym amser i loetran a phe na bai'r dieithryn yn awyddus i ddal bws mae'n siŵr y byddai procio Teifryn wedi ei arwain i ddatgelu holl hanes ei fywyd ger ein bron o fewn deng munud.

Taith sionc wedyn oddi ar y llwybr seiclo ymhen cetyn ar

hyd ffyrdd tarmac i Steynton a thrwy Aberdaugleddau nes cyrraedd pont Hakin a Bryn Iago a'r addewid o ginio'n cael ei wireddu. Tra oedd Teifryn yn y gegin cefais inne gyfle i archwilio'r llyfrgell eang o'i eiddo yn y lolfa. Deuthum o hyd i gyfrol y dechreuais ymgolli ynddi. Byddar oeddwn i bob sylw o'r gegin a rhaid bod fy ngwesteiwr wedi credu fy mod yn pendwmpian os nad yn cysgu.

Ond roedd stori Ted Simon yn gafael am ei fod, fel ninne, ar drywydd rhyw wirionedd. Fe gymerodd hi bedair blynedd i'r Sais dramwyo'r byd ar gefn moto-beic i gofnodi *Jupiter's Travels*. Roedd ei gynfas yn dipyn ehangach na'n heiddo ninne wrth iddo deithio 63,000 o filltiroedd ar draws 54 o wledydd ar epig o daith a oedd yn galw i gof gampe'r fforwyr cynnar. Cefais fenthyg y gyfrol er mwyn darganfod dros fy hun beth sy'n gwneud i ddyn anturio i'r fath radde nes cyrraedd bywyn ei enaid ei hun.

Gwyddwn nad doeth oedd cymryd llond lletwad arall o'r gymysgedd y gellid ei disgrifio'n rhyw fath o *goulash* Hwngaraidd, ond roedd yn flasus. Sgyrsiai Teifryn yn rhydd ac yn rhwydd am ei helbulon a'i lawenydd gan bwysleisio'r cylch o ffrindie oedd ganddo i'w gynnal, gan gynnwys y lleian a ffoniodd tra oeddem yn bwyta. Ni wnâi edliw ddim i neb ac ni chyhoeddai iddo gael cam erioed fwy nag iddo fod yn anffodus o dro i dro.

Ofer oedd fy ymdrechion i ymwrthod â phwdin. Ond wrth iddo gerdded 'nôl a mlân o'r lolfa i'r gegin ac weithie troi ar ei sodle ar hanner ffordd am ei fod am ychwanegu pwt arall at ryw stori, fe gofiais am yr achlysur hwnnw pan oedd Waldo wedi gwahodd rhai o feirdd y Cilie i alw i de yn ei fwthyn ar gyrion Pont Fadlen, Hwlffordd. Mynych y cerddodd Waldo 'nôl a mlân o'r gegin i'r ford â phlat gwag yn ei law mae'n debyg am iddo anghofio bod angen torri tafell o darten gan gymaint yr ymgollai yn ei sgwrs ei hun. Gesum inne lond dysgl o darten fale a llwyaid fawr o iogwrt ar ei ben. Hwyrach mai hwnnw oedd y drwg ar ben y gwydreidi o ddŵr a yfwn fel ych; a rhaid oedd cael paned o goffi a hoe wedyn cyn ailgydio yn y seiclo.

O leiaf cafwyd cyfle i fapio rhai teithie tebygol pan fyddem yn mynd ar drywydd Waldo ar gewn beic. Prin fod yna'r un ardal yn Sir Benfro lle nad oedd ganddo gysylltiad neu gydnabod, a gellid yn hawdd wneud wythnos ohoni yn seiclo feidiroedd y sir ar drywydd y sawl a'i hadnabu, ac eraill a feddai dystiolaeth ail-law amdano wedi'i throsglwyddo o genhedlaeth i genhedlaeth. Wrth dreulio ysbaid yng nghwmni Waldo byddai'n creu argraff, a'r argraff honno wedyn yn cael ei hailadrodd droeon nes datblygu'n rhan o gof teuluol.

Soniwyd am fentro mor bell â Bridgwater, yng Ngwlad yr Haf, am fod Linda, gwraig Waldo, wedi bod yn dysgu yn y cyffinie cyn iddyn nhw briodi, ac i ardaloedd eraill yn Lloegr lle bu'r bardd gweddw'n byw am gyfnod ar ddiwedd y 1940au a phan "gollon ni fel teulu gysylltiad ag e heb wybod yn iawn ble roedd e," medde Teifryn.

Yn ogystal â cheisio canfod ei hynt yn ystod y blynyddoedd hynny pan oedd ar ddisberod, soniwyd am groesi i Iwerddon a seiclo rhyw drigain milltir o Rosslare i Cahir i gwrdd â'r Chwaer Bosco a fu'n gefn ysbrydol i Waldo pan oedd hi'n byw yn Hwlffordd. Ond byddai'n rhaid dechre wrth ein traed a mynd ar drywydd perchennog fferm Great Harmeston lle'r arferai Waldo letya am gyfnod gyda chyd-Grynwyr.

Wrth weld Teifryn yn cerdded yn brysur, yn fân ac yn fuan, ac ychydig yn ei gwman tuag at ei feic ni allwn lai na theimlo bod rhywfaint o nodweddion corfforol ei ewythr yn perthyn iddo. Dychwelwyd i Hwlffordd ar hyd llwybr beicio arall a minne'n cael fy nhywys heibio amal i furddun megis Bwthyn Goosepill yr adroddai Teifryn eu hanes yn huawdl, a hynny nid am ei fod wedi darllen y manylion yn rhywle ond am ei fod wedi eu clywed o enau'r sawl a feddai gof plentyn ohonyn nhw'n breswylfanne. Bron y medrai fentro'r daith hon â'i lygaid ynghau am iddo ei gwneud ddege o droeon yn y gorffennol i gynnal dosbarth dysgu Cymraeg yng Nghastell Gwalchmai bob nos Fercher.

Ond mae'n rhaid bod yr iogwrt a'r dŵr yn ceulo rywle yn fy stumog oherwydd dilyn o hirbell a wnawn ar adege a phob rhyw ganllath wedyn roedd rhaid i mi adael ychydig o'r *goulash* yng nghlais y clawdd. Doedd y ffaith fy mod yn dioddef o anhwylder Gilbert neu *bilirubin* sy'n gwneud treulio bwyd yn dasg anodd ar brydie o ddim cymorth. Byddai'n rheitiach petawn wedi bwyta ychydig o fwyd cwningen a'i gadael ar hynny am y tro. Tra newidiai Teifryn y gêrs yn ddeheuig er mwyn pedlo i ben pob rhiw roedd rhaid i minne gerdded i ben amal i ripyn serth nes cyrraedd Tiers Cross.

Oddi yno i Hwlffordd ar y ffordd fawr am getyn, cyn ailymuno â'r llwybr seiclo. Roedd hi'n daith hamddenol braf. Gwelem fynyddoedd y Preselau yn ymhŵedd yn y pellter a minne ar fy ffordd adref i'w côl. Tybed a fydde'r holl goed a dail a welsai Waldo yn ystod ei holl grwydro, yn glasu yn y gwanwyn ac yn pydru yn yr hydref, wedi bod yn ffactor wrth iddo ddewis teitl i'w unig gyfrol o farddoniaeth yn ogystal â'r arwyddocâd Beiblaidd o Lyfr y Diarhebion? Wedi'r cyfan, mae'r ddelwedd o ddeilen grin yn disgyn yn gymhariaeth bwerus â'r syniad o wareiddiad yn edwino a gwareiddiad arall yn blaguro wrth i'r ddeilen arall ymffurfio maes o law.

Wedi cyrraedd Crwndél troes Teifryn i gyfeiriad Cas-wis er mwyn bwrw draw i Login i weld ei frawd, Gerwyn, ac yna dychwelyd i Aberdaugleddau yn ddiweddarach ar y trên o Glunderwen. O'm rhan i, rhaid oedd pwlffagan arni heb hidio am bedlo pob modfedd o'r daith a oedd yn weddill, a chydnabod mai er tegwch â'r beic y cerddir bob hyn a hyn.

Wrth gysgodi rhag cawod o geser ger Pont Camu Naill Ochr, a hithe'n dechre tywyllu, cefais gyfle i sylweddoli fy mod wedi fy adnewyddu wrth wneud llawn ddefnydd o'r corff, y meddwl a'r enaid gydol y diwrnod i ddirnad, cyflawni a gwerthfawrogi.

2

'Nachlog-ddu amdani

O FEWN HANNER milltir o droi i'r dde ar ben y feidir sy'n arwain o fy nghartref ar gwr gogleddol eithaf ffinie pentref Maenclochog deuir at feidir a elwir ar lafar gwlad yn Feidir Gwrês. Fe'i gelwir felly am ei bod yn mynd ar draws. Haws weithie yw derbyn mai dyna yw'r enw a'i gadael ar hynny na cheisio esbonio'r tarddiad neu reole gramadegol y dafodiaith, os oes yna rai. Ond digon yw dweud nad oes neb yn yr ardal o blith y brodorion fyth yn rhedeg ar 'draws cae' nac yn gwneud dim yn 'groes graen'; byddant yn rhedeg yn 'gwrês ca'', neu 'barc' fynychaf, ac yn cyflawni rhyw orchwyl annymunol yn 'gwrês grân'. Yr un yw'r gair a ddefnyddir i gyfleu'r cynhesrwydd a ddaw o dân neu haul hefyd ond heb gymaint o bwyslais ar yr ail lafariad!

Bydde, bydde Waldo, â'i ddiddordeb ysol yn ffurfie'r iaith, wedi dotio at y defnydd o'r geirie hyn ac wedi'u hanwesu wrth eu llefaru. Iddo ynte y mae'r diolch am awgrymu mai tarddu o'r Wyddeleg a wna'r enw 'Maenclochog'; esboniai fod y gair 'clochog' yn gyfystyr â'r hen air Gwyddeleg 'cloċóz' sy'n golygu 'llain o dir yn llawn o feini enfawr'. Gallai sawl cenhedlaeth o ffermwyr yr ardal dystio i gywirdeb y disgrifiad wrth iddyn nhw straffaglu i symud tunelli o gerrig at fôn cloddie'r perci er mwyn eu gwneud yn gymwys i'w haredig.

Cymaint amgenach yw'r esboniad na'r stori asgwrn-pen-llo mai maen neu feini a fyddai'n canu fel cloch o'u taro a roes i'r pentref ei enw. Pwy fyddai am daro'r meini ac â pha offeryn ac i ba bwrpas? Amrwd fyddai gyrdd y canrifoedd cynnar a dychryn anifeiliaid wnâi'r sŵn mae'n siŵr, yn hytrach na ffurfio seindorf soniarus. Does dim golwg o'r meini bondigrybwyll bellach, beth bynnag.

Na, mae'n rhaid bod Waldo ar ei gwar hi oherwydd bydde'r Wyddeleg i'w chlywed yn yr ardal yn y canrifoedd cynnar pan ymgartrefodd llwythau'r Déisi yn y cyffinie. Tystiolaeth bellach yw'r garreg ogam sy'n coffáu aelod un o'r teuluoedd amlwg yn eu plith a welir yn Eglwys y Santes Fair, Maenclochog. Rhaid cofio mai Gwyddel oedd Sant Brynach hefyd, y buase Waldo mae'n siŵr yn gyfarwydd â'i hanes, yn cael ei erlid o'r ardal gan ei wraig o Gymraes ar adeg pan oedd rhagfarn yn erbyn y Gwyddelod ac ychydig o lanhau ethnig ar y gweill. Serch hynny, cysegrwyd nifer o eglwysi yn yr ardal, gan gynnwys Eglwys Castell Henri gerllaw, i'r gŵr duwiol o'r chweched ganrif; hwyrach bod yr eglwys gynnar ym Maenclochog ei hun wedi'i chysegru iddo cyn iddi gael ei dinistrio gan y Llychlynwyr.

O fynd ar hyd Feidir Gwrês, sgwn i a fentrodd Waldo gynganeddu enw'r fferm gyntaf y deuir iddi, Trebengych, rywbryd, wedi iddo gasglu ei wobr eisteddfodol gyntaf yn Eisteddfod Llungwyn Capel Horeb gerllaw ym 1922 ac ynte'n 17 oed ar ei flwyddyn olaf yn Ysgol Ramadeg Arberth? Byrdwn y gerdd 'Horeb Mynydd Duw', a gyhoeddwyd ar dudalen flaen un o rifynne mis Gorffennaf wythnosolyn enwad y Bedyddwyr, *Seren Cymru,* y flwyddyn honno, oedd apelio ar ddyn i roi'r gore ar droi ei gefn ar Dduw a dychwelyd i'w gôl. Mae'n debyg bod rhai o'i gyfoedion o'i ddyddie yn Ysgol Mynachlog-ddu wedi rhuthro ar y llwyfan i'w longyfarch yn wresog.

Ond nid dyna ei ymgais gyntaf i droi ei law at farddoni. Heblaw am y rhigymu fydde ynte a'i chwaer, Morvydd, yn ei wneud yn blant, a hynny, yn ôl ei gyfaddefiad ei hun, yn Saesneg, cyfansoddodd Waldo ei gerdd Gymraeg o ddifrif gyntaf pan oedd ar ei flwyddyn gyntaf yn Ysgol Arberth, a'r testun oedd 'Gwrthryfel y Pasg, 1916' yn Iwerddon. Mae'n rhaid bod berw a chyffro'r digwyddiad hwnnw wedi cydio yn ei ddychymyg. Er nad yw'r gerdd wedi goroesi, tebyg mai cymeradwyo'r digwyddiad a wnâi wrth iddo blethu'r geirie. Ond yn ddiweddarach, wrth i'w awen aeddfedu, ni fyddai wedi canmol yr un weithred o drais cyffelyb er na phylodd ei ddiddordeb yn hanes yr Ynys Werdd. Byddai arwriaeth ymprydio gweriniaethwyr y wlad yn apelio'n fwy ato maes o law na'r defnydd o fwledi.

Diau y bydde aelode o deulu duwiolfrydig Siencyniaid fferm Budloy, gerllaw Horeb, lle arddelid y ddyletswydd deuluol bob ben bore, yn bresennol yn yr Eisteddfod y noson honno. Roedd y tad, David Jenkin, eisoes wedi bod yn ysgrifennydd yr achos ers 45 mlynedd a phetai chwilfrydedd Waldo wedi'i arwain y noson honno i'w holi ynghylch ystyr tarddiad enw anghyffredin y ffarm, hwyrach y buasai wedi ei arwain i ddeall mai'r Llychlynwyr oedd yn gyfrifol am y bathiad.

Y flwyddyn honno dechreuodd mab disgleiriaf y teulu, Thomas James, yn 37 oed, ar yrfa nodedig yn y Fridfa Blanhigion, Aberystwyth, a'i harweiniodd i ddatblygu math arbennig o rygwellt y gellid ei bori hyd y bôn heb ei wanhau, yn ogystal â datblygu'r hadyd S.23 a fu'n gymaint o gaffaeliad i wella tir glas. Bydde llwybre T.J. a llwybre Waldo wedi cydgyffwrdd droeon yn Aberystwyth yn ddiweddarach, mae'n siŵr.

Doedd y botanegwr ddim yn amddifad o ddiddordeb mewn barddoniaeth am iddo ynte hefyd yn ei dro gystadlu yn Eisteddfod Horeb pan oedd yn llanc. Gellir dychmygu cryn drafodaeth rhwng T.J. a Waldo am y ddamcaniaeth fod y Llychlynwyr wedi dilyn afon Syfynwy at ei tharddiad a chreu anheddiad ar dir Budloy tua'r ddeuddegfed ganrif. Bydde darlithie diweddarach Waldo pan fyddai'n trafod presenoldeb y gwahanol oresgynwyr yn Sir Benfro yn frith o gyfeiriade o'r fath.

O ddychwelyd at geg Feidir Gwrês cymerwn hyrfa er mwyn pedlo tuag at i fyny ar hyd Feidir Bwlchshetin a throi i'r dde i gyfeiriad Crymych a Mynachlog-ddu heibio Sgol-hill a'r Alps a seiclo ar hyd y gwastad i gyfeiriad pen Feidir Eithbed. Da o beth fydde oedi ar hyd y darn hwn, oherwydd ar ddiwrnod clir gwelir pentref Maenclochog yn ei grynswth yn union obry, a hyd yn oed ardaloedd yng ngwaelod Sir Benfro i gyfeiriad Aberdaugleddau a Phenfro ar y gorwel pell yng nghysgod simneie talsyth y purfeydd olew.

Yn nes atom bydde Waldo'n nodi rhai o'r cymoedd a'r dyffrynnoedd adnabyddus cyfagos gan gynnwys Cwm Rhydwilym a chwerthin yn dawel iddo'i hun mae'n siŵr, o gofio am un o'r trigolion athrylithgar a anfarwolwyd ganddo mewn soned, sef Wil Canaan; crefftwr a oedd yn fwy adnabyddus am ei ddawn dweud nag am ei ddawn fel clocsiwr. Yn wir, nid yw'n anghyffredin hyd y dydd heddiw i glywed y sylw, "O, ma tipyn o'r Wil Canaan yn perthyn i honna, glei," pan fydd rhywun yn adrodd stori sy'n dipyn o her i'r gwrandawr ei chredu.

Ar adeg cynhaeaf gwair, pan fydde'r pladurwyr yn whys drabŵd ar ôl lladd parc cyfan, arferai Wil Canaan broffwydo dyfodiad y diwrnod pan fydde'r ffermwr yn gosod siswrn anferth ym mwlch y parc ac yn torri'r cnwd cyfan, mewn byr amser, wrth gau ac agor y peiriant rhyfeddol. "Gad dy ddwli" fydde ymateb y rhelyw o'r gwrandawyr wrth ryfeddu at ei ddychymyg carlamus. "Bydd, bydd, fydd 'na fowr o waith i chi wedyn, bois," fydde ei ymateb. Hwyrach na chafodd peiriant o union ddisgrifiad William Evans ei ddyfeisio ond o leiaf rhoddwyd y bladur o'r neilltu a thasg un dyn yw lladd gwair mwyach.

Dro arall, bydde'n brolio bod ei ast alluog wedi dal dwy sgyfarnog yr un pryd a'r rheiny'n rhedeg ar garlam i gyfeiriade gwahanol.

"Shwt hynny 'te, Wil?" fydde'r gofyniad.

"Wel, weda i wrthoch chi nawr, bois, fel hyn wedd hi. Wên i'n gweld yr ast fach yn pwslo wrth iddi godi dwy sgwarnog ac un yn mynd i'r whith a'r llall i'r dde. Fues inne'n ddigon cloi i gydio mewn cryman wedd 'da fi wrth law fan 'ny wrth lwc a'i thowlu gynted gallwn i i gyfeiriad yr ast. A, wir i chi, fe holltes i hi'n ddou fel bod hithe 'fyd yn gallid mynd i'r ddou gyfeiriad, a dala'r ddwy sgwarnog, ch'wel!"

Taw piau hi, a fiw i'r gwrandawyr ame cywirdeb y dweud neu siawns na cheid hanes y morloi draw yng Ngwlad yr Haf a straeon anghrediniol cyffelyb. Pan sarnwyd siolyn o'r llwyth o galch i rewyn o ddŵr wrth i Wil ddychwelyd o Eglwys-lwyd, islaw Arberth, mynnai fod yna forloi draw ar arfordir Lloegr yn boichen udo o fewn deng munud am fod y calch yn llosgi'u llyged.

Bydde Waldo'n gyfarwydd â'r straeon hyn a byddent, bid siŵr, yn ei goglish bob tro y clywai hwynt a buasai hynny'n lled fynych mewn dyddie pan fydde dawn dweud uniongyrchol, yn hytrach na theledu neu radio, yn gyfrwng diddanwch ar hyd y fro.

Dewis sôn am Wil yn dofi'r lecheden a ddaeth i mewn i'r bwthyn ganol nos ac yna ei gollwng mas trwy'r drws mor ddidaro â phetai'n oen swci wnaeth Waldo yn ei soned. Mawr oedd gwrhydri Wil y noson honno am fod y storom, yn ôl y sôn, wedi bod yn un nerthol a lluched di-ri wedi creu hafoc wrth godi coed praff o'u gwreiddie a tharo ambell geffyl yn gelain yng Nghwm Rhydwilym.

Bydde Waldo'n sylweddoli fod athrylith sawl cenhedlaeth o Gymreictod yn brigo i'r wyneb yn noniolwch Wil Canaan ac y byddai ei ddychymyg byrlymus, petai wedi byw mewn cyfnod diweddarach, wedi ei wneud yn ben storïwr ffilmie cartŵn; roedd ei straeon yn stribach o ddwl a'u habswrdiaeth yn cynyddu o'u hailadrodd. Gwyddys fod Wil wedi'i eni ym 1811 ond nid oes cofnod pryd yn union y bu farw er y dyfalu yw mai rhywbryd yn y 1870au; hwyrach bod yr ansicrwydd hwnnw yn ychwanegu at y syniad fod Wil Canaan yn ein plith ni o hyd.

Prin y bydde'r llinyn hwn o Gymreictod naturiol a phwerus wedi taro Waldo oni bai iddo symud o ganol Seisnigrwydd Hwlffordd, i fyw yn ei ganol a chael ei amsugno i'w gyfansoddiad mor rhwydd ag anadlu. Yr un modd byddai'n synnu at faint dylanwad crefydd a daearyddiaeth y Beibl ar yr ardal nes hyd yn oed enwi bythynnod di-nod ar ôl enwe cyfarwydd a glywid yn yr Ysgol Sul. Roedd bwthyn o'r enw Yr Aifft nid nepell o Ganaan, a thafarn o'r enw Eden gerllaw hefyd.

A pha well ffordd o wyntyllu a phensynnu ynghylch yr elfenne hyn a oedd yn rhan o wead y gymdeithas y cafodd ei ddeffro iddi yng nghylch Mynachlog-ddu na phan oedd ar ei feic?

Ar hyd y ffordd fynydd hon, ychydig cyn cyrraedd pen Feidir Eithbed, o dan y ffordd wrth iet un o'r perci ar y dde, gwelir carreg goffa'r Parch. Joseph James. Saif y garreg urddasol yno ers yn fuan ar ôl marwolaeth y gŵr o Ddowlais ym 1963 gyda'r arysgrif arni'n adleisio un o linelle Waldo – 'Cadwodd fur Preselau rhag y bwystfil'.

Does dim sôn fod Waldo yno ar y prynhawn y dadorchuddiwyd y garreg ond byddai'n gyfarwydd â'r gwron â'r 'atal dweud wedi ei santeiddio', chwedl y Parch. O. Morley Lewis, a oedd hefyd ymhlith y gweinidogion a safodd yn gadarn yn erbyn bwriad y Swyddfa Ryfel i feddiannu tiroedd y Preselau ar ddiwedd y 1940au. Cafodd 'Joe', fel yr adwaenid ef ar lafar gwlad gyda chryn anwyldeb, ei ordeinio'n weinidog yr Annibynwyr yn Pisgah, Llandysilio, a Bethesda, Llawhaden, ym 1908 a'i gyfaill mawr oedd y Parch. D. J. Michael, a ordeiniwyd yn weinidog ar gapel Blaenconin, y Bedyddwyr gerllaw, flwyddyn yn ddiweddarach. 'Meicel', fel yr adwaenid ynte mewn cyfnod pan oedd enwe gweinidogion i'w clywed yn gyffredin ar dafod leferydd, a fedyddiodd Waldo, ei dderbyn yn gyflawn aelod a'i briodi ym Mlaenconin.

A phriodol mai 'Meicel' a wasgarodd lwch ei bartner mynwesol ar dir ffarm Arfryn, uwchben Maenclochog, ar brynhawn Mercher, y dydd olaf ym mis Gorffennaf 1963, cyn iddo arwain y gwasanaeth coffa. Bydde Waldo wedi mawrhau achlysur o'r fath am ei fod yn ymwybodol o draddodiad oesol y cylch o godi meini i gofio am wroniaid. Ar yr un pryd, bydde'r stori honno am rai o aelode capel Bethesda yn edliw bod llwch eu gweinidog wedi ei wasgaru yn y fath fodd, yn hytrach na'i gladdu mewn wrn ym mynwent Bethesda, ac yn mynd ati wedyn ar eu penglinie i geisio ei godi, wedi goglish Waldo.

Pedlwn yn ein blaen heibio Mynydd Crwn Bach, Waun Twlce, Feidir Ffani, Bwlchpant a'r Gât wrth i'r awel gosi'r gruddie a holl wyrddni'r gwanwyn hwyr ein hatgoffa o ogoniant natur. Wrth ddynesu at Lynsaithmaen, ar hyd Feidir Helyg a'i chloddie coediog, digon da ei bod yn ole dydd am y bydde'r hen bobol yn cysylltu'r darn hwn â straeon am doili a channwyll corff yn dynodi angladde, ysbrydion, a byddin o filwyr megis rhith yn rhuthro heibio. Digon tebyg bod y traddodiad hwn, ynghyd â holl ddyrys ddigwyddiade'r tywyllwch, yn llechu rywle yng nghefn meddwl Waldo pan aeth ati i ysgrifennu'r stori arswyd honno, 'Toili Parcmelyn', a enillodd gystadleuaeth stori fer yn y cylchgrawn *Y Ford Gron* ym 1931, ac a ddramateiddiwyd gan Manon Rhys ar gyfer y teledu yn nyddie cynnar S4C.

Ond petai yn ein plith heddiw mae'n siŵr mai gwên a ddeuai i'w wyneb wrth gyrraedd pen feidir Glynsaithmaen ac ebychiad maldodus "Wel, yr hen Wil" wrth weld y garreg las a godwyd i gofio am ei hen bartner, Wil Glynsaithmaen neu W. R. Evans, y diddanwr ac arweinydd a sefydlydd parti Bois y Frenni, sy'n dal i gynnal cyngherdde gan ganu cyfansoddiade W.R. Bydde geirie'r englyn milwr sydd ar y garreg:

I ymuno â'r mynydd
Yn ddwst dychwelaf ryw ddydd
At ei gôl bentigilydd.

yn sicr o daro tant cyfarwydd gan adleisio llawer o deimlade Waldo ei hun am le'r mynydd yn ei gyfansoddiad. Eiliad o ddwyster amdani yn ymyl y garreg solet a gymer ei lle yn ymyl y lleill ar draws y fawnog, na wyddom i sicrwydd i bwy y cawsant eu codi namyn gwybod eu bod yno, cyn ailddechre pedlo.

Trwy'r coed talsyth bythwyrdd gwelwn gip ar glos Glynsaithmaen a'r tai mas nad ydyn nhw wedi newid llawer ers y dyddie hynny pan fydde cwnsela'n digwydd gyda'r nos yn y sgubor rhwng ffermwyr a thyddynwyr yr ardal, a arweiniodd at chwalu tollborth Efail-wen draw, ym mis Mai 1839. Roedd hi'n gyfnod o gyni ar ôl cyfres o gynaeafe gwael ar ddiwedd y 1830au a baich ychwanegol oedd gorfod talu'r prisie afresymol am fynd trwy'r tollbyrth wrth gyrchu'r calch angenrheidiol o'r Eglwys-lwyd, islaw Arberth, i'w wasgaru ar yr erwe sur. Tybed a ddychmygodd Waldo erioed iddo glywed lleisie cras y gwŷr garw yn bygwth celanedd ac eraill yn ceisio tymheru'r trafod yn y sgubor, sgwn i? Mae'n debyg y bydde un llais i'w glywed yn uwch na'r lleill ac eiddo Twm Carnabwth, yr ymladdwr ffeirie a drigai o fewn tafliad carreg i'r sgubor, fydde hwnnw.

Yn nyddie llencyndod Waldo yn yr ardal bydde nifer a gofiai'n dda am yr hynafgwr Thomas Rees a gladdwyd 35 mlynedd cyn i John Edwal Williams symud ei deulu o gyrion Hwlffordd i Fynachlog-ddu ym 1911. Ac ni fydde'n amhosib fod un neu ddau yn dal yn fyw a oedd yn llygad-dystion os nad yn rhan o'r finte wrthryfelgar a ddinistriodd dollborth Efail-wen ar dri achlysur 72 o flynyddoedd ynghynt. O leiaf bydde'r swae am y cyfnod yn dal yn fyw o holi yn y manne iawn. Bu farw Pheobe Griffiths, Glandy Mawr, yn 82 oed ym 1915 a Thomas Griffith, Llethr Uchaf, ynte hefyd yn 82 oed, ym 1917; byddai Phoebe'n chwech oed a Thomas ynte'n bedair oed adeg y sgarmesu ym 1839, ac yn 39 a 41 oed adeg marwolaeth Twm Carnabwth ym 1876. Ond o gofio bod Thomas Griffith yn Ynad Heddwch ac wedi bod yn ddiacon ac ysgrifennydd ym Methel, Mynachlog-ddu, am dros 50 mlynedd mae'n debyg mai cyndyn fyddai i rannu gwybodaeth am ddigwyddiad a chyfnod oedd yn fater o gywilydd i lawer o'i genhedlaeth. Rhaid cofio hefyd i Twm gael ei ddiarddel o Bethel ym 1845 ac na chafodd ei le'n ôl tan 1867. Mae'n rhaid ei fod yn rhyw fath o *persona non gratis* ymhlith carfan o'r ardalwyr yn ystod y cyfnod hwnnw o 22 mlynedd.

Does dim prinder darlunie i'r meddwl ymaflyd ynddyn nhw wrth bedlo ar draws afon Wern heibio'r llocie defaid sy'n glindarddach o sŵn ubain cyntefig adeg y gneifiad flynyddol. Chwery'r awel yn ysgafn drwy'r brwyn a phlu'r gweunydd ar hyd y glennydd ac o wrando'n astud does dim prinder syne'r haf, yn wenyn a chricsod ynghyd â fflach sydyn amryliw glas y dorlan yn gwibio heibio, yn tystio i ogoniant y gwylltineb. Ar ymyl y ffordd gwelir clwstwr o'r gelaets melyn hynny a achosodd benbleth i lawer o ddarllenwyr y gerdd 'Preseli' am fod gellesgen yn enw mwy cyfarwydd i'r rhelyw ar y blodyn talsyth a ymddengys yn fwy llachar fyth ei felynliw yng nghanol y coesynne a'r deiliach gwyrdd.

O ganolbwyntio ar y darlun hwnnw o garne ceffyle'n atseinio wrth gludo'r gwŷr wedi'u gwisgo mewn peisie gwragedd, ar eu ffordd i gyflawni cyfiawnder cymdeithasol yn enw'r Beca, cyrhaeddir pen uchaf y rhipyn heibio Iet-hen yn gymharol rwydd heb fawr o duchan.

Awn heibio'r mynydd agored lle nad yw'n anarferol gweld haid o ferlod ar y godreon yng nghwmni march gwyn, fel petai'n cynnig ei hun yn gwlwm â'r byd Celtaidd diflanedig – neu'n barod i'w gyfrwyo i gludo Rhiannon wrth i Bwyll, Pendefig Dyfed, geisio ei hymlid – yn gymysg â defaid Pantithel gyda'u node cilhollt o dan y dde, hollt yn yr aswy a bwlch tri thoriad odano, ar hyd llethre Talmynydd. O'n blaene gwelwn arwydd Dan-garn, bwthyn sy wedi'i adfer erbyn hyn yn llety gwylie heb ei ail i'r sawl sy'n chwennych tangnefedd y mynydd, ond hwyrach y bydde Waldo, ac ynte'n wyth mlwydd oed ym 1912, yn cofio am achlysur marwolaeth mam W.R. yn 33 oed, ac ynte wedyn yn grwt dwyflwydd oed yn symud o'r tyddyn i gael ei fagu gan ei dad-cu a'i fam-gu yng Nglynsaithmaen.

Rhwydd hynt i'r beic fynd yn ôl ei bwyse ar hyd Feidir Wilym. Gallwn rannu'r un diléit ag y bydde Waldo wedi'i gael wrth glywed am helyntion clos Glynsaithmaen. Beth am honno ar adeg pan oedd y gwragedd, fel y bydde gwragedd wrth gwrs, wedi bod yn glanhau gered ac wedi symud pob dim o'u llefydd cyfarwydd? Un o'r bechgyn yn cyrraedd adre yn hwyr y nos a hithe'n ddu bitsh, yn disgyn oddi ar gefn y ferlen gan gredu ei fod wrth ddrws y stabal, a hwyrach bod rhywfaint o'r dablen yn y busnes hefyd. Dyma fe'n ymestyn ei fys yn reddfol gan gredu y byddai'n canfod lats y drws er mwyn ei chodi a chaniatáu i'r ferlen fynd at ei mansier. Ond, na, doedd dim yno ac er rhoi sawl cynnig arni ni ddaeth o hyd i ddrws y stabal lle credai y dylai fod. Yn ei rwystredigaeth cyhoeddodd yn groch, "Wel, drato, ma nhw hyd yn oed wedi symud y stabal nawr!"

Bydde'r llu o straeon ysmala hynny y clywsai Waldo, gan

W.R. ei hun mae'n siŵr, wedi ei goglish ac ynte ar yr un pryd yn rhyfeddu at gampe'r werin ddirodres. Byddai'n rhyfeddu yn ystod ei fynych fyfyrdode pan fyddai ar gewn ei feic at y modd y bydde straeon o'r fath yn ymledu o aelwyd i aelwyd nes eu bod yn rhan o lên gwerin ardal gyfan. Doedd dim fel ffraethineb yn codi o'r tir i godi'r ysbryd ar ambell awr ddu. Pa ryfedd fod Waldo a W.R. yn cael eu hystyried yn ddwy goes y drybedd ac Ernie Lan – y Parch. E. Llwyd Williams – o fanc Efail-wen yn ffurfio'r drydedd goes? Cafodd y tri addysg golegol gan rannu diddordeb mewn barddoniaeth a llenyddiaeth yn ogystal â hwyl a sbri iachusol, a rhan o'r hwyl hwnnw oedd cystadlu yn erbyn ei gilydd mewn steddfode lleol.

Cyhoeddodd Llwyd gyfres o bortreade o bobol ysmala a hirben yr ardal mewn cyfrol o'r enw *Hen Ddwylo* ym mis Awst 1941, a'i hargraffu deirgwaith wedyn erbyn mis Ionawr y flwyddyn ddilynol, a diau y bydde Waldo wedi clywed am helyntion John Pen-rhos a Dafi Llwydarth a'r lleill o enau'r awdur ac ar leferydd gwlad. Mae'n anodd meddwl am un o'r tri ar ei ben ei hun heb y ddau arall wrth werthuso cyfoeth pen uchaf Dyffryn Cleddau. Roedd Waldo ddwy flynedd yn hŷn na Llwyd, a Llwyd chwe blynedd yn hŷn na Wil ac ill tri wedi ymserchu yng Nghymreictod cynhenid eu cynefin. Dihafal oedd 'tair cwês y dribe'. Ond gwelai'r ddau arall fod elfen dra arbennig yn perthyn i Waldo; cofiwn am eirie W.R. amdano:

"Mi ges i'r argraff, fwy nag unwaith, mai gŵr wedi syrthio o ryw lefel uwch, i blith drain yr hen fyd 'ma, oedd y person arbennig hwn, ac mai egwyddorion y 'lefel uwch' oedd egwyddorion ei fywyd. Pan fyddai'n rhythu i'r pellter, weithiau, heb ddweud gair, dichon mai dychwelyd i'r byd arall hwnnw, am dro, a wnâi."

Dyna'r math o ddyn rydym yn seiclo ar ei drywydd.

Wrth droi'r tro i'r chwith ar waelod y feidir gloddiog gwelwn yr hyn sy'n weddill o'r Atsolwen draw ar y rhos a'r sôn oedd na welwyd Rhys Davies erioed yn bwyta pryd o fwyd ar ei aelwyd. Pe deuai rhywun i'r drws ac ynte ar ganol enllyn byddai'n hwpo'r plat a'r gyllell a'r fforc i ddrâr y ford o'r golwg er ni wyddai neb pam chwaith; a fyddai'n ddim i'r hen lanc lyncu rhyw fân gacenne heb dynnu'r papur lapio oddi arnyn nhw. Perthynai rhyw gwircs i bawb slawer dydd ym Mynachlog-ddu fe ymddengys a fydde Waldo ddim yn ddall na byddar i hynny.

O fewn hanner milltir, ar hyd y ffordd ddi-glawdd, lle mae'r meini a'r llwyni eithin wedi'u gwasgaru'n un gybolfa ar hyd y tir agored bob ochr, deuwn at ddarn o dir a ystyrir gan lawer y patshyn sancteiddiaf o dir yng Nghymru gyfan. Dyma'r man ar Ros-fach lle codwyd yr hyn a adwaenir yn Garreg Waldo sy'n gyrchfan pererinion o bell ac agos sydd am fawrygu athrylith Waldo Goronwy Williams. Does dim dwywaith bod pob pererin a ddaw i olwg y garreg yn sangu'r un tir ag a droediwyd gan Waldo'n grwt pan ddarganfu'r Gymraeg ar wefuse ei gyfoedion a'i chofleidio fel iaith ei enaid ynte hefyd.

"Beth yw'r dwli sy arnyn nhw nawr?" fyddai ei sylw mae'n siŵr pe gwyddai am fodolaeth y garreg, er mae'n rhaid y byddai yna ronyn o falchder yn llenwi ei fynwes o weld y geirie:

> Mur fy mebyd, Foel Drigarn, Carn Gyfrwy, Tal Mynydd,
> Wrth fy nghefn ym mhob annibyniaeth barn.

ar y garreg yn cyfleu mymryn o'r hyn a olygai'r dirwedd hon iddo.

Mae'n rhaid bod symud o Hwlffordd boblog i ganol tir anial y Preselau i grwt seithmlwydd oed yn gyfystyr ag ymfudo i'r lleuad. Lle gynt roedd yn gyfarwydd â phobol yn byw mewn rheffyn o dai yn sownd yn ei gilydd, daeth i ardal lle roedd y cartrefi'n wasgaredig a diarffordd a düwch y nos heb ei oleuo fel y bydde ar y strydoedd trefol. Syndod iddo mae'n siŵr oedd sylweddoli fod yna gymdeithas wâr ac unol er gwaethaf, neu efallai oherwydd, y pellter rhwng y trigfanne; rhyw argraffiade felly fyddai'n aeddfedu gydag amser nes y deuai cyfle i'w cyfleu mewn geirfa gryno.

Rhyw wenu'n gam y bydde fe petai'n gwybod am yr halibalŵ a fu i ddewis a gosod carreg yn ei lle ar y rhostir.

Bu'n rhaid dychwelyd y garreg gyntaf a ddewiswyd am na chafwyd caniatâd priodol i'w chodi oddi ar ei gorweddfan ar draws afon Banon ym mhlwyf Llanfair Nantgwyn o fewn golwg i Garn Alw ar yr ochr arall i'r mynydd. Byddai wedi rhyfeddu wedyn at sylw beili'r mynydd, Sid Jenkins, y dylai cefn y garreg, o ystyried y geirie sydd ar ei thu blaen, fod yn wynebu'r mynydd ac wedi'i gosod, felly, ar lecyn yr ochr arall i'r ffordd.

Ond gosodwyd carreg las gyffelyb ar y llecyn hwnnw gan hofrennydd y Llynges yn enw Ymddiriedolaeth Ymchwil Cystic Ffibrosis, ym 1989, ac er mor deilwng oedd cofnodi chwarter canrif ers sefydlu'r elusen honno, a chludo chwaer garreg i'w gosod ar dir Treftadaeth Lloegr yng Nghôr y Cewri i'r un diben, ni ellir peidio â theimlo fod presenoldeb y garreg bigfain honno yn halogi'r tir a neilltuwyd i gofio am Waldo. Wedi'r cyfan, ni ellir cyfyngu mawredd yr enigma rhyfeddol i ddarn bychan o'r dirwedd; perthyn i'r mynydd cyfan. Afraid dweud nad trigolion lleol oedd a wnelo â chodi'r ail garreg. Ac, wrth gwrs, ni ddefnyddiwyd hofrennydd o eiddo'r lluoedd arfog i osod y garreg gyntaf yn ei lle.

Ond roeddwn i yno ar achlysur dadorchuddio'r garreg honno ar ddydd Sadwrn, 20 Mai 1978, saith mlynedd wedi i Waldo farw, pan gafwyd anerchiad gan Ben G. Owens, o'r Llyfrgell Genedlaethol, a fu'n cyd-ysgolia ag ef ym Mynachlog-ddu. Yr un modd cafwyd anerchiad gan ei gyfaill mynwesol, James Nicholas; anerchiad gan un o ddadansoddwyr praffaf ei gyfraniad i'r ddynoliaeth, Emyr Llywelyn; sylwade gan ei gyd-Grynwr, Steffan Griffith; datganiad ar gân gan un o'i lu edmygwyr, Dafydd Iwan, yn ogystal â chyfraniade gan Gôr Ysgol y Preseli a phlant Ysgol Mynachlog-ddu ac Ysgol Gatholig yr Enw Santaidd, Abergwaun, cyn i'w nith, Eluned Richards, ddadorchuddio'r gofeb a baratowyd gan y saer maen a'r bardd o Lanbrynmair, Hedd Bleddyn. Roedd hi'n brynhawn braf a heulog i'w gofio wrth i gwpled clo cywydd coffa cyn-brifathro Ysgol y Preseli, James Nicholas, loetran yn y cof:

Daioni oedd, a wad neb
I Waldo anfarwoldeb?

Do, daeth torf ynghyd ar gomin Rhos-fach i dalu gwrogaeth.

Pe digwyddech weld y llun o Waldo ar wynebddalen y rhaglen a baratowyd ar gyfer yr achlysur ni fedrech ond peidio â theimlo rhyw dreiddgarwch eithriadol yn pefrio o'i lyged. Yn ôl osgo'r pen gallai'n hawdd fod yn ŵr academaidd o fri yn gwisgo clogyn prifysgol. Byddai hynny'n sicr yn adlewyrchu'r campe addysgol a gyflawnodd yn Ysgol Ramadeg Arberth mewn sawl maes. A'r noson honno, yn gopsi ar y cwbwl, perfformiwyd rhaglen deyrnged 'Daw Dydd y Bydd Mawr y Rhai Bychain', o waith Buddug Medi, y Bala, gan Gwmni Drama'r Gromlech o dan gyfarwyddyd Granville John yn Neuadd Ysgol y Preseli. Ysgytwol oedd datganiad y chwiorydd, Elin a Buddug James o'r gerdd 'Cofio'.

Mynych, ers y diwrnod hwnnw, y gwelir cerbyd neu ddau neu hyd yn oed bws wedi'u parcio ar y llecyn, camerâu'n clecian a phererinion yn edmygu'r olygfa gan geisio lleoli'r tirnodau a nodir yn y dyfyniad o'r gerdd 'Preseli' ar y garreg. Mae'n arferiad gan gapeli'r ardal i gynnal oedfa gydenwadol wrth y garreg bob haf; dyma le i enaid gael llonydd.

Daw cerddwyr dieithr, dirifedi i geisio dyfalu arwyddocâd y garreg. O sefyllian yno ar brynhawn o haf mae'n syndod pwy a ddaw heibio'n llawn chwilfrydedd a dychymyg. Dyna'r pâr o un o wledydd Llychlyn a ddaeth i'r casgliad, wedi hir ddyfalu, mai cofeb i farch hynod a drigai ar y llechwedde oedd y garreg. A digon teg hynny ar ryw olwg oherwydd, wedi'r cyfan, pe bai'n ŵr o bwys oni fyddai ei enw yno'n gyflawn yn ogystal â'r rhestr o anrhydedde a ddaethai i'w ran? Ac un enw a roddir i geffyl, fynychaf.

Bellach, er mwyn osgoi dryswch cyffelyb, gosodwyd llechen wybodaeth wrth y garreg yn esbonio i'r oesoedd a ddêl pwy oedd y gwron anarferol â'r enw anarferol. Mater arall a fydde'n siŵr o goglish Waldo yw arfer un o'r dynion dŵad gerllaw wrth gael ei holi gan ddieithriaid eraill, sy'n amal iawn yn fwy brodorol nag ynte, am leoliad y garreg, yn ateb trwy gyfeirio ati fel 'Waldorf's Stone'. "Ie, ma' nhw'n meddwl taw rhyw fath o salad wdw i nawr, glei," fydde ymateb difalais Waldo pe buasai'n clustfeinio. A thebyg, yn wir, y gellid camarwain rhywrai trwy honni mai carreg goffa i'r gŵr a luniodd y pryd hwnnw o fale, seleri, grawnwin a chnau Ffrengig a godwyd yng nghanol y meini.

Cofiaf fod yma hefyd ar achlysur cyflwyniad awyr agored 'Môr o Oleuni' ym mis Gorffennaf 2004 i nodi canmlwyddiant geni Waldo pan na fu'r tywydd yn or-garedig ar gyfer y tair noson arfaethedig. Arllwys y glaw yn ddidostur fel na fyddai modd i gi aros yn llonydd ar y nos Iau a gorfod canslo, probleme technegol yn tueddu i lethu'r perfformiad ar y nos Wener ond yna, ar y nos Sadwrn, y gwelwyd yr wybren uwchben Fwêl Cwm Cerwyn, wrth iddi fachlud, yn union fel y llunie hynny a ddefnyddir byth a beunydd i ddarlunio'r gerdd 'Cofio'. A llwyddwyd i gipio'r awyrgylch ar gamera fideo gan gynnwys y cwmwl tystion o gynulleidfa a chyfres o gysgodion yn symud ar ras ar draws y llethre yn fôr o oleuni llachar.

Y tro hwn, llais a llun ar sgrin fideo enfawr yn hytrach na'i fod yno yn y cnawd oedd Ben Allt-y-gôg, neu Ben G. Owens, ac ynte er yn 96 oed a bron yn gwbl dywyll ei olwg, yn ein syfrdanu gyda'i gof gloyw am y dyddie cynnar gan restru'r rheiny y mae ein dyled yn fawr iddyn nhw am ddysgu'r Gymraeg i Waldo – Albert Cwm, Dai Carnabwth, Stan Glynsaithmaen, Dai Mwntan, Wil Allt-y-gôg, Edgar Tŷ Cwta... a phetai Leonard Tŷ Cwta yn ein plith nawr bydde'n siŵr o sôn am atgofion ei dad pan gyfarfyddai â'i bartner bore oes yn ddiweddarach ar y daith, boed ar y stryd yn Hwlffordd ar ddiwrnod mart pan gerddai heibio o fewn modfeddi iddo'n ddywedwst ddiarwybod, neu yn ystod ei ymweliade â'r fro, pan fyddai ei fryd ar sgwrsio'n hwyliog yn hytrach na myfyrio'n ddwys.

Er mai ar y sgrin fawr y cafwyd atgofion Steffan Griffith hefyd, roedd yr hynafgwr 96 oed yno ar y nos Sadwrn, yn gwylio'r cyfan o gyffyrddusrwydd sedd cerbyd ei ferch, Dilys, ac yn dal i ryfeddu at ymlyniad egwyddorol Waldo a'i barodrwydd i ddadle'n ffyrnig nes na fydde troi arno yn y mynych seiade a gaent pan alwai heibio'r cartref yn Neyland.

Dadlennol oedd y tâp sain o Eirwyn Pontshân yn porthi Waldo wrth iddo adrodd ei gywydd i foto-beic Idwal Jones, ei gyfaill coleg a chyd-awdur 'Idwaldod', a recordiwyd yn hwyr y nos ar adeg Eisteddfod Genedlaethol Caerdydd 1960. A'r un modd y tâp sain o W.R. yn adrodd helynt yr englynion ar destun 'Y Daten' a anfonwyd gan Waldo i Eisteddfod Bwlch-y-groes yn enw holl feibion Jacob, a Joseff, os gwelwch yn dda, yn anfon englyn Saesneg o Ddoc Penfro, am ei fod wedi'i gipio gan y 'down-belows':

> You're all right with Early Rose, – Oh, Kerr's Pink
> Are spuds fit for heroes,
> And up to date potatoes
> Be large with the 'down belows'.

Difyrrwch i rai ond rhwystredigaeth i eraill oedd penderfyniad rhai o'r deg ar hugain a mwy o baneli'r sgrin fideo enfawr i ddiffygio gan adael ambell wyneb heb glust neu lygad neu afal breuant bob hyn a hyn wrth iddyn nhw lefaru. Roedd y teclyn yn fwy cyfarwydd â llwyfanne sefydlog gwylie roc na darn o dir diffaith gwyntog dri chwarter milltir uwchlaw'r môr. Testun englyn doniol fydde'r holl ddiffygion hyn yng ngolwg Waldo bid siŵr er, gobeithio, y bydde yn ei ffordd wylaidd ei hun yn gwerthfawrogi'r ymdrech i gofio ac i dynnu sylw at yr hyn a'i gwnaeth ac at y gynhysgaeth o'i eiddo a ddeil.

Rhaid cydio yn y beic a neidio ar ei gewn ac estyn gwrogaeth wrth fynd heibio tyddyn Llain draw lle magwyd Lyn Léwis Dafis, un o hoelion wyth y Llyfrgell Genedlaethol a chyfieithydd rhanne o'r Testament Newydd i'r Ddyfedeg, a ddychwelodd i draddodi araith nodedig yn y cyngerdd hwnnw gan ddonie lleol, yng Nghapel Bethel, oedd yn rhan o'r dathliade yn 2004. Gwell codi oddi ar y sedd i groesi'r grid gwartheg a gadael i'r ceffyl haearn gael ei ben wrth fynd ar hyd y gwaered hyd sgwâr Penfeidir.

Wrth droi i'r chwith, buddiol oedi i gymryd dracht o ddwfr bywiol y pistyll cyn bwrw dros bontydd Tewgyll ac Awstralia a thrwy'r darn mwyaf pentrefol o Fynachlog-ddu, heibio'r tai cyngor ar y dde a thŷ newydd ei godi o'r enw Bluestone View, os gwelwch yn dda, nes wynebu bwthyn Carreg Las a thŷ annedd y Cnwc ar y chwith nad oes neb ond y to hŷn yn ei gofio fel siop brysur Pen-bont yn gwerthu tipyn o bob peth.

O fynd yn ein blaene ar y chwith deuwn cyn pen dim, wrth fynd heibio Llyn y Gotiar ar y dde, at adeilad yr ysgol a thŷ'r ysgol ar y chwith lle bu John Edwal Willians a'i deulu yn ymgartrefu am bedair blynedd cyn symud i Landysilio pan gafodd ei benodi'n brifathro Ysgol Brynconin. Anhwylder nerfol a barodd i'r awdurdode ei ryddhau o ofalaeth Ysgol y Bechgyn, Prendergast a'i symud i ysgol llai helbulus yn y wlad. Ond buan y cafodd ei draed dano a phan gynigiodd am brifathrawiaeth yr ysgol yn ei gynefin doedd neb llai na'r Parch. Thomas Phillips, Bloomsbury, Llundain; F. W. Goldstone, A.S. Llafur yn Sunderland, a'r Parch. J. Llanfair Davies, ficer Mynachlog-ddu, ymhlith y rhai a roddodd eirda iddo. Mae'n werth dyfynnu sylwade'r Arolygwr, J. Bancroft, am brifathrawiaeth John Edwal ym 1913:

> This school is admirably conducted, and the work of the children has greatly improved in thoroughness and intelligence since the present Head Master took charge some 18 months ago. Arithmetic in particular, deserves special praise, and the work in general is carefully arranged to suit the needs of the district.

Does dim dwywaith fod John Edwal yn athro cydwybodol. Dengys llyfr lòg yr ysgol iddo gyflwyno rhai o'r disgyblion i sefyll arholiad y *scholarship* i Ysgol Arberth a llwyddo. Tebyg y bydde llwyddiant ei ferch ei hun, Morvydd, yn sicrhau 525 o farcie o'r 600 posib, wedi rhoi cryn bleser iddo. Nodir hefyd ar ddiwedd mis Gorffennaf 1914 fod 'Waldo G. Williams this week obtained a Certificate of Proficiency in connection with the 'Daily Sketch National Scholarship Competition'.'

Trowyd yr ysgol yn dŷ annedd ers tro bellach, wedi ei chau ym 1995 am nad oedd digon o blant yn ei mynychu i'w chadw ar agor. A glywn leisie uniaith Gymraeg y plant slawer dydd ar yr iard a Waldo yn eu canol yn bracsan ddysgu'r iaith? Rhaid wrth glust go fain o ystyried y modd y gwêl y bardd lleol, Wyn Owens, yr arfer o fathu enwe Saesneg bellach ar dai fel arwydd o ddadfeiliad bro:

> Pa fodd y canfyddwn eto o dan y cegid,
> Alaw yr afon hithau,
> Tra bo grŵn y llanw'n corddi
> Tros ein mynd a'n dod?
> Beth sydd ar ôl i'w wneud
> Ond mwmial ein rhwystredigaeth,
> I'w chwalu'n ddarnau gan y gwynt
> Uwch erwau'r rhos?

Mae'n ffaith, wrth gwrs, ers tro, fod ymhell dros hanner y trigolion bellach heb eu geni a'u magu'n lleol a heb fod yn medru'r Gymraeg yn rhugl hyderus er bod yna enghreifftie gwiw o ddyrnaid sydd nid yn unig wedi'i meistroli ond sy'n barod i'w defnyddio.

Ond o fewn hanner milltir, o gyrraedd ffarm Tŷ Cwta, na ellir ei hosgoi am fod y ffordd ei hun i bob pwrpas yn rhan o'r clos, ceir llond pen o'r Gymraeg rywiog a siaradwyd erioed ar hyd y fro gan Leonard John. A does yna'r un prysurdeb ar y ffarm yn mynd i'w rwystro rhag torri gair a chynnig rhibidirês o straeon am drigolion bro a hynny gydag anwyldeb difalais hyd yn oed os yw'r dweud yn ymwneud â drygioni. Ond, yn wir, y mae a wnelo prysurdeb ag un o'r straeon a gofia Leonard am fynych ymweliade Waldo â'r aelwyd.

"Wedd Waldo a 'nhad yn bartners mowr a bydde Waldo'n galw'n fynych yn yr haf, ar y beic ac yn ei drowser byr, wrth gwrs. Wedd hi'n gallu bod yn fishi adeg cinhaea wrth gwrs a wi'n cofio 'nhad yn gweud wrth Nan, y forwyn, y dwarnod 'ma nawr, ar ôl sbel o dowy gwlyb, ei fod e'n mynd mas i ddeiso'r llafur ac os byse rhywun yn galw ishe ei weld i weud na fod e getre. Whap iawn, 'ma gnoc ar y drws a ninne'n clwêd y llais 'ma'n gofyn, 'Odi Edgar 'ma?' 'Nadi, synno getre, sneb getre,' medde Nan Weunlwyd yn eitha pendant. Nabyddon ni'r llais ond hanno'r forwyn yn mynd i hadel boi'r shorts i rwystro Dad i ddeiso'r dwarnod hwnnw. Fuo rhaid i Mam fynd at y drws wedyn, a gweud, 'Wel, dewch miwn, awn ni i whilo am Edgar nawr'. Wedd rhaid rhoi croeso i Waldo, ch'wel, taw shwt odd hi.

"Wi'n cofio fe'n gweud storie am ble fydde fe wedi bod, a lan sha'r gogledd ffor 'na yn gweud fel y byse fe'n holi'r ffordd i'r fan a'r fan i rywun yn Sisneg a chal fowr o ateb. Ond wrth weud 'diolch yn fowr' wrthon nhw wedyn, fe fydde'r agwedd yn newid ac ynte'n ca'l pob cymorth a nhwthe'n holi ei berfe'n fân... Bydde Mam yn mynd i'r ysgol nos fydde 'dag e yn yr ysgol a bydde'n rhyfeddu fel y bydde fe'n gweud wrthyn nhw i droi at rhyw dudalen a darllen yr ail baragraff a fynte wedyn yn adrodd y paragraff hwnnw o'i gof... Cofiwch, wedd e'n wahanol i'r cyffredin a'i feddwl yn bell weithe ond os wedd e mewn hwylie siarad fydde 'na ddim gwell cwmnïwr, ch'wel..."

Trown am yn ôl gan feddwl am y cyfyng gyngor hwnnw a wynebai Edgar John, Tŷ Cwta, slawer dydd wrth benderfynu p'un ai dal ati i ddeiso'r sgube neu ei throi hi o'r ydlan i gyfarch gwell i'w hen bartner bore oes ddylai wneud. O ran Waldo mae'n siŵr mai mater o dalu am gymwynas oedd rhoi gwaedd ar hen bartner am ei fod yn fythol ddiolchgar iddo am yr anrheg a roddodd iddo, ynghyd â'i gyfeillion, dros gyfnod o bedair blynedd, a hynny'n ddiarwybod iddyn nhw, sef yr iaith Gymraeg – y berl na chafodd ar yr aelwyd nac yn yr ysgol er taw ei dad o Gymro Cymraeg oedd y pen teulu a'r prifathro.

Wrth gadw i'r chwith ar fforch y ffordd yn ymyl y Cnwc y tro hwn, awn dros y bont yr â afon Cleddau Ddu oddi tani a down at gapel mawreddog Bethel, y Bedyddwyr, unig gapel anghydffurfiol Mynachlog-ddu. Cynhaliwyd nifer o gyfarfodydd teilwng yn y capel adeg y canmlwyddiant gan gynnwys darlith feistrolgar gan Emyr Llywelyn a thalwrn y beirdd pan oedd Dic Jones yn meuryna ac yn adrodd gwledd o atgofion am Waldo. Dychwelodd Emyr Llywelyn i draddodi darlith feistrolgar arall ym mis Medi 2010, ar arwyddocâd y gerdd 'Tŷ Ddewi', ar achlysur lansio Cymdeithas Waldo ar ddiwrnod pen-blwydd Waldo. A fydd yna gyfarfodydd cyffelyb yno pan ddaw'n amser i gofio canmlwyddiant ei farw yn 2071?

Mae'n demtasiwn i ddweud fod y gŵr, yn anad neb, a gysylltir â Bethel, y Parch. R. Parri-Roberts, wedi bod yn ddylanwad ar y Waldo ieuanc ond y gwir amdani oedd ei fod wedi hen symud i Landysilio a hyd yn oed wedi treulio blwyddyn yn y coleg yn Aberystwyth pan sefydlwyd Parri Bach yn weinidog yn Bethel ym 1924; y Parch. Glasnant Young fydde wedi derbyn rhieni Waldo'n aelode ym Methel yn ystod y cyfnod byr fuon nhw'n byw yn Nhŷ'r Ysgol, Mynachlog-ddu. Serch hynny, bydde Waldo'n ymwybodol o deyrnasiad y Monwysyn gwargam dros gyfnod o 44 mlynedd yn ogystal â'i safiad dros heddychiaeth a gostiodd yn ddrud iddo adeg y Rhyfel Byd Cyntaf.

Fe'i hesgymunwyd gan rai o fewn ei enwad i'r gradde nad oedd pob pulpud yn barod i'w groesawu a sonnid amdano ar achlysur angladd yn gorfod cerdded i ben y Gogarth yn Llandudno tra oedd y gweinidogion eraill yn cael eu cludo i'r fynwent; doedd dim lle iddo ynte yn yr un cerbyd. Tebyg bod llwybre Waldo a Parri Bach wedi cydgyffwrdd droeon am y bydde'r gweinidog cenedlaetholgar yn cyfeirio at ei gyd-heddychwr yn gyson ac yn edmygu ei safiad di-ildio.

Mae'n demtasiwn, wedi mynd heibio'r fynwent, i ddilyn y ffordd sy'n troi i'r chwith, a fyddai'n ein harwain i Bentregalar dros Grug-yr-hwch, lle gwasgarwyd llwch gŵr a ddehonglodd y cyd-fyw gwâr rhwng ffermwyr a thyddynwyr yr ardal, ar adeg cynhaeaf, mewn dull gwahanol i eiddo Waldo. Yn ôl T. E. Nicholas, neu 'Niclas y Glais' fel y'i hadwaenid, yr arfer o bawb yn y gymdogaeth yn cydweithio ymhlith ei gilydd beunydd, a welodd pan oedd yn blentyn yn y Llety, oedd crud ei gred mewn comiwnyddiaeth. Fe fu clywed pryddest Niclas 'Gweriniaeth a Rhyfel' yn cael ei darllen yn uchel gan ei dad yn dipyn o ysgytwad i'r Waldo ifanc o ran ei chynnwys beiddgar.

Bydde sylw Waldo hwyrach wedi'i hoelio ar y ddau faen anferth, sy wedi'u gosod erbyn hyn ar y cilcyn glas ar y troad, gyda hollt yng nghlust un ohonynt, ar ôl gweini tymor yn bystion iet wrth fynedfa Maes-yr-ŵyn gyferbyn. Pa mor hen yw'r rhain, fe holai ei hun, a chael yr ateb eu bod yn hynach na'r harn a welai yn efail Morris Davies, y gof ym Mhenrallt gerllaw, ac yn cael eu hystyried yn drysore gwerthfawr gan ddyn yr oesoedd cynnar.

Tebyg pan arweinid Waldo i fyfyrio ynghylch buchedd gwŷr y gwareiddiade cynnar ar ei deithie byddai hefyd, o weld y blode, y planhigion a'r llysie gwyllt yng nghlais y cloddie, yn rhyfeddu at ddyfeisgarwch dyn yn eu hadnabod, yn eu henwi ac yn darganfod eu priodoledde iachusol.

Nid rhyfedd ei fod yn ddall a byddar i ymdrechion dynion y byd hwn i'w gyfarch ar adege felly; pwy feddyliodd tybed y galle dail tafol liniaru llosg y ddynad ar groen a bod deilen y ddynad ei hun yn rhinweddol mewn crochanaid o gawl?

Bydde Waldo'n pendroni'n ddwys uwch materion o'r fath wrth bedlo i'r fan a'r fan; pwy feddyliodd tybed bod yna fwy i glatsh y cŵn – y *digitalis* – na chyfle i blant direidus pob oes i wasgu'r cwpane nes eu bod yn pownso? Oes, er ei natur wenwynllyd trengus, perthyn iddo ei rinwedde iachusol hefyd i drin anhwyldere'r galon.

Cyn cyrraedd efail Penrallt byddai anel y beic yn sicr o gael ei droi ar hyd y fynedfa serth i Frynhyfryd, y Mans, o dro i dro, i seiadu yng nghanol cwmwl o fwg wrth i'r Parch. R. Parri-Roberts dynnu ar ei getyn yn ei stydi, a medrai'r seiade hynny bara tan berfeddion nos.

Mae'r eingion ym Mhenrallt ar ymyl y ffordd wedi hen ddistewi ond deil Beti Davies, merch y gof, i gofio am y prysurdeb â'r gwreichion yn tasgu a Waldo'n galw'n gyson ac yn cydio yn y dasg o chwythu'r fegin ar gyfer ei thad. Bydde Waldo'n rhyfeddu at y grefft o lunio pedol o'r harnyn eirias ac, ar yr un pryd, wrth ei fodd yng nghanol y chwedleua brwd a glywai wrth i hwn a'r llall alw heibio. Byddai hyn 'nôl ym 1936 pan dreuliodd gyfnod yn athro yn Ysgol Mynachlog-ddu am fod yr ysgolfeistr, E. T. Lewis, wedi torri ei goes mewn damwain a'i rhwystrodd rhag gweithio am dri mis. Roedd Beti yn un o'i ddisgyblion ar y pryd.

"Wedd eitha stampen fach i ga'l 'na! Wi'n cofio Jean Campbell, Y Cwarre, a finne'n ca'l eitha stŵr 'da fe am siarad yn y dosbarth. Wedd e'n hwrnu uwch ein penne ni ond wedyn wedd e'n difaru mewn sbel am roi stŵr i ni ac yn estyn bobo losinen i ni o'i boced. A gweud y gwir, wên ni ddim yn awyddus i'w derbyn achos wên nhw ddim yn edrych yn loyw iawn ac wedi bod yn ei boced e ers tipyn falle," meddai.

Yn y cyfnod hwnnw lletyai Waldo gyda'r ysgolfeistr ym Mryncleddau, nad oedd fwy na lled cae o Benrallt, ac o ran casglu gwybodaeth am hen hanes yr ardal roedd hynny'n gwmws fel bod wrth draed Gamaliel, fel y tystia'r llyfre a gyhoeddwyd gan E. T. Lewis yn ddiweddarach, megis *Mynachlog-ddu, A Guide to its Antiquities* (1967) a *Mynachlog-ddu, A Historical Survey of the Past Thousand Years* (1969).

Erbyn y cyfnod hwnnw bydde Waldo wedi hen ddygymod â'r hyn a ystyriai'n natur hamddenol pobol yr ardal yn yr ystyr bod wastad fory i'w gael ac nad oedden nhw'n ei hystyried yn rheidrwydd i ddeffro i ddigwyddiade'r byd y tu hwnt ar fyrder; roedd rhinwedd mewn bod yn jycôs a dilyn troad y tymhore. Tynnodd sylw at hynny mewn cerdd a gyfansoddodd flynyddoedd ynghynt, gyda'i dafod yn ei foch, o dan y teitl 'Awdl i Ddynion Mynachlog-ddu', pan ddywedodd:

Wrth dalu'r degwm
I Fishtir Rhigwm
Heb ddim hwmbwgan
Fel dynion Tre-wgan,
A'r sir yn seigen
Mewn wythawr a deigen,
A byddai pobl Mynachlog-ddu
Yn gofyn pen mis, 'Beth sy?'

Does dim golwg o gerbyd Wyn Owens, y bardd, y tu fas i'w gartref yn Llwynhelyg, gyferbyn â'r mynediad i Barc Carafanau Trefach, ac felly ni thâl i roi gwaedd arno i'w annog i draethu am ei arwr. Digon i'w cofio'r hyn a ddywedodd am Waldo mewn un gerdd:

Gwelai drwy fryntni'r gelyn
Ym merw galanas y môr goleuni.

Wrth ddechre tuchan am i fyny heibio Glandy Bach mae'n werth cymryd pip ar glos Glandy Mawr ar y chwith wrth fynd heibio gan gofio mai i'r fan honno y tadogir un o straeon Wil Canaan. Bydd y pedlo'n dipyn haws wrth feddwl am ei gelwydd gole, a oedd yn wirionedd yn ei olwg ynte. Ei ddyletswydd un diwrnod pan oedd yn was yno oedd cyrchu llwyth o galch o Eglwys-lwyd. Ond bu'n rhaid iddo ddioddef glaw trwm wrth ddychwelyd gyda'r canlyniad fod y tidie wedi dechre ymestyn, fel y gwna lledr mewn gwlybaniaeth, ac yn wir erbyn iddo ynte a'r gaseg gyrraedd y clos doedd dim sôn am y cart a'r llwyth calch. Ond ni fu'n rhaid poeni. Am ei bod yn go hwyr aeth ynte i'w wely ac erbyn bore trannoeth, ar ôl noson sych, roedd y cart hefyd wedi cyrraedd y clos wrth i'r tidiau dynhau drachefn. Ie, os ei dweud hi, ei dweud hi, a hynny y tu hwnt i bob crediniaeth, glei.

Wrth ddisgyn ar hyd y gwaered fe sylwir ar ehangder y ffurfafen wedi cyfnod o deimlo'n lled gaethiwus rhwng cloddie uchel a choed mawr canghennog yn cydgyffwrdd uwchben. Er bod pelydre'r haul yn saethu trwy'r deiliach bob hyn a hyn, yn awgrymu lledrith, roedd yna ymdeimlad hefyd ar hyd y meingefn fod yna ddirgelwch yn rhywle, fod rhywun neu rywrai yn fy ngwylio, fy mod yng ngwlad coblynnod a thylwyth teg. Doeddwn i ddim am fod yn eu crafange'n rhy hir rhag ofn y digwyddai melltith. Onid fy ngwahodd i gamu i'r dirgelwch hwnnw a wnâi cân yr adar hynny a glywn mor glir rywle yn yr uchelfanne ond na fedrwn eu gweld chwaith? Onid oedden nhw'n fy nilyn ar fy siwrne, gymaint oedd eu taerineb?

Wrth gamu i mewn i dafarn Sgwâr y Glandy cymer beth amser i gyfarwyddo â'r ystafell a ymddengys yn dywyll wedi'r milltiroedd o heulwen. Nid felly oedd hi ar y noson honno o hydref ym 1996 pan alwais ar fy ffordd adref o lansiad y gyfrol honno am Waldo yn y gyfres *Bro a Bywyd* gan Gyhoeddiadau Barddas a olygwyd gan James Nicholas. Er cystal y wefr a gafwyd yng Nghrymych wrth wrando ar Jâms yn traethu gyda'i afiaith arferol am Waldo, roedd yr orig yn y dafarn yr un mor gofiadwy wrth i'r dafarnwraig lengar astudio pob tudalen o'm copi a oedd wedi'i lofnodi gan yr awdur. Yn wir, wrth i Brenda Twigg gynnig amryfal sylwade ac argraffiade ar gorn yr hyn a welai ac a ddarllenai, sylwais fod y cwmser olaf wedi hen ymadael ymhell cyn i ni gyrraedd y canfed dudalen; mae'n rhaid taw dyna'r peint mwyaf diwylliedig o Guinness i mi ei lyncu erioed.

Heddiw peint o seidr 'a'i waelod yn Login' yw'r dewis er mwyn torri syched, a thamed o sgwrs sydd, fel bob amser, yn weddus, ac yn gyfoethog ei wybodaeth o ran hynt a helynt y gymdogaeth 'nôl dros ddwy a thair cenhedlaeth. "Ie, arhoswch chi nawr" fydde'r sylw wrth i Brenda, yn nyddie ei hanterth, bwslo am eiliad neu ddwy i alw rhyw ddigwyddiad neu gymhlethdode ach hwn a hwn i'r cof. Mae'r dafarn yn wag yn gynnar ar brynhawn Sadwrn ond fe leinw cyn hir pan ddaw'r gêm griced gerllaw i ben. Yfaf y ddiod ar ei thalcen a'i hanelu am Barc y Glandy.

Denir fy sylw gan farcud a welir yn hofran fry. Prin y byddai'r arlunydd yn medru tynnu ei lygaid oddi ar y cysgodion a'r cymyle'n gwau eu patryme ar hyd crib Fwêl Cwm Cerwyn draw. Mae yna frawdoliaeth yn un â byd natur i'w deimlo ar brynhawn o haf. Dengys y gwenoliaid eu tricie wrth hedfan nes bod ond y dim i'w bolie gyffwrdd â'r borfa. Gwnânt hynny dro ar ôl tro ar gyflymder awyren fel pe baen nhw am gynnig eu hystwythder acrobataidd yn adloniant ychwanegol i'r hyn a gynigir gan y gwŷr mewn gwyn; "Hei, edrychwch arnon ni hefyd" yw eu cri wrth wibio heibio'n ddianaf dro ar ôl tro.

Pwy ddaw i'r bwlch yn sydyn yn llawn ffrwst gan arllwys

crugyn o whilgryts ifenc o'i gerbyd ond y bonheddwr Vernon Beynon gan holi'n daer am gyflwr y gêm cyn iddo ynte ddisgyn o'r cerbyd yn grwn. Daw'n amlwg iddo fod yn chwarae gydag ail dîm Crymych i lawr yn Noc Penfro a bod y gêm wedi cwpla'n lled gynnar. O'i holi am y canlyniad etyb yn swrth, "O, colli", cyn symud i gynnal sgwrs ar fater arall gyda rhywun arall.

Pe ceisiwn wybodaeth am Waldo ganddo, yna bydde ei wyneb yn siŵr o oleuo. Fydde dim pall ar ei sgwrs o gofio am y cyfeillgarwch oedd rhwng Waldo a'i dad, Jac Beynon, a'r cof plentyn sydd ganddo ynte am fynych ymweliade Waldo â'r aelwyd. Caem ddisgrifiade manwl o Waldo o ran pryd a gwedd a bydde un stori'n dilyn y llall yn ddoniol ddiwnïad fel petai'n gweld ei wrthrych o'i flaen y funud honno. Ond gadawn hynny am y tro nes y cawn gyfle i orwedd ym mola clawdd Parc y Blawd a Weun Parc y Blawd ar ei ffarm ger Llandysilio ar y ffin draddodiadol rhwng dwy sir.

Wrth gydio yn y beic, digon am y tro yw cydnabod ein bod yn ystod y prynhawn wedi cael cip ar y brawdgarwch hwnnw a oedd yn wybyddus i Waldo ac yn werthfawr yn ei olwg, a hynny trwy dystio i hamddendod ar hyd y feidiroedd ac o amgylch y llain griced. P'un ag yw'r coese'n dolurio neu beidio a'r fegin yn dynn, mae'n haws pedlo pan mae'r meddwl yn gyforiog o gyfathrach rywiog nag yn wag fel bwced cou. Serch hynny, rhyw grygni salw, gyddfol, a glywir o big y bioden yn uchel yng nghanghenne'r ffawydden braff yn y bwlch wrth i mi ymadael; ai chwerthin am fy mhen y mae, fy ngwawdio neu fy nghystwyo am beidio â mentro i fyd yr anwel yn ystod fy nhaith o amgylch 'Nachlog-ddu?

3

'Fe gewch chi gwpwl bach o dato 'da fi nawr'

Ni wnaf honni fy mod wedi seiclo fawr ymhellach wedi croesi Pont Hywel a throi tro Troedyrhiw wrth i riw Gilfach fy wynebu cyn disgyn oddi ar y beic; pe mentrwn bedlo ar ei hyd, rhaid cyfaddef y buaswn yn igam-ogamu fel tarw'n pisho ar ras. Wedi'r cyfan, perthyn urddas i wthio beic weithie waeth pa mor bwerus y bo o ran ei gasgliad o gêrs. Rhaid pwyso un benelin ar sedd y beic cymaint yw'r serthder wrth droi'r tro uchaf heibio Derlwyn a Brynhywel… ond, hwyrach, rhyw ddiwrnod, y cyflawnaf y gamp, pan na fydd dim arall o bwys i'w gyflawni'r diwrnod hwnnw. Am y tro, pwysa'r beic a minne ar ein gilydd, a minne'n tuchan wrth i'r coese wegian gan gerdded gan bwyll bach a cheisio ysgafnhau'r baich wrth feddwl am yr hyn a'm tarodd rhyw filltir ynghynt pan euthum heibio Brynllechog ar gyrion Maenclochog.

'Nôl yn yr 1890au ar adeg Rhyfel y Degwm llwyddwyd i rwystro beilïaid rhag atafaelu eiddo o fferm Brynllechog yn gyfnewid am y degyme oedd heb eu talu. Aeth yn sgarmes wyllt, dymchwelwyd trap y ddau feili a thaflwyd wye a thyweirch a hyd yn oed sosbaned o galch poeth atyn nhw. Roedd y gwrthdaro wedi'i drefnu am fod llwyth o ddrain wedi'i osod ar draws y ffordd i atal mynediad i'r beilïaid ac fe'u hebryngwyd o'r plwyf yn ddiseremoni.

Doedd ffermwyr tlawd y cyfnod ddim am dalu i gynnal eglwys wladol nad oedden nhw yn ei mynychu a hwythe'n Anghydffurfwyr rhonc ers tro. Am eu camwri bu'n rhaid i David Davies a Benjamin Davies wynebu llys barn. Ond er i'r erlyniad ofyn am £50 mewn iawndal a choste, penderfynodd yr ynadon lleol yn Arberth haneru'r swm. Mae'n rhaid y bydde'r hanesyn wedi cyrraedd clustie Waldo rhywdro ac ynte'n ei weld fel rhan o'r gynhysgaeth a roddodd i'r ardal ei 'hannibyniaeth barn'.

Erbyn cyrraedd pen feidir Gilfach Ddofn mae'r gwaethaf drosodd a chaf gyfle i gael fy ngwynt ataf, wrth bensynnu am swyddogaeth Anghydffurfiaeth yn newid trefn gymdeithasol yr ardal, cyn mentro ar gewn y beic drachefn. O fewn dau ganllath wrth droi i'r chwith ar hyd Feidir Ffald i gyfeiriad Sgwâr y Glandy ailsefydlir y rhythm cyfarwydd. Disgynna diferyn neu ddau o law o'm hôl a rhaid cyflymu er mwyn ceisio achub y blaen ar y gawod. Daw cyfle i gysgodi o dan y ffawydden fawr wrth fynedfa'r cae criced a chyfle i ryfeddu o'r newydd at fawredd coeden braff. Troi i'r dde ar hyd y ffordd A487 o Aberteifi i Arberth a seiclo'n unionsyth gan mor gyson a chyflym yw'r trafaelu ar hyd y darn syth hwn o ffordd fawr.

O fewn pum can llath gyferbyn â Maengwyn, cartref y cerddor a'r arweinydd corau lluosog, John S. Davies, troi i'r chwith ar hyd Feidir Siôn, yn hytrach na pharhau heibio Caffi Beca a gorfod gwrthsefyll y demtasiwn o alw am baned o goffi os nad pryd swmpus, ac yna troi i'r chwith ar Sgwâr Efail-wen – ychydig cyn cyrraedd lleoliad y dollborth – er mwyn cyrraedd sgwâr Capel Nebo'r Annibynwyr. O deithio ar hyd y ffordd fer awn yn ein blaene heibio'r capel yn hytrach na throi i'r dde petaem wedi dod o Efail-wen. Ond oedwn am getyn i ddyfalu hynt y capel a thybied bod Waldo rhywdro wedi bod o fewn ei furie, boed mewn angladd neu oedfa neu yn y festri mewn cwrdd diwylliadol neu 'social', a hynny er mai perthyn i enwad arall a wnâi.

Nodir yn Saesneg taw ym 1861 y codwyd yr adeilad a hynny 58 o flynyddoedd ar ôl sefydlu'r fam eglwys ym mhentref Hebron gerllaw. Tebyg y bydde Waldo'n ymddiddori yn hanes y ddau gapel ac yn rhyfeddu at weithgarwch a hirhoedledd y gweinidogion llengar a ordeiniwyd yno. Fe gofiai yn nyddie ei ieuenctid am y Parch. Tegryn Phillips, a wasanaethodd am 58 o flynyddoedd tan 1928, ac a arferai gynnal 'Cwrt Bach' ar y prynhawn Sadwrn cyn y cymun misol. Byddai ynte a dau flaenor yn gosod aelode oedd wedi tramgwyddo ar brawf, boed am feddwi neu drosedde moesol difrifol, ac ystyried a fydden nhw'n gymwys 'i gael eu lle'n ôl'.

Doedd hi ddim yn anghyffredin i aelod gael ei 'dorri mas' yn y cyfnod hwnnw. Tybed a fydde Waldo'n cymeradwyo dull o'r fath o roi cyfle i aelode edifarhau am syrthio'n fyr o'r hyn a ystyrid yn ymddygiad Cristnogol? Ar yr un pryd does dim sôn fod yna gydnabyddiaeth yn cael ei rhoi i weithredoedd Cristnogol goruwch na'r cyffredin.

Yn ogystal â bod yn bryddestwr ac englynwr brwd roedd Tegryn Phillips yn awdur nifer o gatecismau ar 'Foesoldeb Cristnogol' a'r un modd roedd ei ragflaenydd, Simon Evans, yn awdur llawlyfr aelodaeth i'r ifanc, *Drws y Tŷ*. Iddo ef y priodolir sefydlu llyfrgell a chymdeithas ddiwylliadol 'Y Cwrdd Ceiniog' a gododd do o bobol ddeallus ac egwyddorol yn ôl y sôn. Mae'n rhaid taw un o'r rheiny oedd Clwydwenfro – y Parch. J. Lloyd James – a fu'n gweinidogaethu yn Moreton-in-Marsh, Swydd Gaerloyw, a March yn Swydd Gaergrawnt. Aeth ati gydag archwaeth i lunio llyfryn yn cofnodi hanes y fam eglwys ar achlysur ei chanmlwyddiant sydd yn drysor o wybodaeth i'r hanesydd lleol.

Ond be wnelai Waldo o sylw un o'r gweinidogion diweddar ar achlysur dathlu daucanmlwyddiant y fam eglwys yn 2003 wrth fwrw golwg ar natur y gymdeithas o amgylch y ddau gapel?

"Er bod y mwyafrif o'r mewnfudwyr yn bobol anymwthiol, mae yn eu plith leiafrif sarhaus, sy'n weithredol wrthwynebus i grefydd, yr iaith a'r diwylliant Cymraeg," meddai'r Parch. Hywel Jones. Ond wedyn dywedodd rhywun arall, wrth chwilio am gysur mewn adfyd, fod yna ddŵr iachusol mewn ffynnon fach.

Awn ymlaen i Frynbanc yng nghyffinie Login wrth i ddiferion bras ddisgyn a chan fod y gawod yn dod i'm cyfeiriad yn hytrach nag o'm hôl does fawr o ddiben cyflymu; rhaid derbyn y bydd fy nillad yn llaith os nad yn wlyb sopen. Awn heibio pen feidiroedd ffermydd Rhos, Rhydymerydd, Pencraig Uchaf, Marchgwyn, Pant-y-blodau a Maes-y-ffynnon, a'r rhan fwyaf ohonynt yn dal i gadw gyrroedd o wartheg blithion, cyn troi i'r dde gyferbyn â hen eglwys Cilymaenllwyd a chyrraedd pen ein siwrne yng nghartref un o neiaint Waldo, Gerwyn, un o frodyr Teifryn.

O'r defnydd a wneir o bob llathen o bridd mae'n amlwg fod yna arddwr yn byw yma. Canmolaf y letys a'r shibwns sy'n tyfu yn ymyl y drws cefn a holaf hynt y llysie a'r tato yn yr ardd go iawn. Hola Gerwyn a oeddwn i'n dipyn o arddwr ac atebais fy mod ond yn amlwg ddim "cystled â'r boi oedd wrthi ym Mrynbanc".

"Byddwch chi'n ca'l cwpwl bach o dato cinnar 'da fi nawr cyn bo' chi'n mynd – a letysen a shibwnsyn," meddai Gerwyn yn gwbl ddidaro; roedd y fargen wedi'i tharo – nid cynnig nac awgrymu a wnâi ond cyhoeddi; roeddwn yng nghwmni gwladwr o'r iawn ryw.

Mae'n rhaid gen i fod y stwcyn byr yn nodweddiadol o'r Celtiaid o ran ei olwg ac o ran ei ddiddordeb mewn celfyddyde materol a chain. Ymfalchïa yn ei dras a daw ei edmygedd o'i wncwl i'r golwg wrth iddo sôn yn hamddenol am ei atgofion ohono, yn gymysgfa o'r doniol a'r dwys. Ar wahân i getyn byr yn Southampton ni fu'n byw ymhell o'i filltir sgwâr ar hyd y ffin rhwng Sir Benfro a Sir Gâr gydol ei oes.

"Gesum i 'ngeni ym 1938 a ma rhaid bo fi bwti tair neu beder wêd pan dwi'n cofio Waldo a Linda, ei wraig, yn galw heibo Brynysgawen, neu Noble fel odd yr hen bobol yn galw'r bwthyn yn Efail-wen. Wi'n cofio bod gwallt coch gyda hi a gesum i gar bach a ffwtbol 'da nhw. Gadwes i'r car a wên i'n pedlo ffwl pelt 'fyd ond fe golles i'r ffwtbol i Dai, fy mrawd hyna, achos wedd e'n whare i dîm Llandysilio yn y cystadlaethe cwpane haf.

"Beth dwi'n gofio fwya wedyn yw'r dwli wedd gyda Waldo

i'n difyrru ni fel plant. Bydde fe'n dodi dwy stôl ar genol y llawr yn wynebu'i gily a rhoi llien drostyn nhw – carafán jipsi wedd hwnnw wedyn ch'wel a wedd rhaid mynd miwn a mas odano wedyn, a fynte'n gneud a chwbwl. Tric arall fydde sefyll tu ôl drws a dim ond un fraich yn golwg. Beth wedd mlân 'dag e wedyn wedd tynnu'i wasgod bant o dan ei got gyda'r fraich arall a ninne'n meddwl fod hinni'n glyfer iawn," meddai.

Collwyd cysylltiad wedyn am gyfnod o ryw ddeng mlynedd pan oedd Waldo ym Mhen Llŷn ac yna mewn gwahanol lefydd yn Lloegr ac ynte'n ŵr gweddw. Hyd yn oed pan fyddai'n dychwelyd i'r ardal ac yn rhoi tro am deulu ei frawd, Roger, fydde Gerwyn ddim yn debyg o'i weld am ei fod ynte wedi mynd i wasanaethu ar fferm Waunffrwd gyda'i ewythr, brawd ei fam, pan oedd yn ddeg oed ac yn carthu a godro chwech o wartheg cyn mynd i'r ysgol bob bore. Roedd Gerwyn wedi gadael ysgol ac yn was fferm ym Mhenycwm, fferm ar ochr y ffordd yn Llandysilio, pan gofia'r tro nesaf iddo weld ei ewythr.

"Wi'n ei gofio yn seiclo heibio yn ei drowser byr ar ei ffordd i Fynachlog-ddu mwy na thebyg a hithe ddim yn hindda. 'Beth yw'r boi dwl 'na sy'n seiclo yn y fath dywy'?' fydde pawb yn ei ddweud, ch'wel. A wir wi'n cofio mynd ar drip Ysgol Sul i Ddinbych-y-pysgod gyda Capel Nebo a hithe'n arllwys y glaw yno a phawb yn gwisgo cote mowr, pawb heblaw am Waldo – wedd e yn 'i drowser byr, wedi seiclo lawr i gwrdd â ni, ch'wel. A wir fe wedodd rhyw fenyw ddiarth wrtho ar y stryd, o weld shwd siape wedd arno, 'You'd better go and see a doctor'. Wedd e'n wherthin lot am hinni. Wedyn, falle fydde fe'n mynd i'r eithaf arall ac yn gwisgo cot fowr dew ar dywy' mwrnedd. Bydde pawb yn rhifeddu ato ac ambell un yn mentro gweud ei bod hi fel ffwrn o dan y got 'na. Bydde fe'n ateb trwy ddweud, 'O, na, na, ma awel fach 'da hi, 'fyd'.

"Erbyn hynny wên i'n meddwl ei fod e'n ddyn eitha llym. Wi'n cofio'i weld yn Hwlffordd ar nos Sadwrn rhywbryd ac ynte'n cerdded heibio i fi heb iddo 'ngweld i wrth iddo ddrychid lawr ar y pafin, ch'wel. Wên i'n meddwl ei fod e'n erbyn y peth ifed ond gesum i'r argraff anghywir ohono achos fe gesum i ddiod 'da fe wedyn yn Hwlffordd rhywbryd. Ond, ie, 'dyn od' wedd y disgrifiad arferol ohono achos wedd 'i feddwl yn amal iawn yn bell bant, ch'wel, a wedd e wastad yn gwcud nad odd e ishe carreg fedd.

"Fe alwodd gyda Eleanor un pnawn a ninne newy' briodi a finne'n gweitho a wedd 'da hi ddim llefeleth beth wedd e'n ei weud. Wedd gydag e duedd o siarad yn fân ac yn glou a byta'i eirie a wedyn wherthin am ben beth bynnag wedd e wedi'i ddweud. Wedd e wastad yn gwneud hwyl am ben ei dwpdra ei hunan, ch'wel.

"Ond fe ddes i i ddeall e. Wi'n cofio amser wedd e'n sefyll lecsiwn a fynte'n ca'l ei alw'n conshi gyda llawer achos ei fod e'n heddychwr. Nawr, prish bara a menyn we'n poeni rhan fwya o bobol Clunderwen ffor'na a nid pa mor hen wedd y genedl, a bant â hi ffor'na. Wên i'n gweitho yn y ffatri la'th yn Hendy-gwyn ar y pryd ac yn ca'l sawl dadl gyda hwn a'r llall. Wi'n cofio gweud wrth un bachan, 'Gwranda 'ma, siwrne ei di i fynwent Rhydwilym fydd dim sôn amdanot ti mwy, fydd dim ffws amdanot ti ond bydd Waldo'n ca'l ei gofio am ei fod wedi sefyll dros beth wedd e'n gredu ynddo'. Pring mod i'n meddwl hinni ar y pryd; wedd y bois erill yn wherthin ond ar yr un pryd yn credu 'mod i'n gweud y gwir."

Llifa'r atgofion yn llawn anwyldeb a thros baned o de a chacen neu ddwy edrydd yr hanesyn a roddodd y pleser mwyaf oll iddo wrth gofio am ei wncwl anghyffredin.

"Fe fues i'n dreifo'r lorri la'th lan sha Rhydlewis ffor'na a chwrdd â phlant yn amal iawn ar ben ambell stand laeth ar eu ffordd i'r ysgol. Wi'n cofio un bore am y roces 'ma'n adrodd, 'Wi'n hoffi teithio ar y bws' ar gyfer cyngerdd canmlwyddiant yr ysgol. Dyma fi'n gofyn iddi pwy wedd wedi sgrifennu'r pishyn a hithe'n ateb taw T. Llew Jones wedd yr awdur ond mewn eiliad neu ddwy yn gweud, 'Nage, Waldo yn llyfr T. Llew'. 'O, wedd Waldo'n wncwl i fi' wedes i a fel bwled fe ofynnodd hi, 'Wel, wyt ti'n enwog liweth 'te?' Fe gas hi gwpwl o swllte 'da fi am weud hinni, cofiwch," meddai gyda balchder.

Daeth yn amser i mi godi fy mhac ond nid cyn i mi gael golwg ar y torreth o lyfre yn ymwneud â Waldo sydd ym meddiant Gerwyn ac ambell drysor teuluol megis *The Life and Letters of Sir Henry Jones* gan H. J. W. Hetherington, a chyfrole eraill o eiddo'r athronydd a oedd yn ewythr i Angharad, mam Waldo. Uwchben yr Aga gwelir y geirie 'Gwyn eu byd yr oes a'u clyw, Tangnefeddwyr plant i Dduw' wedi'u gosod ar ddarn o lechen o dan arwyddnod CND. Cefais yr esboniad iddo fod yn hongian yng nghartre Dilys, chwaer Waldo, yn Wdig, a bod Waldo wedi bod ar un o deithie cerdded enwog Aldermaston ar benwythnose'r Pasg o'r ganolfan arfe niwclear yn Berkshire i Lundain – pellter o 52 milltir – yn y 1960au i ddangos ei gefnogaeth dros ddiarfogi niwclear.

Ond ni chawn fynd heb daro golwg dros y gerddi helaeth a chael sylwebaeth am bob darn a heuwyd gan gynnwys y gwahanol fathe o dato a heuwyd ymhob rhych. Yn y darn o dan do cydiwyd mewn gwrysgen neu ddwy ac ysgydwyd torreth o dato gwyn a glân yr olwg yn rhydd. Y rhain fydde fy nghinio pan elwyf adref. Yr un modd roedd y llysie gwyrdd a estynnwyd i mi i'w gosod yn y cwdyn yn gwneud i mi fagu archwaeth yn barod.

Cyn ffarwelio dyma Eleanor, yn gwbl annisgwyl, yn dweud wrthyf am ei mam yn gorfod llusgo fy nhad i'r ysgol yng Nghynwyl Elfed ar ei ddiwrnod cyntaf; ei 'dynnu ar ei din' oedd ymadrodd Annie Mary Jones, Pant-y-bugail, wrth i Lloyd Harries, Crynfryn, stwbwrna mae'n amlwg. Mor glòs y gall teulu dyn fod ar adege wrth i'r wybodaeth lonni fy nghalon a dyfnhau fy syniad o dras ac o berthyn. Mae'n rhaid gen i taw yn y fan honno rywle y canfyddir rhan o'r ateb i gwestiwn Waldo, 'Beth yw adnabod?'

Prin fy mod yn teimlo pwyse'r tato a'r llysie yn y sach ar fy nghewn wrth i mi seiclo oddi yno'n ysgafn droed a'm calon yn llamu o wybod y cawn sgwrs, yn y man, gyda lladmerydd un o'r teuluoedd a ffurfiodd gyfeillgarwch clòs â theulu Waldo dros dair cenhedlaeth, a'r cyfeillgarwch hwnnw'n dal yn aeddfed gynnes.

4

Y dderwen na chwympai

O DROI I'R chwith gyda thalcen y Swyddfa Bost yn Llandysilio oddi ar yr A478 ac o fewn hanner milltir, cyrhaeddir Sgwâr y Cross. O droi i'r dde, deuwn o fewn chwinciad i un o'r trigfeydd amlycaf a gysylltir â Waldo, sef Rhosaeron, y cartref teuluol. Ond rhaid ymwrthod â'r demtasiwn o fwrw golwg ar yr 'hen gartref' am y tro a chanolbwyntio ein golygon ar y ffermdy o frics coch ar y sgwâr a fu'n eiddo i deulu'r Beynons ers sawl cenhedlaeth. Dengys y stable sy'n amgylchynu'r clos fod y diddordeb teuluol mewn ceffyle wedi'i etifeddu gan Vernon Beynon. Deil yr ydlan i atsain o rialtwch y cynaeafe gwair hynny y bydde Waldo ei hun yn ei elfen pan fydde'n cynorthwyo gyda'r picweirch a'r pitsiwr, yng nghanol yr holl glindarddach sŵn a swae a nodweddai achlysur cymdeithasol o'r fath yn yr hen ddyddie.

Wrth ddisgwyl i Vernon ddod i'r golwg o'r tai mas neu o'r byngalo, sydd o fewn tafliad carreg, gadewch i mi'ch paratoi ar gyfer y storïwr rhadlon fydd yn sefyll â'i freichie yn bleth pan fydd yn ei lawn hwylie. Does ond angen crybwyll enwe cymeriade brith megis Dai'r Dwrdy a Wil Canaan ac edrydd stribyn o storïe glitsh glatsh un ar ôl y llall; ei reddf wrth gyfarfod â dieithryn yw dweud stori. Ac nid yw y tu hwnt iddo i arddel rhywfaint o ddawn y celwyddgi gole ei hun pan fydd yr achlysur yn caniatáu gan arwain rhywun o blith y cwmni i ddatgan, "Ma tamed bach o'r Wil Canaan yn perthyn i honna, glei".

Dyna chi'r cyfarfod tra phwysig hwnnw o Glwb Criced Crymych yn Nhafarn y Glandy rhyw flwyddyn pan oedd Vernon wedi'i ethol yn Gadeirydd. Ni all yr un pwyllgor, wrth gwrs, ddechre trafod dyrys faterion heb fod y cadeirydd yno i lywio'r cyfan. Ond roedd yna gynsail wedi'i osod y flwyddyn honno o drafod trwyddi draw am fod y cadeirydd droeon wedi'i chael hi'n anodd cyrraedd yn brydlon erbyn wyth o'r gloch. Bu'r criw'n hir ymarhous wrth ddisgwyl i meinábs rhoi ei ben trwy'r drws ar yr achlysur penodol hwn a doedd yr un ohonyn nhw'n rhy barticlar ynghylch cadw i'r funud beth bynnag. Ond pan welwyd y cloc yn tician heibio hanner awr wedi wyth ac yn cripian at naw o'r gloch penderfynwyd mai doeth fyddai bwrw iddi i gyflawni gwaith y noson; "Gewch chi weld fe ddaw e Beynon miwn mas law nawr gan ddweud ei bod hi'n ddrwg 'dag e fod yn hwyr ond wedd buwch yn dost â llo 'dag e".

Aed trwy'r agenda'n gyffyrddus a rhoddwyd pen ar y mwdwl cyn deg o'r gloch gyda phob dim yn ei le. Diflannodd un neu ddau sha thre ond mater o seibiant oedd hi i'r mwyafrif er mwyn rhoi'r byd criced yn ei le yn ogystal ag amal i bwnc arall. Yn sydyn tua'r deg o'r gloch agorodd y drws fel petai yno hyrddwynt a phwy ddaeth trwyddo, gyda'i wynt yn ymddangosiadol yn ei ddwrn, ond Vernon Beynon, Cadeirydd Clwb Criced Crymych. "Jawl, mae'n ddrwg 'da fi bois, odych chi wedi dod i ben â phopeth? Weda i wrthoch chi, wedd dwy fuwch yn dost â llo 'da fi – ond sdim ishe chi fecso, wedd y ddwy yn yr un parc."

Do, achubodd Vernon y blaen ar ei gynulleidfa drachefn gan gynyddu nifer y gwartheg oedd yn cael trafferth i roi genedigaeth ers y pwyllgor cynt pan na chyrhaeddodd mewn pryd i gymryd y gadair. Bydd y straeon am Vernon Cross fyw tra bydd yna glwb criced yng Nghrymych yn union fel y gwnaeth ynte ymestyn bywyde cymeriade'r fro ymhell y tu hwnt i'r bedd.

Pan ddaw i'r golwg, yng nghwmni Jac, yr ast fach fusneslyd, prin y bydd am loetran i siarad ar y ffordd fawr a bydd fawr o dro yn ein tywys yn sionc heibio byngalo Bwlch-y-ddwysir o'i eiddo gan esbonio mai dyna'r ffin draddodiadol rhwng Sir Benfro a Sir Gâr. Tebyg y sonia hefyd am Fanny Edwards a arferai fyw yn yr hen fwthyn y mae ei adfeilion i'w gweld o hyd ar draws y ffordd a bod yna bortread ohoni fel dynes dduwiol wedi'i gyhoeddi yng nghylchgrawn *Y Piwritan Newydd,* o eiddo Bedyddwyr Dyffryn Taf a Chleddau, y bu tad Waldo a'i ewythr, Gwilamus, yn cyfrannu iddo yn arddege'r ganrif ddiwethaf; "Ma hanes Fanny 'da fi yn y tŷ co rhywle," ychwanega Vernon yn jycôs. A dylid rhoi pwyslais ar y 'rhywle'.

Pan ddown at yr ail fwlch ar y dde egyr yr iet a'n tywys gyda'r clawdd i fwlch parc arall ac yna troi i'r dde nes cyrraedd bwlch sy'n arwain i gae pellach. Dyna ni wedi troedio ar hyd Parc y Blawd a Weun Parc y Blawd ac odid nad oes yr un darn o dir enwocach na sancteiddiach yng Nghymru na mangre ysbrydoliaeth y gerdd 'Mewn Dau Gae'. Rhy gyfle i ni edrych o gwmpas a blasu'r awyrgylch cyn dechre traethu. Mae'n anodd gwybod beth i'w ddisgwyl na sut i ymateb. Mae'r perci'n gysgodol, yn gyforiog o laswellt a does dim prinder coed ar hyd yr ymylon a'r rheiny'n goed praff, hynafol.

"Fe welwch chi Rhosaeron, cartre teulu Waldo ar ochr ei dad, trwy'r coed fan'co rhyw led ca' neu ddou bant. Bydde Waldo'n gallu gweld Parc y Blawd a Weun Parc y Blawd o'r ffenestri llofft, ch'wel, a bydde ei rieni wedyn, John Edwal a Angharad, yn hala orie draw fan hyn ar dywydd braf yn ishte gefn wrth gefn o dan y goeden dderwen," meddai heb godi ei olygon i edrych ar yr un goeden yn benodol, "a fan 'ny fydden nhw wedyn yn darllen llyfre tra bo Waldo falle'n crwydro ar hyd y perci lawr at y weun yn y gwaelod ffor 'co. Dyna beth oe'n nhw'n enjoio ei wneud, ch'wel," meddai.

Doedd hynny ddim yn fater o dresmasu ond yn adlewyrchiad o ffordd o fyw gymdogol ac o ddealltwriaeth fod eistedd o dan fôn y dderwen yn fodd i eneidie gael llonydd yng nghyswllt y sgwlyn a'i wraig. Doedd dim angen gofyn am ganiatâd yn dragywydd. Byddai'n darllen yn eang, yn farddoniaeth a llenyddiaeth, ac yn arbennig gweithie Americanwyr fel Walt Whitman a Waldo Emerson a phwy bynnag a blediai achos heddychiaeth a sosialaeth, megis Edward Carpenter a drigai ymhlith y gymuned hoyw yn Sheffield.

Fydde Waldo ddim yn ddall nac yn fyddar i hyn i gyd ac, wrth gwrs, ar ei gyfaddefiad ei hun, dyma'r fangre lle cafodd ysgytwad ysbrydol pan oedd tua phedair ar ddeg oed a fu'n rhan o'i gyfansoddiad nes iddo lwyddo i'w fynegi ar ffurf y gerdd, 'Mewn Dau Gae', ddeugain mlynedd yn ddiweddarach ym 1956, a hynny bedair blynedd ar ôl iddo wneud penderfyniad bwriadol i beidio â chyfansoddi am gyfnod.

Mae'n demtasiwn i ddyheu am weld môr o oleuni'n sgubo ar draws y perci ac i ddehongli sisial yr awel rhwng y dail gwyrddlas yn nefol wynt. Be sy'n gwneud i'r rhedynen acw symud? Oes yna neges gudd yng nghân yr adar? Ai nhw yw'r 'chwibanwyr gloywbib'? A glywn ni 'callwib y cornicyllod'? Beth yw arwyddocâd dyfodiad y 'Brenin Alltud a'r brwyn yn hollti'? Ble mae'r mawredd mewn darn mor fychan o dir?

Camgymeriad fydde ceisio canfod holl ddelwedde'r gerdd ysgytwol yn hofran uwch ein penne ac o'n hamgylch mor glir ac mor amlwg â gole ddydd. Rydym yn troedio ar hyd glyn cysgod cyfriniol a phob yn dipyn y caiff dirgelion felly eu datgelu. Rhaid ceisio costreli'r profiad o fod yn y fan a'r lle a dychwelyd drachefn trwy gyfrwng y cof wrth fyfyrio uwchben y geirie a chaffael yr un goleuni ag a darodd Waldo ei hun wrth ddatrys y dryswch tywyll.

Mentrodd ambell un gymryd darn o frigyn os nad colfen o'r fan er mwyn hwyluso cadw'r profiad yn fyw. Dyna un o'r creirie sydd gan Damian Walford Davies yn ei stydi yn Aberystwyth ac ynte, ynghyd â'i efaill o frawd, Jason, wedi gwneud mwy na neb o blith y genhedlaeth iau o academwyr i'n goleuo ynghylch mawredd Waldo.

O ran cronoleg, purion fydde cofio bod Angharad, ei fam, wedi marw ym 1932 yn 56 oed a'i gŵr ddwy flynedd yn ddiweddarach yn 70 oed pan oedd Waldo'n 30 oed. Ond yn ystod blynyddoedd y Rhyfel Byd Cyntaf fyddai'r triawd yn ei morio hi ar Weun Parc y Blawd felly, a does dim sôn fod yr un o'r plant eraill yn ymuno â nhw ar y prynhawnie tesog hynny o dan gysgod y dderwen. Yr un pryd, rhaid cofio mai yn Elm Cottage, ar y stryd fawr yn Llandysilio, roedd Waldo a'i rieni a'i frawd, Roger, a'i chwiorydd, Morvydd, Mary a Dilys, wedi ymgartrefu pan symudwyd o Fynachlog-ddu ym mis Ionawr 1915.

Ond parod yw Vernon i rannu ei gof plentyn gloyw am Waldo a'i fynych ymweliade â'r aelwyd gan ei fod yn ben partners â'i dad, Jac. Trysorid pob ymweliad o eiddo eu cymydog.

"Fydden ni'n nabod ei gerddediad ar hyd y feidir achos wedd tacs a phedol ar ei sgidie a'r rheiny'n sgidie brown fynycha; bydde fe'n rhyw lusgo'i drâd, ch'wel. Galla i ei weld e nawr, hytrach yn ei blyg, a macintosh 'dag e gan amlaf a'i ddwylo y tu ôl i'w gewn wedyn o dan y macintosh," meddai.

Oeda am getyn fel petai am anwylo'r atgof, a'i lyged ymhell, cyn ailgydio.

"Wi'n cofio fe'n dod lan rhyw nosweth adeg cywen gwair ar ddechre'r 1950au siŵr o fod pan o'dd 'nhad yn paratoi i fynd i odro. Dod lan i ymddiheuro wedd e na alle fe helpu ar y gwair y nosweth honno am fod cyfarfod 'dag e yn Arberth. 'Popeth yn iawn,' mynte 'nhad, 'ond croeso i ti arwen y pitsiwr am ryw awr tra bo'n ni'n bennu godro'. A fel 'ny fuodd hi. Crwt bach wên i, yn ishte ar steps y storws yn cadw llygad ar Waldo'n arwen Beti'r goben 'nôl a mlân yn yr ydlan. Wedd e wrth ei fodd yn neud rhywbeth fel 'ny nawr. Dwi'n gallu'i weld e nawr, wedi hwpo'i drywser tu fewn ei sane, yn gweud 'drato, drato' wrth i Beti ddamshel ar ei drâd, a hynny am fod Waldo'n lletwhith yn fwy na dim; dim ond gweud 'ji yp' wedd ishe wrth y goben a bydde hi'n neud ei gwaith, ch'wel.

"A wedd lot o sbort ar adeg cynhaea gwair pwrny wrth gwrs a wi'n cofio 'nhad yn gweud un stori am Waldo. Nawr, wedd rhyw fachan wedi dod i fyw yn Fronhoul ar bwys fan hyn o'r enw Bowyer a wedi dod yn dipyn o ffrindie 'da 'nhad trw'r ceffyle wi'n meddwl. Ta beth, o'dd e'n arfer bod yn *trapeze artist* yn y syrcas a fe wedd yn rhoi'r gwair yn y pige i'w godi i ben yr ydlan. Wedd Tom Saer, Dai George, y bwtsiwr, a Waldo wedyn yn ei sgwaru yn y gole. Pan o'dd y pige'n codi'r siolyn ola fe dda'th Bowyer lan 'dag e a ma fe'n troi at y tri arall a gweud 'Watch me jump down now'. A lawr ag e yn towlu ei din dros ei ben. Wedi iddo sefyll ar ei drâd dyma Tom Saer yn gweiddi arno, 'O, that's nothing man, try jumping up'. Wel, wedd Waldo yn wherthin wedyn nes bod e'n blèt; wedd rhwbeth fel 'na nawr yn ei goglish e.

"Stori arall wedyn ar adeg cynhaea yn dangos agwedd arall o gymeriad Waldo. Wedd criw o ryw ddeg i bwmtheg o fois ifenc, fel wedd hi pwrny, yn rhoi help llaw ar y gwair. Fe ddath hi i fwrw glaw mân a rhoi damper ar y cywen draw yn Parc y Pond fan'na. Beth na'th y bois o ran cythreuldeb ond stripo Alec Penbrwynen nes ei fod bron yn borcyn. Dim ond crys gwlanen wedd amdano fe. 'Nôl yn yr ydlan mewn sbel wedyn ma Bryn, fy wncwl, yn holi, gan bwynto lan at ochr y sièd, 'Ble ma Alec Penbrwynen 'te bois?' A 'na le wedd Alec yn cwato'n dynn yn ochr y sièd a'i ben-ôl yn y golwg i bawb wedd yn edrych lan; sbort fowr wedyn. Wel, os do, dyma Waldo, o'dd ar ben y sièd, yn gweld y whith ac yn rhoi trimad i bawb am gymryd mantes o rywun o'dd ychydig bach yn wannach na'r cyffredin.

"Ond, chi'n gw'bod be sy'n rhyfedd? Rhyw w'thnos ar ôl hynny dyma Waldo'n gweld Alec ar y stryd yn Llandysilio a dyma fe'n dod bant o'r beic gan fwriadu siarad ag e. Dyma Alec yn rhedeg at Waldo a'r unig beth na'th e o'dd estyn ei fraich a gwasgu'i geillie fe. Dyna'r diolch gas Waldo am achub cam ei gyfaill ar ben sièd wair y Cross, ch'wel."

Oeda Vernon am getyn pellach fel petai'n rhoi cyfle i ni flasu'r awyrgylch a rhoi'r dychymyg ar waith i deithio 'nôl mewn amser ac i ddisgwyl stori arall i ddod o rywle.

"Dyma chi stori yn dangos agwedd arall ar ei gymeriad; wedd hyn nawr adeg yr Ail Ryfel Byd cyn i 'nhad briodi ym 1946. 'Dere lan i ga'l swper 'da fi a Waldo nawr heno,' medde Gwladys, cyfnither Waldo o'dd yn byw yn Rhosaeron ar y pryd. Popeth yn iawn; ishteddwyd lawr a dechreuwyd byta, ond fe gododd Waldo o'r ford yn sydyn a mynd mas i'r ardd. Falle bo 'nhad yn teimlo tamed bach yn lletwhith ond chymerodd Gwladys fawr o sylw o ddiflaniad Waldo a dibennwyd y swper cyn i Waldo ddod 'nôl a fynte wrth gwrs heb fyta; a phrin iddo ddweud gair ar ôl dod miwn. Teimlo rheidrwydd i farddoni wedd e, ch'wel, a phwy a ŵyr taw pwrny wedd e'n llunio 'Y Tangnefeddwyr'."

Synhwyrwn fod chwaneg o straeon i ddod o enau Vernon; ni thâl i ddweud dim na holi'r un cwestiwn rhag tarfu ar ei fyfyrdod a llif ei ymwybod. Clywn sŵn yr awel fain a gwelwn y ceffyle'n pori'n hamddenol yn y parc nesaf; ni chaf fy siomi.

"Wedd sawl un yn gweud fod Waldo'n ddyn od, ch'wel, a hynny'n bennaf achos fod e'n gwisgo trywsus byr yng nghanol gaea, a ma hynny'n ddigon cyffredin heddi wrth gwrs. Wi'n cofio rhyw fis Ionawr, pan wedd eira ar y llawr a finne tua thair i bedair wêd – gesum i 'ngeni ym 1946, ch'wel – clywed cnoc ar y drws a Waldo'n cerdded mewn ac ynte mewn trywsus byr wedi seiclo o Hwlffordd. 'Waldo bach, synno chi'n gwbod pa amser o'r flwyddyn yw hi?' medde Mam-gu wrtho fe.

"Dro arall wedyn yng nghanol y 1960au a finne yn fy ugeinie cynnar a ninne heb weld Waldo ers sbel, dyma gnoc ar y drws amser brecwast, a miwn ag e. Fy nhad yn ei holi wedyn ble wedd e wedi bod a fynte'n dweud iddo fod yn aros rhywbryd gyda'r *down and outs* yn Llunden. Edryches i'n syn arno'n sôn amdano'n rhannu stafell mewn hostel gyda'r bobol hyn ac yn rhoi'i waled yn ei hosan y noson gynta ond wedyn erbyn yr ail nosweth wedd hi o dan ei obennydd. 'Wedd rhai ohonyn nhw'n gallu rhaffo barddonieth Tennyson ti'n gweld, Jac,' mynte fe wrth fy nhad. 'Wên nhw i gyd yn sgolers,' mynte fe wedyn. Siŵr o fod wedd e ishe gweld dros ei hunan shwd bobol wedd y rhain, chi'n gweld. Ie, wedd rhywbeth yn eitha sbesial amdano, ch'wel."

Daw ysbaid o ddistawrwydd drachefn fel pe baem mewn oedfa cyn i Vernon ailgydio wrth iddo barhau i sgwrsio gan syllu i'r pellter fel pe na bai neb arall yn bresennol.

"Ma sawl un yn gofyn dros y blynydde pam oe'n ni'n rhoi caniatâd i John Edwal a'i wraig, Angharad, i hala shwd gwmint o amser yn Weun Parc y Blawd. Wel, ma rhaid i chi gofio, yn wahanol i fel ma pethe heddi, nid pobol drws nesa wedd teulu

Waldo ond cymdogion a wedd hinni'n golygu ein bod ni bob amser yn rhannu a helpu'n gilydd. Wedd fy hen dad-cu, John Beynon, yn byw fan hyn a mwy na thebyg mai teulu Waldo wedd yn Rhosaeron pwrny hefyd. Chlywes i neb yn sôn am roi caniatâd iddyn nhw fynd i ishte yn Parc y Blawd, dim ond rhyw sylw wrth ddod miwn i'r tŷ, 'O, ma John Edwal a Angharad mas yn y Parc heddi 'to,' ar brynhawn braf o haf nawr falle. Fel 'ny wedd hi.

"'Ych chi'n gweld, wedd Waldo yn un o'r archgludwyr yn cario o'r tŷ fan hyn i gapel Blaenconin pan gladdwyd fy nhad-cu, Tom Beynon, ym 1927. Am fod fy nhad wedi gorfod gadael yr ysgol yn dair ar ddeg wêd fe fydde John Edwal wedyn yn mynd ar ei benlinie ar y groesffordd fan hyn ac yn tynnu map o wledydd y byd yn y dwst. Fe fydde fe'n sôn am nodweddion y gwledydd hynny wedyn wrth fy nhad er mwyn iddo gael tipyn bach o'r addysg wedd e wedi'i golli. Ma'r cysylltiad yn dal yn glòs, cofiwch, a prin fod diwrnod yn mynd heibio heb 'mod i'n siarad â rhai o neiaint Waldo, plant Roger, ei frawd," meddai yn ben ar y mwdwl.

Dyna ni wedi cael cip ar Waldo'r person o gig a gwaed yn ogystal â Waldo'r cyfrinydd, a hynny mewn dau gae. Peri'r profiad arswyd cynnes ac awydd i ddychwelyd rhyw brynhawn tesog gydag un o'r teclynne hylaw hynny a fydde'n medru cyflwyno darlleniad Jim Parc Nest o'r gerdd fawr 'Mewn Dau Gae' yn ein clustie. Ond os byddem â'n bryd ar eistedd o dan yr union un dderwen ag y gwnâi John Edwal ac Angharad tra crwydrai Waldo, yna, mae'n ddominô arnom, fel yr esbonia Vernon braidd yn anfoddog:

"Dwi'n cofio fel tase hi dwê; mis Tachwedd 1967 wedd hi, a finne, Ron Davies a Mons Jenkins, Brynaeron, yn torri coeden dderwen fowr draw mynco," meddai gan bwyntio tua hanner ffordd ar hyd y clawdd.

"Ma rhywfaint o'r boncyff 'na o hyd. Ishe cwêd tân wedd arnon ni, ch'wel, ond dyma beth wedd yn rhyfedd, fe lifiwyd y goeden trwyddi'n grwn ond chwympe hi ddim a bu rhaid ca'l tractor a rhaff weier cyn ddele hi lawr. A wyddech chi mai wyth mlyne'n ddiweddarach ar ôl gweld llun wedi'i dynnu gan Morris y Chemist, fan hyn yng Nghlunderwen, y sylweddoles i taw honno wedd hoff goeden John Edwal a Angharad? Os bydden i ond yn gwbod, fe fydde hi wedi ca'l llonydd," meddai'n edifeiriol.

Fel petai am ysgafnhau'r awyrgylch cyfeiria at y ceffyl rasio o'r enw Waldo's Dream sy'n pori ymhlith ceffyle eraill yn y parc drws nesa. Cyn iddo riteirio mae'n debyg iddo ennill dwy ras, cwpla'n ail ar ddau achlysur a chwpla'n drydydd ar dri achlysur arall mewn cyfanswm o ddeg o rasys. Byddai hanes y goeden yn ogystal â hanes y ceffyl wedi goglish Waldo a'i orfodi i chwerthin fel y gwnâi yng nghanol raldibŵ'r cynhaeaf gwair neu wrth wylio'r tricie a wnâi Ffliwc, y ci defaid, nes ei fod yn yngan rhyw "wel, wel, wel" anghrediniol. Byddai wedi'i goglish ymhellach pe gwyddai fod Parc y Blawd a Weun Parc y Blawd, am na thyfir llafur na gwenith ynddyn nhw bellach, yn cael eu galw'n amlach na pheidio yn Berci Waldo.

5

Pedlo i Ben Llŷn

CANODD Y FFÔN am chwech o'r gloch union yn unol â'r trefniant. Ond roeddwn eisoes ar fy nhraed ac wedi ymolchi ac wrthi'n bwyta brecwast ysgafn. Clywn lais Teifryn y pen arall ond doedd dim angen fawr o siarad rhyngom. Cadarnhau'r trefniade ar gyfer cyfarfod ar y trên yng Nghlunderwen yn ddiweddarach oedd byrdwn y sgwrs bwt. Nid oeddwn wedi gorlwytho fy sach ond credwn fod gen i bob dim y byddai o bosib eu hangen arnaf ar y siwrne.

Dal yn gysglyd oedd pentre Maenclochog am hanner awr wedi chwech y bore; parciodd y fan dosbarthu papure wrth y siop uchaf heb ddiffodd yr injan a chlywn sŵn bwndel yn cael ei daflu'n ddiseremoni ar riniog y drws clo. Doedd dim cyffrad i'w weld yn Oriel Gelf Linda Norris lle gwelir nifer o lunie haniaethol o'i heiddo, tebyg i'r un sy'n addurno clawr llyfr o ysgrife am awen Waldo, *Cof ac Arwydd*, a olygwyd gan yr efeilliaid Damian a Jason Walford Davies. Gwelais ddynes na welais mohoni cynt na chwedyn yn mynd â'i chi am dro heibio Hen Gapel. Tybed oes yna ddynes yn byw yn y pentref na chaiff ei gweld ond yn blygeiniol? Neu am ei bod yn ganol mis Awst, hwyrach mai ar ei gwylie oedd hi a'i chi.

Erbyn troi i gyfeiriad Arberth roedd y gwynt yn fy mwng, fy llygaid yn llaith a'r un siw na miw i'w glywed ar glos ffarm laeth Gilmwr wrth i mi sgidadlan heibio. Dal yn ei gwely oedd Kay Nicholas er, ar adeg arall o'r dydd, medrai sôn am ei thad yn y gwely drws nesaf i Waldo yn Ysbyty Hwlffordd yn ystod ei salwch olaf a hithe'n synnu at yr holl lyfre oedd wrth ei ymyl. Un o'r llyfre hynny oedd drama Saunders

Lewis, *Gymerwch Chi Sigarét?* a achosodd cryn ddigrifwch pan geisiodd Waldo rhoi ar ddeall i un o'r lleianod, fyddai'n galw heibio i'w ymgeleddu, ei fod am ddarllen y ddrama. Am fod ei leferydd mor aneglur aeth y lleian i chwilio am bacyn o ffags gan holi pawb pa rai oedd ffefrynne Waldo. Ond yr hyn a ddaliodd sylw Daisy, chwaer Kay, oedd y Beibl bawlyd wrth ymyl y gwely yn dyst i fynych ddefnydd.

Ai fi ar fy meic oedd brenin y bore bach pan oedd y tylwyth teg yn dal yn y gwlith a'r gwawn heb godi oddi ar y gwrychoedd, gwedwch?

Am nad oedd yna fawr o bedlo i'w wneud ar hyd y ddwy filltir ar y gwaered, ehedai'r meddwl yn drên. Wrth gyrraedd Llandre Egrmwnt a chroesi'r bont dros afon Cleddau Ddu a honno'n dechre ymestyn ei glanne fe'm trawodd yn sydyn; beth petai, rhyw fore, wedi'i gwagio o ddŵr neu'r llif wedi troi'n llonydd? Pa drychineb ddigwyddai wedyn? Yr haul efalle'n pallu codi. A fyddai'r fath drawsnewidiad yn bosib mewn realiti yn ogystal ag mewn dychymyg? Caton pawb, mae'n rhaid y byddai crac yn y cread rhywle pe na lifai'r dyfroedd! Bydde'r blaned ar ei hechel. Rhaid i finne werthfawrogi o'r newydd yr hyn a gymerwn yn ganiataol yn yr hen fyd 'ma.

Oedaf am ennyd uwchben yr afon i adrodd hoff bennill Waldo o waith ei gyfaill, Llwyd Williams:

> Dyma'r afon sy'n fy nilyn
> Draw ymhell o'r gweundir llwm,
> Nid â'r glust y clywaf heno
> Sŵn yr afon yn y cwm.

Hudwyd Waldo ynte gan gyfrinache afon Cleddau gan iddo gyhoeddi cerdd o ddeg o benillion iddi yn y *Western Telegraph,* papur wythnosol a gylchredai drwy Sir Benfro gyfan, ym mis Mehefin 1939, wrth ddilyn ei hynt o'r mynydd i'r môr gan gwpla gyda'r pennill hwn:

Canu'r tir isel, canu'r trysor,
Y wobr a gâr ar lwybr y goror;
Hiraeth mwy ar draeth y môr ŵyr ei bron,
A chŵyn yr eigion fo'i chân ragor.

Wrth droi i'r chwith am y pedair milltir i Glunderwen rhaid defnyddio ychydig o nerth corfforol o bryd i'w gilydd i esgyn ambell riw afrosgo. Braf hynny am fod aelode'r corff, er yn dynesu at y trigain oed, yn ysu am her. Canaf gloch y beic bob hyn a hyn i gyfarch neb yn benodol heblaw am wyrth y bore. Gwna hynny i ambell anner godi ei phen mewn chwilfrydedd ac i un arall sgathru mewn braw. Na phoener, ni wnaf ddim mwy na dathlu porad gyntaf y bore.

Pam mae'r gwylanod yn cylchdroi yn yr awyr draw yn un clindarddach o sŵn? Mae yna ddirgelwch ym myd natur o hyd neu ai ni, oherwydd ein ffordd o fyw, sydd wedi ymbellhau oddi wrth yr hyn a ddigwydd o'n hamgylch? Dyfalaf eu bod yn cynnal cynhadledd i benderfynu pa lwybr i'w gymryd i gyrraedd y môr. Hwyrach bod rhai o'u plith yn synhwyro bod yna gae ar fin ei aredig yn y cyffinie a'u bod am loetran am getyn i fanteisio ar yr holl fwydon a ddaw i'r amlwg yn bryd blasus o frecwast parod. Hei, mae'n rhaid i mi fynd! Mae gen i drên i'w ddal, glei. Rhynt y gwylanod a'u pethe.

Ni ddaeth yr un cerbyd heibio nes i mi gyrraedd y ffordd fawr yn Llandysilio a phrin ddau neu dri a welais wedyn o droad Pwllcwarre nes cyrraedd yr orsaf yng Nghlunderwen. Roeddwn ar frys nawr am i mi gael hunllef y byddwn yn cyrraedd yr orsaf wrth i'r trên adael a Theifryn yn fy melltithio o bell. Ni wisgwn oriawr a doeddwn i ddim am wastraffu amser trwy dynnu'r ffôn fach o'r sach gewn, i weld be ddywedai honno; bydde'n rhaid gwastraffu eiliade prin eraill i'w chynne wedyn cyn darllen yr amser. Gwell oedd mynd amdani a cholli chwys yn y gobaith na fydde ein siwrne'n ofer cyn dechre.

Pan gyrhaeddais yr orsaf roedd hi fel y bedd heb yr un adyn byw ar y platfform. Penderfynais nad oedd angen mynd i stad o banig. Yn wir, pan gefais drefn ar y ffôn symudol gwelais mai newydd droi saith o'r gloch oedd hi ac mai newydd adael Aberdaugleddau oedd y trên felly. Roedd gen i ugain munud dda i loetran a chasglu fy meddylie ynghyd. Bras edrychais ar y map rheilffordd gerllaw er mwyn ymgyfarwyddo â siwrne'r diwrnod. Pe bai'n ben arall y diwrnod medrwn dreulio cetyn yn nhafarn yr Iron Duke gerllaw, ond heb eu hagor oedd y llenni.

Cerddodd gŵr mewn welingtons gwyrdd a siwt fwyler lân, las tywyll, heibio heb fy nghyfarch a diflannu y tu hwnt i'r dafarn rhywle. Mae'n rhaid bod yna ffarm yno, meddyliais, a gorchwyl godro i'w chyflawni ond ymhen cetyn dychwelodd y gŵr gan gerdded heibio'r un mor hamddenol gyson heb fy nghyfarch y tro hwn chwaith. Enynnodd hyn fy chwilfrydedd. Pwy oedd y gŵr a beth oedd ei orchwyl? Yn ôl ei ymddangosiad, a'r ffaith nad edrychai i unman dim ond o'i flaen, roedd yn gyfarwydd â chyflawni'r dasg hon yn ddyddiol waeth beth oedd ei diben. Tebyg na chaf fyth wybod. Yn wir, a oeddwn wedi'i weld o gwbl neu ai rhith oedd?

Wrth iddi nesu at hanner awr wedi saith cyrhaeddodd dynes a thipyn o afael iddi o ran ei golwg i rannu fy mhlatfform; roedd yn amlwg ei bod hithe'n hen gyfarwydd â'r drefn. Bu raid i mi droi i'r Saesneg cyn iddi ddeall fy ymholiad pryderus ynghylch prydlondeb y trên ond wrth iddi fy narbwyllo nad oedd angen i mi boeni, gwelwn y trên yn dynesu yn y pellter. Wrth i finne straffaglu â'r beic daeth Teifryn i'r adwy i'm tywys at y drws mynediad gerllaw'r fan lle'r oedd cilfach wedi'i neilltuo ar gyfer clymu beicie. Roedd tasg gyntaf y bore wedi'i chyflawni'n llwyddiannus.

Eisoes roedd Teifryn yn fwrlwm o sgwrs ac wedi holi perfedd y gŵr a eisteddai gyferbyn ag ef yn ystod y daith fer o Hwlffordd. Deuthum inne i ddeall iddo roi'r gore i yrfa dda ym myd bancio a dilyn gyrfa well yn y purfeydd olew yn Aberdaugleddau cyn ymddeol. Adwaenai ynte a Teifryn lawer o'r un bobol o fewn y diwydiant. Roedd ar ei ffordd i gartref ei ferch rywle ym mherfeddion Lloegr er mwyn cyrchu ei cheffyl 'nôl i Sir Benfro. Roedd ganddo ynte gefndir amaethyddol hefyd am iddo gael ei eni ar fferm yn ardal Gelli nid nepell o

Landre Egrmwnt yr euthum heibio iddo'n gynharach. Bu cryn ddyfalu rhyngom ein tri am getyn ynghylch enwe, llefydd a thylwythach yn yr ardal.

Erbyn cyrraedd Caerfyrddin roedd Teifryn wedi estyn fflasg o'i fag, ynghyd â thrugaredde angenrheidiol eraill, ar gyfer arllwys paned o de i'r ddau ohonom; daeth o hyd i dafell neu ddwy o dorth fanana o waith ei law ei hun hefyd. Wrth i afon Tywi lifo i'r môr a ninne gael ein tywys ar hyd glanne Bae Caerfyrddin, heibio Cydweli a Phorth Tywyn, roedd yna ymdeimlad ein bod ar ein ffordd yn bendramwnwgl i rywle ac nad oedd troi 'nôl bellach; dyna'r effaith a gaiff y môr mawr wrth i'w orwel ein tywys yn nes ato i ganfod pa ryfeddodе sydd y tu hwnt iddo. Ond y tro hwn, tramwyo ar hyd *terra firma* a wnaem gan ddisgwyl i drwyn y trên gyrraedd Llanelli er mwyn i ni ddisgyn oddi arno.

O astudio'r amserlenni gwêl Teifryn fod gennym yn agos i awr i aros cyn y daw'r trên fydd yn ein tywys i gyfeiriad Amwythig. Yn hytrach na loetran ar yr orsaf mynna Teifryn ein bod yn neidio ar y cyfrwyon er mwyn seiclo'r pellter byr i'r caffi Twrcaidd y bu'n seinio ei glod ers tro. Does dim hafal i'r brecwaste yno oedd ei ddyfarniad a gwir y dywedodd o ran eu maint, eu blas a'u pris. Yn naturiol, am ei fod wedi mynychu'r lle droeon o'r blaen gwyddai Teifryn am gefndir y perchennog yn symud o Lundain er mwyn rhoi cartref ac amgylchedd llai treisgar i'w deulu; doedd ei fryd ddim ar wneud ffortiwn chwaith neu byddai ei brisie ddim mor rhad.

Ni ein dau oedd yr unig gwsmeriaid yn y caffi glanwedd ac, yn wir, er nad y mwyaf o'r brecwaste a gynigid a archebwyd gennym, roedd angen bron yr holl o'r ysbaid oedd gennym i luo'n platie'n loyw lân. Prin ddadebru oedd bywyd y stryd ac, wrth adael, gwelsom y siop Bwylaidd ar draws y ffordd yn agor ei drws i groesawu cwsmeriaid cyntaf y dydd, a'r iaith Bwyleg yn bendifadde oedd i'w chlywed amlycaf yn y darn cosmopolitan hwn o dre'r sosban y bore hwnnw.

Prin oedd y sedde gwag yng ngherbyde'r trên wedi i ni esgyn yn olaf o'r platfform o blith yr holl deithwyr oherwydd trafferthion wrth godi'r ddau feic a'u clymu yn eu stale priodol. Ond daeth Teifryn o hyd i ddwy sedd wrth un o'r ychydig fyrdde lle'r oedd yna bâr priod eisoes yn eistedd a phrin ei fod wedi rhoi ei bwyse i lawr nad oedd wedi tynnu sgwrs â nhw. Ac am awr o ddifyrrwch pan dery dau ddieithryn cymdeithasgar ar ei gilydd.

Mynnodd y dieithryn â'r wyneb tewgrwn ein bod yn dyfalu ei fuchedd wrth iddo ein cyfarch mewn llais ac iaith goeth; rhoes ei ddwylo trwy ei wallt nes ei fod yn edrych yn fflwch fflach o anniben o weld ein bod yn hwyrfrydig i gynnig atebion. Doedd gen i ddim dewis ond awgrymu ei fod yn actor, yn ennill ei fywoliaeth yn dynwared y bardd Dylan Thomas a hwyrach mai Robert Blythe oedd ei enw a'i fod yn cymryd rhan mewn cyfres gomedi lwyddiannus ar y teledu hefyd. Roedd wedi'i blesio, hyd yn oed os nad oedd yn hollol sicr ei fod yn gybyddus ag enw'r actor a grybwyllais.

Ei gam nesaf oedd ein darbwyllo fod gan bob aelod o'r ddynoliaeth o leiaf un profiad anghyffredin y talai iddo ei rannu â'i gyd-ddyn cyn bwrw ati i ddarlunio ei brofiad ynte o fod yn rhan o ladrad arfog. Er iddo dreulio rhan helaeth o'i oes yn arfer y grefft o werthu nwydde, a hynny yn ôl pob tebyg yn esbonio ei natur gymdeithasgar, roedd yn gweithio fel swyddog diogelwch mewn warws mawr yng Nghanolbarth Lloegr ar yr achlysur penodol hwn. Roedd yn gweithio shifft ddwbl ar ei ben ei hun ar benwythnos pan dorrodd tua hanner dwsin o ladron arfog, yn gwisgo mygyde, i mewn i'r adeilad, ei glymu a'i orfodi i orwedd â'i wyneb ar y llawr, tra oedden nhw'n ei holi'n daer am y trefniade diogelwch. Digwyddodd hyn ychydig cyn y Nadolig ac roedd y lladron â'u bryd ar yrru nifer o lorïe oedd yn llawn fideos a nwydde'r ŵyl oddi yno. Er mor frawychus oedd y profiad roedd ein cyfaill, ar ryw olwg, yn edmygu trylwyredd y lladron.

Ond nid dyna ddiwedd y stori. Er iddo ddychwelyd i'r gwaith gan gredu bod ei gryfder cymeriad yn ei alluogi i ddelio â'r fath brofiad anhyfryd, cafodd ei berswadio y dylai chwennych cymorth a chyngor ynghylch effaith trawma. Er ei fod yn cyfaddef ei fod yn nerfus petai ond yn clywed smic am gyfnod wedi'r digwyddiad, a'i wraig yn cadarnhau hynny, roedd o'r farn fod llawer o'r dullie cynghori yn bisâr a rhai o'r cynghorwyr honedig yn codi mwy o arswyd arno na'r lladron. Cafodd ei berswadio hefyd i chwennych iawndal gan setlo am swm chwe ffigwr yn y diwedd a hynny ar ôl gweld nifer o gyfreithwyr a oedd, yn ei farn ef, yn dipyn o ryfeddod ac yn tanseilio ei ffydd yn y natur ddynol. O, ie, cafodd y lladron hefyd eu dal a'u carcharu ar sail tystiolaeth olion bysedd.

Prin y medre'r un ohonom ni ill dau gystadlu gyda gair o brofiad cyffelyb. Roeddem yn ddigon parod i wrando arno unwaith eto yn dynwared Richard Burton gyda'i lais soniarus neu hyd yn oed rhai o leisie'r pulpud oedd wedi'i gyfareddu yn y gorffennol. Rhoddai hynny foddhad iddo ynte am ei bod yn amlwg fod geirie a chywirdeb defnydd ohonynt yn bwysig iddo a hynny, efallai, oherwydd dylanwad ei wraig a fu'n athrawes Saesneg gydol ei gyrfa. Cytunodd i'w phriodi, meddai, ar yr amod y medrai hi gasglu cant o becynne sigaréts gwag o amgylch y parc ym Mryste lle roedden nhw ar y pryd; gwnaeth hithe hynny'n ddidrafferth a chlymwyd y cwlwm priodasol.

Pan ddechreuodd holi Teifryn am y busnes seiclo, gan ychwanegu amal i stori am ei brofiad ei hun yn y maes, a ninne wedi hen gefnu ar Ddyffryn Tywi erbyn hyn, manteisiais inne ar y cyfle i hepian cysgu wrth i flinder ymdrechion y bore bach ymaflyd ynof. Erbyn i mi ddadebru roedd y trên wedi cyrraedd gorsaf Llandrindod, y trafod am seiclo wedi'i ddihysbyddu'n hesb, a'n cyfaill, os gwelwch yn dda, wedi ychwanegu ambell bwt o gân at ei *repertoire* byrfyfyr. O glywed ei lais tenor melodaidd mentrais ddweud ei fod nawr yn fy atgoffa o'r cantor Robert Tear. Edrychodd arnaf yn syn cyn canu clodydd y tenor o'r Barri a mynnu fy mod inne hefyd yn gerddor os oedd gen i'r fath chwaeth. Llwyddais i ddal pen rheswm ag ef pan ddywedodd iddo fod yn aelod o Gôr Polyffonig Caerdydd am fy mod inne hefyd yn gyfarwydd â nifer o'r aelode blaenllaw.

Yn y man, cyfaddefodd ei fod ynte a'i wraig ar eu ffordd i Henffordd i wrando ar berfformiad o *Elijah* o waith

Mendelssohn yn yr eglwys gadeiriol yno gan ddweud cymaint roedden nhw'n edrych ymlaen at y profiad, o gofio am ansawdd acwsteg wych yr adeilad; prin fod yna'r un datganiad o bwys yn yr eglwys pan na fydden nhw'n bresennol. O gofio cynifer o ddarne ar gyfer tenoriaid sydd yn yr oratorio am y proffwyd o'r Hen Destament medrwn ddychmygu y bydde ein cyfaill yn ei morio hi yn ei seithfed nef ymhen ychydig orie. Wrth ffarwelio â'r pâr na wyddwn eu henwe, yng ngorsaf Trefyclawdd, ein cyfarchiad i'n gilydd ar gyfer parhau ar siwrneie bywyd oedd, “Be ye not afraid”.

Er mai fy mwriad ar y siwrne ar hyd y Canolbarth oedd holi Teifryn am yr hyn a wyddai am gyfnod ei ewythr yn Llŷn, roedd hynny'n amlwg wedi mynd yn ffaliwch. Serch hynny, credwn i mi weld cip o'r wncwl yn y nai wrth sylwi ar y modd y tynnai sgwrs â'r dieithriaid mwyaf llachar o ddiddorol; ac onid oes yna straeon am Waldo'n cyfarfod â'r bobol ryfeddaf ar ei deithie ac ynte'n dotio at eu buchedde?

Disgynasom yn Nhrefyclawdd yn unol â'r cynllun rhagblaen i osgoi teithio'r holl ffordd i'r Amwythig a sefyllian yno am awr cyn dal trên i Fachynlleth. Penderfynwyd arbed amser ac ystwytho'r cyrff yr un pryd trwy seiclo o Drefyclawdd i'r Drenewydd a dal yr un trên yno ag y byddem wedi ei ddal yn Amwythig. Trwy fesur bys a bawd ar fap amcanwyd na fydde'r daith yn fwy na rhyw 16 milltir. Byddai gennym amser, felly, i gael paned o de os nad pryd o fwyd ar ôl cyrraedd y Drenewydd. Beth gwell na thaith hamddenol ar ddiwrnod o haf ar hyd y ffin rhwng dwy wlad? Doedd yna'r un nam i'w weld yn y cynllun.

Wrth dindroi ar yr orsaf a bwrw golwg fanylach ar fap ar hysbysfwrdd yno sylwodd Teifryn y medrem fod wedi disgyn ynghynt yng Nghnwclas wrth y draphont enwog a thrwy hynny arbed o leiaf ddwy filltir o seiclo i ni ein hunain. “Tish baw” myntwn inne, fyddem ni ddim wedi gweld fod Trefyclawdd yn dref mor gartrefol yr olwg wedyn na chwaith wedi medru ymfalchïo taw'r enw Cymraeg ac nid Knighton oedd i'w weld amlycaf ar fwrdd gwybodaeth enfawr y clwb rygbi lleol. Er bod yna lethre uchel o boptu, mae'r ffordd ar lawr y dyffryn ar hyd glanne afon Tefeidiad, neu Teme, yn gymharol wastad. Dyma i chi wlad hudolus sydd wedi'i chadw yn ddirgelwch ers canrifoedd, mae'n rhaid gen i. Gwrandewch ar yr enwe a'u blasu ar y daflod: Mellin-y-grogue, Llanfairwaterdine, Monaughty Poeth, Lloyney, Duthlan, Pantycaragle, Wernygeufron, Tregodfa a Bugeildy i enwi'r rhai yr oedais i'w nodi ar hyd y ffordd B4355. Mae'n rhaid gen i fod Duw yn ei nefoedd a'r byd crwn yn ei arffed.

Goddiweddem ein gilydd o bryd i'w gilydd gan ryfeddu nad oeddem wedi ymgodymu â'r un rhiw serth gydol yr wyth milltir neu fwy y buom yn seiclo'n ddiymdrech. Rhyfeddem o weld enw ambell bentref gyda phrin mwy na dau neu dri thŷ o fewn ei ffinie. Gwelsom ddefaid di-ri ar y ffriddoedd ond heblaw am ambell dractor yn chwyrnu heibio roedd y ffordd yn eiddo i ni. Rhaid oedd oedi i fwrw golwg ar garlwm marw ar ganol y ffordd a'i daflu naill ochr i fôn y clawdd a'i gorff yn dal yn gynnes; roedd yna greulondeb ac adfyd yng nghanol pob gwynfyd wedi'r cyfan.

Wrth i mi seiclo ling-di-long gan ryfeddu at lesni'r dirwedd, yn ddolydd ffrwythlon ac yn elltydd tewion, diflannodd Teifryn o'm golwg. Yn wir, doedd dim arlliw ohono wedi i mi droi cornel neu ddau. Ond wrth imi duchan arni gan geisio fy argyhoeddi fy hun nad oedd angen i mi bryderu fy mod wedi'i golli, bu bron i mi hedfan heibio iddo; roedd meinábs wedi disgyn oddi ar ei feic ac wrthi'n paratoi picnic mewn bwlch clawdd.

Does dim fel dishgled o de i dorri syched a gwlychu'r ymysgaroedd, yn arbennig wrth ei hyfed yn yr awyr agored a deil y tafelli o'r dorth fanana yn flasus. Teimlem yn un â'r byd natur o'n hamgylch. Hawdd oedd uniaethu â'r defaid yn cnoi eu cil gerllaw yn fodlon braf. Rhyfeddem at odidowgrwydd rhan o'r wlad na wyddem am ei bodolaeth cynt. Ychwanegu at ei dirgelwch a wnâi'r ffaith nad oedd yna'r un arwyddbost yn unman yn cyfeirio at y Drenewydd na chwaith yn dynodi'r milltiroedd fyddai'n rhaid i ni eu tramwyo cyn cyrraedd pen ein siwrne. Ar yr un pryd cawsom ddigon o dystiolaeth i ganfod mai'r un mor rhyfedd oedd dynoliaeth yn y rhan yma o'r byd ag ymhobman arall. Pan holwyd gŵr oedd yn mynd â'i gi am dro ynghylch y pellter i'r Drenewydd cawsom yr ateb "Tua wyth milltir" ac ymhen rhyw dair neu bedair milltir arall pan welsom ffermwr yn pwyso ar lidiart a'i holi yn yr un modd, cawsom yr ateb "O leiaf deng milltir"!

Serch hynny, doedd dim lle i boeni bid siŵr a waeth i ni ddim rhyfeddu at smaldod pobol. Canmolem ein hunain am ein hirbendod yn osgoi'r siwrne yr holl ffordd i'r Amwythig trwy dorri ar draws gwlad i ailgydio yn ein taith drên yn y Drenewydd chwap wedi tri o'r gloch. Ar y llechwedd draw gwelwn geffyl yn pori ar ei ben ei hun yng nghanol y rhedyn. Diflannai o'r golwg bob hyn a hyn a dilynem ei gamre drwy sylwi ar y modd y gwanid y rhedyn a hynny ar garlam fe ymddengys. Gobeithio nad oedd ar ei ffordd i drybini.

Daeth yn bryd i ninne ailgyfrwyo wedi'r ail baned a chyn pen fawr o dro fe'n hwynebwyd â'r hyn a fawr ofnem, sef rhiwie serth a throeon enbyd. Rhaid oedd dyfalbarhau a phrin fod gen i'r egni i seiclo a gwerthfawrogi yn yr un gwynt enwe megis Crugybyddar, Banc Gorddwr a Chrugynnau a roddwyd ar y tiroedd uchel oddi amgylch. Yr un modd wrth groesi'r copa ar uchder o tua 1,500 troedfedd nid oedd gennyf yr amynedd i sylwi a oeddem yn cyfnewid tiriogaeth defaid Clun gyda'u hwynebe brith am gynefin defaid Bryniau Ceri gyda'u marcie duon penodol ar eu hwynebe.

Roedd rhaid i mi roi hoe i'r fegin a cheisio dirnad ai Teifryn oedd y smotyn a welwn o'm blaen yn y pellter. Dyma'r eiliad yr amheuwn ddoethineb ildio'n sedde cyffyrddus ar y trên ond buan yr aeth hynny'n angof wrth deimlo'r gwynt yn fy ngwallt a'r adrenalin yn fy mysedd tra gwasgwn y brêcs yn lled filain ar adege ar y gwaered. Wedi pob tyn am i fyny bydd yna ollwng i lawr, wrth gwrs, ac ymddengys fod y daith obry yn dipyn hwy na'r daith fry y tro hwn.

Nid cyn cyrraedd Dolfor ac ymuno â'r ffordd A483 o Landrindod y gwelwyd mynegbost yn cyfeirio at y Drenewydd a chael ar ddeall mai rhyw bedair milltir o siwrne oedd yn weddill gennym. Dal gafael ar y brêcs a chadw'n dynn at y cloddie wrth i'r holl lorïe ein goddiweddyd oedd y gamp bennaf ar hyd y ffordd brysur. Fe'm trawodd y bydde taith go ysgeler yn ein hwynebu am ddarn helaeth o'r ffordd o'r Drenewydd i Ddolfor pe dewisem ddychwelyd yr un modd neu ar draws gwlad i Landrindod. Ond cyrraedd nid dychwelyd oedd flaenaf yn y meddwl ar y pryd. Cyrhaeddwyd y Drenewydd a chael ein croesawu gan blatfform gwag yn yr orsaf.

Astudiodd Teifryn yr amserlenni ar yr hysbysfwrdd gerllaw. Prin y medrwn eu darllen heb fy sbectol a doeddwn i ddim am fynd i'r drafferth o chwilio amdani yn fy sach. Ymhen hir a hwyr datgelodd Teifryn bod y trên roeddem wedi bwriadu ei ddal wedi gadael ers hanner awr. Ond y newyddion da, meddai, oedd y bydde yna drên arall yn debyg o gyrraedd o fewn awr a'n bod ni wedi cyrraedd mewn da bryd ar gyfer hwnnw. Ddylien ni fod wedi disgyn yng Nghnwclas, meddyliwn? Ddylien ni ddim fod wedi cymryd yr ail baned o de yna pan gafwyd ein picnic, meddyliwn ymhellach. Oni ddyliem fod wedi gohirio'r picnic ei hun nes i ni gyrraedd gorsaf y Drenewydd? Drato!

O weld nad oeddwn y creadur mwyaf hapus ar wyneb daear mentrodd Teifryn fy holi beth oedd y trefniade llety ar gyfer y noson wedi cyrraedd Llŷn gan mai dyna fy hanner i o'r fargen. Atebais yn onest nad oedd yna drefniade hyd yma ac mai nawr yn ystod yr awr nesaf o loetran y byddwn yn dechre ffonio hwn a hwn os nad hon a hon hefyd, pe bai rhaid, i'r perwyl o ganfod llety. Doedd ynte ddim yn rhy fodlon ei wedd bellach, yn arbennig wedi i mi gyfaddef y gallai canfod llety yn anterth y tymor gwylie yng nghanol mis Awst fod yn anodd os nad yn amhosib.

Am fy mod wedi amcanu y byddem yn cyrraedd Pwllheli tua hanner awr wedi pump petai'r trefniade trên wedi mynd yn hwylus, doeddwn i ddim yn credu bod angen chwilio am lety tan hynny. Treuliodd Teifryn yr awr nesaf yn ei ddiddori ei hun ym mhen draw'r platfform. Euthum inne ati, trwy gyfrwng y ffôn fach, i geisio canfod lle i'r ddau ohonom i gysgu y noson honno, yn rhywle i'r gorllewin o Bwllheli, os yn bosib, ac nid ar ffwrwm galed yng ngorsaf reilffordd y dref.

Cefais hyd i rif ffôn y Ganolfan Wybodaeth i Ymwelwyr ym Mhwllheli a chael fy nghyfarch gan lond pen o Gymraeg rhywiog. Chware teg, roedd yr hogan gwrtais wedi clywed sôn am y bardd, Waldo Williams. Esboniais fy mod am dreulio noson, os yn bosib, yn un o'r tai y bu Waldo a'i briod, Linda, yn byw ynddyn nhw yn ystod eu cyfnod yn yr ardal petai'r perchnogion presennol, trwy ryw ryfedd gyd-ddigwyddiad, yn cadw ymwelwyr. Enwais y cyfeiriade ond, na, doedd y rheiny ddim ymhlith y rhestr oedd ganddyn nhw yn y swyddfa.

Fodd bynnag, ar sail ei hadnabyddiaeth o'r ardal, dyma'r hogan ddymunol yn crybwyll fod un o'r llefydd, Creigir Uchaf, ger Abersoch, wedi'i droi'n westy gwely a brecwast a bod y perchennog yn Gymro.

"Liciech chi i mi'r roi'r rhif ffôn i chi?" gofynnodd yn llawn hynawsedd.

"Wel, liciwn siŵr," meddwn inne'n llawn hyder ond gan ofyn iddi, fel mater o yswiriant, a oedd ganddi gyfeiriad neu rif ffôn llety neu ddau arall ar ein cyfer lle medrem gael gwely a brecwast. Pwysleisiodd fod y rhan fwyaf o'r lletye oedd ar eu rhestr eisoes yn llawn ond roedd yna un posibilrwydd, meddai, yn ardal Llangwnadl. Ffarweliais â hi gan fynegi fy ngobaith na fydde raid i mi gysylltu â hi eto.

Canu a chanu a wnâi'r ffôn yng Nghreigir Uchaf; rhoddais gynnig arall arni rhag ofn fy mod wedi camwasgu'r botyme ond doedd dim yn tycio'r ail waith na'r trydydd gwaith. Rhyfedd, meddyliais, na fydde rhywun o fewn clyw i'r ffôn mewn gwesty ond deuthum i'r casgliad os oedd y gwesty'n llawn, fel roedd yn debygol, doedd dim angen i neb fod wrth law i ddweud, "Na, mae'n ddrwg gen i", i bob ymholiad am wely gwag. Rhaid oedd ailgysylltu â'r feinwen ym Mhwllheli ac esbonio fy mhicil.

Profodd ei heffeithlonrwydd trwy ddweud ei bod eisoes wedi ceisio cysylltu â Mrs Thomas, Fferm Carrog, yn Llangwnadl, ond nad oedd hithe chwaith wedi cael ateb. Cynigiodd fy ffonio 'nôl pan fyddai ganddi wybodaeth ond am na fedrwn ddweud wrthi beth oedd fy rhif mudol, oherwydd fy nhwpdra yn trin y teclyn ac am fod Teifryn yn dal yn rhy bell i ffwrdd i mi ofyn iddo wirio fy rhif ar ei ffôn ynte, addewais inne ei ffonio hi'n ôl ymhen hanner awr.

Mentrais at Teifryn a'i hysbysu bod y sefyllfa'n obeithiol er na ddylem anwybyddu'r posibilrwydd o orfod cysgu yn ein cwrcwd mewn drws siop ym Mhwllheli chwaith. Roedd yn amlwg nad oeddwn wedi'i gysuro. Ciliais i fy mhen i o'r platfform. Pan ffoniais y ddynes glên ymhen y rhawg cefais ar ddeall na chafodd lwyddiant a chynigiodd roi rhif ffôn y llety i mi i roi cynnig arni fy hun am y bydde hithe'n cau'r siop cyn pen dim. Dyna a fu, a diolchais iddi'n gynnes am ei thrafferth. Ffoniais y llety droeon ond doedd dim yn tycio. Penderfynais y buaswn yn gadael neges yn esbonio fy mhicil gan ddweud y buaswn yn ffonio eto cyn hir yn y gobaith y byddai ganddi newyddion da i mi; newyddion gorfoleddus roeddwn yn ei feddwl, wrth gwrs, er doeddwn i ddim am roi'r argraff ei bod yn ben set arnaf chwaith.

Tra disgwyliem y trên cefais gyfle i gysylltu â theulu ym Mwlchtocyn y gwyddwn fod gan y gŵr a'r wraig atgofion byw iawn am Waldo pan oedden nhw'n ddisgyblion yn Ysgol Uwchradd Botwnnog ac ynte'n athro arnynt. Fe'u hysbysais y byddem yn galw i'w gweld fore trannoeth a chefais gyfarwyddyd manwl ar sut i gyrraedd Bryn Haf; onid oedd y ffôn fach yn fendithiol a minne'n drefnus? Yn y cyfamser cymaint oedd yr argyfwng nes i Teifryn gysylltu â'i frawd, David, yn Rhuthun i holi a wyddai am lety ar ein cyfer trwy ei gysylltiade yn Llŷn ond doedd ynte ddim yn ateb y ffôn chwaith.

Wrth straffaglu i osod y ddau feic yn eu lle unwaith eto ar y trên hirddisgwyliedig cawsom gymorth gan ŵr bychan, aflonydd, nad oedd ganddo fawr o Saesneg. Yr hyn a wnaeth Teifryn oedd ei ateb yn ei iaith ei hun ac o'r herwydd cael ei gyflwyno i'w gyd-deithwyr yn y fargen; does wybod pryd daw'r gallu i siarad Sbaeneg yn ddefnyddiol hyd yn oed yng nghanolbarth Cymru. Roedden nhw'n griw o gerddorion o Lundain ond yn hyrwyddo cerddoriaeth De America ac ar eu ffordd i Fachynlleth i gymryd rhan mewn gŵyl i gofio am Victor Jara, y canwr protest a lofruddiwyd gan filwyr yn Chile ym 1973, ac sydd bellach wedi tyfu'n symbol o'r ymgyrch dros hawlie dynol ar draws y byd.

Tebyg bod y criw wedi teithio'r holl ffordd o Lundain heb dorri sgwrs â fawr neb ac yn sicr ddim wedi cael ymateb mor afieithus ag eiddo Teifryn a fedrai sôn wrthynt am ei brofiade'n seiclo yng Nghiwba a'r Ariannin. Mentrais inne sôn am fy mhrofiade yn ucheldiroedd Bolifia ac mor swynol oedd y gerddoriaeth pibau pan gefais ar ddeall eu bod hwythe hefyd yn eu canu. Buan y datblygodd rhwyme cyfeillgarwch rhyngom a thaer erfyniai'r cerddorion arnom i dreulio rhywfaint o'r penwythnos yn yr ŵyl ym Machynlleth. Cawsom daflenni ganddynt i brofi nad oedd angen i ni ame bod y fath ŵyl yn cael ei chynnal yn nhref senedd-dŷ Owain Glyndŵr.

Canodd fy ffôn ond doedd dwndwr y trên na chwaith y lleisie Sbaenaidd ddim yn caniatáu i mi glywed y llais ar y pen arall. Collwyd cysylltiad ond yna canodd y ffôn drachefn gyda'r un canlyniad. Gwell oedd i mi symud i ran dawelach o'r trên gan obeithio y medrwn gynnal cysylltiad. Cefais ar ddeall mai Mrs Thomas oedd ar y pen arall a'i bod hithe wedi cael ar ddeall fy mod yn chwilio am lety. Cynhesodd ei llais pan atebais yn Gymraeg a diolchais iddi am ateb fy neges. Esboniodd nad hi oedd y Mrs Thomas a gafodd fy neges ond Mrs Thomas arall oedd wedi cael neges gan y Mrs Thomas honno am nad oedd ganddi hi welye gwag ar ein cyfer ond ei bod hi – yr ail Mrs Thomas – yn medru cynnig llety i ni'r noson honno!

Rhwng hir a hwyr a mynych golli cysylltiad llwyddais i'w darbwyllo i gadw'r gwelye ar ein cyfer ond ofer oedd pob ymgais i geisio cymryd cyfarwyddyd ar sut i gyrraedd ei chartref. Llwyddais i'w hysbysu mai teithio ar feicie a wnaem ac y byddem yn cysylltu â hi drachefn pan fyddem wedi cyrraedd Pwllheli. Codais fy mys bawd ar Teifryn i ddynodi llwyddiant gan obeithio y sylweddolai mai cadarnhau yr oeddwn y byddai ganddo obennydd i osod ei ben arno'r noson honno.

Prin ein bod wedi sylwi ar y dirwedd nes cyrraedd cyffinie Glantwymyn a Dyffryn Dyfi a chael ein hysbysu y byddai'n ofynnol i ni newid trên ym Machynlleth os am deithio i

Bwllheli; mynd yn ei flaen i Aberystwyth fyddai'r trên hwn. Am eiliad melltithiais y ffaith fod yn rhaid igam-ogamu cymaint i gyrraedd pen ein taith a chymaint brafiach a chyflymach fyddai petai yna drên yn cysylltu Caerfyrddin ac Aberystwyth. Ond yna darbwyllais fy hun nad trwy deithio ar hyd y ffordd fyrraf yn y dull mwyaf hwylus y mae mwynhau teithio o reidrwydd.

Cytunai Teifryn wrth i mi ei ddwrdio ar blatfform Machynlleth am beidio â thynnu sgwrs gyda'r gŵr barfog academaidd yr olwg a wisgai sgert ac a fynnai ei thacluso o boptu ei glunie bob hyn a hyn. Mae'n rhaid bod ganddo stori ddiddorol ond efallai bod greddf Teifryn ar sail hir brofiad o dorri'r garw gyda dieithriaid yn ei rybuddio mai annoeth fyddai clywed am ei hynt. Ond hei ho, roedd wedi tynnu sgwrs â dynes fechan, drwsiadus yr olwg, a fydde cyn pen dim yn profi gwerth ei phwyse mewn aur o ran byrdwn ein siwrne.

Erbyn i mi straffaglu i osod fy meic yn ei stâl roedd Teifryn eisoes yn cadw cwmni i Glenys Jones. Cawsom ar ddeall ei bod yn ymweld ag ardal Machynlleth bob blwyddyn ar adeg pen-blwydd ei diweddar ŵr a oedd yn hanu o'r cylch. Esboniodd bod ei gŵr, Ednyfed Jones, yn athro Cymraeg yn Ysgol Uwchradd Pwllheli 'nôl yn y 1940au. Canodd y clyche'n ddiymdroi ac fe'i holais a oedd hi'n gyfarwydd ag un o athrawon Ysgol Uwchradd Botwnnog, Waldo Williams, yn yr un cyfnod. Esboniodd ei bod dipyn yn iau na'i gŵr ond ei bod wedi ei glywed droeon yn sôn am Waldo a hynny gydag anwyldeb. Soniais inne am ein pererindod a buan y rhoes y nofel drwchus roedd wedi bwriadu ei darllen, i dorri'r siwrne, o'r neilltu.

Clywsom fod Ednyfed Jones ynte'n wrthwynebydd cydwybodol ac y byddai o'r herwydd mewn cysylltiad clòs â Waldo yn ogystal â phobol megis Elis Gwyn Jones, yr arlunydd, a J. G. Williams, awdur y nofel *Pigau'r Sêr*. Roedd ganddi lythyr yn y tŷ rywle yr arferai ei gŵr ei drysori am ei fod wedi'i ysgrifennu gan Waldo yn fuan ar ôl iddo golli ei wraig. Bu'n ceisio dyfalu pwy fyddai o bosib yn ei gofio'n dda ond mi fydden nhw'n brin bellach ac o reidrwydd yn eu hwythdege os nad yn hŷn. Serch hynny, awgrymodd ambell drywydd y medrem ei ddilyn ond ni wyddai beth na phwy yn union a ddenodd Waldo i Lŷn.

Am yn ail â rhyfeddu at brydferthwch ardal Mawddach, hepian cysgu, a thrafod llenyddiaeth a'r byd a'i bethe yng nghwmni Glenys, roedd y daith ar hyd yr arfordir yn ddymunol os nad yn hudol dros ben. Ffarweliwyd â Glenys Jones wrth i ninne deimlo bod ein pererindod eisoes yn dwyn ffrwyth.

Cyrhaeddwyd Pwllheli ddwy awr yn hwyrach na'r bwriad cychwynnol ond pa ots, roedd hi'n haf a hithe'n dal yn llachar ole am hanner awr wedi saith a gwelye clyd yn ein disgwyl. Y cam cyntaf cyn gadael gorsaf y dref oedd cysylltu â Mrs Thomas er mwyn derbyn cyfarwyddyd ar sut i gyrraedd ei chartref yng nghyffinie Llaniestyn. Cawsom ein cynghori i osgoi ffordd brysur yr A499 ar hyd yr arfordir a thorri ar draws gwlad gan anelu am y B4415 yng nghyffinie Rhydyclafdy lle medrem gael pryd o fwyd roedd ei fawr angen arnom. Er i mi nodi'r manylion yn lled fanwl yn fy llyfr bach mae'n bosib bod yr acenion a'r dryswch rhwng ystyron 'gallt' a 'rhiw' yn peri penbleth ac fe awgrymodd Catrin Thomas y buasai'n dod i'n cyfarfod yn nhafarn Tu Hwnt i'r Afon, er doedden ni ddim am beri trafferth iddi chwaith.

Amheuai Teifryn fy mod yn mynd i gyfeiriad y dwyrain yn hytrach na'r gorllewin wrth geisio cefnu ar Bwllheli a rhaid cyfaddef nad oedd fy nodiade fy hun wedi gwneud llawer o synnwyr ers i mi deimlo'r ysfa i gael pryd o fwyd a diod torri syched. Penderfynais holi gŵr a oedd yn ei ddillad gwaith a awgrymai ei fod yn beintiwr gan gredu y byddai'n gyfarwydd â'r ardal; digon gwir a buan y profodd fod amheuon Teifryn yn gywir. Hyd yn oed os oedd yn medru'r Gymraeg, dewisodd siarad â dau hwntw yn Saesneg a da o beth oedd hynny oherwydd ni fyddai unrhyw gamddealltwriaeth yn codi wedyn pan ynganai'r ymadrodd 'up the hill'.

Roeddwn yn amlwg wedi colli arni'n drybeilig wrth i'r cymwynaswr ein cyfeirio yn ôl trwy'r dref a'n gorchymyn i ddringo rhiw serth yn rhywle i gyfeiriad cefn gwlad ac yna dilyn yr arwyddion am Rydyclafdy. Daethom o hyd i allt a fyddai, petai'n serthach, yn sicr o'n gorfodi i syrthio ar ein cefne a throi tin dros ben yn garlibwns petaem yn ceisio pedlo ar ei hyd. Wedi cyrraedd y brig a'n gwynt yn ein dyrne tydw i ddim yn ame i ni gymryd troad neu ddau anghywir, er mwyn ymestyn y daith, cyn i ni weld arwydd Rhydyclafdy a phedlo gered wedyn.

Ni fûm erioed yn falchach o weld tŷ potas ynghyd â bwydlen a oedd yn amlwg wedi'i pharatoi gan gogydd a gymerai falchder yng nghynnyrch ei gegin. Erbyn i mi lowcio diod oer ac archebu byrger cig eidion y fuwch ddu gyda thafell o gaws Llŷn, a draenog y môr ar wely o domatos i Teifryn, roedd ein gwesteiwyr, Catrin a Tecwyn Thomas, wedi cyrraedd, gan feddwl mae'n siŵr y buasem wedi bwyta ac yn barod i'w dilyn sha thre. Cawsom gyfarwyddyd pellach ar sut i gyrraedd Preswylfa ac awgrym fod rhyw wyth milltir o seiclo yn ein haros. Gwrandawai Teifryn yn bur astud y tro hwn a rhaid i mi gyfaddef mai dim ond yr enw Pont Inkerman oedd wedi ei sodro yn fy nghof erbyn hyn. Ffarweliwyd â'r ddau hynaws gan ddweud na fyddem fawr o dro yn cyrraedd eu preswylfa ac yn taro'r ciando. Fuodd yna erioed bryd blasusach i ddau seiclwr oedd ar eu cythlwng na'r seigie a gafwyd yn 'Twnti', fel y'i gelwir yn lleol, y noson honno.

Erbyn gosod ein hunen yn y cyfrwye drachefn roedd cysgodion y nos yn prysur ddisgyn a ninne, gwaetha'r modd, heb ole ar ein beicie a dim golwg o leuad Llŷn chwaith i'n tywys i'r ddinas noddfa yn ddidramgwydd. Roedd gennyf ryw frith gof am ryw drydydd troad ar y dde ger murddun er doeddwn i ddim yn siŵr ai rhan o'r cyfarwyddyd ar gyfer cyrraedd Bryn Haf fore trannoeth oedd hynny chwaith. Prin y gwelai Teifryn ddim o edrych ar ei fap mwyach.

Doedd dim amdani ond taranu arni trwy bentref Rhydyclafdy heb oedi i feddwl am yr efengylwr a'r heddychwr a fu'n ddraenen yn ystlys enwad y Methodistiaid Calfinaidd am gyfnod, Tom Nefyn Williams, a aeth i'w aped ar ôl cynnal oedfa nos Sul yng nghapel y pentref ym 1958 yn 63 oed. Aem heibio ambell droad i'r dde ond collais gownt o'r nifer o droade i'r dde yr aed heibio iddyn nhw bellach. Doeddwn i ddim yn siŵr chwaith beth oedd maint y murddun o dirnod roeddem i fod ei weld. Roedd hi hefyd yn ddu fel y fagddu erbyn hyn.

Gwelem ffurf ambell wal gerrig a allai fod yn rhan o bont ond, na, doedd yna ddim sŵn dŵr yn llifo yn ei hymyl. Ehedwn inne fel y jehu pan glywais lais Teifryn o'm hôl yn egwan yn y pellter. Dychwelais a gwelwn bont eang dros y darn o'r ffordd a drôi i'r chwith o'm blaen ac, ar y gornel, o graffu'n ofalus, roedd yna furddun wedi'i orchuddio gan iorwg a thyfiant. Y tu hwnt i'r bont roedd yna dyle serth y cawsom ein rhybuddio na fyddai'n bosib i ni seiclo ar ei hyd. Roeddem yn lled hyderus ein bod ar y ffordd gywir ac nad oeddem ymhell o'n cyrchfan.

Gwelsom ffordd yn arwain at chwarel ithfaen ar y dde ar ganol yr allt, ac yna lôn ar y chwith, o fewn fawr o dro, yn arwain at anheddfan lle'r oedd bin sbwriel wedi'i osod wrth y glwyd. Amgylchynwyd y tŷ gan oleuni a thybiem mai dyma oedd Preswylfa am i ni gael ein siarsio ynghylch y bin sbwriel a'r môr o oleuni i'n tywys at y drws. Aethom draw'n hyderus, gwelsom ole yn yr ystafelloedd a chnociwyd ar y drws ond ni ddaeth neb i'n cyfarch. O edrych o gwmpas sylwom nad oedd car i'w weld wedi'i barcio yn unman a daethom i'r casgliad mai tŷ haf oedd hwn â'r deiliaid heb ddod adref o swpera, yn ôl pob tebyg.

Rhaid oedd rhygnu arni gan ddiolch i'r drefn nad oedd yna gerbyde'n mentro ar hyd y ffordd am ddeg o'r gloch y nos. Craffem yn ofalus ymhob bwlch a throad posib gan weld goleuade mewn ambell adeilad yn y pellter. Dow dow oedd piau hi nawr gan osgoi bwrw mewn i'r clawdd neu fwrw mewn i'n gilydd. Wrth fynd heibio'n lled agos i fynediad tŷ oedd ar y chwith cynheuodd y gole allanol o'i ran ei hun ond nid Preswylfa oedd yr enw ar y giât. Serch hynny, penderfynwyd manteisio ar y golc i astudio fy nodiade a chanfod rhif ffôn Tecwyn a Catrin Thomas.

Atebodd Tecwyn fy ngalwad a dyma finne'n ceisio esbonio fy mhicil a chael ar ddeall nad oeddem fawr mwy na lled cae neu ddau o'n cyrchfan a bod Catrin eisoes ar ben y lôn yn cadw golwg amdanom. Byddwn yn fythol ddiolchgar i breswylydd Coed Anna am gael defnyddio ei ole liw nos i ganfod ein ffordd i'r llety. Ac yn wir, o fewn rhyw ganllath, roedd Catrin yn disgwyl amdanom yn y tywyllwch wrth ymyl bin sbwriel. Hyd yn oed os nad oedd hi wedi rhoi llety i ddau mor drafferthus yn y gorffennol, ni chyfaddefodd hynny ar y pryd.

6

'Wnewch chi fadde i mi?'

RHAID FY MOD wedi cysgu cwsg y meirw am na chlywais Teifryn yn chwyrnu am y pared â mi nes iddi ddyddio ac erbyn hynny roeddwn yn barod i ddadebru. Clywn wynt main yn cwynfan y tu fas ac o dynnu'r llenni gwelwn niwl y môr yn codi'n braf yn dynodi fod yna fore gwell gerllaw. Gorweddais yn fy hyd yn ymlacio pob cyhyr tra defnyddiai Teifryn yr ystafell faddon. Pan ddaeth fy nhro i, clywn fy nghyd-seiclwr yn morio canu 'Pererin wyf...' iddo'i hun. Wrth orwedd yn y baddon mewn môr o wablin teimlwn inne mai priodol fyddai parhau â'r thema emynyddol a mwmial canu 'Canna fy enaid...' gan godi i'm llawn hyd yn ddyn newydd.

Medrem fod yn bwyta brecwast tan ginio ped aem ynghyd â chladdu pob dim a roddwyd ger ein bron, yn ffrwythe, yn greision ŷd, bara a phlateidi o'r arlwy brecwast traddodiadol wedi'i ffrio. Ond roeddem yn awyddus i adael marcie naw o'r gloch er mwyn cyrraedd Bwlchtocyn chwap wedi deg. Cofiais yn sydyn fy mod heb wneud trefniade, fel y bwriadwn y noson cynt, i alw gyda gweddw Gruff Parry yn Sarn Mellteyrn yn ddiweddarach yn y dydd. Esboniais wrth Catrin Thomas y buaswn am ddefnyddio ei ffôn cyn gadael i wneud y trefniade hynny gan na fyddai wedi bod yn weddus i mi gysylltu â Cit Parry na'i merch, Siân, mor hwyr y noson cynt; "Cewch tad," oedd ei hymateb parod.

Erbyn i mi ildio wrth y bwrdd daeth Catrin i'r fei drachefn

gan esbonio na fydde angen i mi ffonio neb am ei bod newydd gael galwad yn dweud y byddai Cit Parry yn ein disgwyl yng nghartref Arfon a Beti Huws ym Mwlchtocyn. Diolchais i'r drefn am hynny am y byddai'n hwyluso ein pererindod. Yn ddiweddarach y rhyfeddais at hyn gan na chredwn fy mod wedi sôn fawr ddim am fanylion ein bwriade wrth Catrin a Tecwyn. Rhaid derbyn bod y tabyrdde wedi bod ar waith dros nos a chafwyd awgrym cynnil fod pobol pen draw Llŷn eisoes yn gwybod fod yna ddau ddihiryn yn y cyffinie'n seiclo liw nos heb oleuade.

Bant â ni, a'n calonne'n llon wedi derbyn cyfarwyddyd gan Tecwyn ynghylch y ffordd rwyddaf i gyrraedd Bwlchtocyn. Erbyn cyrraedd y pentref roedd gen i nodiade manwl yn fy llyfr bach ar sut i ganfod Bryn Haf. Doedd gennym yr un gofid yn y byd wrth seiclo'n hamddenol yn ein clogynne rhag i'r glaw mân droi'n law gwlypach. Bu raid i mi fenthyca clogyn gan Teifryn am mai dyna'r un peth roeddwn wedi ei adael yn hongian wrth hoelen y pared pan adewais fy nghartref y bore blaenorol. Pa ddim hapusach na byd yr aderyn bach a pha ddim hapusach na seiclo ar hyd lonydd Llŷn yn y bore bach, meddyliwn? Buan y daethom i Langïan a Llanengan heb bryder yn y byd. Na, doedd dim angen i mi edrych ar fy nodiade, meddwn wrth Teifryn oherwydd troi wrth dalcen capel ar ben rhiw serth roedd angen i ni ei wneud a beth allai fod yn symlach?

Ond yn ein blaene yr aethpwyd trwy bentref Sarn Bach a hynny i gyfeiriad Cilan gan gredu fod ambell adeilad a welem yn y pellter yn edrych yn debyg i gapel. Ond doedd dim yn tycio a bu'n rhaid rhyw sefyllian a gogor-droi am getyn. Penderfynodd Teifryn gnocio ar ddrws ffarm gerllaw er mwyn canfod i ba radde roeddem ar goll. Roedd beic pedair olwyn wedi'i barcio ar y clos. Ond doedd dim ateb ac wrth bendrymu beth i'w wneud nesaf troes car yn cael ei yrru gan ddynes ganol oed i mewn i'r clos heb wneud unrhyw sylw ohonom yn sefyllian wrth y glwyd. Mae'n rhaid ei bod o'r farn mai Saeson hinon haf oeddem ac mai doethach oedd ein gadael i ddatrys pa bicil bynnag roeddem ynddo yn ein hamser ein hunain.

Mentrodd Teifryn tuag ati a'i chyfarch yn Saesneg trwy ofyn ai Saesneg neu Gymraeg oedd hi. Pan ddywedodd "Cymraeg" tynnodd Teifryn sylw at y beic pedair olwyn gan awgrymu bod yna ddefaid 'clou iawn' ar y fferm os oedd angen cerbyd o'r fath i'w bugeilia. Ni ddeallodd iaith yr hwntw yn syth bin ond yna esboniodd mai eiddo'r ymwelwyr oedd y beic, a hynny mewn llond pen o Gymraeg rhywiog y medrem fod wedi gwrando arno tan amser cneifio. Diolch byth, rhoes Teifryn y gore i wamalu ac esboniodd ein hunion bicil a chael ar ddeall ein bod wedi rhoi gormod o lawer o babwyr iddi, ac y dylem ddychwelyd am filltir dda cyn troi i'r dde ac i fyny'r allt. Ceisiais ddarbwyllo Teifryn o ogonianne mynd ar goll ar ddiwrnod o haf pan nad yw amser yn cyfrif dim wrth i mi ailedrych ar fy nodiade a rhyw hanner cyfaddef y dylem fod wedi troi i'r chwith lle gwelwyd yr arwydd Marchroes.

Ta waeth, trowyd yn llawen i'r dde ar y ffordd 'nôl. Wedi ychydig o duchan am i fyny gwelwyd y capel sylweddol o faint lle'r oedd achos yr Annibynwyr wedi'i sefydlu er 1796. Yn ôl pob arwydd roedd yn dal i gael ei ddefnyddio. Aethpwyd heibio iddo'n lled sionc a chanfod Bryn Haf mewn fawr o dro yn hollol ddidrafferth ym mhen pellaf rhes o bedwar o dai. Daeth Arfon Huws i'r golwg a phrin oedd angen i ni gyflwyno ein hunain cyn iddo ddweud wrth Teifryn, "Rydych chi'r un ffunud â fo".

Ategwyd hynny gan ei wraig, Beti, a chan Cit Parry, wrth i Teifryn a minne wneud ein hunain yn gartrefol yn y lolfa. Cyn pen dim dangoswyd llun o Waldo wedi'i fframio a bu raid i Teifryn ei ddal wrth ei ysgwydd tra cliciwyd nifer o gamerâu. Mae'n debyg ei bod hi'n tynnu am un ar ddeg o'r gloch erbyn hynny ac roedd paned a bisgedi'n dderbyniol iawn.

Cafwyd awr ddifyr pan nad oedd angen i Teifryn na minne wneud dim ond gwrando ar y straeon a'r atgofion yn llifo a thaflu ambell gwestiwn i brocio'r dweud yn awr ac yn y man. Roedd yn amlwg fod y tri'n anwylo eu hatgofion – Arfon a Beti fel disgyblion i Waldo yn Ysgol Uwchradd Botwnnog, a Cit Parry fel gwraig un o'i gyd-athrawon a'i bartner pennaf ar y pryd. Doedd dim dwywaith fod yr atgofion lleiaf wedi gadael argraff a pheri rhyfeddod dros y blynyddoedd. Cofiai Arfon amdano'n cael clipsen haeddiannol gan Waldo ac yna ynte'r athro yn ymbil am faddeuant ar ddiwedd y wers.

"O edrych 'nôl mae'n rhyfedd meddwl rŵan fod y fath 'enaid arbennig' ac awdur 'Y Tangnefeddwyr' wedi rhoi slap i mi ar fy moch. Rydw i'n cofio amdano'n sefyll wrth y bwrdd du a minne'n prepian ac mi aeth yr ystafell yn hollol ddistaw wedi iddo roi'r glustan i mi. 'Dwi ishe'ch gweld chi ar y diwedd' medda fo a dim ond ni'n dau oedd ar ôl wedi i'r gloch ganu. Do'th i ista ar y ddesg o mlaen i a deud; 'Ma'n ddrwg gen i. Wnewch chi fadde i mi? Doeddwn i ddim i fod i wneud'. Wel, mi oedd o'n ddyn mawr yn fy ngolwg i wedyn, yn toedd?" meddai'n llawn balchder am iddo fod yn dyst uniongyrchol i fawredd y dyn.

Gwelodd Arfon agwedde eraill o'i gymeriad hefyd pan oedd yn cymryd gwersi ymarfer corff ac yn hyfforddi'r bechgyn mewn pêl-droed a mabolgampe. Mewn ysgol o ddim ond wyth o athrawon ac ychydig dros gant o blant roedd yn ofynnol i'r athrawon ddysgu nifer o byncie. Doedd meddwl Waldo ddim bob amser ar yr hyn a oedd dan sylw am fod y gynghanedd yn ei goglish o bryd i'w gilydd.

"Mi ydw i'n cofio amdano'n reffarîo gêm bêl-droed mewn sgidia hoelion mawr a thrywsus cordiroi ac yn cerdded 'nôl i'r ysgol wrth fy ymyl â'r bêl o dan ei gesail. 'Odych chi'n gweld y polyn 'na?' meddai, gan ychwanegu, 'Lle i gi godi ei goes', ac esbonio ei bod hi'n linell o gynghanedd sain. Rŵan, nid pob athro chwaraeon fyddai'n medru dysgu hynny i ddisgybl.

"Mi ydw i'n cofio amdano'n gwneud i ni redeg i ben Rhos Botwnnog ac yn ôl adag y rhyfel am nad oedd glo ar gael i gynhesu'r ysgol. Mi oedd ynte'n rhedeg hefyd a phawb ohonom, yn hogia a genod, yn ein cotia mawr ac yn chwys domen yn cyrraedd 'nôl; mae'n siŵr nad oedd gwell ffordd o ddal annwyd. Bryd arall byddai'n gwneud i ni gynhesu trwy chwifio'n breichia yn y dosbarth.

"Dro arall roeddem ar yr iard ac ynte yn ei drywsus melfaréd a'i gapan brethyn ar ei ben yn chwilio'n ddyfal ym mhocedi ei wasgod am ei nodiadau ac yn methu cael gafael arnyn nhw. Cael gafael ar ddarn o bapur wedyn ac yn gweiddi arnom ni, 'Feet apart place'. Wedyn dod o hyd i ddarn o bapur arall ac yn gweiddi'r gorchymyn 'Arms overhead stretch'. Yr un drefn eto a wedyn 'Feet together rebound' a neb ohonom yn symud modfedd a dyma fo'n deud wrth Cyril o Mynytho "Ych chi'n dwp uffernol, w'. Ac am gyfnod wedyn dyna fu ffugenw un o feirdd praffaf ein cenedl yn ein plith ni lanciau, "Ych chi'n dwp uffernol, w," meddai'r cyn-bensaer.

Bryn Llan, Botwnnog, a'r Creigir Uchaf, Llanengan ger Abersoch, oedd cartrefi priodasol Waldo a Linda ond yna pan oedd yn ŵr gweddw symudodd i fyw yng Nglasfryn, Abersoch, a Hirdrefaig, Nanhoron, am gyfnod byr cyn ymgartrefu ym Mur Poeth, Mynytho. Cofia Beti amdano'n dal y bws ysgol gyda nhw'r plant yn y cyfnod ar ôl iddo golli Linda a hithe'n synhwyro ei hiraeth a'i unigrwydd ar y pryd.

"Mi fydda fo'n cerdded 'nôl ac ymlaen yn aflonydd gan edrych ar y llawr heb ddweud dim. Roedd hi'n gyfnod go argyfyngus arno, dybiwn i. Pan fyddai ar ddyletswydd wedyn adeg awr ginio, yn cadw llygad arnom ni'r plant, mi fyddai'n troi'i gefn ac yn sbio tuag at y gwrych, ac am wn i'n barddoni. Byddai plant Mynytho'n sôn hefyd amdano'n dal bws yn y bora efo nhw ac unwaith eto'n edrych tuag at y gwrych yn hytrach na wynebu'r plant. Rhyw fora mi aeth y bws hebddo yn do, ac ynte yn ei fyd bach ei hun a'r plant ar y bws yn cael hwyl fawr yn chwerthin am ei ben.

"Ond mae gen i le i fod yn ddiolchgar iddo hefyd am iddo wobrwyo telyneg o'm heiddo ar y testun 'Tymhorau' yn Steddfod Aelwyd Abersoch ym 1943. Fo oedd yn beirniadu ac yn gyfrifol am y seremoni gadeirio hefyd yn chwifio'r cleddyf. Mi oedd ganddo fo ddosbarth cynganeddu a byddai yna alw arno i ddarlithio'n gyson ar hyd yr ardal. Ond chofia i ddim o'i weld o yn yr hyn fyddem ni yn ei alw'n 'socials' chwaith, a chofia i ddim gweld ei wraig, Linda, rhyw lawer chwaith. Toedd hi ddim yn siarad Cymraeg, tydw i ddim yn meddwl," meddai.

Gan Cit Parry mae'r atgofion mwyaf dirdynnol am fod Waldo yn ddibynnol iawn ar ei gŵr, Gruffudd, a oedd yn athro Saesneg yn Ysgol Botwnnog, yn y cyfnod hwnnw, pan oedd Linda'n dioddef o'r diciâu ac yn yr ysbyty ym Mangor.

"Mi fydda Gruff yn helpu Waldo i olchi dillad ei wraig pan oedd hi'n yr ysbyty a welish mo Gruff yn gneud hynny fyth wedyn, cofiwch. Mi oedd Creigir Uchaf, ar y pryd, yn le digon diarffodd cofiwch a heb fod yn y cyflwr gorau o ran rhywun oedd yn diodda o'r diciâu. Mi ydw i'n cofio fy ngŵr yn deud yr hanes am Waldo'n aros ar ei draed trwy'r nos pan fu farw Linda ym mis Mai 1943 ac yn adrodd barddoniaeth Saesneg o'i gof.

"Mi ddanfonodd Waldo gardia at ei gydnabod wedyn efo'r gerdd honno, 'Hi oedd fy nyth' arni ond, cofiwch, chlywais i ddim sôn erioed fod Linda'n feichiog, fel ma rhai'n deud, a bod hynny rhywsut wedi cyfrannu at ei marwolaeth. Mae'n siŵr y baswn i wedi clywad tasa yna wirionadd yn hynny. Am ryw reswm mi gafodd Gruff lyfr am yr arlunydd Pablo Picasso yn anrheg gan Waldo wedyn, hwyrach am fod fy ngŵr yn dysgu tipyn o arlunio yn yr ysgol hefyd.

"Yn rhyfadd iawn ac yn gwbl annisgwyl mi ddaethom ar draws Waldo yn ystod haf 1949, bum mlynadd ar ôl iddo adael yr ardal, pan oeddem fel teulu yn treulio'r diwrnod ar draeth Aberdaron. Roedd fy merch, Enid, yn dri mis oed ac roedd fy mam a dwy chwaer i mi hefo ni. Ar ei ben ei hun roedd Waldo ac roedd ei feic ganddo ac mi ymunodd â ni am bicnic. Fuo'r un ohonom yn y dŵr y diwrnod hwnnw ond roedd gan Waldo gonsýrn mawr am gyflwr gwylan oedd wedi'i gorchuddio ag olew.

"Mi fu raid i Gruff fynd i'r pentref i gael petrol a dyna lle bu Waldo wedyn trwy'r prynhawn yn ceisio glanhau adenydd yr aderyn. Beth oedd wedi'i dynnu 'nôl i'r ardal dwn i ddim, na chwaith am faint fuo'n aros nac yn lle ond mi gawsom amser hyfryd yn ei gwmni," meddai'n lled hiraethus wrth gofio am y profiad.

Wrth synhwyro fod yr atgofion yn dod i ben ac wrth i'r sgwrs grwydro i bob cyfeiriad am y modd y tyfodd mawredd Waldo dros y blynyddoedd, soniodd Teifryn am Americanes a adwaenai o'r enw Tana George, oedd wedi ffoli ar farddoniaeth ei ewythr, ac oedd yn briod â chyn-ddisgybl i Waldo pan oedd yn athro yn Solfach ar ddiwedd y 1920au. Sythodd Arfon ei hun yn ei sedd a chyhoeddi gyda syndod ei fod wedi aros yng nghartrefi'r Bonwr John George droeon yn yr Unol Daleithiau a'i fod wedi mwynhau lletygarwch ei deulu gan hwylio ar ei gwch. Rhowch ddau Gymro dieithr i sgwrsio am awr ac fe ddaw'r cysylltiade cyffredin rhyfeddaf i'r golwg. Ac, yn wir, doedd atgofion Arfon Huws am Waldo ddim wedi'u dihysbyddu'n llwyr wrth iddo adrodd hanes cyfarfyddiad annisgwyl yng Nghaerdydd, yn y 1950au cynnar.

"Roeddwn i'n gweithio fel pensaer ifanc i Gyngor y Ddinas a phwy ddaeth i mewn i'r adeilad un prynhawn yn dal ei ben yn hytrach ar un ochr, fel y gwnâi, ac yn cario briffcês, ond Waldo. Mi adnabyddodd o mi a'm galw yn John Arfon ac ysgwyd llaw a dechrau holi am hynt fy nghyfoedion yn yr ysgol. Penderfynwyd mynd i gaffi yng nghyffinia'r castall rhywla am sgwrs go iawn. Dwn i ddim be oedd o'n gwneud ar y pryd ond roedd ganddo glogyn melyn yn awgrymu fod ganddo feic yn rhywla ac mi gawsom sgwrs hyfryd.

"Mi ydw i'n falch fy mod i wedi'i adnabod. Mi ydw i'n falch fy mod yn ei gofio ar ei ddiwrnod cyntaf yn Ysgol Botwnnog yn cael ei gyflwyno gan y prifathro D. R. Griffith un bora. Safai a'i ben ar un ochr gan roi'r argraff ei fod yn reit swil a thawedog. Wrth gwrs, roedd ein hiaith yn lled estron iddo a'i Gymraeg ynte'n ddieithr i ninnau, a rhaid cyfaddef nad oedd o ddim yn athro da iawn. Doedd ganddo ddim ffordd o drin plant yn eu harddegau. Byddai'n fflachio'n sydyn fel mellten ac yn flin â fo ei hun am golli ei dymer ymhen munud wedyn. Ac mae'n rhaid fod colli Linda o dan y fath amgylchiada wedi bod yn ergyd drom iddo ond, wedyn, teimlada cynnes sy gen i tuag ato, efalla, am iddo ofyn i mi fadda iddo.

"Glywsoch chi fel y bydda fo'n galw mewn siop yn Abersoch, a'r siopwr, Sam Palm Cafe, yn dipyn o gynganeddwr, ac yn holi

Waldo un tro ai hufen iâ sengl neu dwbl oedd arno ei eisiau? 'Weffer, dau, yr uffar diawl!' oedd atab sydyn Waldo. Cofiwch, mae'n rhaid i mi bwysleisio mai tu allan i'r dosbarth yn yr ysgol, a chyn iddo golli Linda, y cawsom ambell gip gynnil ar ffraethineb Waldo pan lwyddai i ymlacio gyda rhyw wên fach swil ar ei wynab. Byddai ei lygaid yn pefrio weithia wrth ddweud ambell jôc," meddai Arfon gydag arddeliad a chynhesrwydd wrth i ni baratoi i ffarwelio.

Atgoffwyd Teifryn drachefn o'r tebygrwydd rhyfeddol a welent rhyngddo a'i ewythr o ran golwg wrth i ni ddringo ar gefn y ddau farch dur. Ond roedd un mater yn dal yn ddirgelwch: sut y cafodd Waldo ei benodi'n athro yn Ysgol Uwchradd Botwnnog ym 1942 o gofio mai mewn ysgolion cynradd y bu ei holl brofiad dysgu blaenorol dros gyfnod o 14 mlynedd? Oedd yna swydd wedi'i hysbysebu ym Motwnnog ac oedd yna rywun dylanwadol yno oedd yn un o gyfoedion coleg Waldo yn Aberystwyth efallai?

Ymddengys mai efrydwyr ym Mangor oedd y mwyafrif o'r athrawon ar y staff ond tybed a oedd gan y ffaith fod nifer ohonyn nhw'n wrthwynebwyr cydwybodol i ryfel ryw gysylltiad â phenodiad Waldo? Yn wir, oedd e wedi ymgeisio am swyddi mewn ysgolion eraill cyn cael ei dderbyn i Ben Llŷn? A beth oedd teimlade Linda, fel merch a fagwyd yng Nghwm Rhondda, ynghylch symud i Lŷn lle na fyddai'n adnabod neb? Oedd y wraig newydd-briodi'n derbyn nad oedd dewis ond symud o Ysgol Cas-mael, ac o Sir Benfro, oherwydd agwedd y cyfarwyddwr addysg tuag at ei gŵr a'i safiad fel heddychwr?

Ta beth, yng nghanol y gwewyr o ddyfalu cymhellion Waldo dros symud i Lŷn a dros symud oddi yno o fewn byr o dro, teimlwn ysfa angerddol i fynd i gyfeiriad y môr. Aed i gyfeiriad Porth Ceiriad gan dywys y ddau feic i lawr y llethr bron cyn belled â'r traeth ei hun. Swatio mewn dillad glaw a wnâi'r ychydig deuluoedd ar y traeth yn y gobaith y deuai'n hindda ac y gwelid yr haul yn gorseddu. Ond doedd hynny ddim yn rhwystr i rai fentro i'r môr a minne yn eu plith.

O gofio mor hoff oedd Waldo ei hun o ymdrochi, teimlwn

nerth y tonne yn fy hyrddio a ffresni'r ewyn yn fy ngorchuddio nes fy mod yn cael fy sgrwbio'n loyw lân yn gorff ac enaid. Teimlwn yr halen yn fy mhuro ac yn fy adnewyddu nes fy mod fel gwahanglwyf wedi'i iacháu wrth ddod i'r lan. Odid nad oedd Waldo yno yn fy nghwmni'r bore hwnnw yn clecian llinelle o gynghanedd rhwng hyrddiad pob ton.

Wrth esgyn o'r traeth y bore hwnnw o Awst llaith roedd blas anghyffredin ar baned Teifryn wrth y sticil lle gadawsom y ddau feic.

Roedd yna sôn hefyd na fyddai'n ddim i Waldo fynd i ymdrochi yn y môr liw nos nes i'w feddyg ei ddarbwyllo nad doeth oedd hynny oherwydd y peryglon amlwg. Dro arall soniai amdano'i hun yn mentro i'r môr ym Mhwllheli pan oedd y traeth yn wag ond erbyn ei fod yn barod i ddod o'r dŵr roedd teulu o Sir Gaerhirfryn yno. Y broblem oedd fod Waldo'n borcyn a'i sypyn dillad cryn bellter o'r dŵr rywle ymhlith y creigie yn ymyl y dieithriaid annisgwyl. Roedd rhaid cyfansoddi englyn i'r digwyddiad wrth gwrs:

Dihangaf rhag y dynged – a heb ddrors
Y bydd rhaid i'm fyned.
Rhedaf tua'r ymwared
Yn borc noeth trwy Birkenhead.

Cofiwn am brofiad y Prif Lenor a'r Prifardd John Gruffydd Jones, yn nofio yng nghwmni Waldo pan oedd yn hogyn, "fel y bydde fo'n deud 'yn mynd i olchi'r wythnos mas'."

"Doedd o ddim yn nofiwr cryf iawn, rhyw gerdded i mewn i'r dŵr a wnâi a rhyw sefyllian yn y môr wedyn, naill ai'n Abersoch neu Lanbedrog. Fyddwn i'n mynd yn ei gwmni ar un adeg gan fy mod yn byw drws nesaf iddo pan fuo fo'n byw yn Hirdrefaig yn Nanhoron cyn iddo symud i Fur Poeth. Ond y cof pennaf sy gen i ohono yw yn yr ysgol mewn gwers Algebra pan roddodd ben fy ffrind, Twm Huws, o Uwchmynydd, yn ei ddesg a chau'r caead arno.

"Roedd Twm yn hogyn reit ddireidus a buasai'n llawer gwell

ganddo fod mewn cwch yn sgota am gimychiaid na gorfod dysgu Algebra a hwnnw'n ddigon anodd i'w ddeall mewn acen Llŷn heb sôn am acen Sir Benfro. Bu'n gwneud hwyl am ben acen yr athro a dyna a wnaeth iddo wylltio ond erbyn diwedd y wers daeth at Twm a deud wrtho, 'Twm bach, mae'n ddrwg gen i dy fwrw di' ond doedd Twm ddim yn deall ystyr 'bwrw' yn y cyswllt hwnnw, a dyma fo'n deud nad oedd hi'n bwrw glaw, a 'Waldio' fu enw Waldo ym meddwl Twm wedyn. Cofiwch, mae'n rhaid ei bod hi'n reit anodd arno ar y pryd rhwng popeth," meddai enillydd Medal Ryddiaith Eisteddfod Machynlleth 1981 a choron Eisteddfod Porthmadog 1987.

Hanesyn arall eto fyth am Waldo'n colli rheolaeth yn y dosbarth ac yn taro plentyn. Ond doedd hynny ddim yn anarferol yn y cyfnod hwnnw wrth gwrs am y bydde amal i athro o'r farn mai nerth bôn braich oedd y dull naturiol o gadw trefn. Yr hyn oedd yn anarferol wrth gwrs yw ei bod hi'n edifar gan Waldo bob tro y defnyddiai nerth ei fraich a'i fod yn deisyf maddeuant y plentyn cyn diwedd y wers.

Cofia Eirlys Pugh Roberts fel y bu iddi gyfarfod â Linda Williams pan gafodd ei hanfon gan ei thad o weinidog, rhyw brynhawn Sadwrn tesog, i Greigir Uchaf, pan oedd tua deuddeg oed, i hysbysu Waldo am y rhaglen o ddarlithoedd oedd i'w cynnal yn lleol:

"Doedd Waldo ddim adref ond roedd Linda'n eistedd y tu allan yn yr haul a chyn i mi ddweud fy neges bron aeth i'r tŷ i gyrchu diod o lefrith i mi. Tydw i ddim yn cofio p'un ai Cymraeg neu Saesneg oeddan ni'n siarad ond dwi'n cofio ei bod hi'n ddynas glên iawn. Does gen i ddim cof o'i gweld hi o amgylch y pentra yn Abersoch chwaith. Ond dwi'n cofio Waldo wedyn yn dysgu Hanes i ni gan gerdded o gwmpas y dosbarth wrth siarad. Pan ddeuai at y ffenestr byddai weithia'n oedi yng nghanol brawddeg ac yn syllu trwy'r ffenestr am dipyn cyn ailgydio yn y frawddeg. Yn rhyfadd, fydda 'na ddim smic o sŵn ganddon ni'r plant ar adega felly. Roeddan ni'n ei barchu," meddai.

Gyda llaw, gesum ar ddeall mai 'un o'r bechgyn bach'

a gyflwynai gopïe o *Trysorfa'r Plant* i Waldo, y sonia Anna Wyn Jones amdano yn y gyfrol *Waldo* a olygwyd gan James Nicholas, oedd Robin Gruffydd a fu am flynyddoedd wedyn yn ffotograffydd ar staff *Y Cymro* cyn ymuno â'r BBC. Mae'n debyg mai ei fwriad oedd tynnu sylw'r athro at y diddanion ar dudalen gefn misolyn y Methodistiaid Calfinaidd er mwyn ceisio codi'i galon wedi iddo golli Linda, ei wraig.

Ta waeth, penderfynwyd y dwthwn hwnnw y buasai'r ddau ohonom, Teifryn a finne, yn cymryd gweddill y diwrnod yn wylie i werthfawrogi harddwch a hynodrwydd Pen Llŷn ac y bydde hynny'n rhoi rhwydd hynt i ni grwydro yn ôl ein hanian, neu fynd ar goll pe mynnem, am nad oedd gennym yr un gyrchfan benodol mewn golwg i'w chyrraedd erbyn amser penodol.

Wrth oedi yn Llangïan cafodd Teifryn ei gystwyo gan siopwraig y pentref am ei chyfarch yn Saesneg pan ddeallodd fod y ddau ohonom yn medru'r Gymraeg. Tebyg bod hynny'n arfer ar ran Teifryn sy'n deillio o fyw yng nghyffinie Aberdaugleddau mor hir lle na fyddai cyfarchiad Cymraeg naw gwaith a hanner mas o ddeg yn ennyn yr un ymateb heblaw am dafod mud. Cawsom gyfarwyddyd ganddi ar sut i gyrraedd Llanbedrog a bu Teifryn ynte'n astudio ei fap gan fy mod i bellach yn cyfaddef nad oedd derbyn a dehongli cyfarwyddiade yn gydnaws â'm hanian.

Wedi dringo'r rhiw serth o bentref Llangïan roedd gweddill y daith yn gymharol ddiffwdan heblaw am ambell dyle a oedd yn her i'r fegin yng nghyffinie Mynytho lle cawsom sgwrs ddiddan gyda chriw o blant nad oedd ganddyn nhw ddim i'w wneud ar y pryd ond rhoi cyfarwyddyd i ni ynghylch pa ffordd i'w chymryd. A Chymraeg oedd yr iaith rhyngddyn nhw a'r gyrwyr ambiwlans a fu'n holi'r ffordd i gyfeiriad penodol yn y pentref hefyd. Bu'n rhaid oedi rhywle pan ddaeth Teifryn o hyd i diwbyn teiar beic ar ochr y ffordd y credai allai fod o ddefnydd iddo rywbryd ar gyfer un o'i ddeg ar hugain o feicie. Fe ddaw defnydd i bob dim o fewn saith mlynedd oedd dywediad Mamgu. Ni chafodd cystal lwc wrth holi yn archfarchnad bitw'r pentref am leoliad Mur Poeth a bu rhaid hepgor y syniad o daro heibio un o'r tai lle bu ei ewythr yn byw.

Wrth gyrraedd Llanbedrog gwelwyd na fydde'r dafarn ar y dde, Y Llong, yn dechre gweini bwyd am hanner awr arall ond yn hytrach nag ymuno â'r crefftwyr yn y bar, yn mwynhau diodydd y diwetydd, penderfynwyd crwydro ar hyd y pentref. Gwelais dŷ ar y chwith o'r enw 'Penfro' ac oni bai fod Teifryn gymaint yn y pellter o'm blaen byddwn wedi oedi a chnocio ar y drws i holi pam y cafodd yr enw ei ddewis. Erbyn cyrraedd y ffordd A499 gwelwn Dafarn Glynyweddw ar draws y ffordd a oedd eisoes yn gweini bwyd. Er bod yna arwyddion ar bob pared yn pwysleisio ei bod yn dafarn deuluol, ac na fyddai iaith anweddus yn cael ei dioddef, tybiem mai ar gyfer yr ymwelwyr lu oedd yno y bwriadwyd y rhybuddion, gan eu bod yn uniaith Saesneg. Heblaw am hynny roedd yna ormod o dynn am i fyny i ddychwelyd i'r Llong a byddem, beth bynnag, yn dychwelyd i'r fangre hon er mwyn parhau ar gymal nesaf y daith ar hyd y briffordd, yn ôl Teifryn.

Cafodd Teifryn ei bysgodyn arferol gyda salad tra mentrais inne ar y *lasagne* gan wrando ar sgyrsie dwyieithog y cwsmeriaid wrth y bar am yn ail â bwrw golwg ar y rhifyn diweddaraf o'r cylchgrawn wythnosol *Golwg* roeddwn wedi'i brynu yn siop y ddynes barablus yn Llangïan.

Ond yr hyn a ddaliai i fy mhoeni oedd union amgylchiade dyfodiad Waldo i'r cylch ac yna ei gymhelliad dros ymadael a throi tuag at Loegr o bob man. Doedd gan Teifryn ddim goleuni ar y mater am nad oedd namyn baban ar y pryd. Ond roedd ganddo gof teuluol o sôn fod Waldo i bob pwrpas ar goll am gyfnod am na wyddai ei chwiorydd na'i frawd i ble roedd wedi mynd, a bod Dilys, ei chwaer, yng nghwmni Benni Lewis, o Ben-caer, wedi mynd i chwilio amdano.

Ar yr un pryd, wfftiai Teifryn yr esboniad a glywsom yn awgrymu i'w ewythr adael Ysgol Uwchradd Botwnnog am iddo gael ei rwystro rhag dysgu Hanes Cymru ac iddo ddweud os oedd rhaid iddo ddysgu Hanes Lloegr i ddisgyblion yna'r elai i Loegr i wneud hynny. Esboniad arwynebol oedd hwnnw yn cuddio'r gwir reswm sef yr iselder a'i llethai wedi iddo golli Linda, oedd yn fwy tebygol yn ôl Teifryn. Gwnaeth ddatganiad syfrdanol wedyn ynghylch y berthynas rhwng rhai o aelode'r teulu a Waldo: "Fe fuodd yna gyfnod pa na wedd hi'n ddoeth i ni gyfaddef ein bod yn perthyn i Waldo, t'wel," meddai.

Os oedd hi'n anodd ar Waldo yn ystod cystudd Linda a phan oedd yn galaru amdani doedd e ddim yn ymgadw ei hun rhag delio â dyfnion faterion bywyd. Anfonodd lythyr at y *Western Telegraph* ym mis Mawrth 1943 yn clodfori safiad Gandhi dros India ac ym mis Medi anfonodd lythyr arall drachefn mewn ymateb i sylwade a ddarllenodd yn y papur y tro hwn, yn holi 'Pwy yw fy nghymydog?'. Ceisiodd 'Student' o Landudoch dynnu blewyn o'i drwyn ar y ddau achlysur. Roedd yn amlwg yn cadw cysylltiad â'i hen ardal trwy dderbyn prif bapur wythnosol Sir Benfro yn gyson.

Daeth yn bryd i ni godi pac os oeddem am osgoi seiclo yn y gwyll i gyfeiriad Preswylfa am yr eildro. Aed ar hyd y briffordd am fod yna linell rhywle ar fap Teifryn yn dweud y medrem droi i'r chwith i gyfeiriad Rhydyclafdy gan osgoi tramwyo ar yr un ffyrdd y buom ar eu hyd eisoes. Roeddwn i gant y cant o blaid amrywiaeth a tharo cis ar gymaint â phosib o'r ardal yn ystod ein hymweliad byr. Rhoddais fy ymddiriedaeth lwyr yng ngallu Teifryn i'n tywys yn ddidramgwydd. Ond pan droesom i'r chwith sylweddolwyd na ellid mynd ymhellach na gwersyll y Pwyliaid ym Mhenrhos.

Rhoddwyd cynnig ar droi i'r dde wrth fynediad y gwersyll gan feddwl mai dyna'r feidir a welid ar y map ond pan gyrhaeddwyd ystâd o dai cafwyd ar ddeall gan ŵr canol oed, oedd yn gwisgo clustdlws anferth, na ellid mynd ymhellach oni bai ein bod yn croesi cae. Cael a chael oedd hi i gael y wybodaeth honno ganddo am i Teifryn wneud y camgymeriad o'i gyfarch yn Saesneg a'i holi a oedd yn siarad Pwyleg. Bu o fewn dim iddo frasgamu oddi wrthym oni bai i ni ei gwneud yn hysbys iddo ein bod ni'n Gymry. 'Nôl am y briffordd amdani felly.

Oni bai ein bod wedi dalgwympo yn y fath fodd ni fyddem

wedi gweld y gofeb o lechen wrth fynedfa parc carafane i'r tri gwron a fu'n gyfrifol am losgi darn o'r ysgol fomio mewn gweithred symbolaidd, yn enw Plaid Cymru, yn gwrthwynebu gosod safle milwrol Prydeinig ar dir Cymru. Digwyddodd hynny ym 1936, chwe blynedd cyn i Waldo symud i'r ardal, a thebyg na fyddai egwyddorion ei heddychiaeth wedi caniatáu iddo gefnogi gweithred o'r fath am ei fod yn gwrthwynebu gosod safle milwrol yn unrhyw fan waeth pa genedl oedd yn gyfrifol amdanynt. Un o'r tri a gafodd eu carcharu oedd D. J. Williams, un o bennaf cyfeillion Waldo.

Wrth seiclo ar hyd y briffordd brysur i gyfeiriad Pwllheli cadwem lygad barcud am droad i'r chwith a'i chymryd yn fuddugoliaethus fel pe baem wedi codi baner y Ddraig Goch ym Mhegwn y De. Cyrhaeddwyd Rhydyclafdy wedi hir bendrymu ar amal i gyffordd ynghylch pa ffordd i droi. Am fod fy nghas sbectol mwy na thebyg yng ngwaelod fy sach roedd yn ddealladwy nad oeddwn yn mynd i'w gwacáu er mwyn cael gafael ar fy sbectols i ddarllen map a oedd mor gyfarwydd i Teifryn beth bynnag.

Gwelsom arwydd yn dynodi Llanbedrog ar sgwâr Rhydyclafdy ac mae'n debyg mai siwrnai fer oedd hi rhwng y ddau bentref. Petaem wedi gwledda yn y Llong, ym mhen ucha Llanbedrog, mae'n siŵr y buasem wedi tramwyo'r ffordd honno ond cysurem ein hunain na fyddai wedi bod hanner mor anturus. Awgrymodd Teifryn wrth y gyffordd nesaf y byddai'n syniad i ni seiclo o amgylch Carn Madryn yn hytrach na dychwelyd ar ein hunion i'r llety, a chytunais inne'n llawen, yn arbennig gan fod y ffordd wedi'i dynodi'n ffordd ar gyfer seiclwyr. Yr unig siom ar ôl seiclo'r wyth milltir a mwy oedd na welwyd yr un fodfedd o Garn Madryn, sy wedi'i hanfarwoli ar gân gan Endaf Emlyn, am fod niwl yn ei gorchuddio'n grwn.

Wrth ddod trwy Laniestyn gwelwyd fod barbeciw ar waith yno a doedd dim prinder lleisie Cymraeg rhywiog i'w clywed wrth i gysgodion y nos ddechre disgyn. Mentrodd Teifryn i'w plith er mwyn cadarnhau ein bod ar y trywydd cywir ac yng nghyffinie Preswylfa. Pan ddeallais inne ein bod ar ei gwar hi mentrais i fyny'r allt gan wybod na fyddai fy nghyd-seiclwr fawr o dro cyn ymuno â mi. Arhosais amdano ar ben yr allt a gwneud mochyn ohonof fy hun wrth fwyta mwyar mawrion llawn sudd wrth fwlch clawdd. Roedd hynny'n gymaint o goron ar fy niwrnod ag oedd y trochiad ym Mhorth Ceiriad.

Derbyniol iawn oedd y paneidie, y bisgedi a'r caws Llŷn yng nghegin ein llety ym Mhreswylfa wrth wylio'r adar mân, gyda chnocell y coed lliwgar yn eu plith, yn cymryd eu gwala o'r wledd oedd wedi'i baratoi ar eu cyfer ar y bwrdd wrth ffenestr y gegin. Sgwrsiwyd yn rhydd a rhwydd yng nghwmni Tecwyn a Catrin fel petaem yn adnabod ein gilydd ers oes pys. Fel bob amser pan wna'r Cymry gyfarfod roedd yna amal i gydnabod yn gyffredin i ni. Penderfynais mai doeth oedd i mi wneud fy esgusodion a throi am y gwely pan ddechreuodd Teifryn sôn am un o'i ddullie o arbed arian fel seiclwr.

Byddai'n prynu sane maint plant, meddai, ac yn hytrach na'u prynu'n bare yn eu prynu'n drioedd. O wneud hynny, medrai olchi un hosan ar y tro ac o ganlyniad ni fyddai fyth yn gwisgo'r un hosan am fwy na deuddydd ar y tro wedyn. Yr unig anhawster weithie, meddai, oedd gwybod pa un o'r sane fyddai am ei draed oedd i'w golchi nesaf! Rhagwelwn y byddai'n sôn nesaf mai dim ond un bwlb trydan sydd ganddo yn y tŷ a'i fod yn ei symud o ystafell i ystafell yn ôl yr angen. Bydde hynny'n ddigon hawdd i'w wneud am fod ganddo ysgol fechan sy'n plygu a thortsh i weld lle roedd gosod y bwlb; hwyrach fod Tecwyn a Catrin yn dal i gredu stori'r sane.

Codasom drannoeth yn llawn nwyf ac asbri yn barod i'w hanelu am Bwllheli i ddal y trên hanner awr wedi naw. Trech na'n harchwaeth oedd y brecwast er i ni ymdrechu'n ddewr. Cefais ar ddeall fod y Parch. Cynwil Williams wedi lletya yno'n lled ddiweddar pan oedd ganddo gyhoeddiad pregethu ym Mhwllheli a rhaid fy mod felly wedi cysgu yn yr un gwely â'r gŵr sydd ei hun wedi mawrygu awen Waldo wrth ysgrifennu am Archesgob Caergaint yn ei lyfr *Yr Archesgob Rowan Williams*. Rhaid oedd canu'n iach ar groeso twymgalon Llŷn a'i chychwyn hi am Bwllheli ar hyd ffordd wahanol eto fyth, trwy Efailnewydd, a sylwi ar amal i yrr o wartheg blithion yn cnoi cil ar ôl porad gyntaf y bore. Teimlem ninne yr un mor fodlon am fod yna genhadaeth wedi'i chwblhau.

Mae'n rhaid bod y swyddog tocynne ar y trên yn flin am ei bod yn gorfod gweithio ar ddydd Sadwrn. Doedd hi ddim o gymorth chwaith fod Teifryn wedi penderfynu gwisgo crys seiclo'r bore hwnnw. Mewn chwinciad roedd y ddynes filain mewn lifrai wedi'i lygadu. Doedd dim angen iddi ei holi a oedd ganddo feic ar y trên, dim ond holi a oedd wedi gwneud trefniade i gadw lle i'r beic ar y trên. Pan atebodd nad oedd wedi gwneud trefniade, cafodd ei rybuddio ei fod e a'i feic yn teithio ar ei thrugaredd hi, a phetai yna feiciwr arall yn dal trên ar un o'r gorsafoedd nesaf, ac wedi gwneud trefniade ar gyfer hynny, byddai ganddi berffaith hawl i ofyn i Teifryn a'i feic adael y trên. Fy ngofid inne felly oedd beth os deuai dau feiciwr ar y trên fyddai wedi gwneud trefniade rhagblaen ar gyfer cludo eu beicie. Taw piau a gobeithio'r gore. Gwelwn nad oedd modd goglish y swyddog a gwaethygu'r sefyllfa fydde dechre coethan â hi.

Rhyw giledrych heibio fy mhapur dyddiol a wnawn wrth i'r trên oedi ym Mhenychain ond, popeth yn iawn, dim golwg o feiciwr. Ysywaeth, wrth gyrraedd gorsaf Cricieth beth a welwn ar y platfform ond beiciwr. Rhybuddiais Teifryn i fod yn barod i gael ei daflu oddi ar y trên ac y buaswn yn aros amdano ym Machynlleth, hwyrach, pe na bai'r trên nesaf yn rhy hir yn cyrraedd. Fe'i hanogais i arllwys paned o de yn dra sydyn rhag fy mod yn colli'r cysur hwnnw beth bynnag. Ond hwyrach nad oedd mei-ledi wedi gweld y bonheddwr beicio yn esgyn i'r trên, er scersli bilîf. Ta beth, disgynnodd y beiciwr yn Llwyngwril a hwyrach mai'r ffaith taw taith gymharol fer oedd ei eiddo a achubodd groen Teifryn.

Llwyd a gwlyb oedd y bore a'r mwyafrif o'r teithwyr yn ymwelwyr. Ni theimlai Teifryn awydd cynnal clonc gyda'r un ohonynt. Ei chael hi'n anodd i gadw'r baban oedd ar ei chwêl yn ddiddig a difyrru'r rhoces oedd wedi dechre canfod ei thraed, a darllen llyfr yr un pryd, a wnâi'r fam ifanc gyferbyn â ni. Rhoddodd y fam amal i waedd a sgrech ar y groten i beidio â gwneud hyn a'r llall. Teimlem ninne'r straen a fynegid yn ei llais a dyfalem am ba hyd y medrai ddal heb hollti fel darn o borslen. Gwelw a difynegiant oedd wynebe nifer o gryts ifanc a guddiai cymaint â phosib o'u hwynebe mewn cyflau, yn fyddar i'r byd o'u cwmpas wrth wrando ar beth bynnag a glywent drwy'r gwifre yn eu clustie. Doedden nhw ddim â'u bryd ar gyfathrebu'n uniongyrchol â'r ddynoliaeth ar hyd Dyffryn Ardudwy a Dyffryn Dysynni ar y bore hwnnw.

Mae'n debyg bod Waldo wedi treulio'r rhan helaethaf o dymor yr haf 1953 yng Ngholeg Harlech yn defnyddio'r llyfrgell helaeth oedd yno er mwyn paratoi deunydd ar gyfer ei ddosbarthiade nos o dan nawdd Adran Efrydiau Allanol Aberystwyth y gaeaf dilynol. D. Tecwyn Lloyd sy'n adrodd yr hanes am Waldo'n darllen ysgrif o'r gyfrol *Gweithiau S. R.* a gyhoeddwyd ym 1856. Ynddi roedd yr awdur yn dadle y dylid defnyddio carthion dynol i wrteithio'r caeau gan ei alw'n 'gu'. Yn wir, âi S.R. i gryn fanylder wrth ddweud y byddai gu rhai aelwydydd o well ansawdd nag aelwydydd eraill. Byddai gu aelwyd henadurol yn frasach nag eiddo aelwyd gyffredin, meddai. Po fwyaf ddarllenai Waldo, a hynny'n uchel ar lawr y llyfrgell, anoddach oedd hi iddo ymatal rhag chwerthin ac yn y diwedd aeth y pylie'n drech nag ef nes bod y dagre'n dallu ei lygaid. Ymhen blynyddoedd penderfynodd Tecwyn Lloyd a Waldo y dylid sefydlu Cadair Goffa i S.R. mewn Gwoleg ym Mhrifysgol Cymru!

Cafwyd yr un drefn â chynt ym Machynlleth wrth newid trên, ac er i'r syniad wibio trwy fy meddwl o barhau ar y daith i Aberystwyth, a seiclo oddi yno i Sir Benfro, cefais fy narbwyllo gan Teifryn y gallai fod yn goleuo fore trannoeth erbyn y deuem i ben ein siwrne. Yn rhyfedd iawn ni soniodd yr un ohonom am y posibilrwydd o dorri'r siwrne i Amwythig trwy seiclo oddi ar un o orsafoedd lein y Cambrian i un o orsafoedd lein Calon Cymru fel y gwnaed tu chwith ar ein siwrne i fyny. Dywedai greddf ddywedwst y ddau ohonom mai doeth fyddai cymryd cam gwahanol a mwynhau'r daith hon yr holl ffordd i

Amwythig. Dyna a wnaed, heb orfod poeni am yr un Sais rhonc neu Americanwr powld o feiciwr a allai ddyfynnu holl gymale'r rheole petai wedi trefnu i gludo ei feic ar yr union siwrne hon wythnose ynghynt, o berfeddion Surrey neu Connecticut, gan fynnu ein bod yn ildio ein lle ac yn ymadael.

Rhyw hepian cysgu a wnaed am yn ail â thrafod pa siwrneie y dylid eu trefnu eto wrth fynd ar drywydd Waldo ar gewn beic. Roedd y Gororau, Llundain ac Iwerddon yn ymhŵedd yn ogystal â feidiroedd Sir Benfro. Erbyn cyrraedd gorsafoedd bychain Stretton Heath a Yockleton gwyddem ein bod wedi hen groesi Clawdd Offa ac y byddem yn nhref Amwythig cyn pen dim a hithe ond yn gynnar yn y prynhawn. Er bod gennym beth amser i'w ladd barnwyd nad doeth fydde mynd i grwydro ac felly cyfyngwyd ein lolian i blatfform yr orsaf.

Pan gawsom le cyfleus i eistedd ar y trên fyddai yn ein tywys trwy galon Cymru gwelsom fod gennym haid o Gymry gwâr canol oed yn gwmni. Wel, onid dyna'r disgrifiad cywir o gyple trwsiadus yr olwg sy'n sipian gwin am yn ail â darllen y rhifynne diweddaraf o'r *Cymro* a'r *Tyst*? Ni welais yr un copi o *Barddas,* chwaith, er y byddai'r cyfnodolyn hwnnw'n sicr yn gyfarwydd i rai o'r wynebe cyfarwydd ymhlith y criw. Sgwrsient yn dawel afieithus ymhlith ei gilydd tra oedd criw cyffelyb gerllaw yn dipyn parotach i siarad ar draws ei gilydd heb hidio pwy glywai eu rhialtwch a thynnu coes wrth newid o un iaith i'r llall fel pendil cloc. Ffarweliwyd â nhw yng nghyffinie Llandeilo tra oedd y criw syber yn dal ar y trên pan ddisgynasom ninne yn Llanelli.

Ni cheir yr un cyffro na'r un elfen o ddisgwylgarwch wrth ddychwelyd o siwrne. Mae'r hyn sydd i'w ddisgwyl yn hysbys ac ni cheir yr un ymdeimlad o antur yn y gwythienne. Serch hynny, gall ambell benbleth godi fel yr un wynebwyd yng ngorsaf Llanelli. Bydde rhaid disgwyl am ymron i ddwy awr am y trên a fyddai yn ein cludo i orsaf Clunderwen a gwyddem y byddai'n tywyllu erbyn hynny. Ond wrth astudio'r amserlen yn fanylach gwelwyd y byddai yna drên yn rhedeg i orsaf Arberth o fewn ugain munud a phenderfynwyd y gellid seiclo oddi yno o fewn dim o dro i Glunderwen er mwyn i Teifryn ddal y trên fyddai'n ei gludo i Aberdaugleddau.

Yn anffodus, pan gyrhaeddodd y trên a ddeisyfem, roedd eisoes yn orlawn. Prin fod yna le i'r teithwyr ar y platfform wedi i nifer ddisgyn heb sôn am le i ddau deithiwr yn cludo beic yr un. Fe'm cysurwyd gan un o'r swyddogion fod yna drên arall ar y ffordd o fewn deng munud a gwir bo'r gair er nad oedd hwnnw fawr ddim gwacach chwaith. Sylwais fod yna blisman yn teithio ar y trên a buan y deallais pam oherwydd nid yfed gwin ond yfed cwrw o ganie a wnâi criw o deithwyr a fu'n gwylio Abertawe yn chwarae pêl-droed y prynhawn hwnnw. Roeddem yng nghwmni haid o 'Jacks' meddw o Ddoc Penfro.

Big Jack oedd y mwyaf swnllyd o'u plith, yn arwain y canu, os gellid ei alw'n ganu, a'r geirie bron yn ddieithriad yn condemnio clwb pêl-droed yr Adar Gleision, Caerdydd, yn hytrach na dyrchafu'r un agwedd o bêl-droed. Tynnwyd Dai o Bentyrch i ganol y rhialtwch a chyfaddefodd ei fod yn dioddef o sgitsoffrenia mewn mwy nag un ffordd am na fedrai benderfynu i ba un o'r ddau dîm roedd ei deyrngarwch. Fe'i rhybuddiwyd gan Big Jack na fedrai wamalu a'i fod naill ai'n gefnogwr i'r Elyrch neu ddim, gan ychwanegu na fyddai'r un cefnogwr pybyr i'r Adar Gleision yn debyg o adael y trên yn fyw pe câi afael arno. "I've done my 'ead in" oedd ple Dai Pentyrch diddannedd. Yn ddiddorol iawn ni chlywais yr un o'r bechgyn yn trafod ansawdd y gêm y prynhawn hwnnw na chwaith yn crybwyll y sgôr. Ni feiddiais ofyn i'r un ohonyn nhw chwaith ond deallais drannoeth mai colli'n drwm oedd rhawd Abertawe'r diwrnod hwnnw.

Distawodd Big Jack a'i osgordd erbyn cyrraedd Arberth. Ond o weld yr haid o ieuenctid oedd ar y platfform, â'i bryd ar fynychu clybie nos Dinbych-y-pysgod, mae'n siŵr y byddai'r hwliganiaid pêl-droed, yn eu hoed a'u hamser, wedi canfod eu lleisie o fewn dim o dro pan ailgydiai'r trên yn ei siwrne. Arall oedd ein consýrn ni'n dau wrth bedlo am ein bywyde i gyfeiriad Clunderwen. Ffarweliais â Teifryn ar bont y rheilffordd gan estyn iddo'r clogyn a gefais fenthyg ganddo i'm cadw'n sych rhag defnynne glaw Llŷn. Teithiais yr un mor hamddenol i Faenclochog ag y byddai ei ewythr wedi gwneud, ond tebyg y bydde Waldo wedi llunio llinell neu ddwy o gynghanedd am y whilgryts pêl-droed cyn y byddai wedi cyrraedd Llandysilio.

7

Ar Weun Cas' Mael

MAE'N RHAID I feiciwr, yn union fel pob gyrrwr lorri neu gerbyd, oedi wrth groesffordd cyn mentro ymhellach. Felly roedd hi wrth dalcen Tafarn Newydd, nad yw'n newydd nac yn dafarn bellach ond a fu ar un adeg yn dafarn o bwys. Dyma lle yr arferai'r Goets Fawr godi a gollwng teithwyr ar ei ffordd rhwng Hwlffordd ac Aberteifi a dyma lle y cyfarfyddai'r Cwrt Lît ar archiad Arglwyddes Barwniaeth Cemaes, a'r tafarnwr, Pît Edwards, yn cael ei ystyried yn ben bugail ymhlith ffermwyr y mynydd.

Petai ei fab, Denzil, wrth law, ni fyddai pall ar ei atgofion am ei ddyddie cynnar cyn yr Ail Ryfel Byd pan alwai sipsiwn a chardotwyr heibio yn eu tro a phan gynhelid 'y stra' yn yr haf a'r hydref, sef casglu'r defaid o'r mynydd, a'r rhialtwch fyddai yn y dafarn wedyn, yn arbennig o gofio y câi'r cwrw ei facsu yn y fan a'r lle fesul deugain galwyn. Ac o bwyso ar Denzil fe gaem o leiaf esgyrn sychion y stori am Waldo a'r 'Identity Card' a ddigwyddodd nid nepell o'r fan.

Ond awn ar draws y ffordd i gyfeiriad Abergwaun gan gofio mai Nant-y-gwyddon yw'r hen enw ar y dafarn neu o leiaf ar ran uchaf yr adeilad. Gan ein bod yn sôn am yr hen, rhown gip i gyfeiriad Banc Du uwchlaw lle credir bellach fod yna anheddiad mor bell yn ôl â 3650 C.C., yn fuan wedi dechre'r cyfnod Neolithig o ffermio. Byddai gwybodaeth o'r fath am fodolaeth pobloedd yn y cyffinie yn y dyddie pell hynny yn rhan o isymwybod Waldo mae'n siŵr ac wedi ymwthio i'r amlwg pan 'ddaeth' y gerdd 'Cofio' iddo.

Yn y cyffinie ceir Tŷ Llosg lle bu anghydfod adeg gweithredu

Deddf Cau Tir Comin yn y 1830au wrth i wragedd fynd ati liw nos i ddymchwel y cloddie a godwyd yn ystod y dydd mewn protest yn erbyn cyfyngu ar eu hawlie i godi mawn fel y mynnent. Roedd yna goel ar y pryd na fyddai gwragedd yn cael eu harestio am droseddu a hynny, meddid, oedd rhan o'r rheswm pam y gwisgodd terfysgwyr y Beca ddillad gwragedd i ymosod ar dollborth Efail-wen yn ddiweddarach ar ddiwedd y ddegawd. Bu un achos pan y cyhuddwyd un o'r gwragedd o achosi terfysg ond, wedi iddi dreulio tri mis yng ngharchar Hwlffordd, gollyngwyd yr achos yn ei herbyn.

Braf medru tafoli materion o'r fath wrth bedlo'n hamddenol yn fy nghynefin gan adael i'r meddwl a'r corff ddilyn trywyddion gwahanol. A beth am y goedwig fythwyrdd uwchben Tŷ Llosg wedyn lle nad yw'n anarferol gweld dwy neu dair mil o ddrudwyod yn duo'r ffurfafen pan heidiant yno i glwydo ar noson o aeaf? Profiad a ddyry ysgryd yw croesi copa Bwlchgwynt ar achlysuron felly, er nid i'r un gradde efalle, â phrofiad y gŵr hwnnw a honnodd iddo weld rhith byddin o filwyr canoloesol yn croesi'r grib ar noson oer, heulgoch. Ond gwell canolbwyntio ar y dasg mewn llaw wrth fynd heibio Fagwr Goch a thynnu am i fyny heibio pen feidir Lodor Fawr a Blaenpalis cyn mynd heibio Lodor Fach a sylwi ar yr ehangder yn ymagor o'n blaene; digon i wneud i ddyn ddal ei anadl wrth sylwi ar yr haene o lesni o'n hamgylch yn gymysg â lliwie llachar amrywiol flode'r meysydd.

Ond anodd rhwystro'r meddwl rhag crwydro drachefn 'nôl dros y canrifoedd wrth fynd heibio Mynydd Morfil – y Mynydd Du neu'r Mynydd Marw – a dychmygu'r hanes hwnnw am y Normaniaid yn erlid y Cymry i lawr y dyffryn dros afon Angof. Sefydlwyd dwy gymuned ar wahân ac erys y ddau enw, Cas-mael a Puncheston, yn fyw hyd y dydd heddiw am y pentref lawr obry, y naill yn gyfeiriad at bennaeth Cymreig o'r enw Nemael a'r llall at Pontchardon yn Normandi.

Yn wir, wrth droi i'r chwith i gyfeiriad y pentref trof i'r chwith drachefn o fewn byr o dro ar hyd feidir y gwelir arni'r arwydd 'Preifat' gan seiclo ar hyd godre Mynydd Morfil sy'n frith o ddefaid newydd eu cneifio. Rhy'r awel a'r haul yn gymysg â'r tangnefedd bleser anghyffredin wrth bedlo'n hamddenol ddiymdrech. Cyfoethogi'r profiad wna chwyrnu cyson ambell dractor sy'n cynaeafu yn y pellter am yn ail â bref ambell oen ar y llethre cynnes. Rhaid i mi oedi er mwyn cymryd diod o ddŵr a thafoli'r olygfa ysblennydd sy'n rhan o'm cynhysgaeth.

Wrth droi'r troeon ar y gwaered a chyrraedd Fferm y Morfil ac adfeilion yr eglwys o'r golwg yn y coed bythwyrdd, nid mor ysblennydd yw fy atgofion o'm taith gyntaf ar hyd y ffordd, pan welais haid o gadnoid marw yn hongian oddi ar goeden wrth y fynedfa i'r eglwys. Cefais lond fy nghroen o arswyd y bore hwnnw yn y niwl trwchus wrth deimlo fy mod wedi darganfod bro gyntefig â phrofiade gwaeth i ddod. A gwir oedd hynny pan welais yr hynod Gertie Hooper yn sefyll ar ei phen ei hun wrth ddrws ei charafán ar glos Vaynor Isaf obry tra oedd ei bustych yn perchnogi'r hyn a oedd yn weddill o'r ffermdy. Bob tro y clywn Meic Stevens wedyn yn canu 'Menyw yn y Ffenestr', am yr olygfa honno y meddyliwn, am na wyddwn ddim am gefndir y greadures ar y pryd.

Mewn cyfnod diweddarach mynych y trafaeliais i glos Vaynor Isaf i gwrdd â Dici Harries a oedd wedi adfer y ffermdy a phenderfynu cyflawni'r rhan helaethaf o'i amaethu yn yr hen ddull trwy ddefnyddio ceffyle gwedd. Yn fwy rhyfeddol fyth bydde ganddo straeon am ddrychiolaethe megis y ferch brydferth honno a droes yn ast ddu o flaen ei lygaid a diflannu i grombil y ffynnon. Dro arall disgrifiai mewn manylder y bore heulog hwnnw pan welodd dwr o dylwyth teg o liw gwyrdd dan ryw lwyn wrth ymyl afon Angof, â'u trwyne mawrion cochion, yn gwneud syne fel haid o dwrcwn; feiddiwn i ddim ame'r profiad o'i glywed yn cael ei adrodd gyda'r fath arddeliad. A doedd dim ame chwaith fod yna hud a lledrith ar Ddyfed.

Ond heddiw ymddengys mai cyfoeth y bobol hynny o'r ochr draw i Glawdd Offa, y chwyrnai Dici yn eu cylch yn ddidrugaredd, sydd wedi troi'r tyddyn yn bictiwr y byddai pob arwerthwr wrth ei fodd yn ei farchnata fel encil delfrydol yng nghanol unman. Dring am i fyny wrth gesail Mynydd Cas-fuwch yw hi nawr gan edrych 'nôl ar yr olygfa banoramig ganol y bore. Clywaf gwcw'r gwanwyn hwyr yn canu'n glir fel cloch ar draws y dyffryn fel petai'n ei chlodfori ei hun am ei mynych hanfadwaith yn defnyddio nythod adar eraill i fagu ei hepil ei hun.

Mae'r awel fain, yn gymysg â'r node o dwyll, yn cyniwair ymdeimlad o fodlonrwydd am yn ail ag ysgryd o arswyd cyntefig. Ni welaf neb yn unman er, hwyrach, eu bod nhw yn fy ngweld i. Rwyf ar fy mhen fy hun. Nid yn amal y gwelir cerbyd yn tramwyo ar hyd y ffordd hon. Cynhyrfaf o glywed sŵn cacwn gan bryderu y try'n ddrychiolaeth o flaen fy llyged megis un o berchyll y twrch trwyth.

Prysuraf ar hyd y gwastad heb fwrw cilwg tuag yn ôl nes cyrraedd sgwâr Cas-fuwch, troi i'r dde i gyfeiriad Cas-mael, a phedlo ychydig yn fwy hamddenol nes cyrraedd fy nghyrchfan, sef yr hen ysgol lle bu Waldo'n brifathro dros dro ar ddechre'r 1940au pan oedd y prifathro arferol, Elgar Parry Jones, wedi ymuno â'r Ail Ryfel Byd. Cofiwn mai yn y fan hon yr honnir i Waldo gael ei daro'n blèt ym mhwll ei stumog gan un o'r cryts un bore, a hynny ar wahoddiad Waldo ei hun, am ei fod yn edifar am iddo roi bonclust i'r crwt hwnnw'r diwrnod cynt. Addaswyd yr adeilad yn ddau dŷ annedd erbyn hyn a rhaid cofio nad yn Nhŷ'r Ysgol yr ymgartrefodd Waldo a'i briod, Linda, chwaith, ond yng nghanol y pentre ym Mrynawel, a chyn hynny roedd Waldo'n lletya yn Nhegfan a Delfan.

Mewn llythyr a ddanfonodd at D. J. Williams o Ddelfan ar ddiwedd mis Chwefror 1941 dywed iddo orfod symud o'i lety blaenorol am fod y landledi wedi dal y ffliw ac yn cadw gwely. Roedd y trefniant newydd yn ei siwtio'n well, meddai, am fod ganddo ystafell iddo'i hun ac roedd wrthi'n darllen llyfr o'r enw *Expanding Universe* gan Eddington. Aeth yn ei flaen i esbonio hanfod y llyfr wrth ei gyfaill yn Abergwaun:

> ... gan fod gofod yn gramen o dri mesuriad ar wyneb pêl, o bedwar mesuriad a chan fod goleuni o'r herwydd yn teithio mewn cylch paham na allsai dyn weld ei wegil ei hunan o flaen ei wyneb, pe

> bai'n gallu sefyll yn ei unfan yn ddigon hir i'r pelydryn o oleuni gwmpasu'r bydysawd rhagddywededig.

Â yn ei flaen i drafod yr hyn a eilw yn cytser, sef y galaethau:

> … pellterau rhwng y cytser yn cynhyddu mewn cymhariaeth â maintioli'r cytser eu hunain, a lle bo cyflymdra cynnydd y pellter wedi mynd yn fwy na chyflymdra goleuni, y mae'r cytser wedi mynd y tu hwnt i bosibilrwydd canfyddiad.

Ond teg loetran yn y fangre a chofio mai yn y fan hon y profodd Waldo un o helbulon mawr ei fywyd ar gownt ei heddychiaeth, a hynny i'r fath radde nes iddo deimlo nad oedd ganddo ddewis ond gadael yr ardal, ac ailgydio yn ei yrfa yn Llŷn ym 1942. Dengys un o'i lythyre at D.J. ym mis Medi 1941, ac ynte'n briod bellach, fod y cymyle'n crynhoi. Er ei fod mewn hwylie da yn canmol y gŵr o Rydcymerau ar gyhoeddi'r gyfrol *Storïau'r Tir Coch,* gan ddweud y bydd rhaid iddo gyhoeddi *Storïau'r Weun* nesa ac wedyn cymryd ffarm arall, noda enw un gŵr a oedd yn amlwg yn ddraenen yn ei ystlys.

Er y byddai Roland Williams ymhen pedair blynedd yn un o arweinwyr y frwydr i gadw'r Preselau'n rhydd o filitariaeth, roedd y cyn-filwr a'r meddyg teulu a oedd yn fab i weinidog gyda'r Bedyddwyr, yn rhinwedd ei ddyletswydde fel cynghorydd sir dylanwadol yn y maes addysg, yn drwm ei lach ar Waldo oherwydd ei heddychiaeth. Sylw Waldo oedd "Onid yw Roland Williams yn drafferthus ynghylch llawer o bethau?".

Mae'n debyg bod trigolion y cylch yn anfodlon fod Waldo o dan bwyse i adael a chynhaliwyd cyfarfod cyhoeddus gan rieni a llywodraethwyr yr ysgol i gefnogi ei arhosiad yn eu plith. Gwnaeth Bedyddwyr y cylch hi'n hysbys i'r awdurdod addysg nad oedden nhw chwaith am weld erlid Waldo o'r ardal. Bygythiodd aelode o Home Guard Llandysilio ymddiswyddo oni châi Waldo gadw ei swydd. Tebyg y byddai safiad yr olaf wedi goglish Waldo ac wedi arwain at englyn talcen slip, hwyrach.

Ond wedyn prin y byddai ymddiswyddiad y sowldiwrs lleol wedi gwneud tasg Hitler damed yn haws.

Ond daw un o olynwyr Waldo fel prifathro Ysgol Cas-mael, ac ynte o Ben Llŷn yn wreiddiol, i'm tywys o amgylch y llefydd hynny a gysylltir â Waldo yn lleol. Awn i fynwent Eglwys Santes Fair y plwyf ar draws y ffordd ac oeda Alun Ifans uwchben carreg fedd sydd yn gorwedd o dan ein traed ar hyd y llwybr a arweinia at y drws. Coffáu gŵr o'r enw Griffith William, a fu farw ym 1879, a wna'r beddargraff, ac awgryma'r geirie mai o bridd y gwnaed dyn.

Tybir bellach bod Waldo, pan oedd wrthi'n llunio'r gerdd 'O Bridd!' ym 1940, yr un mor gyfarwydd â'r gerdd hon ag oedd â'r cyfeiriad yn yr ail bennod o Lyfr Genesis at bridd y ddaear yn rhoi anadl einioes i ddyn. Ped elem draw i fynwent yr eglwys ym mhentref Treamlod gerllaw gwelem garreg fedd arall gyda chyfeiriadaeth debyg arni, ac mae'n ddigon posib bod Waldo, yn ôl Alun, wedi dod ar draws honno hefyd yn ystod ei fynych grwydradau oddi amgylch yr ardal ar adeg yn ei fywyd pan ymdeimlai fod hyd yn oed y pridd wedi'i heintio a'i halogi oherwydd anfadwaith pobl tuag at ei gilydd.

Ped elem i ben uchaf y pentref ac i adeilad yr 'ysgol newydd' a godwyd ym 1953 a lle bu Alun yn brifathro am 33 mlynedd, tan ei ymddeoliad yn 2009, gwelem wrogaeth amlwg i Waldo yn ein hwynebu yn y cyntedd: llechen gron ac arni'r geirie 'Mi rodiaf eto Weun Casmael' o waith y saer maen, John Williams, o Dyddewi, a ddadorchuddiwyd gan y prifardd a'r cyn-archdderwydd James Nicholas, yn ogystal â chreirie eraill wedi'u gosod yn ystod teyrnasiad prifathro a fynnai ddathlu'r gore a oedd yn gysylltiedig â diwylliant yr ardal.

Yn nyddie Waldo, defnyddid safle'r ysgol bresennol yn wersyllfan i filwyr Americanaidd oedd yn ymarfer yn yr ardal ond doedd y tai cyngor gyferbyn ddim wedi'u codi. Siwrne yr âi heibio i Gapel Smyrna'r Bedyddwyr, lle teimlodd Joseph Harris, pan oedd yn llanc 22 oed, wres diwygiad ym 1795 cyn iddo symud i Abertawe a sefydlu'r wythnosolyn dylanwadol *Seren Gomer* ym 1814, bydde Waldo o fewn golwg i'r waun lle bu'n mynych fyfyrio'r gerdd wrthryfel honno 'Ar Weun Cas' Mael', â'i chyfeiriadaeth at y gladdfa arfe yn Nhrecŵn draw a gynigiai gyflogaeth i lawer o wŷr yr ardal.

Wrth ffarwelio ag Alun am y tro wrth borth yr eglwys anelaf am sgwâr y pentref heibio i'r Drovers Arms ar y chwith, lle bu prysurdeb y porthmyn yn pedoli creaduriaid yn glindarddach gwyllt un tro, a chnocio ar ddrws Brynteg, ymhlith y rhes o dai ar y dde, yn y gobaith o gael sgwrs â Trevor Evans y gwyddwn ei fod yn un o ddisgyblion Waldo. Ond, na, roedd Trevor wedi mynd i roi help llaw i'w gyn-gyflogwr gyda'r cynhaeaf gwair ar fferm Maes-yr-afon gerllaw ac ni chredai ei wraig, Mairwen, y bydde ganddo fawr o atgofion beth bynnag am ei fod newydd ddechre yn yr ysgol ar y pryd.

Wrth iddi bendroni pwy yn y pentref fyddai â chof go lew o'r cyfnod, dyma hi'n rhoi gwaedd ar ddynes a ddeuai drwy ddrws y tŷ gyferbyn:

"Mary, dewch 'ma am funud!"

Wrth i Mary Griffiths groesi'r ffordd dyma Mairwen yn gwthio'r cwch i'r dwfn yn ddiymdroi:

"Ie, 'ych chi'n cofio Waldo yn yr ysgol, yn d'ych chi?"

"Cofio Waldo, wel beth wdw, wi'n cofio cal shigwdad 'dag e un bore a hinni ar gam 'fyd; nid y fi wedd wedi siarad y tro hwnnw, ch'wel. Wedd e'n difaru wedyn mewn sbel ond wedes i wrtho fe 'rhy hwyr, rhy hwyr 'machan i'."

Doedd dim angen fawr o brocio cyn cael rhagor o atgofion.

"Y peth penna wy'n ei gofio amdano yw fel y bydde fe'n diflannu am orie gynted y bydde'r ysgol wedi dibennu, yn cerdded am filltiroedd wedyn yn whalu meddylie, draw i gyfeiriad Cas-fuwch ffor'na. A dwi'n cofio Linda wedyn – wy'n galler 'i gweld hi nawr – bob amser wrthi'n golchi stepen y drws lle'r oedden nhw'n byw drws nesaf fan hyn yn Brynawel."

Doeddwn i ddim am golli'r cyfle i ganfod pwy oedd y crwt a gafodd wahoddiad gan Waldo i'w daro cyn galeted ag y medrai ac awgrymais ddau enw y gwyddwn iddynt gael eu nodi yn y Llyfr Cosbi yn y cyfnod hwnnw a theilyngu cansen, sef Gwyn Griffiths a Llewelyn Reed.

"Jiw, jiw, Gwyn wedd fy ngŵr a chlywes i ddim sôn," meddai Mary mewn syndod.

"Na, synna i'n meddwl 'ny neu fydden i siŵr o fod yn gwbod a synna i'n meddwl y bydde Llewelyn wedi gneud hinni chwaith."

Bu tipyn o gwnsela rhwng y ddwy wedyn ynghylch pwy a allai fod mor hyf â tharo Waldo ac ymhen hir a hwyr awgrymwyd mai Len Williams fyddai'r gwalch mwyaf tebygol.

"Wel, wedd e wastad mewn trwbwl yn yr ysgol, yn ca'l 'i gosbi byth a hefyd; a dweud y gwir fe fuodd e'n weddol barod i ddefnyddio ei ddwrne weddill ei fowyd. Falle ma *fe* fydde fe os o'dd rhywun wedi neud hinni o gwbl."

O leiaf mae gennym enw i'w gynnwys yn rhan o'r stori adnabyddus bellach er, hwyrach, na chawn fyth wybod i sicrwydd pwy oedd y disgybl a ufuddhaodd i orchymyn yr athro i'w daro â'i holl nerth. Hyd y gwyddom, er ei fynych edifeirwch am gosbi plentyn yn ystod y blynyddoedd dilynol, does dim sôn fod Waldo erioed wedi gwahodd crwt arall i'w daro mewn dialedd.

Ffarweliaf â'r ddwy gan wybod bod fy more wedi'i gyfoethogi. Wrth droi i gyfeiriad Cas-fuwch drachefn taflaf gip ar gofeb Evan Rees a anwyd ym Mwlchwil, Fagwr Frân, gerllaw, gan fabwysiadu'r enw barddol Dyfed yn ddiweddarach wedi iddo gael ei fagu yn Aberdâr. Do, cipiodd Gadair Eisteddfod Ffair y Byd yn Chicago ym 1893 gyda'i awdl hirfaith ar y testun 'Iesu o Nazareth' a bu'n Archdderwydd am ddeunaw mlynedd tan ei farw ym 1923. Ond wrth fynd yn syth yn fy mlaen ar sgwâr Cas-fuwch, y tro hwn, rhyw ystwyrian a wnawn i ynghylch yr ysictod a orfododd Waldo i adael yr ardal o'i anfodd a'r egni creadigol a ddeilliodd o'i anfodlonrwydd â chyflwr y byd, gan roi i ni 'O Bridd!' ac 'Ar Weun Cas' Mael'.

Mae'n debyg iddo gyfansoddi 'O Bridd!' ym misoedd Mawrth ac Ebrill 1940 yn ystod y mynych grwydriade hynny o amgylch Cas-mael pan oedd wedi'i lethu gan ei anallu i ddeall pam y mynnai dyn ladd ei hiliogaeth ei hun trwy ryfela. Ymhellach, roedd wedi mynd i gredu fod pridd y ddaear ei hun wedi'i wenwyno. Dengys rhai o'r beirniaid llenyddol, Alan Llwyd yn benodol, fod rhanne o'r gerdd gymhleth yn atseinio hanes Cain yn lladd ei frawd, Abel, ac yna'r cynllwyn i ladd Joseff gan ei frodyr hŷn, fel y'i cofnodir yn Llyfr Genesis. Dywed yr adnode hynny fod pridd y ddaear wedi'i felltithio gan waed y gweithredoedd ysgeler uchod a chredai Waldo mai felly oedd hi drachefn yn ystod yr Ail Ryfel Byd wrth i waed y cenhedloedd gael ei dywallt ar feysydd cad. Cyfeiriai at Kerguelen, yr ynys nad oes iddi bridd, ar gefnfor De'r India, am ei fod wedi treulio munude lawer yn syllu arni ar fap oedd ganddo yn yr ysgol, gan deimlo gorfoledd am nad oedd hi, felly, am ei bod yn ddi-bridd, wedi'i llychwino.

Ond mewn llythyr at Anna Wyn Jones ym mis Mehefin 1966 dywed Waldo mai profiad dros dro oedd hynny ac iddo gael ei iacháu o'r teimlade dirdynnol hyn ar ôl treulio gwylie yng nghwmni Linda yn ardaloedd Alfoxden a Nether Stowey yng Ngwlad yr Haf ym mis Mawrth 1940. "Sgrifennu ei hunan yn sydyn a wnaeth y gân yn y diwedd, a hynny wedi imi ddod 'nôl o Nether Stowey: atgof mewn gwirionedd ydyw," meddai. Mae'n debyg mai yn gynnar ym 1941 y cyfansoddodd y gerdd 'Y Tangnefeddwyr', sy'n deyrnged i'w rieni, ac a fu'n gymaint ffefryn gan gorau ers hynny. Fe'i hysgogwyd gan y bomio a fu ar Abertawe am dair noson yn olynol ym mis Chwefror pan laddwyd 227 o'r trigolion. Canmol ei fam am arddel maddeuant a'i dad am arddel gwirionedd a wna yng nghanol pob helynt trofaus heb gael eu hudo i gredu bod rhaid dial ac erlid.

Yn y cyfnod hwn hefyd y cyhoeddwyd o leiaf chwe llythyr o'i eiddo yn y *Western Telegraph*, rhwng mis Mawrth 1939 a mis Gorffennaf 1941, a'r pedwar olaf o leiaf yn gosod hawl yr unigolyn uwchlaw gafael y wladwriaeth arno ac yn condemnio aneffeithiolrwydd rhyfel i ddatrys yr un anghydfod oherwydd yr holl ddioddefaint dynol sydd ynghlwm wrth godi arfe. Ysgrifennodd y llith gyntaf o dan y teitl 'Ynghylch y Byd' yn Gymraeg, ychydig fisoedd cyn i Neville Chamberlain, y Prif Weinidog, gyhoeddi fod Prydain yn mynd i ryfel yn erbyn yr

Almaen, gan nodi yn y frawddeg agoriadol bod cyfundrefn economaidd ar fin dirwyn i ben am y trydydd tro yn oed Crist. Â yn ei flaen i ddadansoddi'r sefyllfa wleidyddol yn Ewrop gan ddannod trefn "sy'n arddel elw yn nod ac yn gymhelliad" a chân glodydd gweriniaeth uwchlaw cyfalafiaeth cyn terfynu gyda rhybudd:

> Y mae'r rhai sy'n edrych ar ymgiprys imperialaidd gwledydd â'i gilydd fel peth anorfod yn meddwl mewn categorïau nad ydynt i barhau ond a chwâl wareiddiad cyn myned heibio, onid ant ar fyrder. Pa beth a fyddai y dosbarthiad tecach? Cloddiai o dan sail y gyfalafiaeth newydd yn y gwladwriaethau diweddar trwy droi'r cenedlaetholdeb genfigennus sy'n ei chynnal yn genedlaetholdeb iachach. Llaesai'r tyndra mewn cyfnod peryglus yn ei hanes. Rhyddhâi weriniaeth i godi eto a throi ffug yn ffaith. O'u rhyddhau rhag pryder o'r tu allan medrai'r holl wledydd droi ati i lunio'i bywyd economig yn fwy unol â rhaid yr oes. Trwy hynny fe geid ganddynt oll wladwriaeth a fyddai'n fynegiant cywirach o ewyllys gyffredin y bobl. Yna fe ellid cael Cynghrair Cenhedloedd ac nid cynghrair gwladwriaethau. Ai diniweidrwydd yw credu fod y peth yn bosibl cyn yr elo'n rhy hwyr? Sicr wyf mai diniweidrwydd niweidiol iawn yw credu amgen.
>
> Dyma pam yr ystyriaf mai'r heddychwyr ac nid pleidwyr y Cynghrair fel y mae heddiw, yw iawn amgyffredwyr y sefyllfa.

Roedd ei ail lythyr ym mis Mai 1939, os rhywbeth â'i dafod yn ei foch wrth adleisio cyfnod direidi 'Idwaldod' o gyfnod coleg, yn annog cynnal ymarferion anfon faciwîs o'r dinasoedd mawr i'r wlad ac y dylai Sir Benfro fod ar flaen y gad yn hynny o beth. Gwelai gyfle i gannoedd o filoedd o blant, am y tro cyntaf erioed, gael mwynhau gwylie yng nghefn gwlad a gore i gyd pe deuent yn ystod y cyfnod cynhaeaf gwair. Am fod cynifer o blant gellid trefnu iddyn nhw gysgu am yn ail bob wyth awr fel na bo'r un gwely'n segur. Mynnai, ymhellach, y byddai'n fodd i blant sylweddoli nad ydyn nhw fyth yn rhy ifanc i adael eu rhieni ac y byddai'r ddisgyblaeth lem yn sicr o dalu ar ei ganfed iddyn nhw'n ddiweddarach yn eu bywyde. Ac o ran y gost o drefnu hyn oll, gan ddychwelyd at thema ei lith blaenorol, roedd o'r farn nad oedd angen iddo boeni'r un daten.

> The cost of such a scheme would hardly be noticeable these days. By the subtlety of modern finance, the future – which does not exist – can immediately shoulder the burden. But why need I deal with the financial aspect at all in a country where the Budget has not been balanced for about ten years and where it is not likely to be balanced for another ten and where the National Debt begins to float like a vast and vague iceberg whose upper slopes are populated with penguins, but whose base may reach to what depths we may never know?

Roedd ei lythyr dilynol yn ymateb i lith gan W. J. Perrot o Hakin, Aberdaugleddau, ac fel sawl gohebiaeth dros yr wythnose dilynol yn ymwneud â 'Studies in Fascism'. Ymhlith y rhai a fu'n gohebu, a'r mwyafrif ohonyn nhw'n condemnio'r safbwynt heddychol a arddelid gan Waldo roedd D. Hughes Lewis, Hwlffordd; Ludstownsman ac A. L. Casserley, Neyland; Kemt Midlands, Evesham; D. V. Wallace, Llundain; R. E. Saville, Colaton Raleigh, Devon a George John, Camros, ynte yn cefnogi safbwynt Waldo i'r carn. Yn un o'r rhifynne hyn hefyd y cyhoeddwyd cerdd o eiddo Waldo o dan y teitl 'Cleddau' yn y golofn farddol yn canu clodydd yr afon ar ei thaith o'r ucheldir i'r môr yn Aberdaugleddau yn ogystal ag adolygiad o'r gyfrol *Rhamant Rhydwilym* yr oedd ei gyfaill mynwesol, y Parch. E. Llwyd Williams, yn un o'i hawduron, yn olrhain hanes yr achos Bedyddiedig yng Nghwm Rhydwilym ar lan afon Cleddau.

Ym mis Ebrill 1942 yn *Y Faner* y gwelodd 'Ar Weun Cas' Mael' ole dydd pan oedd Waldo a Linda wedi symud i Lŷn, ond roedd ei myfyrdod yn sicr yn ymwneud â'r cyfnod a dreuliwyd yng Nghas-mael. Mae'r cyfeiriad at gladdfa Trecŵn yn gondemniad ar yr arfe rhyfel a gedwid mewn twneli tanddaearol a roddai waith i gannoedd o bobol dros ardal eang ond gobaith a fynegir yng nghân yr adar a phrydferthwch blodc natur.

Oedd Linda yn rhannu ei ofid a'i argyhoeddiad ynghylch

llwybr heddwch a hwythe wrthi'n sefydlu eu haelwyd gyntaf ym Mrynawel, Cas-mael? Oedd blagardiaeth rhai o aelode Cyngor Sir Penfro a'r Pwyllgor Addysg yn benodol yn gwneud eu byw beunyddiol yn anodd? Ac er nad oedd y cerddi uchod yn wybyddus ar y pryd mae'n rhaid bod penderfyniad Waldo i gofrestru fel gwrthwynebydd rhyfel ar sail cydwybod ac wynebu tribiwnlys i'r perwyl yng Nghaerfyrddin, ym mis Chwefror 1942, a hynny er nad oedd yn debyg o gael ei alw i ryfela ac ynte'n 36 oed, yn arwain at grechwen a thyndra wrth iddo gael ei lysenwi'n 'gonshi'.

O dan yr amgylchiade rhagwelodd Waldo y byddai'n cael ei ddiswyddo, fel oedd wedi digwydd i eraill yn y sir a fu o flaen tribiwnlysoedd rhyfel. Roedd Crynwr o'r enw Robert Norman Naylor o Hwlffordd eisoes wedi colli ei swydd fel athro cyflenwi. O'r herwydd, roedd Waldo eisoes wedi gwneud trefniade i symud ymhell o'r ardal, i Fotwnnog yn Llŷn, wedi cwta ddwy flynedd yng Nghas-mael, a derbyn na fyddai'n cael ei garcharu am ei safiad, wrth gwrs.

Gŵr a fynnai iddo fod yn gefn i Waldo yn ystod y tribiwnlys yng Nghaerfyrddin, a hynny trwy ddirgel ffyrdd, oedd T. J. Morgan – tad Rhodri Morgan, cyn-Brif Weinidog Cymru, maes o law – a oedd ar y pryd yn swyddog yn y Weinyddiaeth Lafur a Gwasanaeth Cenedlaethol a chyfrifoldeb ganddo dros weinyddu'r tribiwnlysoedd. Gwyddai am gefndir Waldo ac wedi gweld copi o ddatganiad Waldo penderfynodd anfon nodyn personol a chyfrinachol at gadeirydd y tribiwnlys, y Barnwr Frank Davies, er mwyn esbonio'r wedd gyfriniol ar gynnwys y datganiad. Credai fod hynny wedi bod o gymorth i sicrhau rhyddhad heb amod i Waldo rhag gwneud gorfodaeth filwrol o gofio mai rhyddhad amodol fyddai'n arferol i'r rhai a gâi eu cofrestru'n wrthwynebwyr cydwybodol.

O'r holl ysgolion yn Sir Benfro lle y bu Waldo yn athro, yr eironi yw mai Ysgol Cas-mael sydd wedi rhoi iddo'r sylw pennaf, er iddo deimlo, yn gam neu'n gymwys, nad oedd yna groeso iddo aros o fewn y gymuned yno oherwydd ei ddaliade. Doedd gwynfyd bywyd cynnar priodasol ddim yn gorbwyso'r gwewyr a deimlai oherwydd oferedd rhyfela a natur bydredig dyn. Ond medraf inne hefyd ar fore o Fai sylwi ar brydferthwch cynhenid y blode gwyllt ar hyd y cloddie a chân yr adar fry fel buddugoliaeth dros ddrygioni yn unol â'r llygedyn o obaith a fynegir yng ngherddi dwys Waldo o'r cyfnod hwn.

Cyrhaeddaf sgwâr Twffton o fewn fawr o dro. Wrth groesi ar draws i gyfeiriad Castell Henri a pherfedd mochyn o feidiroedd culion, lle mae'r coed yn cydgyffwrdd uwchben, cofiaf fy mod yng nghyffinie lleoliad helynt yr 'Identity Card', fel y'i cofnodwyd yn y gerdd 'Fel Hyn y Bu', yn ystod y cyfnod pan oedd Waldo newydd gymryd gofal o brifathrawiaeth Cas-mael a chael ei gamgymryd am ysbïwr Almaenig o bob dim un prynhawn Sul. Wedi oedi i sgwrsio ag un o feibion ifanc y Tufton Arms aeth Waldo yn ei flaen ar hyd y feidir hon heibio'r eglwys ac yna troi i'r dde, a phe bai wedi dilyn y ffordd honno i'w phen draw byddai wedi ailymuno â'r ffordd fawr o Hwlffordd i Aberteifi a mwy na thebyg wedi cerdded ar ei hyd 'nôl i sgwâr Twffton. Ond nid felly y bu.

Aeth heibio'r rheithordy'n ddigon didaro, i lawr y rhiw a chroesi'r afon a cherdded am i fyny nes iddo ddod i glos ffarm a chyfarfod â gŵr yn sefyll wrth y stand laeth. Am fod yr ardal yn lled ddieithr iddo gofynnodd i'r gŵr beth oedd enw'r ffarm, yn Gymraeg, wrth gwrs, ac yn yr un modd cyfeillgar ag roedd wedi hen arfer ei wneud ers dyddie ei blentyndod ymhlith gwerinwyr cymdogol Mynachlog-ddu. Ond trodd y cyfarfyddiad yn lletchwith ac ni chafodd Waldo'r sgwrs hamddenol a ddisgwyliai. Am ryw reswm penderfynodd Morris Morris y dylid ame cymhellion gŵr dieithr yn crwydro ar ei ben ei hun ar ddydd Sul a hynny ar adeg rhyfel. Gofynnodd am weld cerdyn adnabod Waldo am ei bod yn ofynnol i bawb gario cerdyn o'r fath yn ystod y rhyfel. Ond gwrthododd Waldo a gwrthododd ddatgelu ei enw hefyd gan synhwyro fod yna gyfle am ychydig o ddireidi yn y sefyllfa mae'n siŵr.

Erbyn hynny roedd Willie, brawd Morris, wedi dod mas o'r tŷ ac wedi cerdded heibio'r ddau ar ei ffordd i'r oedfa brynhawn yng Nghapel Siloh, Twffton. Yn sydyn dyma Morris, yng ngŵydd Waldo, yn gweiddi ar ei frawd, yn ei orchymyn i ffonio'r heddlu o'r ciosg yn Twffton i ddweud bod yna 'ddyn od' yn yr ardal. Wedi hynny troes Waldo ar ei sawdl a cheisiodd Morris gadw golwg ar ei game o ben y stand laeth.

Disgwyliai ei weld yn mynd lan y rhiw yr ochr draw o fewn fawr o dro. Ond, na, doedd dim golwg o'r 'dyn od'. Roedd wedi diflannu a hynny'n atgyfnerthu cred Morris ei fod wedi dod ar draws un o sbiwyr yr Almaen. Cynhyrfodd i'r fath radde nes iddo gyfrwyo'r ferlen a charlamu draw i'r Rheithordy i orchymyn Williams y ffeirad i fynd yn ei gar i sgwâr Twffton i ffonio'r heddlu. Doedd Morris ddim yn ymddiried yn ei frawd ei hun i gyflawni'r dasg honno.

Pan ddaeth yr heddlu i Bantycabal rhoddodd Morris ddisgrifiad manwl o'r 'dyn od' gan ddweud fod ei acen estron wrth siarad Cymraeg yn awgrymu ei fod yn Almaenwr a'i fod yn ymddwyn yn nerfus iawn. Wrth i'r stori fynd ar led brawychwyd yr ardal i'r fath radde nes bod y gwragedd yn ofni gadael eu tai a'r ffermwyr yn gyndyn i gerdded eu tiroedd. Ond erbyn bore dydd Mercher datgelwyd mai byrbwyll oedd honiade Morris Morris oherwydd wrth i Waldo gyrraedd iard yr ysgol roedd rhingyll Treletert a chwnstabl Maenclochog yn ei ddisgwyl. Dangosodd ei 'Identity Card' i'r ddau yn ddiymdroi a chyfaddefodd iddo fod yn sgwrsio â Morris Morris ar glos Pantycabal y Sul blaenorol ac nad oedd, wrth gwrs, yn gweithio ar ran gwladwriaeth yr Almaen nac yn was bach i Adolf Hitler mewn unrhyw fodd.

Mae'n debyg mai'r hyn a ychwanegodd at hygoeledd Morris oedd y ffaith i Waldo, yn hytrach na dychwelyd ar hyd y feidir y prynhawn Sul hwnnw, ddewis dilyn llwybr ar hyd glan yr afon tuag at ei tharddiant trwy Allt Parc y Pitsh nes cyrraedd y ffordd fawr. Mae'n rhaid nad oedd yr ardal mor ddieithr â hynny iddo wedi'r cwbl. Ond deffrowyd ei awen a lluniodd gerdd i'r achlysur o dan y teitl 'Fel Hyn y Bu' a welodd ole dydd yn y *Western Telegraph,* papur wythnosol yr ardal, ym mis Mawrth 1941, ac a gynhwyswyd yn y gyfrol *Dail Pren* maes o law, er nad oedd yn deilwng o'i lle ochr yn ochr â'r cerddi dwys ym marn llawer. Tynnu sylw at ddoniolwch y sefyllfa a wnaeth Waldo gan wneud hwyl am ei ben ei hun a hynny heb fymryn o falais na dychan milain tuag at gymeriade eraill y ddrama.

Er nad oedd yn cael ei gyfrif yn fardd mor boblogaidd â Dewi Emrys, Crwys neu J. J. Williams, ymhlith y werin ar y pryd, byddai'r swae am y digwyddiad hwn a gofnododd ar ffurf cerdd yn sicr wedi codi'i broffil. Ychwanegwyd at y swae gan gerddi eraill a gyhoeddwyd yn y *Western Telegraph* yn ystod yr wythnose dilynol gan E. Llwyd Williams, 'Castellan' (y ffeirad John Williams, yn ôl pob tebyg) a Morris Morris ei hun. Roedd cerdd Llwyd mewn cywair cyffelyb i eiddo Waldo ac yn gwneud hwyl am ben hygoeledd y trigolion tra oedd y ddau fardd arall yn gresynu bod Waldo wedi ymddwyn yn y fath fodd, a hynny ar adeg pan oedd diogelwch pawb yn y fantol.

Drachtiais yn helaeth o'r botel ddŵr wrth oedi ar ben y gyffordd. Er imi sefyllian yno am ddeng munud dda ni welais arlliw o neb na dim ond, serch hynny, gwyddwn fod yna bethe rhyfedd yn medru digwydd yn yr ardal brin ei digwyddiade hon o bryd i'w gilydd. Euthum i lawr y gwaered i'r chwith yn jycôs gan wybod mai gwthio'r beic a fyddwn chwap wedi croesi afon Syfynwy ar y gwaelod ac yna dringo rhiw Brisgwêd yr ochr draw.

Cyrhaeddaf adref o fewn fawr o dro a minne wedi cael bore cyfoethog o brofiade ac atgofion am gyfnod helbulus yn hanes gŵr a arddelai'r dwys a'r ysgafn er gwaethaf y gwasgfeydd oedd arno o ran ei yrfa, ei briodas a'i gydwybod ar adeg 'cyfnod Cas-mael'. Gwelais fawredd Waldo o'r newydd yn y modd yr ymataliodd rhag edliw i Morris Morris ei fyrbwylldra na chwaith syrthio i'r demtasiwn o'i wneud yn gyff gwawd.

Ar yr un pryd dychmygaf bresenoldeb Waldo yn y cyngerdd hwnnw a gynhaliwyd gan Bois y Frenni yn ysgoldy Cas-mael pan aeth pob dim yn ferw gwyllt o chwerthin aflywodraethus wrth i un o'r Bois ddechre chwerthin am ben y limrig roedd ar fin ei adrodd nes bod dagre ar ei ruddie. Doedd dim dewis gan y gynulleidfa ond chwerthin am ben y bachan na fedrai ddweud y limrig am ei bod mor ddoniol ac, yn ôl W. R. Evans, arweinydd y parti, roedd ymateb Waldo yn bictiwr am fod "ryw gilwen ryfedd yn symud dros ei wyneb, bob hyn a hyn, digon i'm hargyhoeddi ei fod wrth ei fodd yn gwrando ar fechgyn cefn gwlad". Ac, wedi'r cyfan, roedd Waldo ymhlith ei bobol ei hun, on'd oedd?

Er y rhialtwch oedd o'i amgylch yn ystod y cyfnod hwn roedd dwyster a difrifwch Waldo yn brigo i'r wyneb hefyd a hynny i'w weld yn y llythyre o'i eiddo a gyhoeddwyd yn y *Western Telegraph* rhwng gwanwyn 1939 a haf 1941, pan gyfrannodd dair llith ar destun Democratiaeth a Rhyfel, a chael ymateb. Roedd A. L. Casserely yn ysgrifennu o Neyland yn ogystal â 'Ludstownsman', a 'Student' yn llythyru o Landudoch, yn collfarnu safbwynt Waldo ond roedd G. W. John, Camros, a 'Welshman' yn codi ei lawes. Bydde Hitler yn ennill y dydd yn rhwydd pe bai pawb yn mabwysiadu agwedd Waldo oedd byrdwn sylwade 'Ludstownsman' tra oedd G. W. John yn edmygu cyffes ffydd ei gyd-athro. Roedd Waldo yn amlwg yn gosod ei heddychiaeth ei hun ar brawf trwy hysbysu'r cyhoedd beth oedd ei ddaliade.

8

Sul y Crynwyr

AR FORE SUL mwyn ym mis Medi wrth fynd trwy bentref Bethlehem, ar gyrion Hwlffordd, cododd fy ngweinidog ei law i'm cyfarch gan iddo fy adnabod ynghynt nag yr adwaenais inne ynte. Gwyddwn y bydde, maes o law, yn siŵr o holi i ble roeddwn yn seiclo ac i ba bwrpas, tra oedd ynte ar ei ffordd i gynnal oedfa gymun yn fy nghapel.

Pleser pur oedd teithio ar y gwaered o Twffton ar hyd y B4329 heibio Blaenwern, cartref teuluol awdur yr emyn-dôn adnabyddus o'r un enw, William Penfro Rowlands, gyda'r awel yn goglish fy wyneb ac yn sgubo gwe'r corynnod o'r ymennydd. Disgynnai dail euraid a chopr yr hydref o'm hamgylch. Am nad oedd yna fawr o drafnidiaeth ar y ffordd medrwn hawlio'r heol gyfan am filltiroedd lawer wrth i'r haul chwarae mig rhwng y deiliach yma a thraw.

Am nad oedd yna lorïe trymion na thractore pwerus yn sgidadlan heibio mentrais ar hyd y briffordd eto o Hwlffordd yn hytrach na thramwyo ar hyd y llwybr seiclo i Aberdaugleddau. Roedd yna balmant eang ar hyd y rhan helaethaf o'r ffordd a oedd yn llwybr seiclo ynddo'i hun a phrin oedd y darne am i fyny pan oedd yn rhaid i mi duchan yn jogel.

Bu raid i mi ymadael â'r palmant am getyn yr ochr draw i Johnston wrth i ddynes gorffog yn gwthio pram ddod i'm cyfeiriad. Bob ochr iddi cerddai dau grwt yn dalog fel sowldiwrs mewn cotie ysgafn du a chrys a thei. Mae'n rhaid eu bod ar eu ffordd i'r Ysgol Sul. Ni thorrais air â nhw dim ond eu hedmygu, symud o'r neilltu ac anghofio tynnu eu llun. Edrychais yn hir ar yr olygfa brin wrth iddynt ill pedwar fynd ar eu siwrne.

Wrth ddynesu at Steynton tynnwyd fy sylw gan yr arwydd ar yr iet ar ben feidir ar y chwith yn dweud Great Harmeston. Roeddwn bron yn siŵr mai dyma lle bu Waldo'n lletya am gyfnod yn y 1950au ac mai i'r fan hon y daeth y beilïaid i gymryd ei eiddo am ei fod yn pallu talu ei ddyledion treth incwm. Gwyddwn fod y lle ar un adeg yn eiddo i'r brawd a chwaer, Richard a Helen Thomas, o ffarm Scoveston Park gerllaw a gafodd eu llofruddio ychydig ddyddie cyn y Nadolig ym 1985. Ond does dim amser i fynd i wilibowan ar hyd y feidir nawr. Rhaid holi Teifryn ynghylch y mater.

Wrth ddod i mewn i Aberdaugleddau roedd yna fwy o brysurdeb i'w weld a sylwn fod dryse'r capeli ar agor er prin fod yna heidie o addolwyr yn tyrru trwyddyn nhw. Wrth seiclo ar hyd Heol Siarl oedais wrth ddrws adeilad enfawr y Tabernacl y drws nesaf i Swyddfa'r Heddlu am i mi dybio i mi weld cip o gydnabod i mi yn y cyntedd. Ceisiais ddirnad a oedd ymhlith y cysgodion a welwn trwy fy sbectol haul ond os oedd y Capten David Howells ymhlith y rhai a welswn eiliade ynghynt roedd yn rhaid ei fod wedi cymryd ei le ymhlith y dwsin o addolwyr mewn adeilad sy'n dal dros dri chant.

Rhaid fy mod yn edrych yn amheus am i'r talaf o blith y gwrywod gamu i'r palmant i holi fy hynt ac esboniais fy mod yn gwybod fod y llongwr o Ystumtuen yn byw drws nesaf ac, fel diacon, ei fod yn addolwr cyson, a fy mod yn awyddus i gyfarch gwell iddo os oedd yno'r bore hwnnw. Cefais yr ateb nad oedd wedi cyrraedd hyd yn hyn ond y dylai gyrraedd unrhyw funud os oedd yn bwriadu ymuno â nhw'r bore hwnnw.

Rhaid fu ildio am fod oedfa'r Crynwyr ym mhen arall y dref am un ar ddeg o'r gloch. Cyrhaeddais ddwy funud cyn yr amser penodedig ar ôl cymryd dau droad anghywir gan mor unffurf sgwâr yw prif strydoedd y dref. Symudodd y ddwy ddynes wrth y fynedfa o'r neilltu er mwyn i mi a fy meic gael mynd heibio ar hyd y palmant a rhyfeddasant wrth i mi amneidio i'w dilyn trwy'r bwlch. Esboniais yn gyflym fy mod wedi gwneud trefniant i ddod i'r oedfa a fy mod yn ymddiheuro am ei gadael tan y funud olaf cyn cyrraedd. Fe'm hanogwyd i osod y beic o'r golwg y tu ôl i wal.

Euthum i mewn i'r adeilad, tynnu fy sach oddi ar fy nghewn a'i gosod mewn cornel, rhyw ddadebru ac ysgwyd fy hun ar ôl y daith cyn ymuno â'r mynychwyr oedd eisoes yn eistedd yn y brif ystafell. Eisteddais wrth y drws wrth ymyl fy nghyfaill ac, yn sicr, yr hynaf o blith y dwsin ohonom y bore hwnnw, Steffan Griffith, yn 100 oed. Gwyddwn y cawn sgwrs fendithiol ag ef pan ddeuai'r oedfa i ben.

Pan gaewyd y drws ac wrth i'r olaf o'r gwragedd eistedd yn yr ystafell ddiaddurn lle roedd y sedde wedi'u gosod mewn cylch, fel ein bod yn wynebu ein gilydd, roedd yn bryd i'r oedfa ddechre. Peidiodd y mân siarad yn ddisymwth a disgynnodd tawelwch llethol, oni bai am rwndi cyson jac codi baw a glywem gerllaw – o fewn ychydig lathenni i'r ffenestri cefn, fe dybiwn.

Ni wyddwn beth yn hollol i'w ddisgwyl yn ystod yr awr a oedd i ddod. Ni chafwyd arweiniad fel y cyfryw gan neb o blith yr addolwyr ond gwelais bawb yn cau eu llyged yn dynn fel petai'n reddfol fel un gŵr. Gwneuthum inne'r un modd am getyn. Ar ôl deng munud o ganolbwyntio a disgwyl yn eiddgar, euthum yn aflonydd ac ychydig yn fyr fy amynedd. Roedd sŵn y jac codi baw fel cacwn erbyn hyn, yn rhyw fynd a dod yn dragywydd, gyda'r sŵn rhyfedd o rybudd yna a geir pan fo cerbyd yn symud tuag yn ôl bob hyn a hyn.

Mentrais agor fy llyged petai ond i werthfawrogi'r pelydre haul a ddisgynnai ar y wal gyferbyn ac i synhwyro a oeddem am glywed sill o adnod, brawddeg o weddi neu nodyn o emyn gan rywun; disgwyliais yn ofer. Roeddwn yn barod i dorri ar y distawrwydd fy hun ond eto ddim am fod y cyntaf i wneud hynny. Does bosib nad oedd rhywun yn mynd i gydnabod presenoldeb yr Hollalluog a thalu gwrogaeth lafar iddo. Gwyddwn am y pwyslais ar lonyddwch a bod yn ddywedwst ond does bosib nid i'r gradde o fod yn gwbwl fud chwaith.

Clywais sŵn rhaflo papur ac o giledrych gwelais fod dwy ddynes gyferbyn yn rhannu losin. Roedd hynny'n cael ei ganiatáu ta beth a thua'r un adeg ag y rhennid pibrod pan fyddai'r gweinidog yn ymostwng i weddi yn yr oedfaon traddodiadol yn y capeli Anghydffurfiol. Ond prin fyddai yna sŵn wrth estyn y losinen wen o'r boced a pham felly oedd y rhain wedi dewis sugno losin roedd yn rhaid tynnu'r papur oddi arnyn nhw neu'n sicr chwilota amdanyn nhw mewn cwdyn. Onid oedd yn tarfu ar yr ymdeimlad o ostyngeiddrwydd y ceisid ei sefydlu?

Ildiais o ran cyfrannu pwt o weddi dawel ar lafar a daeth yn amlwg nad oedd yr un o'r lleill am wneud chwaith. Tybed a oedd chwyrnu'r peiriant y tu fas wedi tarfu arnyn nhw? Mentrais agor un llygad o bryd i'w gilydd gan fod eu cadw ynghau cyhyd yn anodd, oni bai fy mod yn cysgu. Dwi'n siŵr i mi weld un neu ddwy o'r lleill yn gwneud yr un modd ac yn llygadu'r cloc ar y wal. Chwiliais inne ar hyd y nenfwd a'r corneli i weld a oedd yno gorryn neu gylionen y medrwn ddilyn eu hynt. Doedd yna ddim arlliw o we yn unman ac am fod y ffenestri ar gau doedd yna'r un gleren wedi mentro i'r ystafell. Meddyliais am y gêm bêl-droed arfaethedig y prynhawn hwnnw rhwng Manchester United a Manchester City oedd yn argoeli i fod yn glasur.

Mae'n rhaid gen i os oedd Duw yn bresennol yn gynharach ei fod wedi hen ddanto a phrysuro i rywle arall ymhell cyn hanner dydd pan ymlaciodd pawb drwy agor eu llyged ac ysgwyd dwylo â phwy bynnag oedd yn eistedd yn eu hymyl i ddynodi terfyn y myfyrdod. Wedyn cafwyd y cyhoeddiade, yn ymwneud yn bennaf â mudiade a oedd yn hybu heddychiaeth, a chasgliad tuag at fudiad a oedd yn ymgyrchu i'w gynnwys fel pwnc yn y maes llafur cenedlaethol. Deffrodd hynny ymdeimlad o syndod ac edmygedd ynof.

Doedd dim pall ar y sgwrsio wedyn wrth i bawb rannu newyddion eu mynd a dod yn ystod yr wythnos uwchben paned o de yn y gegin lanwedd. Esboniais wrth un o'r gwragedd pam yr oeddwn wedi mynychu'r oedfa'r bore hwnnw ac atebodd eu bod yn ymfalchïo yn y ffaith fod Waldo yn un o'r mynychwyr ar un adeg ond, yna, cywirodd ei hun trwy ddweud nad oedd 'ymfalchïo' yn rhan o eirfa'r Crynwyr, ac mai'r hyn y dylai hi fod wedi'i ddweud oedd eu bod yn 'ymwybodol' o gysylltiad Waldo â'r Tŷ Cwrdd.

Gyda'm dishgled a chacen yn fy arffed plennais fy hun ar sedd wrth ymyl y gŵr o Flaenau Ffestiniog gan wybod na flinai adrodd ei atgofion am Waldo. Os oedd ei leferydd bellach yn aneglur ar adege gwyddwn drywydd ei storïe am imi glywed eu hadrodd gydag afiaith droeon yn y gorffennol. Cofiai Steffan Griffith am Waldo'n troi i mewn at y Crynwyr am y tro cyntaf ym 1951 ac yn cael pwl o chwerthin.

"Yn rhyfadd iawn, 'chan, mi ddanfonais lythyr ato yn ei wahodd i ymuno â ni ac ymhen rhyw bythefnos dyma fo yn yr oedfa. Doeddwn i ddim yn sylweddoli mai fo oedd y dyn dieithr i gychwyn. Roedd gen i ddyrnaid o blant wedi'u hel at ei gilydd i gynnal rhyw fath o Ysgol Sul a dyma un ohonyn nhw'n gofyn cwestiwn i mi oedd braidd yn anodd i'w ateb. Mi welwn y gŵr dieithr yma'n chwerthin ac yn cael hwyl am ben hyn a chael ar ddeall wedyn mai Waldo oedd o. Wel, mi ddaru o ddilyn yn selog wedyn a dwy flynadd yn ddiweddarach, ym 1953, mi ddaeth yn aelod llawn.

"Mi fydda fo'n dod i ginio aton ni yn Neyland wedyn wedi'r oedfa ac mi fyddwn i'n synhwyro ei fod o braidd yn ansicr ohono'i hun ond mi dyfodd y sicrwydd wrth iddo sylweddoli fod yna betha pwysicach yn y byd hwn na barn pobl eraill amdano. Dwi'n ei gofio'n dweud adeg y rhyfel yn Corea iddo gael ei lethu gan euogrwydd i'r fath radda na fedrai fynd allan o'r tŷ i wynebu pobl; roedd yn gas ganddo feddwl ei fod yn talu treth incwm er mwyn anfon milwyr o Gymru i ladd pobl yn Corea.

"Mi fydda fo'n medru bod yn benderfynol iawn. Fiw i chi ddadla â fo am y byddai'n cynhesu'n gyflym iawn at hynny. Cofiwch, fydda fo byth yn deud dim drwg am neb. Pan fyddai'n dod i'r cyfarfod addoli fan hyn byddai'n tynnu ei sbectol o un boced a'i destament o boced arall a chwilio am ryw fan arbennig yn yr Ysgrythur wedyn. Hwyrach na fyddai'n deud dim, ond bryd arall byddai'n cyfeirio at rai o'r proffwydi efallai ac yn sôn am syniada athronwyr megis Berdayev neu Sartre. Chlywais i mohono'n gweddïo fan hyn chwaith ond yn angladd Crynwr a gollodd ei olwg, y bu Waldo'n ymweld ag ef yn gyson bob Sul, mi gofiaf o'n gweddïo, a'r weddi fel petai'n arllwys ohono, 'chan. Dwi'n siŵr ei fod yn cael goleuni yng nghanol y tawelwch creadigol yn y cyfarfodydd fan hyn.

"Bryd arall mi fydda fo'n galw i'n gweld ni am resyma cwbl ymarferol. Mi fydda fo am ymolchi'n drwyadl. Dwi'n ei gofio fo'n deud na fedra fo ymolchi yn lle bynnag roedd o'n lletya ar y pryd am fod gŵr y tŷ yn cadw glo yn y baddon; ac mi oedd o'n gweld hynny'n ddigri. Mi oeddwn i'n ei weld o'n ddyn tebyg i Gandhi, wyddoch chi, am ei fod o'n glynu at egwyddorion ac yn colli arian mawr trwy wneud hynny wrth gwrs."

Dysgais lawer am natur oedfaon y Crynwyr ac am nodweddion Waldo'r dyn mewn byr amser. Roedd yn amlwg nad oeddwn yn ddigon aeddfed i werthfawrogi arwyddocâd y tawelwch ac nad oeddwn ond wedi prin amgyffred mawredd Waldo'r dyn. Deallais iddo, dros gyfnod o ddwy flynedd, ymweld yn rheolaidd â gŵr ifanc a oedd yn gaeth i'r ddiod er mwyn ceisio ei ddiddyfnu oddi arni. Gadewais y Tŷ Cwrdd yn Aberdaugleddau yn dipyn fwy gwylaidd na phan gyrhaeddais a hynny gyda chwdyn o domatos yn fy meddiant a rennid gan un o'r gwragedd am ei bod yn mynd oddi cartref am gyfnod a hithe'n pryderu y byddai ei chnwd yn mynd yn ofer yn ei thŷ gwydr.

Anelais i gyfeiriad y cei a heibio talcen Bryn Iago, cartref Teifryn, gan wybod ei fod ar y pryd yn seiclo o un pen o Iwerddon i'r llall, dros gyfnod o bythefnos, er mwyn codi arian at elusen. Cyrhaeddais dawelwch y llwybr seiclo a rhyfeddu pa mor hynafol oedd yr hyn a oedd yn weddill o'r priordy. Pan gyrhaeddais lecyn tua hanner ffordd i Hwlffordd penderfynais oedi i fwynhau fy mhicnic ar sedd bwrpasol. Rhaid cyfaddef fy mod yn teimlo dipyn yn fwy cysurus yn nhawelwch natur ar fy mhen fy hun nag oeddwn yn nhawelwch y cysegr yng nghwmni eraill ychydig ynghynt. Medrwn hel meddylie heb deimlo rheidrwydd i'w ffrwyno na cheisio disgyblu fy hun i ddilyn trywydd penodol.

Hamddenol fu gweddill y daith wrth i haul yr haf bach Mihangel fy ngorfodi i gymryd amal i lwnc o ddŵr nes bod fy mhotel yn wag erbyn i mi gyrraedd Heol Clarbeston a minne'n dal heb fy nisychedu. Anelais i gyfeiriad pentref y Mot gan wybod y medrwn gnocio ar fwy nag un drws yno er mwyn llenwi fy mhotel ddŵr. Tebyg nad oedd Keith Pantraser yn disgwyl gweld y fath adyn yn gofyn y fath gymwynas wrth ei ddrws ar bnawn Sul. Yr un modd ni ddisgwyliwn inne ei weld ynte yn y fath gyflwr, yn baent o'i gorun i'w sawdl nes yr ymdebygai i'r cymeriad teledu hwnnw slawer dydd, Mr Pastry, a fyddai'n ein difyrru ninne'r plant trwy sarnu paent ymhobman wrth geisio cyflawni tasg mor syml â gosod cot o baent ar wal. O blith mynych gymwynase Keith Davies ni werthfawrogwyd yr un yn fwy na'r ddiod honno o ddŵr y prynhawn hwnnw a roddwyd i ŵr y bu bron iddo ei gamgymryd am drempyn.

Gwir a ddywedais y bydde fy ngweinidog ymhen y mis yn sicr o'm holi ynghylch fy hynt ar fore'r Sul cymundeb blaenorol. Esboniais beth oedd fy mwriad y bore hwnnw gan ychwanegu nad oeddwn wedi cael bendith fel y cyfryw a lled awgrymu mai rheitiach peth fyddai pe na bawn wedi colli'r oedfa gymundeb yn y Tabernacl. Yn ôl ei arfer o weld y gore sydd ymhob dull o addoliad, esboniodd y Parch. Ddoctor Cerwyn Davies nad tasg hawdd yw bod yn gwbl fud a dywedwst yng nghwmni eraill am awr gyfan gan awgrymu fod llwyddo yn hynny o beth yn debygol o ddwyn bendith.

Mae'n rhaid mai fy ngalluoedd inne oedd yn ddiffygiol drachefn. Dylswn fod wedi pori ym mhamffled Waldo, 'Paham yr wyf yn Grynwr', er mwyn ceisio deall y cysyniad o'r goleuni oddi mewn a welir mewn distawrwydd ac yna ceisio cerdded trwy'r byd yn siriol gan gyfarch yr hyn sydd o Dduw ym mhob person.

O sylweddoli'r cysylltiad â Waldo ysgogwyd y gweinidog i sôn am ei atgof ynte o'r gwron, a hynny cyn y cyfnod o dros ddeugain mlynedd a dreuliodd yn gweinidogaethu yng Nghanada; roedd y darlun o'r gŵr a welsai'n cerdded yn ei gwman yng nghyffinie Hwlffordd wedi'i serio ar ei gof.

9

Yr awr a gollwyd

BU RAID GOHIRIO'R daith ar ddechre'r wythnos ar fy archiad i am fod y niwl yn ombeidus o drwchus ben bore a hithe wedi bwrw glaw gydol y nos. Wedi bwrw golwg ar y rhagolygon tywydd cytunwyd ar ddydd Gwener a mentrais inne ar fy meic ben bore cyn iddi wawrio. Ychydig a wyddwn yn y cyfamser fod y Canon Dewi Thomas yn bwriadu fy ffonio tuag wyth o'r gloch er mwyn gohirio'r cyfarfyddiad am nad oedd yn teimlo'n rhy dda'r dwthwn hwnnw.

Ar ôl tybio mai bwganod, os nad ellyllon, oedd y ffurfie duach nag arfer a welwn yn yr hanner gwyll, yng nghlais y cloddie hwnt ac yma, roedd cyrraedd platfform gorsaf Clunderwen a gweld bodau dynol go iawn, yn ogystal â'r gwrid gwritgoch yn y wybren i'r dwyrain yn ernes o ddeffroad diwrnod arall, yn glamp o ryddhad. Wrth chwalu meddylie, tra dilynem aber afon Tywi a'r gwelye cocos yng nghyffinie Llansaint, cofiwn am y gyfrol *Hynt y Sandalau*, o eiddo'r gŵr eglwysig a fu'n gyfrwng i mi ddysgu llawer am hanes fy nghynefin ym mhen uchaf Dyffryn Taf. Oni bai fod Dewi Post, fel yr arferwn glywed yr hen bobol yn cyfeirio ato, wedi gosod ei atgofion ar gof a chadw buaswn yn dipyn tlotach fy ngwybodaeth am reilffordd y Cardi Bach ac am hynt afon Taf, boed yn enwe'r pylle rhwng Llanfyrnach a Chrymych neu'r cymeriade a fu'n troedio ei glennydd.

Yn Llanelli rhaid oedd manteisio ar haelioni'r caffi Twrcaidd wrth yr orsaf yn gweini llond plât o frecwast am bris a oedd yn dipyn llai na'r hyn a fyddai'n rhesymol yn y rhelyw o dai bwyta. A dim ond y plât lleiaf o blith y dewis a oedd ar y fwydlen oedd gen i. Dim rhyfedd fod y sawl a ddewisai'r plât anferth yn cymryd hanner awr dda i gladdu'r arlwy. Cyflawnwyd camwri anfaddeuol gan y gŵr a eisteddai â'i gefn tuag ataf ar y bwrdd nesaf am na lwyddodd i gladdu'r holl sglodion oedd ar y plât. Ond wedyn hwyrach fod y pwr dab yn ei chael yn anodd dygymod â'r syniad o fwyta tships mor gynnar yn y dydd. Serch hynny, mae'n amlwg y dylai pwy bynnag nad yw'n chwennych dim mwy na byrbryd gadw draw o'r caffi hwn.

Am fod gennyf hanner awr i loetran cyn dal trên i Rydaman euthum am dro ar fy meic o amgylch y strydoedd cyfagos gan obeithio y deuwn ar draws siop bapur a fyddai'n gwerthu rhai o'r papure dyddiol trymion. Ofer fu fy chwilota ond synnais o weld cynifer o gaffis eraill yn y cyffinie a'r rheiny'n lled lawn o bobol yn brecwasta. Cesum i fy nal hefyd yng nghanol y llif cerbyde a'r pramie wrth i rieni hebrwng eu plant i'r ysgol, a chael fy synnu gan gynifer o famau nad oedden nhw, yn ôl eu golwg, hyd yn oed yn eu hugeinie. Beth oedd hynt y rheiny wedyn weddill y dydd nes y deuai'n amser codi eu hepil o'r ysgol? O leiaf, doedden nhw ddim i weld ar frys i gyrchu unman.

Pan ddaeth y trên gwyddwn bellach taw anelu am ddrws y carej diwethaf y dylwn wneud er mwyn canfod y man hylaw ar gyfer parcio'r beic. Gan amlaf gwelir llun o feic uwchben y drws er na fyddwn bob amser yn ei weld waeth pa mor ddyfal bynnag yr edrychwn, a hynny nid am fy mod yn ddall ond am fy mod yn amlwg yn brin o synnwyr o dan rai amgylchiade. Erbyn i mi osod fy meic yn daclus yn ei le cyrhaeddodd teithiwr arall â'i wynt yn ei ddwrn yn gwthio beic. Rhag ofn bod ei siwrne'n dipyn hwy na'm heiddo i, a finne eisoes wedi gosod fy meic nesaf at y wal, fe'i holais i ble roedd e'n teithio. Pan ddywedodd Rhydaman gwyddwn nad oedd angen i mi boeni am y byddem ill dau yn disgyn yn yr un orsaf.

Am nad oedd yna fawr o deithwyr ar y trên gwneuthum yr hyn a oedd yn ddisgwyliedig, sef eistedd mewn sedd wag fel y gwnâi pawb arall. Petai Teifryn gennyf byddem mae'n siŵr wedi eistedd ar sedd lle'r oedd yna gwmni ond dychmygwn wedyn pa sedd a pha gwmni y byddem wedi'u dewis am fod y rhelyw o'r teithwyr wedi ymgolli yn eu papur dyddiol, yn brysur yn anfon negeseuon testun ar eu ffone symudol neu mewn byd arall yn gwrando ar eu iPods. Doedd yna neb i weld yn teithio'n ddeuoedd chwaith a doedd yna ddim sgwrs i'w chlywed rhwng neb. Tebyg bod nifer ohonyn nhw'n teithio'r siwrne hon yn ddyddiol gan eistedd yn yr un sedd yn ddyddiol. Byddwn yn ddyn dewr yn torri'r mowld pe mentrwn eistedd yn ymyl un ohonyn nhw ac yn fwy felly fyth pe mentrwn dorri gair; tebyg pe gwnawn hynny tybient fod nodweddion yr ynfyd yn perthyn i mi.

Buan yr aed trwy y Bynea a thrwy Bontarddulais ac yna'r wlad yn ymagor o'n blaene. Gwartheg tewion oedd i'w gweld yn pori ar hyd y caeau o boptu. Cyrhaeddwyd Rhydaman o fewn fawr o dro ac erbyn i mi ddadlwytho fy hun a'm beic a gosod trefn ar fy sach, diflannodd y trên i gyfeiriad y Canolbarth a neb ond minne ar y platfform am ddeg o'r gloch y bore. Ni wyddwn i ba gyfeiriad i seiclo i ganol y dref ac i Stryd Marged ond doedd dim prinder pobol leol yn cerdded ar hyd y stryd y medrwn eu holi am gyfarwyddyd. Amneidiais ar ddynes ganol oed a'i chyfarch yn Gymraeg gan esbonio fy mhicil. Er iddi ymatal am eiliad neu ddwy nes fy mod yn ansicr a ddylaswn droi i'r Saesneg neu beidio fe roes gyfarwyddyd clir i mi gan ei ailadrodd droeon, er mwyn fy rhoi ar ben fy ffordd, mewn Cymraeg croyw.

Teimlwn ryw ryddid rhyfedd wrth wau rhwng y traffig ar hyd y strydoedd prysur gan gredu fy mod yn nes at anian yr adar a wibiai uwchben na'r gyrwyr oedd yn gaeth yn eu cerbyde. Doedd pob un ddim mor ystyriol â hynny o bresenoldeb seiclwr ar y ffordd darmac chwaith wrth i yrrwr droi i'r chwith fodfeddi o'm blaen heb fod gen i unrhyw siawns o wybod ei fod yn bwriadu gwneud hynny wrth i mi ddynesu at y gyffordd.

Euthum ar hyd Stryd Marged i'w phen eithaf a chanfod Nant-y-dderwen ar y chwith, cenais y gloch a daeth Dewi Thomas i'r drws i fy nghyfarch. Fe'm holodd pa bryd y gadewais fy nghartref y bore hwnnw gan esbonio iddo geisio fy ffonio i'm hatal rhag cychwyn ar fy siwrne ond roeddwn eisoes ar fy ffordd ers awr a hanner erbyn hynny. Petrusais am ennyd gan ofni bod fy siwrne'n ofer ac mai tuag adref y byddai'n rhaid i mi fynd â'm gobeithion yn deilchion. Ond, na, roedd yr heddychwr yn hynaws ac yn cyfaddef fod y cryd cymale yn ei gefn yn dipyn esmwythach erbyn hynny wrth iddo fy nghroesawu i'r lolfa.

Am gyfeirio at ddiniweidrwydd Waldo a wnâi wrth gychwyn sôn am ei atgofion, yn union fel y gwna pawb oedd â phlant ar yr aelwyd, pan alwai'r gwron heibio. Yn y Rheithordy ym mhlwyf Clydau, yng ngogledd Sir Benfro, roedd Dewi a'i deulu'n byw yn y 1950au, a phob hyn a hyn pan atebid y gnoc wrth y drws bydde Waldo'n sefyll yno.

"Yr hyn a oedd yn rhyfedd oedd y sylw a roddai i'r plant. Byddai Llinos a Morfudd wrth eu bodde yn ei gwmni ac ynte nid yn unig yn disgyn i'w teithi meddwl nhw ond yn aros yn y cyflwr hwnnw am dipyn; byddai'n werth chweil gweld y tri ohonyn nhw'n 'whare steddfod' a chlywed beirniadaeth Waldo wedyn ar gystadleuaeth 'Cerdded fel Dyn Pren'.

"Byddai'n galw'n lled gyson yn y 1960au wedyn pan oedd yn cynnal dosbarth nos ym Mwlch-y-groes ac ynte wedi seiclo'r holl ffordd o Hwlffordd yn ei drywsus byr cyn newid i ddilledyn mwy trwsiadus ar gyfer y ddarlith. Rhyw dri neu bedwar ohonom fydde yno'n amal iawn ond roedd yn werth ei glywed yn traethu am wahanol agwedde o lenyddiaeth Gymraeg yn fyrfyfyr bob amser heb sgrapyn o nodyn. A doedd e ddim yn hoff o weld neb yn cymryd nodiade, am y byddai hynny yn tarfu ar ei draethu," meddai.

Ond roedd y cyfeillgarwch rhyngddynt wedi'i ffurfio flynyddoedd ynghynt, a hynny ar hap ar sail eu proffes mewn heddychiaeth ar achlysur Cymanfa Ganu yn fuan ar ôl dechre'r Ail Ryfel Byd.

"Roedd Waldo wedi bod yn dosbarthu pamffledi'r Peace Pledge Union yng Nghymanfa'r Annibynwyr yng Nglandŵr yn gynnar ym mis Hydref 1939 ac wedyn wedi cerdded cyn belled â phentref Llanfyrnach. Digwyddais gerdded heibio'r siop pan waeddodd y siopwr arnaf fod ganddo ddyn oedd yn debyg iawn i minne o ran ei ddaliade. Canlyniad y cyfarfyddiad hwnnw oedd cael fy ngwahodd i dreulio noson gyda Waldo ar ei aelwyd yn Elm Cottage, Llandysilio, ym mherfeddion y gaeaf.

"Seiclais yno ar brynhawn Gwener a chofiaf gyfarfod â Waldo oddi ar y trên o Gas-mael yng Nghlunderwen. Y ddau ohonom yn cael tships wedyn ar y ffordd adref i Landysilio a chofiaf weld y wybren yn goch uwchben Abertawe. Roedd yna haen dene o eira ar y llawr hefyd. Am ryw reswm doedd y gwely ddim yn gras a phenderfynwyd mai doeth fydde treulio'r noson wrth y tân. Ond erbyn hanner nos fe ddiffoddodd hwnnw am nad oedd cnepyn o lo ar ôl yn y tŷ. Bu raid i mi geisio cysgu ar lawr gyda fy nghot fawr drosof am yn ail â cheisio cysgu ar gadair ond heb fawr o lwyddiant.

"Parablai Waldo'n ddi-stop a darllenai ddarne o lenyddiaeth yn ymwneud â heddwch am yn ail â barddoniaeth o'i waith ei hun. Cafodd syniad y noson honno o gyhoeddi llyfryn o ddarnau llenyddol yn ymwneud â heddwch a'i alw yn 'Dail y Pren' oherwydd yr adnod yn Llyfr y Datguddiad sy'n cyfeirio at bren y bywyd – 'A dail y pren a oedd i iacháu'r cenhedloedd'. Cofiais am hynny'n fyw iawn pan gyhoeddwyd y gyfrol *Dail Pren* wedyn ym 1956. Ond wrth i'r wawr dorri fore Sadwrn ar ôl noson o hepian cysgu dyma Waldo'n dweud, 'Dere mlân, awn ni mas am wâc a falle bydd y glo wedi dod erbyn i ni ddod 'nôl'. Dwi'n weddol siŵr i ni groesi Parc y Blawd a Weun Parc y Blawd y bore hwnnw a dyna'r ddau barc sy wedi'u hanfarwoli wrth gwrs yn y gerdd 'Mewn Dau Gae'."

Eisteddai'r gŵr talsyth, miniog ei feddwl, yn gwbl esmwyth yn ei gadair gyferbyn â mi gan gyflwyno cyfres o giplunie clir o fawredd ei gyfaill, Waldo, heb wastraffu geirie gydag ond darn bychan o bapur yn cynnwys penawde i gyffroi ei gof. Roedd y ffaith ei fod yn 92 oed yn ei alluogi i hidlo ei atgofion a dethol y profiade hynny a greodd yr argraff fwyaf arno o fod yng nghwmni Waldo.

"Dwi'n cofio amdano'n cerdded draw o Grymych i'n gweld ni un prynhawn ym mis Mai 1951. Roedd hi'n dipyn o halibalŵ yn y ficerdy y prynhawn hwnnw a dim ond yn ddiweddarach y deuthum i wybod beth oedd y neges na ddatgelwyd gan Waldo y tro hwnnw. Penderfynais ei hebrwng 'nôl i Grymych, ar ôl iddo gael pryd o facwn a wy, a dwi'n cofio Llinos yn dweud wrtho wrth ffarwelio, 'Fe gewch chi farmalêd y tro nesa'. Wedyn, erbyn i mi gyrraedd 'nôl adref roedd Llinos a Morfudd wedi cael chwaer fach o'r enw Eluned Mai, ac o dan yr amgylchiade doedd hi ddim syndod nad oedd Waldo wedi sôn am ei fwriad o fy ngwahodd i gymryd rhan mewn protest heddychlon yn Nhrawsfynydd.

"Ond daeth cyfle arall ym mis Awst i gymryd rhan yn yr eisteddiad di-drais wrth fynedfa Gwersyll Milwrol Trawsfynydd. Y tro hwnnw cefais y fraint o yrru Waldo a D. J. Williams, a chodi Llwyd o'r Bryn yn nes ymlaen, gan gychwyn am ddau o'r gloch y bore er mwyn bod yno erbyn chwech. Roedd gen i gar Alvis mawr ar y pryd, oedd wedi'i brynu am £575. Gyda llaw, mae'r llun o'r brotest honno ben bore wedi ymddangos mewn sawl cyhoeddiad dros y blynyddoedd gyda'r tri ohonom yn eistedd yn y rhes flaen, a minne rhwng y ddau gawr.

"Roedd Waldo'n berson o argyhoeddiade dwfn, wrth gwrs, a doedd dim angen treulio llawer o amser yn ei gwmni i sylweddoli hynny. Dim ond unwaith y gweles ei wrychyn yn codi a hynny pan gafodd swydd mewn ysgol eglwys ac ynte'n dweud yn bendifadde na fydde fe'n barod i ddysgu'r credo na'r catecism i'r plant. Doeddwn i ddim yn gweld hynny'n afresymol fy hun ond roedd e'n gweld gorfodi credo ar blentyn yn garchar yn hytrach na chanllaw; 'I'd rather be lost with the truth than saved by a pack of tricks,' meddai wrthyf wrth gyfeirio at gredo arwynebol.

"Roedd Waldo'n eangfrydig iawn wrth ganiatáu i bob unigolyn chwennych ei gred ei hun heb ei gorfodi arno; wedi'r cyfan, cyfansoddodd gerdd i'r merthyron Pabyddol, 'Wedi'r Canrifoedd Mudan'. Dwi'n ei gofio'n dweud wedyn wrth drafod Crynwriaeth ei fod yn teimlo'n fwy o Grynwr nag oedd o Fedyddiwr pan oedd yn Fedyddiwr, ac yn fwy o Fedyddiwr nag oedd o Grynwr pan oedd yn Grynwr. Roedd rhaid wrth fyfyrdod deallus i fod yn Grynwr dybiwn i. Cofiwch, roedd gan

Waldo barch at bawb, gwaeth beth oedd eu gradd, boed yn sipsi neu'n ysgolhaig, yn bedler neu'n wyddonydd o fri.

"Wedyn, er y dwyster, fydde'r hiwmor ddim ymhell. Pan ddaeth mas o'r carchar dwi'n cofio ei holi sut le oedd yno ac ynte'n canmol y gwelyau caled am ei bod yn gas ganddo wely meddal, medde fe. Pan gyhoeddwyd y gyfrol *Dail Pren* wedyn dyma fe'n stwffo copi i boced fy nghot fawr gan ddweud ei fod 'yn lico seis y llyfr' a dyna i gyd. Dwi'n cofio amdano'n galw wedyn a'r ddau ohonom yn bwriadu mynd i gynhadledd ym Mhlas y Cilgwyn ger Castellnewydd Emlyn a minne'n gosod fy hat 'Anthony Eden' ar ei ben wrth fynd mas trwy'r pasej. Wnaeth e'r un sylw fel petai yna ddim wedi digwydd, ac ar ei ben y bu'r hat gydol y daith," meddai.

Synhwyrwn fod y ciplunie wedi dod i ben ac wrth imi fwrw golwg dros fy nodiade, cynigiodd Dewi hulio paned o de neu goffi ar fy nghyfer. Bydde hynny'n ddymunol iawn, wrth gwrs, ond cyn cytuno roeddwn am wirio faint o'r gloch oedd hi. Ni welwn gloc yn yr ystafell ac yn ôl fy arfer doedd gen inne ddim oriawr ar fy ngarddwrn. Cyhoeddodd Dewi ei bod hi eisoes yn chwarter i hanner dydd yn ôl ei oriawr. Yffach gols, ni chredwn fod yr amser wedi hedfan mor gyflym ac esboniais os na fuaswn yn dal y trên am bum munud wedi hanner dydd, y bydde rhaid i mi aros am dair neu bedair awr cyn deuai'r trên nesaf. Hyd yn oed pe seiclwn yr holl ffordd i Gaerfyrddin byddwn yn yr un picil am na fyddai'r un trên yn rhedeg i Glunderwen tan yn hwyr yn y prynhawn. Rhuthrais i ffarwelio heb fy mhaned â'm meddwl yn llawn o'r byr-bortread cymen o Waldo.

Hedfanais trwy'r dref gan wau trwy'r llif trafnidiaeth a thorri ambell gornel yn grop er mwyn cyrraedd yr orsaf mewn da bryd. Gwneuthum hynny ac wrth ddisgwyl y trên ceisiais ymlacio trwy dafoli gwaith y bore. Roeddwn ar fy mhen fy hun ar y platfform. Doedd yna'r un teithiwr arall yn disgwyl dyfodiad y trên. Disgwyliwn i'r gatie gau i orfodi cerbyde i oedi wrth i'r trên ddynesu ond doedd dim yn tycio. Ni chredwn fy mod wedi colli'r trên a doedd dim i ddweud nad oedd yn rhedeg yn ôl ei arfer. Doedd dim ond cysgodfa ar yr orsaf fechan.

Ymhen hir a hwyr penderfynais chwilio yn fy sach am fy ffôn fach gan wybod y medrai honno ddweud wrthyf beth oedd yr amser. Deunaw munud wedi un ar ddeg. Edrychais eto'n syn a gwisgais fy sbectol i wneud yn siŵr nad oedd fy llyged yn fy nhwyllo. Ie, deunaw munud wedi un ar ddeg! Roedd yn rhaid bod Dewi wedi camddarllen ei oriawr neu fod nam arni cyn ei fod wedi fy nghamarwain. Beth oeddwn i'n mynd i wneud nawr o dan yr amgylchiade lletchwith? Medrwn fod 'nôl yn Nant-y-dderwen erbyn hanner awr wedi un ar ddeg i gymryd mantais o'r cynnig o baned a pharhau â'r sgwrs. Ar ôl pum munud o bendrymu penderfynais mai doethach fyddai sefyll yn fy unfan gan ddadle â mi fy hun mai canlyniad dychwelyd fyddai colli'r trên go iawn. Rhagwelwn fy hun yn cyrraedd 'nôl yr eilwaith wrth i'r gatie ailagor â'r trên yn diflannu yn y pellter.

Doedd dim amdani ond sefyllian am getyn go lew. Roedd gen i focs bwyd ond prin bod chwant bwyta fy mhicnic arnaf am fod y brecwast cynharach yn y caffi Twrcaidd yn dal i bwyso'n drwm arnaf. Cymerais ambell lwnc o ddŵr i iro'r gwddf o'r botel fydde gennyf yn wastadol yn fy sach. Euthum i bwyso ar y rheilie i wylio'r byd a'r betws yn mynd heibio ond ni wnâi neb fy nghyfarch. Saesneg a glywn ar wefuse'r whilgryts ifanc a âi heibio, a hwnnw'n ddigon bratiog a chwrs ar brydie. Euthum am dro am ryw ganllath hyd at y cornel a gweld fod yno siop gwerthu pob peth, ac eithrio papure dyddiol trwm, yn cael ei chadw gan deulu Asiaidd. Dychwelais at fy mhostyn i gadw golwg.

Gwelais ŵr canol oed yn rhuthro heibio, yn croesi'r rheilffordd, ac yn torri gair gyda'r gŵr a oedd yn cadw cegin fwyd ar olwynion wrth fynedfa maes diwydiannol gerllaw. Dychwelodd y gŵr canol oed yng nghwmni'r arlwywr a cherddodd y ddau heibio i mi gan sgwrsio mewn Cymraeg gloyw yn llawn ti a tithe a awgrymai eu bod yn adnabod ei gilydd yn dda. Dilynais eu camre o hirbell a chanfod mai methiant cerbyd yr hynaf o'r ddau i danio oedd y broblem. Sgwrsiai'r ddau'n frwd ynghylch beth fydde ore i'w wneud yn y fath bicil nes, yn y diwedd, penderfynodd yr hynaf eistedd wrth y llyw tra gwthiai'r llall y cerbyd yn araf i lawr y tyle tuag ataf. Pan gyrhaeddon nhw gyferbyn â mi cynigiais fy mhwyse i gynorthwyo gyda'r gwthio am yr ugain llath olaf cyn troi i mewn i'r ystâd ddiwydiannol. Doedd y ffaith fy mod wedi'u cyfarch yn Gymraeg yn amlwg o ddim syndod iddyn nhw.

Dychwelais inne i sefyllian wrth y gysgodfa ac yn y man cefais gwmni gŵr a oedd yn bwriadu teithio cyn belled â Phontarddulais. Cyrhaeddodd y trên yn y man a straffagliais i godi'r beic dros y styllen a'i osod yn y stabal. Cyn pen fawr o dro roeddwn yn ei dywys oddi yno drachefn wrth i ni gyrraedd Llanelli. Am fod gen i awr i loetran mentrais wacáu rhywfaint o gynnwys y bocs bwyd cyn mynd am dro ar hyd y dref ar gewn fy meic. Roeddwn yn dal ar drywydd un o'r papure dyddiol trwm ond bûm aflwyddiannus droeon. Ar y ffôn yn rhoi pryd o dafod go hyglyw yn ei hiaith ei hun a wnâi un ddynes Asiaidd oedrannus o'r tu ôl i'w chownter. Synnais at gynifer o dai bwyta cyfandirol oedd ar hyd un stryd.

Fe'm cyfarchwyd gan blismon serchog wrth i mi seiclo drwy'r ganolfan siopa. Am wn i, amneidio arnaf i beidio â seiclo oedd byrdwn ei sylwade ond gan iddo droi ei gefn ataf a pharhau i sgwrsio â gwerthwr stryd, yng nghwmni plismones, ni chymerais sylw o'i eirie. Mae'n amlwg mai fi oedd y mwyaf diniwed o'r ddau droseddwr roedd yn delio â nhw ar y pryd. Doedd dim golwg o siop bapur ar hyd y ganolfan siopa ond pan oeddwn bron â danto gwelais siop o'r fath yn ymyl y ganolfan ddinesig. Oedd, roedd y copi diwethaf o un o'r trymion yn fy nisgwyl. Wrth dalu gofynnais i'r ddynes am gyfarwyddyd ar sut i gyrraedd yr orsaf gan fy mod wedi colli fy synnwyr o gyfeiriad erbyn hynny. Nid yw acen Saesneg gwŷr y Sosban ymhlith y mireiniaf o acenion.

Prin oedd nifer y teithwyr ac am nad oedd y catalydd gennyf yn gwmni i dynnu sgwrs â phawb a phob un, bernais mai troi tudalenne fy mhapur anodd ei gael fydde ore. Disgynnais oddi ar y trên yng ngorsaf Clunderwen chwap wedi dau o'r gloch wrth i'r cymyle amlhau uwchben ac ambell ddiferyn ddisgyn ar fy mhen. Erbyn cyrraedd y pentref ei hun a'r siop pob peth ar gyfer ffermwyr o eiddo cwmni Ladds Ironmongers roedd rhaid ildio a chwilio am y clogyn yn y sach.

Gesum i gymorth i wisgo'r clogyn gan Andrew Davies pan nad oedd ganddo gwsmer i'w weini a chefais inne gyfle i'w holi ynghylch ei fam-gu ar drothwy ei phen-blwydd yn 106 a hithe'n cofio am John Edwal Williams, tad Waldo, yn brifathro arni yn Ysgol Brynconin. Yn wir, roedd Bessie Phillips wedi'i geni yn yr un flwyddyn â Waldo. Ac am iddi weld gole dydd ym mis Chwefror 1904 roedd Bessie ychydig fisoedd yn hŷn na Waldo. Cefais wahoddiad i alw heibio i'w gweld yng nghwmni ei merch, Sadie, yn y byngalo lle lletyai ar ei phen ei hun.

Hwyrach bod yr hen wreigan ychydig yn drwm ei chlyw ond pa ryfedd a hithe mewn oedran teg. Edrychai fel botwm o loyw a phan ddeallai ambell gwestiwn o'm heiddo roedd ganddi atgofion penodol.

"Wedd John Edwal yn strict iawn, ch'wel. *Teacher* da, cofiwch. Dwi'n ei gofio fe'n plygu i gydio yn y gansen a'i wmed e'n goch yn ei natur. Fiw i'r plant siarad yn y dosbarth, ch'wel. Gesum i'r gansen ar fy llaw unwaith," meddai.

Treuliodd Bessie ei hoes waith yn weinyddes gan wneud amal i bilyn ar gyfer Waldo ei hun, boed siaced neu drywsus brethyn, yn ôl y gofyn, yn ogystal ag i aelode eraill o deulu Rhosaeron. Teimlad rhyfedd oedd bod yng nghwmni rhywun o'r union oed â Waldo, a oedd yn dal yn fyw, ac a oedd droeon, mae'n siŵr, wedi ei fesur ar gyfer dilledyn ac wedi eistedd wrth ei ymyl yn yr ysgol gynradd. Ffarweliais mewn rhyfeddod.

Un o dirnode amlwg pen deheuol pentref Llandysilio yw Capel Blaenconin. 'Capel y ffin' yw'r arwydd tu fas i ddynodi bod y fangre ar un adeg yn ei chynnig ei hun fel ffin rhwng dwy sir ond diau y gall amal i bregethwr wau pregeth yn sôn am amryfal ffinie. Yn union gyferbyn gwelir Gwesty Nant-y-ffin y bydd yn gryn gamp i chi weld yr un arwydd Cymraeg y tu fewn iddo. Yn wir, mae'r unig air Cymraeg a welir tu fas, sef enw'r gwesty ei hun, wedi'i gamsillafu am ryw reswm oherwydd pa angen to sydd ar y llafariad yn y gair 'ffîn'? A fyddai'r fath gamwri ieithyddol yng nghanol ei filltir sgwâr yn goglish Waldo tybed yn yr un modd ag oedd y nant yn hollti'r eiddo rhwng dwy sir cyn newid y ffinie?

Oedaf wrth y gatie i fwrw trem ar y capel urddasol gan gofio am gysylltiad teulu Williamsiaid Rhosaeron â'r lle. Rhyw sleifio i un o'r sedde cefn siwrne siawns a wnâi John Edwal, tad Waldo, pan fynychai'r oedfaon gan wynebu ei frawd hŷn, Gwilamus, a fydde'n eistedd yn y Set Fawr eang. Nid amlygodd John Edwal ei hun yng ngwaith yr eglwys fel y disgwylid, efallai, i brifathro ysgol ei wneud. Does dim sôn iddo fod yn athro Ysgol Sul nac yn ddeilydd yr un swydd. Ymddengys ei fod yn gynhenid swil ac yn chwennych yr encilion, a hynny ar sail ei edmygedd o'r sosialwyr cynnar megis William Morris, Keir Hardie, John Ruskin a'r Americanwr, Walt Whitman. Pan ddewiswyd 27 o ymddiriedolwyr o'r newydd i fod yn gyfrifol am Gapel Blaenconin ym 1921 doedd John Edwal ddim yn eu plith.

Gwahanol oedd anian Gwilamus gan iddo wasanaethu fel ysgrifennydd yr eglwys am bymtheng mlynedd yn ogystal â bod yn ddiacon am ddeng mlynedd. Am ei fod yn bostmon, yn union fel ei dad, mae'n rhaid ei fod yn hoff o gwmni pobol ac, yn wir, yn ôl y sôn, perthynai cryn smaldod iddo, a'r nam oedd ar ei leferydd yn ei gynnig ei hun ar gyfer ei ddynwared yn gyson. Tra fyddai'n dosbarthu llythyron i gartrefi Mynachlog-ddu a Llangolman byddai'r awen yn ei gyffroi ac âi ati i farddoni o dro i dro fel y tystia ei gyfrol, *Meillion a mêl gwyllt o faes Gwilamus,* a gyhoeddwyd ym 1920, a byddai ynte, a John Edwal i radde llai, yn cyfrannu at gyhoeddiad y Bedyddwyr yn y cyffinie, *Y Piwritan Newydd*.

Saif adeilad y capel rhyw ddeg llath ar hugain o'r fynedfa a cheisiaf daflu fy ngolygon ar hyd y paraped fry uwchben y dryse i weld a yw'r golomen yno. Un o ryfeddode taith drwy Sir Benfro ar drywydd Waldo, a drefnwyd gan yr Academi Gymreig, oedd y golomen a fynnai dynnu sylw ati hi ei hun drwy gerdded 'nôl a mlân ar hyd y gilfach gul. Yn ôl y gweinidog, y Parch. Huw George, roedd hi wedi ymgartrefu yno ers tro byd. Ai gormod fyddai ei hystyried yn symbol o'r heddychiaeth, y dwyfoldeb a'r gobaith a oedd yn rhan o fywyd y gŵr y gorwedda ei weddillion yn y fynwent gerllaw, yng nghwmni ei wraig, Linda, a gweddill aelode'r teulu. Ai ymgnawdoliad o Waldo yw'r golomen aflonydd?

O fynd i mewn trwy'r dryse caeedig gwelaf yr arddangosfa honno yn y gornel a luniwyd gan aelode'r capel, gan gynnwys hen feic, adeg dathliade canmlwyddiant geni Waldo. Dadlennol yw'r nodyn yn llyfr cofnodion Ysgol Brynconin sy'n datgelu absenoldeb mab yr ysgolfeistr am gyfnod o dri mis a mwy ym 1915 oherwydd salwch. Nodir iddo fynd i Fangor ar ddechre mis Mai i aros gyda theulu ei fam yn Penrallt Lodge, lle'r oedd ei daid yn un o arddwyr Coleg y Brifysgol, ac na ddychwelodd tan ddiwedd mis Gorffennaf.

Roedd a wnelo'r hyn a ddisgrifir fel 'iselder ysbryd' â marwolaeth ei chwaer, Morvydd, yng nghanol mis Mawrth, ac yn ernes o'r salwch a fyddai'n ei boeni'n achlysurol am ran helaeth o'i oes. Ni wnaeth ei alltudiaeth i'r gogledd fennu dim ar ei allu fel sgolor, oherwydd pan ddychwelodd i sefyll yr arholiade ar gyfer mynediad i Ysgol Ramadeg Arberth, llwyddodd Waldo i sicrhau'r marcie uchaf o'r holl ymgeiswyr – 545 o'r 600 posib. Ac fel yswiriant, fel petai, rhoddodd gynnig ar yr arholiad i sicrhau mynediad i Ysgol Hendy-gwyn yn Sir Gâr hefyd a chyrraedd brig y rhestr gyda 420 o farcie o 450 posib.

A beth wnawn ni o'r dyfyniad o lyfr lloffion gŵr o'r enw Sam Edwards sy'n rhan o'r arddangosfa? Fe ddisgrifia Waldo fel dyn ecsentrig a fyddai weithie'n cwato o olwg pawb am fisoedd ac yna'n seiclo i bobman. Cyfaddefa Sam Edwards iddo ei godi rhywbryd mewn fan wye a'i gludo o Bont Canaston i Hwlffordd. Ond ymddengys mai cyflwyno'r darlun ystrydebol o Waldo a wneir heb werthfawrogi ei fawredd.

O eistedd yn un o'r core cefn clywaf eto ddarlith gyhoeddus olaf James Nicholas o'r pulpud pell am ei bartner, ac ynte, yn ôl ei arfer, ar achlysur dathliade'r canmlwyddiant, yn ei godi i'r entrychion ac yn ei goroni'n ben. Ni ellid llai na chredu bod yna fawredd diderfyn yn perthyn i Waldo o wrando ar Jâms yn traethu amdano.

Cofier mai dyma lle y priodwyd Waldo a Linda gan y Parch. D. J. Michael yng ngŵydd Albert Lewis, y gwas priodas, Dilys, chwaer Waldo a'r cofrestrydd heb yr un tyst arall, yn ôl dyfalu'r neiaint, ar ddydd Llun, Ebrill 14, 1941. Ymddengys mai 'priodas dawel' oedd hi neu, pe bai yna sbloet, oni fydden nhw wedi priodi yn y Maerdy yng nghynefin Linda? Dengys y dystysgrif mai cyfeiriad Waldo ar y pryd oedd y Precelly Hotel, Rhos-y-bwlch, ger Maenclochog, a adwaenir fel y Tafarn Sinc heddiw. Rhosaeron yw cyfeiriad Linda.

Rhaid bod Waldo wedi treulio nos Sul yn y gwesty felly rhag ei fod o dan yr un gronglwyd â'i ddyweddi. Doedd e ddim am letya gyda neb o'r teulu na'r un cydnabod am nad oedd y bwriad i briodi drannoeth wedi ei wneud yn hysbys, siawns.

Tybed felly a oedd Gwladys Llewellyn, cyfnither Linda a'r rheswm dros ei hymweliade cynnar â Rhosaeron, yn y seremoni? Hwyrach ei bod yn paratoi tamed o neithior syml ar gyfer y ddau yn y cartref teuluol wedyn. Roedd Albert gyda llaw wedi'i fagu ar yr aelwyd yn Rhosaeron wedi iddo golli'i fam. Treuliodd y rhan helaethaf o'i yrfa wedyn yn fferyllydd yng Nghaerdydd.

Yma, hefyd, y cofiaf deimlo ias o weld Cwmni Drama Troed-y-rhiw yn perfformio drama Euros Lewis, *Linda (gwraig Waldo),* a'r dwyster gymaint â hynny'n fwy am fod gweddillion y ddau wedi'u claddu wrth dalcen yr adeilad, y naill ym 1942 a'r llall ddeng mlynedd ar hugain yn ddiweddarach. Gyda chynildeb yr awgrymwyd y cellwair a'r gynghanedd a berthynai i serch a chariad y ferch o'r Rhondda a'r crwt o 'Shir Bemro': "Linda is my lone delight," meddai.

Ond ar yr un pryd gwelwyd y bwci bo duach na'r fagddu a'i poenai ynte ers dyddie bachgendod ac y byddai'n ei ddiriaethu ar ffurf rhyfel ac atgasedd dyn tuag at ei gyd-ddyn yn ddiweddarach. Yn gyfochrog â hynny awgrymwyd ei hoffter o chwarae ar eirie o ran hwyl a feithrinwyd ynddo gan ei gyfaill mynwesol, Idwal Jones, yn ystod dyddie coleg yn Aberystwyth. "Iet *again,*" meddai Waldo wrth Linda tra pwysai'r ddau ar glwyd mewn golygfa yn portreadu dyddie eu carwriaeth.

Nid rhyfedd i Euros Lewis ddweud nad oes prin yr un diwrnod yn mynd heibio heb iddo ynganu'r llinell 'nid oes yng ngwreiddyn bod un wywedigaeth' a'i hystyried fel prawf o siwrne i ben draw uffern unigrwydd ac yn ôl.

Mae'n rhaid mai yn y festri wrth ymyl, sydd ei hun cymaint o faint ag ambell gapel, y bu Waldo'n cymryd rhan yng ngweithgaredde Cymdeithas y Bobl Ifanc a'r 'Guild' fel y gelwid y Gymdeithas Ddiwylliadol, ac ambell eisteddfod. Sgwn i beth oedd ganddo i'w ddweud ym mis Tachwedd 1929 pan gafodd ei ddewis i siarad yn erbyn y testun, 'A yw'r Eglwys Gristnogol heddiw yn cyflawni ei chenhadaeth?'? Dro arall, ym mis Tachwedd 1933, siaradodd yn gadarnhaol pan holwyd y cwestiwn, 'Ai mantais i fywyd moesol cymdeithas yw dygiad i mewn peiriannau?'

Yn ei dro fe fu'n trafod arlunwyr mawr y byd, yn sgwrsio am y soned Gymraeg ac yn ôl un cofnod yn y *Narberth Weekly News*, y papur wythnosol lleol, fe fu'n darllen rhai o'i gerddi ei hun ym mis Tachwedd 1935 a'u teitle, os gwelwch yn dda, wedi'u cyfieithu, oedd 'Memories of Youth', 'The Jackdaw' a 'Process of Ploughing'; pwy oedd yn cellwair pwy, tybed? Ond fel athro ifanc a oedd newydd adael y coleg roedd Waldo'n amlwg yn bwrw ei hun i ganol holl ferw cymdeithasol a diwylliannol yr ardal.

Disgyn y diferion glaw ar fy mhen i'm dadebru a rhaid cydio yn y beic drachefn a phedlo bron yn fy nghwrcwd. Awn heibio Ger-y-nant, cartref y diweddar John Thomas a fu'n gadeirydd y mwyafrif o'r pwyllgore o bwys ar Gynghorau Sir Dyfed a Phenfro, yn ystod ei yrfa faith fel cynrychiolydd ei bobol ar yr awdurdode lleol, yn ogystal â chael ei ddyrchafu'n gadeirydd Pwyllgor Gwaith Eisteddfod Genedlaethol Sir Benfro 2002. Ond pan gai ambell awr i ymlacio yn ei barlwr doedd dim a roddai mwy o bleser iddo nag adrodd ei atgofion am Waldo. Soniai am Waldo yn cyrraedd angladd gwraig leol yn gwbl annisgwyl gan na wyddai neb ble roedd yn cartrefu ar y pryd gyda'i got laes bron yn llusgo ar y llawr a'i olwg yn ddilewyrch. "'Ych chi'n gweld," mynte John, "er ei fod e yn un o'i gyfnode du ar y pryd wedd e'n teimlo rheidrwydd i fynychu angladd y fenyw fach ddigon cyffredin honno."

Dro arall mynegai ei edmygedd wrth sôn am y copi hwnnw o *Cyfansoddiadau Eisteddfod Genedlaethol Caerdydd 1960* a gafodd drwy law Waldo.

"'Ych chi'n gweld, gwas ffarm wen i ar y pryd heb fod yn ennill llawer ac wedi digwydd sôn wrth Waldo mod i heb weld y Cyfansoddiade ac ynte'n gwbod fod gen i ddiléit. Wir i chi, gesum i ei gopi fe a fynte'n gwrthod cymryd tâl er dwi'n siŵr ei bod hi'n weddol fain arno, ac o bosib yn feinach na wedd hi arna i. Ond dyna fawredd y dyn yn dyfe, a dwi'n dal i drysori'r copi hwnnw â'i lofnod ar wynebddalen y gyfrol, cofiwch."

Tra daliwn i wenu wrth feddwl am hynawsedd John Thomas cyrhaeddais droad y ffordd y deuthum oddi arni ben bore gyferbyn ag Elm Cottage, na chyfeiriwyd ato erioed fel Bwthyn Llwyfen, cartref Waldo pan symudodd y teulu o Fynachlog-ddu a chyn symud led cae neu ddau i'r hen gartref teuluol yn Rhosaeron, yn ddiweddarach. Dyna, wrth gwrs, lle y treuliodd ynte a Dewi Thomas noson oerllyd yn nhrymder gaeaf pan oedd y cwtsh glo yn wag.

Er nad wyf yn hoff o deithio ar hyd yr un ffordd ddwywaith yn yr un diwrnod, os gellir osgoi hynny, bernais mai doeth y tro hwn fyddai dychwelyd ar hyd yr un feidiroedd ag y deuthum y bore hwnnw. Wedi'r cyfan roedd cwfl y clogyn yn dynn dros fy mhen yn amharu rywfaint ar fy nghlyw a'm gallu i droi fy ngwddf yn sydyn. Bydde hynny'n anfantais wrth deithio ar hyd y briffordd, a thebyg y bydde olwynion y lorïe trymion yn tasgu dŵr tuag ataf yn ddidrugaredd yn ychwanegu at yr anhwylustod.

Ond cyn troi gwelwn adeilad Ysgol Brynconin o fewn tafliad carreg o'm blaen ac ni pheidiwn â gwenu ymhellach, er gwaethaf y glaw mân a ddisgynnai'n ddyfal, am yr achlysur hwnnw pan wahoddwyd Waldo gan Bwyllgor Addysg Cyngor Sir Benfro ym 1969 i agor estyniad newydd yn swyddogol. Disgwyliai pawb amdano wrth y fynedfa ond doedd dim golwg o Waldo er ei bod bron yn ben set. Bu raid i rywun fynd i chwilio amdano. Tebyg ei fod wedi lled anghofio am yr achlysur gan iddo gyrraedd ar gymaint o frys ac ynte heb wisgo'i sgidie.

Trodd Waldo'r allwedd yn y clo ac ynte yn ei slipers a chyhoeddi heb yr un sbloet fod yr estyniad bellach ar agor. O gael ei wahodd i mewn ac ynte'n naturiol yn closio at y plant ac yn sylweddoli erbyn hynny beth oedd am ei draed, dyma fe'n cyhoeddi'n dalog, 'dyma fy slipers sbesial ar gyfer agor estyniade'! Mynna rhai o'r teulu ei fod yn dioddef o draed dolurus ar y pryd ac nad anghofrwydd oedd yn gyfrifol mai slipers oedd am ei draed ond ei anallu i wisgo esgidie a theimlo'n gyffyrddus. Ond erbyn iddo grynhoi ei feddylie cafwyd araith nodedig ganddo yn seiliedig ar un o benillion cân draddodiadol o'r enw 'The Exiled Hebridean Boatman's Song' sy'n sôn am hiraeth yr alltud am ei gynefin. Cymhwysodd Waldo eirie'r gerdd i sôn am ei brofiade ei hun ar daith bywyd gan bwysleisio gymaint o angor fu ei addysg gynnar iddo.

Ac oedd, roedd ei dad wedi gadael ei farc ar yr ysgol yng nghyfnod ei brifathrawiaeth fel y tystia sylwade'r Arolygwr ym 1925, ddwy flynedd cyn i John Edwal ymddeol:

> At its head, it is fortunate in having a man who brings to his work a distinct natural capacity for teaching together with an unusually wide acquaintance with good books in virtue of which qualities he has rendered many years of unstinted and highly intelligent teaching services to the county.

Yr hyn sy'n ddiddorol am nodiade'r llyfr lòg yw fod y tad yn dal i nodi campe academaidd y mab yn yr Ysgol Ramadeg yn Arberth fel y gwna ar derfyn tymor cyntaf Waldo yno:

> The top boy still maintains his lead in his class – numbering 28. In the terminal examination at the Secondary School he comes out first in nine subjects, second in two and third in two.

Gellir synhwyro'r un boddhad yn sylwade'r tad pan noda lwyddiant Waldo yn y 'Senior' ym 1921 yn pasio chwech o'r naw pwnc gyda 'distinction' ac yna ym 1923 yn yr 'Higher' yn cael 'distinction' mewn Saesneg a Hanes.

Pedlwn gered ar y gwaered erbyn hyn gan wybod y medrwn gysgodi o dan ganghenne ambell dderwen braff pan fydde'r cawodydd ar eu gwaethaf. Ai dyna oedd profiad Waldo wrth chwarae mig â chawodydd trymion yn ystod ei fynych deithie ynte? Erbyn cyrraedd rhiw Brechfa trodd y cawodydd yn law mân ffein. Gan gymaint y chwyswn erbyn hynny man a man llacio gafael y cwfl a chyflwyno fy hun i'r elfenne yn hytrach na cheisio ymladd yn eu herbyn.

Disgynnodd cysgodion y nos yn gynnar a minne ar fin diffygio wrth gyrraedd cynhesrwydd fy nghartref. Mater o ddal ati oedd y milltiroedd olaf yn hytrach na synfyfyrio'n braf am hynt y byd a'i bethe wrth ganiatáu i'r corff a'r meddwl ddilyn trywyddion ar wahân. Gorfodais fy meddwl i ganolbwyntio ar ymdrechion fy nghorff a'i annog i ddyfalbarhau.

Erbyn i mi sychu fy hun a drachtio diod gynnes, canodd cloch y ffôn ac fe'm cyfarchwyd gan lais dwfn, digamsyniol Dewi Thomas yn cyhoeddi ei fod bellach wedi sylweddoli iddo gafflo'r amser yn garlibwns yn gynharach yn y dydd, ac yn methu deall sut y bu iddo wneud hynny. Daeth y ddau ohonom i'r casgliad y byddai Waldo wedi chwerthin am ben ein twpdra ni'n dau a holi'n dawel, "Beth yw'r dwli sy arnyn nhw nawr?"

10

Am dro i Tudra'th

TROI I'R DDE a wnaf heddiw ar groesffordd Tafarn Newydd ac yna dring am i fyny yw hi heibio Banc Du a Thŷ Llosg gan edrych draw ar y llethre noeth oddi amgylch Pantmaenog lle torrwyd yr holl goed bythwyrdd, a fu'n gymaint o dirnod, a chyrraedd Bwlchgwynt. Does dim amser i oedi a throi i wynebu tirnode de'r sir megis simneie'r purfeydd olew a'r holl diroedd bras yn y gwaelodion.

Digon yw rhoi cip sydyn ar ben draw'r maes parcio bychan i sicrhau bod y panel yn dal yno i hysbysu cerddwyr na fydden nhw'n medru tramwyo'r mynyddoedd hyn, oni bai am safiad trigolion yr ardal yn gwrthwynebu bwriad y Swyddfa Ryfel i droi'r holl gernydd a moelydd yn faes milwrol ar ddiwedd y 1940au. Gwyn eu byd am wneud hynny o dan arweiniad y gweinidogion Anghydffurfiol a'r ysgolfeistri lleol, a hynny pan oedd Waldo'n alltud ond, ar yr un pryd, ddim heb ei gyfraniad i'r ymgyrch chwaith. Fe ymglywodd â'r bygythiad o Kimbolton draw a llunio'r gerdd 'Preseli' wrth gwrs.

Wrth adael i'r beic fynd yn ôl ei bwyse i gyfeiriad Tafarn Bwlch gwelaf lesni'r môr yn y pellter a'r holl rychwant o diroedd rhyngof a'r dŵr yn amrywiaeth o liwie tanbaid o dan wenau'r haul a chysgodion y cymyle. Ymddengys fod y wlad yn ei man gore a phob dim mewn cytgord. Trof i'r chwith a hawdd teithio ar hyd y gwastad heb drethi'r coese na'r fegin gan sylweddoli fy mod yn agosáu at diriogaeth a chynefin yr hanesydd, y cyfreithiwr a'r gŵr o uchel dras, George Owen o Henllys. I'r gŵr a rychwantai'r unfed a'r ail ganrif ar bymtheg y mae'r diolch fod llawer o hanes cynnar Sir Benfro wedi'i gofnodi, yn chwedle, ffeithie a thrase gan gynnwys arwyddocâd Carnedd Meibion Owen gerllaw.

Dywedir bod tri mab Owen ap Robert ap Einion Fawr wedi cynnal ymladdfa yn y fan ar ddechre'r bedwaredd ganrif ar ddeg er mwyn penderfynu pwy fyddai'r trechaf a hwnnw wedyn fyddai'n etifeddu ystâd eu tad. Doedden nhw ddim yn fodlon â'r arfer cyffredin o rannu eiddo'n gyfartal rhwng y meibion ar farwolaeth y tad. Ond er pastynu ei gilydd yn ddidrugaredd ni chafodd yr un o'r tri brawd oruchafiaeth. Ymateb cyntaf y fam pan gyrhaeddodd y brodyr adref, yn waedlyd a chleisiog, oedd llewygu. Wedi iddi ei hadfeddiannu ei hun mynnodd bod ei gŵr yn dewis un o'r tri yn etifedd llawn rhag gorfod cynnal ymladdfa arall a rhoddwyd y dreftadaeth i'r hynaf. Ond nid dyna ddiwedd y stori am fod y tad wedyn wedi trefnu i'r ddau arall fynd i wasanaethu mewn llysoedd brenhinol, y naill yn yr Alban a'r llall yn Lloegr.

Amlygodd Gwilym ab Owen ei hun fel ymladdwr o fri ym myddin Lloegr ar diroedd Ffrainc a phan drefnwyd cadoediad dros dro derbyniodd her gan bencampwr y Ffrancwyr i gymryd rhan mewn ymryson. Gwisgodd y ddau eu lifrai milwrol a dringo ar gefn eu meirch rhyfel i wynebu ei gilydd. Wedi ymladdfa waedlyd y Cymro a orfu. Trywanwyd Tristan yn gelain. Bygythiodd y brenin ddienyddio Gwilym am iddo dorri'r cadoediad a pharatowyd i ailgydio yn y rhyfela. Ond roedd brenin Ffrainc yn awyddus i hawlio Gwilym fel ei eiddo ei hun fel iawn am golli ei ryfelwr gore. Fodd bynnag, chafodd hynny ddim ei ganiatáu ac, yn y pen draw, rhoddwyd arfbais Tristan yn rhodd i Gwilym. Pan ddychwelodd i Lundain roedd pawb yn chwennych ei gwmni, a neb llai na'r brenin ei hun yn ei ystyried yn gyfaill agos; ond synno'r stori yn gorffen yn y fan yna ychwaith.

Er y sylw a gâi yn Llundain roedd yn hiraethu am ei gynefin o fewn golwg i Garn Ingli ac wrth ganiatáu'n anfoddog iddo gefnu ar fywyd y llys brenhinol sicrhaodd y brenin ystâd iddo yng nghyffinie Nanhyfer er mwyn iddo barhau â'i bleser o hela yn y coedwigoedd. Aeth Gwilym ag arfbais Tristan, ar batrwm sieffrwn a thri chwlwm arian ar darian goch, gydag ef a bu mewn defnydd gan deulu Boweniaid plasty Llwyngwair yn ddiweddarach. Rhyfedd o fyd a rhyfedd y cysylltiade sydd gan y tiriogaethe hyn o dyrchu i grombil hanesion ddoe ac echdoe. Trof i'r chwith ac i'r chwith drachefn wrth anelu am ardal Cilgwyn gan sylweddoli bod yna ramant yn perthyn i'r parthe hyn hefyd.

O weld y feidiroedd coediog hwnt ac yma cofiaf am y braw a deimlais yn grwt wrth wrando ar raglen radio a gyflwynwyd gan Wynford Vaughan Thomas. Holai ŵr lleol am ei brofiad yn gweld haid os nad pla o lyffantod yn croesi'r ffordd. Fe'u dychmygwn fel praidd o ddefaid neu gannoedd o locustiaid yn damsang a sathru ar bob dim oedd o'u blaene. Hynny, ynghyd â'r straeon diweddarach a glywais am yr arfer honedig o ychwanegu piso llyffant at gwrw macsu, a wnâi i mi deimlo'n bryderus pryd bynnag y gwelwn gysgod yn fy ymlid yng nghyffinie Cwm Gwaun.

Trof i'r dde gan ymwrthod y demtasiwn i fynd yn syth yn fy mlaen i berfeddion Cwm Gwaun am na wyddys pa helbul neu ffawd ddeuai i'm rhan. Af heibio i gartref Ingrid John, sy'n cynhyrchu canhwylle persawrus tra bo ei gŵr, Brian, yn cynhyrchu llyfre rif y gwlith. Does dim amheuaeth mai Brian yw awdur mwyaf toreithiog Sir Benfro â'i gyfres o nofele'n seiliedig ar hanesion Martha Morgan a'i pherthynas arbennig â chopa Carn Ingli yn goron ar eu holl lyfre am straeon, arferion a chwedle Sir Benfro, sy'n ymestyn hygoeledd y mwyaf hygoelus o bobol.

Oes rhaid i mi gredu bod Brynach Sant yn arfer cyfathrebu ag angylion ar ben Carn Ingli? Treuliodd llawer o bobol noson ar y copa yn y gobaith o efelychu profiad Brynach yn yr orie mân hynny rhwng cwsg ac effro pan mae'r synhwyre'n fwyaf tebygol o fod mewn cysylltiad â bydoedd eraill. Hwyrach na chafwyd prawf gwyddonol bod hynny'n bosib na chwaith dystiolaeth ar dâp ond pwy sydd i wadu honiad y sawl a fynnai iddo gael profiad anghyffredin a allai fod yn rhyw fath o ymyrraeth gan angylion?

Rhaid gwthio'r beic o amgylch y tro serth cyn cyrraedd y gwastad drachefn a seiclo heibio pen feidir Brithdir Mawr lle sefydlwyd ymddiriedolaeth Tir Ysbrydol, i hybu ffordd o fyw sy'n unol ag ysbryd y dirwedd, gan bobl sy'n rhagweld dyfodiad Armagedon pan na wna neb oroesi heblaw am y rheiny fydd mewn cymundeb perffaith â byd natur a'r fam ddaear. Cyn pen dim daw'r môr mawr i'r golwg â'i addewid o fydoedd eraill y tu hwnt i'r gorwel.

Wrth gefnu ar y cefn gwlad coediog a'i wrthgyferbyniade o ran ffyrdd o fyw, a lle na fyddwn yn synnu bod yna ellyllon yn llechu yn gymysg â thylwyth teg, dof i olwg tref glan-y-môr gosmopolitan Trefdraeth lle gwthiwyd Cymreictod i'r cyrion ers slawer dydd wrth i fwy a mwy o ymwelwyr cyfoethog brynu tai haf neu ymddeol i dai crand yng ngolwg y môr. Adroddai Waldo stori amdano'i hun rywbryd yn treulio cryn amser yn troedio strydoedd y dref yn y gobaith o glywed plant yn sgwrsio neu yn chwarae yn Gymraeg a'i bod yn dechre tywyllu erbyn iddo gyflawni'r dasg.

Erbyn heddiw, oherwydd y newid mewn arferion chwarae, prin y gwelir yr un plentyn yn loetran ar hyd prif strydoedd y dref, a phrinnach fyth fydde clywed dau blentyn yn sgwrsio'n rhydd ac yn rhwydd yn Gymraeg ar hyd y palmentydd neu ar barc chwarae. Ond mae'n syndod faint o fasnachwyr wnaiff eich ateb yn naturiol ddiffwdan yn Gymraeg ond i chi eu cyfarch yn yr iaith. Tebyg bod yr wnifeintoedd o wynebe ac acenion dieithr a welir ac a glywir yn y siope, bron gydol y flwyddyn bellach, wedi gwneud i bobol y cownteri deimlo mai ofer yw defnyddio'r Gymraeg byth a beunydd.

Ond o gnocio ar ddrws Arenig yn y brif stryd cewch eich tywys i fydoedd tragwyddol ac i drafod pyncie oesol mewn Cymraeg cyhyrog, yn arbennig pan gyrhaeddwch y gweithdy twt yn y cefn a'r ardd â'i murie uchel sy'n ein gwneud yn fyddar i holl ffrwst y dref, am fod Wynmor Owen yn artist sy'n rhychwantu'r oesoedd.

Un o hoff blesere Wynmor yw crwydro tiroedd yn ymyl hen goedwigoedd yr ardal a chanfod colfenni a phystion sydd wedi'u trin gan wynt a glaw'r oesoedd nes eu ffurfio'n ddarne a rydd her i'w ddychymyg. Bu un darn o bostyn yn ei feddiant am ugain mlynedd a mwy nes iddo anffurfio i'r fath radde i ffurfio person Crist ar Golgotha, a hynny heb fawr o ymyrraeth gan Wynmor ei hun heblaw am anwylo a chwyro ychydig o'r pren. Esbonia fod y breichie a'r coese'n anghyffredin o hir a'r pen mor fychan er mwyn pwysleisio pa mor llipa a diymadferth oedd corff Crist ar y groes wedi i'w enaid hedfan oddi yno mewn buddugoliaeth dros angau. Dyna i chi'r weledigaeth a ddeilliodd o bren marw lled bydredig wedi cyfnod maith o ddyfalu a dyheu ac, wrth gwrs, deil i gyfoethogi profiad Wynmor bob tro y try ei olwg arno.

Bron na theimlaf fy mod mewn cwmni cyfriniol wrth wrando ar Wynmor yn traethu'n dawel a phwyllog am yr hyn a gyflawna ei ddwylo â chynion ail-law a brynodd dros y blynyddoedd. Ond nid yn y gweithdy'n unig y digwydd y broses am fod yr holl gerdded, y sylwi a'r darllen yn rhan o'r paratoi. Yn ddiweddar troes at osod darne o farddoniaeth beirdd megis T. Llew Jones a Waldo ar bren a llechen a rhaid wrth gryn bendroni ac ymarfer i sicrhau symlrwydd llythrennu, yn ogystal â chariad tuag at y geirie eu hunain.

"'Ych chi'n gweld, Hefin, dwi'n hoff o roi cyfle i'r mashîn manglo yn fy mhen i weithio. Fe fydda i'n darllen y llinelle 'ma yn fynych erbyn nos a falle bydda i'n cario nhw 'da fi yn ystod y dydd os bydda i'n mynd am dro, a bwrw golwg arnyn nhw nawr ac yn y man; dwi'n dechre teimlo'r ystyr sy gan y bardd mewn golwg wedyn, ch'wel.

"'Na chi Waldo nawr, dwi'n rhyfeddu at yr holl waith ma fe wedi'i roi i ni i'w ddeall. Ma 'na gyfoeth 'na a mae'n bosib ei werthfawrogi ar sawl lefel. Dwi'n teimlo wrth fynd yn hŷn fwy o awydd i gydio yn nyfnder ei waith e, a ma sgrifennu a sgrifennu rhai o'i linelle fe ar ddarn o bapur yn help i fi fynd yn agosach ato fe. Ma cerdded mewn i'w gerddi fe yn gwmws fel cerdded mewn i stafell dywyll a throi'r switsys mlân. Pan dwi'n teimlo fy mod yn gweld pethe'n glir wedyn a'r amser yn briodol i fynd ati i lythrennu'r llinelle, sy wedi bod yn manglo yn y meddwl, wel, dwi'n teimlo rhyw naws cyntefig wedyn fel rwy'n ei deimlo pan welaf waith arlunwyr cynnar yr ogofeydd," meddai'r artist.

Sylweddolais nad peiriant ffatri yw dyn wedi'r cyfan, ac er hwylustod yr holl ddyfeisiade peirianyddol o bob math mae'n rhaid i'r meddwl dynol gael ei ryddid os yw am greu gwaith o gelfyddyd sy'n parchu ymdrechion y sawl a'n rhagflaenodd ar yr hen ddaear yma. Yn wir, o wrando ar Wynmor yn traethu mor bendant hyderus gwelwn yr hyn roeddwn i'n ceisio ei gyflawni wrth fynd ar drywydd Waldo ar gewn beic mewn goleuni gwahanol. Sylweddolwn o'r newydd fod yna rinwedd mewn seiclo ling-di-long yn hytrach na gyrru cerbyd yn gyffyrddus fel cath i gythraul i gyrraedd pobman mewn cyn lleied o amser ag sy'n bosib a chyflawni fawr ddim wedyn er yr holl brysurdeb.

"'Ych chi'n gweld, wrth seiclo gallwch chi oedi mewn ambell fwlch a drychid ar liwie'r dolydd a'r cernydd. Ma pob un o'r rheiny'n siarad â chi dim ond i chi aros yn eu cwmni'n ddigon hir. Twyll yw dweud ein bod ni'n gweld pethe trwy ffenest car; cofiwch, falle'n bod ni'n cael cip sydyn o leoliade'r peth hwn a'r peth arall ond dim mwy na hynny; synnoch chi'n gweld yr arogle a'r naws sydd o gwmpas y lleoliade 'ma.

"'Beth 'ych chi'n ei weld ffor' hyn?' medde gyrrwr y car wrth y seiclwr rywbryd. Wel, yr ateb yw beth y'ch chi *ddim* yn ei weld o roi eich hunan yn y cyflwr i weld, pan fyddwch chi fwy neu lai yn borcyn o ran caniatáu i'ch holl synhwyre fod ar waith. Dwi'n siŵr taw yn y symlrwydd soffistigedig hwnnw wrth edrych ar draws y wlad a bod yn un â'r wlad, pan oedd ar ei feic, y byddai Waldo'n cael ysbrydoliaeth i greu llinelle ei farddoniaeth, ch'wel. A dwi'n siŵr ei fod e'n gweld pethe gwahanol a chael profiade gwahanol bob tro fydde fe'n seiclo ar hyd ffyrdd cwbl gyfarwydd iddo fe," medde Wynmor yn dawel fuddugoliaethus.

Gadewais y gweithdy wedi fy ysbrydoli a phrin y cymerwn sylw o brysurdeb y stryd wrth seiclo ar hyd yr A487 am ryw filltir cyn troi i'r dde a chanolbwyntio ar ddringo heibio ffermydd helaeth megis Llystyn a Sychpant oedd yn amlwg wedi dal at yr urddas a ddychmygwn fyddai'n perthyn i'r ystade yn y cyffinie yn y canoloesoedd. Dechreuodd dywyllu wrth i gymyle bygythiol grynhoi yn y ffurfafen uwchben a hithe prin yn ganol prynhawn. Troais i'r dde gan ddilyn yr arwydd tuag at gromlech Pentre Ifan gan wybod na fyddai'n hir cyn y deuai cawod o law ar fy ngwarthaf. O'm blaen hedfanai haid o esgyll arian, yn gwibio o lwyn i lwyn yn llawn mwstwr fel petaen nhw yn fy nhywys a'm cyfarch yr un pryd. Doedd yna'r un pryder yn eu byd.

Gollyngais y beic i orwedd yn y clawdd cyn troedio'r llwybr cyfarwydd at y gromlech a chyfarch tramorwyr yn dychwelyd at eu cerbyd eisoes wedi treulio cetyn o amser wrth y meini. Yn ogystal â rhyfeddu o'r newydd at y cerrig mawrion a orchuddiwyd gan bridd ar un adeg, rhyfeddwn at yr adeilade fferm hirsgwar, anferth, a welwn yn y pellter islaw, yn dynodi golud cyfoes. Mae'n rhaid bod gan y cerrig a'r meini eu straeon i'w hadrodd hefyd, a hynny am gyfnod o olud a fu ganrifoedd lawer yn ôl. Wrth i finne ymadael daeth crugyn o Almaenwyr, Ffrancwyr ac Americanwyr gyda'u camerâu lluosog i dalu eu gwrogaeth hwythe i'r cynfyd.

Erbyn hyn disgynnai diferion breision a mater o amser oedd hi cyn y byddai'n bwrw hen wragedd a ffyn. Doedd dim lles chwilio am gysgod oherwydd arwyddai'r ffurfafen draw mai bwrw glaw'n ddyfal oedd y bwriad pan ddeuai'r cymyle'n nes. Gwlad agored a'm hwynebai wrth dynnu am i fyny heibio hen ysgol Llwynihirion a chyrion ardal wasgaredig Brynberian ar y chwith a noethni Carnedd Meibion Owen ar y dde. Yn ogystal â phistyllio'r glaw rhuai'r gwynt yn fy wyneb fel na fedrwn fentro codi fy mhen i weld ymhellach na'r droedfedd neu ddwy oedd o flaen fy nhrwyn a'm holwyn flaen.

Cefais abwth pan ddaeth cerbyd tuag ataf a gyrru heibio o fewn rhyw bedair modfedd i'm dwylo a minne heb ei weld na'i glywed. Roedd gan y gyrrwr y gras i yrru'n araf gan iddo sylweddoli fy mod yn wirioneddol frwydro yn erbyn yr elfenne. Gallaswn fod wedi gwyro oddi ar fy llwybr unionsyth a tharo yn ei erbyn mae'n siŵr. Erbyn mentro o Dafarn Bwlch i gyfeiriad Bwlchgwynt ar hyd y B4329 afraid dweud nad oedd fy nghlogyn yn cynnig fawr o nodded rhag y gwlybaniaeth wrth iddo fflapian yn y gwynt waeth pa mor dynn y ceisiwn glymu ei gortynne.

Na, doedd yna fawr o gysur i mi yn y llinelle y clywais Wynmor yn eu hadrodd ynghynt hyd yn oed pe medrwn eu cofio. Doeddwn i ddim chwaith mewn hwylie i edrych ar draws y fro na gwerthfawrogi'r un fodfedd o'r tirlun. Dal ati a dyheu am gyrraedd pen fy siwrne oedd fy unig nod a'r gawod gynnes a oedd yn fy aros oedd fy unig gymhelliad i barhau i bedlo a gwthio am yn ail. Oni fyddai clydwch cerbyd yn ddymunol nawr wrth i ribidirês ohonyn nhw fy mhasio? Pa raid imi arteithio fy hun yn y modd hwn? Pa ots am brofi'r elfenne cyfan, y gwych a'r gwachul? Doedd meddylu am arferion ffansïol dyddie gynt ddim yn fy nharo'n weithred ddymunol pan oedd angen gofalu am ddiogelwch fy einioes wrth i lorïe trymion dasgu'r dŵr a lifai ar hyd y ffordd ar fy nhraws.

Ond, fel y digwydd mor amal ar y copa, ceir ychydig o altrad yn y tywydd. Os nad yw hi'n heulwen braf o leiaf mae'r glaw yn fân a llygedyn o oleuni i'w weld rhwng y cymyle o bryd i'w gilydd. Wrth adael i'r beic ddilyn ei drwyn a gwasgu'r brêc o bryd i'w gilydd, rhag fy mod yn colli rheolaeth, caiff y meddwl rywfaint o ryddid i grwydro drachefn. Ie, mae'n amlwg nad yw gwir gelfyddyd yn datblygu ar amrant megis gosod pryd o fwyd mewn popty ping.

Os cymerodd y profiad arbennig hwnnw ym Mharc y Blawd ddeugain mlynedd i dyfu'n gerdd 'Mewn Dau Gae' yn hanes Waldo a'r darn hwnnw o bren dros ugain mlynedd i droi'n gerflun o'r croeshoeliad yn nwylo Wynmor Owen, yna mae'n rhaid i finne dreulio sawl cetyn pellach mewn sawl bwlch yn syllu i'r pellter. Na hidier, bydd fory'n ddiwrnod newydd. Cefais gwmni cerflunydd, na fedrai wneud dim oll â darn o bren perffaith onglog o felin goed, a fu'n sôn am fawredd bardd na fedrai chwaith sgrifennu penillion pert am nentydd diniwed yn gyforiog o flode tlws.

11

Siwrne i Aberteifi

PRIN AWR GYMERODD hi i mi gyrraedd pentref Crymych lle bu un o gyfeillion pennaf Waldo, y Prifardd James Nicholas, yn brifathro Ysgol y Preseli am ddeuddeng mlynedd, a phrin y byddai'n sôn am Waldo heb i'w wyneb oleuo mewn edmygedd, yn union fel petai un o'i ddisgyblion yn sôn am ei arwr ar y cae rygbi yn sgorio cais neu sgorio gôl ar gae pêl-droed. Yn wir, ymhen yr awr, byddaf yn cnocio ar ddrws un o'r cyn-athrawon a gofia wylio gêm rygbi ar gae'r ysgol yng nghwmni'r prifathro.

"Hwnna'n gais go dda nawr, Mr Niclas," meddai'r athro o weld un o'r bechgyn yn maeddu nifer o'i wrthwynebwyr cyn tirio'r bêl o dan y pyst. Dim ymateb oddi wrth Jâms. Ysbaid o dawelwch ac yna'r frawddeg gyffesol, "Weles i Waldo neithiwr". Roedd yn amlwg nad oedd gwylio haid o gryts yn trin pêl hirgron yn ddim o'i gymharu â phrofiad y noson cynt, a ddaliai'n fyw ym meddwl y bardd-fathemategydd.

Deg o'r gloch oedd hi yn ôl y cloc ar fur Neuadd y Farchnad ar sgwâr Crymych ac erbyn un ar ddeg roeddwn wedi cyrraedd tref Aberteifi heb helbul. Mentrais ar hyd ambell stryd un ffordd i'r cyfeiriad anghywir, rhag fy mod yn mynd trwy ganol y dref, i gyfeiriad Heol y Gogledd a chartref yr arlunydd, Aneurin Jones. Fe'm gesyd i eistedd mewn cadair gyffyrddus mewn lolfa sy'n ogof o lonyddwch. Ni wn ai'r pysgod aur sy'n distaw nofio'n ddi-baid yn eu tanc cyfyng sy'n creu'r ymdeimlad o hedd ynteu'r llunie gwreiddiol ar y wal a'r toreth o lyfre sydd o fewn gafael hyd braich ar y silffoedd ger cadair Aneurin.

Caf fy nenu i ganol Llyn y Fan wrth syllu ar y morwynion a'r ceffyle gwynion yn blith draphlith mewn lliw glas hudolus sy'n awgrymu toriad gwawr llwydrewllyd neu noswylio gaeafol yn y gwyll neu hyd yn oed rhiniog rhyw fyd Celtaidd coll. Wedyn, mae'r olwg yna o ganolbwyntio diollwng sydd ar wynebe'r chwaraewyr drafftie, fel pe na bai dim oll arall o bwys yn y byd crwn cyfan ar y pryd, yn hoelio fy sylw. Odi'r fath radd o bensynnu'n bosib pan gaeir pob dim o'r ymwybod er mwyn penderfynu ble nesaf i symud y ddisgen? Mae'n rhaid mai felly oedd hi yng Nghwm Wysg slawer dydd. Buan y teimlaf fy mod hyd yn oed yn rhannu'r un anadliad â'r arlunydd wrth iddo ddechre traethu am ei adnabyddiaeth o Waldo.

"Dyn diddorol, t'wel; lawer rhy ffein a gormod o athronydd i fod yn wleidydd. Dwi'n cofio cyfarfod noson cyn-etholiad yng Nghrymych ym 1959 a'r awdur Roscoe Howells yn dweud wrth Waldo ei fod yn ei edmygu fel dyn ac yn cydymdeimlo â'i athroniaeth fel ymgeisydd Plaid Cymru ond bod rhaid iddo ddod 'nôl i'r byd hwn. Ar ryw olwg, falle bod Roscoe wedi dweud mwy o wirionedd nag oedd e'n ei sylweddoli am Waldo'r noson honno. Mae'n siŵr ei bod hi'n braf o beth nad yw dyn 'o'r byd hwn' bob amser. Waldo yn llawn delfrydieth ac yn barod i areithio'n danbaid o flaen cynulleidfa o dri gan gredu falle y bydde fe'n ennill pleidlais un ohonyn nhw, yn dyfe.

"Ond ar hap y des i i'w nabod pan oe'n i'n cynnal dosbarth nos arlunio yn Ysgol y Preseli a fynte'n cynnal dosbarth ar lenyddieth. Un noson doedd neb wedi dod i 'nosbarth i ac yn rhyfedd iawn doedd neb wedi dod i ddosbarth Waldo chwaith. Aeth y ddau ohonon ni i'r stafell athrawon i gael paned a sgwrs. Dyma Waldo'n gofyn i fi pa gyfnod o gelfyddyd oe'n i'n ymddiddori ynddo yn bennaf, a finne'n dweud, 'O, cyfnod y Dadeni, heb os'. 'Fachgen, beth am y cyfnod Celtaidd?' medde Waldo'n syn. 'Heb glywed dim sôn amdano yn ystod y pum mlynedd o gwrs yn y coleg celf yn Abertawe,' meddwn i. Wel, gyda hynny, mae'n siŵr fy mod i wedi ca'l yn agos i awr o ddarlith fyrfyfyr ganddo ar y pwnc; dyn o ddiddordebe a diwylliant eang, t'wel. Ac o dipyn i beth fe ddatblygodd y dylanwad Celtaidd ar fy ngwaith i wedyn."

Ond wrth gyflwyno ei giplun, yn union fel bron pawb arall yn ddiwahân, mynna Aneurin hefyd gyflwyno stori sy'n chwalu'r syniad o Waldo fel dyn difrifol a oedd bob amser yn meddylu ynghylch dyrys bethe bywyd. Ac fel y rhelyw o straeon cyffelyb, adlewyrchu'r modd y rhyfeddai Waldo at smaldod cynhenid dyn ar draul rhyw sefyllfa roedd e wedi'i gael ei hun ynddi a wna hon drachefn.

"Yn ôl y sôn roedd Waldo'n teithio 'nôl o Aberystwyth ac wedi perswadio'r cwmni i alw mewn tafarn ar y ffordd adre. Wedi glased neu ddou aed i chydig o hwyl ac aed ati i ganu a Waldo gyda'r pennaf o'r cantorion ond cyn pen dim fe gafodd rybudd gan y tafarnwr, 'No singing allowed'. Dechreuodd Waldo ganu'n dawel wedyn a gofynnodd i'r tafarnwr a allai newid ei rybudd i 'No singing aloud allowed'!" meddai Aneurin.

Gyda hyn ymunodd Meirion â ni, y mab o arlunydd yr un mor athrylithgar, ac ni fedrwn beidio â manteisio ar y cyfle i'w holi ynghylch yr ysgogiad a'r cynnwrf a'i gorfododd i lunio'r llun anferth ysblennydd ond arswydus hwnnw o Waldo yn ei gwman. Roedd y portread yn amlwg yn seiliedig ar y llun a dynnwyd o Waldo yng nghwmni ei chwaer, Dilys, ar un o draethe Sir Benfro a welir yn y gyfrol *Bro a Bywyd.*

Pan welais y portread am y tro cyntaf mewn arddangosfa yn Neuadd Boncath gwelwn holl bwyse'r byd yn gorwedd ar ysgwydde'r Waldo bregus yn ogystal â holl bryderon dynoliaeth yn llechu yn rhyche ei dalcen; ychwanegai'r defnydd o liw glas at y dirgelwch.

"Wel, ie, rhaid cyfaddef i'r profiad o lunio'r portread fod yn rhithiol neu gyfriniol rhywsut yn yr ystyr iddo ddod yn fyw wrth ychwanegu rhyw damed o ole fan hyn a fan 'co. Dwi'n cysylltu glas â Mynachlog-ddu a ma rhai yn honni mai glas hefyd yw lliw'r isymwybod. Ma 'na amrywieth o liwie glas i ga'l wrth gwrs a glas yr haul sy gen i'n gefndir yn cyfleu llawnder misoedd yr haf ym Mynachlog-ddu yn hytrach na'r glas llachar fydden i'n ei gysylltu â Môr y Canoldir, dyweder.

"Ma Waldo yn ei gwman wedyn er mwyn awgrymu deuoliaeth ei bersonoliaeth. Ma'r glas yn cyfleu gobaith a'r potensial ma Waldo yn ei weld mewn dynoliaeth ond ar yr un pryd mae'n amlwg fod digwyddiade rhyfel Corea yn pwyso'n drwm ar ei gydwybod hefyd. Wnes i ddim adnabod y dyn ond dwi wastad wedi clywed sôn amdano. Mae'n anodd cael pellter gwrthrychol wrth geisio ei beintio," meddai Meirion.

Pan oedd y llun yn siop lyfre ac oriel Awen Teifi arferwn alw heibio'n gyson er mwyn bwrw golwg ar y portread rhyfeddol. Mae'n rhaid bod y fflame coch o gwmpas ei draed a hyd yn oed yn ymestyn at un o'i freichie yn cynrychioli'r modd yr oedd erchylltra rhyfel yn effeithio ar Waldo. Teimlai i'r byw nad rhyfela oedd cynneddf naturiol dyn.

Bu Meirion yn gweithio ar gyfres o lunie'n ymwneud â Waldo ar un adeg. Cofiaf am y llun hwnnw o Fynydd Preseli, y Garreg Goffa a Chapel Rhydwilym a chawod o golomennod yn hofran uwchben fel symbole o heddwch, a ddangoswyd yn yr arddangosfa *Brawdoliaeth* a gynhaliwyd yn Llyfrgell Hwlffordd ar achlysur dathlu canmlwyddiant geni Waldo yn 2004.

Cofiaf hefyd fod gan Aneurin lun o Waldo yng nghwmni D. J. Williams a Niclas y Glais o dan y teitl *Y Tangnefeddwyr* gyda'r motif cyfarwydd o leuad wen uwch eu penne. Ond tra bo D.J. a Niclas yn sgwrsio'n braf mae Waldo'n sefyll ychydig o'r neilltu gyda'i lygaid llawn treiddgarwch yn syllu arnom. Ma raid bod rhyw wirionedd ganddo yn barod i'w ddatgelu neu limrig talcen slip doniol i'w draddodi sy'n tanlinellu ei arwahanrwydd a pham ei fod yn ots i'r cyffredin.

Ofer teithio i fferm yr Hendre ym Mlaenannerch bellach lle unwaith y byddai'r diweddar brifardd a'r archdderwydd Dic Jones yn barod i sôn am ei adnabyddiaeth ynte o Waldo. Fe gofiai am y swae fyddai gan Fois y Cilie am Waldo ac mae'n siŵr mai mynych fydde'r cyfeiriade ato yn y seiade hynny a gynhelid yn y Pentre Arms yn Llangrannog yng nghwmnïaeth Isfoel a T. Llew Jones. Mynych, mae'n siŵr, y byddid yn sôn am ymweliade rhai o'r criw â Waldo yn ei fwthyn ger Hwlffordd ac ynte wedi paratoi ffest ar eu cyfer? Ond doedd dim shwd beth arnyn nhw'n cael ail ddishgled o de am fod Waldo bob tro yr âi i'r gegin yn ymgolli yn y sgwrs ac yn dychwelyd drachefn a thrachefn a'r cwpan yn dal heb ei lenwi.

Dro arall, pan oedd Waldo'n cynnal ysgol nos yng nghyffinie Rhydlewis, dywedir iddo ddodi ei droed yn ddamweiniol yn y bwced glo, ac yno y bu'r droed gydol y ddarlith tra elai i hwyl wrth sôn am Daliesin ben Beirdd! Fe gofiai Dic hefyd am y tro hwnnw pan ddangosodd ei gyfieithiad o'r gerdd 'Cofio' i Waldo, gan gredu ei fod wedi cael cryn hwyl arni, a chael ymateb hynod o swta gan yr awdur fel petai'n awgrymu nad oedd hi'n fusnes i neb i fynd ati i'w chyfieithu. Roedd Dic wedi ystyried 'Remembering' a 'Repast', a hyd yn oed 'Recall', ar ôl siarad â seiciatrydd, fel teitle posib, a phan fentrodd ofyn i Waldo sut y bydde'n cyfieithu'r teitl, cafodd yr ateb, "O, fydden i ddim", a dyna ddiwedd ar hynny.

Er gwaethaf y gwrthodiad hwnnw, neu efallai oherwydd y gwrthodiad hwnnw, y dywedodd Dic pan glywodd am farwolaeth Waldo mai dyna'r un dyn y byddai wedi hoffi bod yn ei groen. Barn T. Llew Jones wedyn oedd fod Cymru wedi colli un o feirdd mawr yr oesoedd.

Tebyg y bydde'r beirdd wedi rhoi sylw manwl i sylwade Waldo am athrylith y gynghanedd pan gyhoeddodd gyfres o erthygle yn *Y Faner* ym 1939. Mynnai mai o'r iaith lafar y tyfodd y gyfundrefn gynganeddol dros gyfnod o amser:

> O'r gytseinedd oedd yn gyffredin i farddoniaeth llawer o'r ieithoedd cynnar. Cyfatebiaeth cytseiniaid ar ddechrau sillaf acennog yw cytseinedd. *Thaer waes hearpan sweg, swntol, sang scopes* ('Caed sain y delyn a chân glir y bardd'). Mewn Cymraeg cynnar, ar sillaf olaf gair y ceid yr acen, a phan oedd hi'n newid ei lle i'r sillaf olaf ond un, ai yn niwedd ynteu yn nechrau'r sillaf acennog yr oedd y cytseiniaid hynny? Aethpwyd i gadw'r gytseinedd weithiau o bobtu'r acen. Caed pethau eraill yn helpu'r datblygiad: ystwythder cytseiniol yr iaith, yn gymaint â bod y treigliadau'n caniatáu cryn ddewis; ac ystwythder acennol yr iaith yn gymaint â bod geiriau cyfansawdd a therfyniadau. Ac at hynny, amodau cymdeithasol urdd y beirdd. Canu oedd eu crefft, a disgwylid iddynt ganu clod ystrydebol y llysoedd y dalient eu lle ynddynt. Felly, at y modd yn hytrach na'r meddwl yr aeth eu bryd. Perffeithiwyd cynnyrch y traddodiad hwn gan athrylith yr Oesoedd Canol.

Pe mentrem ymhellach i Ffostrasol i gnocio ar ddrws Emyr Llywelyn byddem yn siŵr o gael yr hanes am ei gyfarfyddiad â Waldo ar fws pan oedd yn dychwelyd adref i Goed-y-bryn wedi bod yn chware rygbi. Eisteddodd yn ymyl Waldo gan deimlo'n betrusgar ynghylch sut y medrai gynnal sgwrs â dyn roedd yn ei edmygu'n fawr ac a gredai fyddai am siarad am bethe o bwys tragwyddol yn hytrach nag unrhyw fân siarad am y tywydd. Gwelodd Emyr ei gyfle pan welwyd car bybl yn mynd heibio a chan fod cerbyde o'r fath yn gymharol newydd, gofynnodd i Waldo beth roedd e'n ei feddwl o'r datblygiad diweddaraf hwn. Bu distawrwydd am ennyd a'r crwt ifanc yn credu nad oedd wedi taro'r tant cywir oherwydd wedi'r cyfan doedd Waldo ddim yn gyrru cerbyd nac yn berchen ar gerbyd ei hun.

Ond yn sydyn, fel mellten, daeth y llinell, 'Bybl i bawb o bobl y byd' o enau Waldo i dorri ar draws y distawrwydd lletchwith. Nid yn unig roedd Waldo wedi defnyddio athrylith bennaf y Cymry, y gynghanedd, i ymateb ond roedd wedi tanlinellu un o'r rhinwedde a'i gwnâi'n ddyn arbennig, sef ei wyleidd-dra. Nid rhyfedd bod Emyr wedi ymserchu yn ei gyd-deithiwr y diwrnod hwnnw ac wedi mynd ati gyda threigl y blynyddoedd i roi i ni ddadansoddiade llachar a threiddgar o gerddi ei arwr gan fynegi'n ddibetrus ei bod hi wedi cymryd dwy fil o flynyddoedd o wareiddiad Cymraeg i greu dyn fel Waldo, gan ei osod ar yr un gwastad â'r cyfrinydd Cristnogol o Ffrainc, Simone Weil.

Emyr oedd yr olaf i fynd â Waldo am dro, o ganol ei gystudd yn Ysbyty Sant Thomas, Hwlffordd, a hynny, yn ôl ei ddymuniad, i weld y graig ar Fynydd Tre-wman, neu Plumstone, ger y Garn, a fu'n ysbrydoliaeth iddo i orseddu'r werin bobl yn ei gerdd 'Y Tŵr a'r Graig' yn hytrach na'r gorthrymwyr a gynrychiolid gan symbol y tŵr. Roedd e'n medru gweld Mynydd Tre-wman yn y pellter o'i gartref yn Llandysilio. Meddylier, wir, mai *Y Tŵr a'r Graig a Cherddi Eraill* oedd teitl arfaethedig J. Gwyn Griffiths i'r gyfrol o gerddi Waldo a geisiai ei llywio trwy'r wasg ar ei ran ond heb ei gydweithrediad llwyr. Cymaint amgenach yw

Dail Pren na'r teitl ystrydebol nawr ein bod yn gybyddus â mawredd y cerddi.

Yn Aberteifi ym 1942 y cafodd Waldo ei flas cyntaf o feirniadu yn yr Eisteddfod Genedlaethol pan aeth ati i dafoli'r tair a deugain o delynegion ar y dewis o dri thestun, sef 'Y Ferch o Blwy Penderyn' neu 'Yr Ysgyfarnog' neu 'Aber Henfelen'. Roedd ei feirniadaeth, fel y byddai bob amser y troeon wedyn pan fyddai'n beirniadu, yn cynnwys rhyw wirionedd cyffredinol ar gyfer y beirdd:

> Mae bod yn rhyddieithol yn llai o fai na bod yn grachfarddonol. Ond pan fyddo'r dychymyg yn effro dyry i arddull y bywiogrwydd hwnnw sy'n achub naturioldeb rhag cyffredinedd.

Ymdrech A. Gwyn Jones o Ddinbych yn canu am y sgwarnog gafodd y wobr ganddo ond yr hyn fyddai wedi rhoi'r pleser mwyaf iddo yn yr eisteddfod honno, mae'n siŵr, oedd buddugoliaeth ei bartner, Llwyd Williams, yng nghystadleuaeth yr englyn ar y testun 'Carreg yr Aelwyd', yn erbyn 278 o ymdrechion eraill:

> Carreg Ateb clych mebyd – a'i gorfod
> Yn fagwrfa bywyd;
> Dihafal sylfaen deufyd,
> A maen clo pob cymun hefyd.

Y flwyddyn ddilynol ym Mangor cafodd y dasg o feirniadu cystadleuaeth llunio 'Detholiad o Ganeuon Digrif' ac wrth rannu'r wobr rhwng J. H. Thomas, Pwllheli, ac Ifan O. Williams, Dinbych, o blith yr wyth ymgais, roedd ganddo wirionedde i'w rhannu am ddigrifwch:

> Cychwyn y dyn gwreiddiol ar ei yrfa fel celfyddwr digrif trwy werthfawrogi'r olwg a gymer cymdeithas arno, a phenderfynu arfer ei ddawn i greu chwerthin, a chwalu'r trâd hyd at y triciau, a hynny heb ildio dim o'i wreiddioldeb, ei onestrwydd... Yn y pwynt pellaf mewn cymdeithas wrth y dyn gwreiddiol, ceir y dyn arwynebol, ac weithiau fe'i gesyd hwn ei hun yn gyfarwydd yn y celfyddydau digrif. Rhywbeth i chwerthin am ei ben a gais, a

> hynny a gaiff, ni waeth ganddo ym mha le. Y mae dieithrwch, sydynrwydd, anghydweddrwydd yn ddigon iddo, ac ni chais ymglywed â'r ysbryd sydd yn arfer y moddion hyn. Felly ni all wahaniaethu rhwng y ddwy wedd uchod ar wreiddioldeb. Ac ni all wahaniaethu chwaith rhwng y digrif gwreiddiol a'i efelychwr.

'Nôl dros bont Aberteifi amdani ond yn hytrach na pharhau ar y ffordd darmac i gyfeiriad Bridell, lle bu Waldo'n athro am gyfnod o fis ym 1935, troi lawr i'r afon o dan y bont a thramwyo am filltir neu ddwy ar hyd y llwybr seiclo ar lan afon Teifi i gyfeiriad Cilgerran. A pha brofiad brafiach na chwalu meddylie a chyfarch gwell i ambell gerddwr yn yr awel yng ngogoniant byd natur? Gwelaf ambell was y neidr yn ogystal â heidie o linosiaid yn gwau drwy'r hesg o boptu a hyd yn oed byfflos duon yn pori'n hamddenol rhwng y coed yng nghanol y gors. Fydde hi ddim yn anarferol gweld ceirw'n pori neu'n bolaheulo ar gyrion y gelltydd chwaith ond ni fedraf lymeitian yn yr un bwlch yn rhy hir yn y gobaith y dôn nhw i'r golwg.

Medraf alw i gof hefyd atgofion Dewi Picton Thomas ohono'n ddisgybl pan oedd Waldo yn brifathro dros dro yn Ysgol Bridell am y cyfnod byr hwnnw. Gwnaeth Waldo gymaint o argraff arno nes i'w gof chwarae tricie ag ef i'r gradde ei fod yn grediniol i Waldo fod yn athro yno am o leiaf dwy flynedd. Dengys y llyfr lòg mai ar 24 Mehefin y cydiodd Waldo yn yr awene ac i'w gyfnod ddod i ben ar 27 Gorffennaf. Rhyw lenwi mewn rhwng ymadawiad un prifathro a phenodi un arall oedd dyletswydd Waldo.

"Falle nad oedd Waldo'n fowr o athro ar ryw olwg o gymharu â ffordd athrawon eraill o ddysgu ond roeddwn i'n meddwl y byd ohono. Dwi'n ei gofio'n mynd â ni ddwywaith yr wythnos mas o'r dosbarth a lawr i Gwm Ffynnon Coronau i ddysgu am fyd natur. Bydde fe'n sôn am enwe'r gwahanol flode wrthon ni," meddai Dewi.

Trannoeth cau'r ysgol am yr haf dengys y llyfr lòg fod Waldo wedi trefnu trip i lan-y-môr i'r staff a'r plant hynny nad oedd yn mynd i'r Sioe Frenhinol am y diwrnod. Yr unig nodyn o gyffro arall yw'r ffaith i Waldo, yn ystod dyddie cynnar ei orseddiad, anfon llythyr at y rhieni yn cwyno am absenoldeb nifer o'r plant. Wel, beth oedd i ddisgwyl yng nghefn gwlad pan oedd hi'n adeg cynhaeaf gwair?

Ta beth, tra bwyf yn cerdded ar hyd y rhipyn serthaf wrth gefnu ar Bontrhydyceirt i gyfeiriad Cilfowyr, a'r haul ar ei anterth erbyn hyn, rwy'n difaru nad oeddwn wedi ail-lenwi fy mhotel ddŵr cyn gadael Aberteifi, ond erbyn cyrraedd y gwastadedd, sy'n arwain at bentref Boncath, caf ychydig o falm awelon a chysgodion y coed talsyth yng nghyffinie'r fynedfa i hen blasty Cilwendeg. Ar sgwâr y pentref cofiaf mai y tu ôl i'r dafarn yr oedd yr hen Neuadd YMCA lle cynhaliwyd un o gyfarfodydd gwleidyddol Waldo adeg ei ymgyrch etholiadol ym 1959. Doedd yna fawr neb yno ond cryts a chrotesi lleol yn ôl cof Glen George, y gwyddonydd a dreuliodd y rhan helaethaf o'i oes waith yn Ardal y Llynnoedd yn astudio ansoddau dŵr croyw ar draws llynnoedd Ewrop.

"Dwi'n cofio Waldo yn cyrraedd ar gewn beic ac yn dod i siarad â haid ohonon ni blant yn y rhes flaen. Er bod ford, cadair a diod o ddŵr wedi'u paratoi ar ei gyfer ar y llwyfan aeth e ddim yn agos atyn nhw. Fe dynnodd ei got a'i thowlu dros ysgwydd un o'r cadeirie cyn bwrw ati i adrodd storïe am hanes Cymru wrthon ni. Sda fi ddim cof ei fod e wedi siarad â'r chydig oedolion oedd 'na ac wedi'r cyfan gyda nhw oedd yr hawl i bleidleisio ac nid ni'r plant," oedd tystiolaeth Glen.

Dyna giplun arall o ymgeisydd seneddol a oedd yn dra gwahanol ei ddull o ymgyrchu o gymharu ag eiddo ei wrthwynebwyr, y Llafurwr, Desmond Donnelly, a oedd yn amddiffyn ei sedd, a'r Ceidwadwr, Graham Partridge. Byddai'r ddau hynny yn gyfarwydd â'r holl ystrywie gwleidyddol a'r tactege cyn-etholiadol nad oedden nhw bob amser yn arbennig o foneddigaidd. Nid felly y gwelai Waldo hi am fod cryts yn eu harddege yn rhan o ddyfodol Cymru a'i bod hi'r un mor bwysig eu goleuo nhw ynghylch hanes eu cenedl ag oedd hi i ennill pleidleisie eu rhieni. Wedi'r cyfan, bydde etholiade'n cael eu cynnal eto a rhaid oedd braenaru'r tir.

Ni hidiai am fynych ddatganiade dishmolus Desmond Donnelly ond yn hytrach gresynu at ei sylwade a'i ymosodiade ar y cenedlaetholwyr. "If Wales had dominion status we would rapidly sink to the level of peasant economy like Ireland" oedd ei hoff ddatganiad. Wfftio ac anwybyddu'r fath haeriade a wnâi Waldo gan ymwrthod â'r demtasiwn i daro'n ôl yn yr un dull. Roedd ei apêl yn ddyfnach, yn atgoffa'r Cymro fod ganddo ei hanes unigryw yn ogystal â'r gallu i reoli ei dynged ei hun fel y gwnâi pobloedd a chenhedloedd eraill.

Bwriadaf gael ciplun arall pan fyddaf wedi cyrraedd cartref y gyn-gyfreithwraig, Rachel Philipps James, ym Mhorthmawr, ar ôl troi i'r dde ychydig cyn cyrraedd Capel Fachendre ac anelu i gyfeiriad hen eglwys Penrhydd. Roedd Rachel hithe'n rhan o fwrlwm etholiad 1959 ac wrthi fel croten ysgol yn cyfeirio a llyfu amlenni yn swyddfa Plaid Cymru yn Hwlffordd. Ond cyn clywed ei hatgofion cynharach am Waldo mynnaf ei bod yn llenwi fy mhotel ddŵr, cyn i mi anghofio pan fyddwn yn ailgychwyn fy siwrne, a'r un mor dderbyniol oedd y ddishgled o de a gynigiwyd i dorri syched wrth i mi wneud fy hun yn gartrefol ar gadair gyffyrddus.

"Ma gen i gof plentyn ar ddechre'r 1950au am Waldo, yng nghwmni D. J. Williams a'i wraig, Siân, yn dod aton ni yn Llys-yr-onnen, yn Nhremarchog, tu fas i Abergweun, i ginio Nadolig. Dwi'n siŵr iddyn nhw ddod sawl tro er dwi ddim yn cofio llawer am fod cyffro'r Nadolig ei hun yn mynd â mwy o fy mryd i, mae'n siŵr, na sylwi gormod ar 'y dynion diarth'. Ond dwi yn cofio i Waldo ddod ag anrheg o fwrdd *bagatelle* i ni'r plant – y pedwar ohonom – un Nadolig. Heblaw am hynny dwi'n meddwl mai D. J. fydde'n rheoli'r sgwrs wrth y bwrdd ac ar dân dros genedlaetholdeb, hyd yn oed ar ddydd Nadolig, tra bo Waldo'n lled ddywedwst.

"Fe fues i'n mynd unwaith neu ddwy hefyd yng nghwmni fy nhad i'r dosbarthiade nos fydde Waldo'n eu cynnal yn Abergweun. Dwi'n cofio'r dosbarth yn trafod nofel Kate Roberts, *Y Byw sy'n Cysgu,* a Waldo'n tynnu ei byjamas mas o'r ces bach wrth iddo chwilio am ei nodiade. Dro arall wedyn fe fu tipyn o drafod rhwng fy nhad a Waldo ynghylch y gosodiad a oedd Saunders Lewis yn snob llenyddol neu beidio. Pan fydde Waldo wedi paratoi ei ddarlith roedd hi'n bleser gwrando arno ond, bryd arall, os na fydde fe wedi paratoi, roedd e'n medru bod yn ddiflas iawn.

"Yn ddiweddarach, fe fu Waldo'n lletya am gyfnod yn swyddfa cwmni cyfreithwyr fy nhad yn 6, Victoria Place yn Hwlffordd; rhoddwyd stafell i Waldo ar y llawr uchaf ond byddai'n cael cadw ei feic yn y pasej gwaelod. Dwi ddim yn siŵr pa ddarpariaeth oedd ganddo o ran coginio ac ati ond dwi'n cofio un o'r staff yn cyrraedd un bore a chanfod gwynt nwy ym mhobman am fod Waldo heb ddiffodd naill ai stof neu dân dros nos. Y cof diwethaf sy gen i ohono fe wedyn oedd ei weld yn glaf yn yr ysbyty a'i leferydd yn aneglur," meddai, gydag awgrym o wên wrth gofio am ddyn hynod.

Cymeraf ddracht go dda o ddŵr gloyw a llenwi'r botel hyd y fil drachefn cyn pedlo heibio Wernddofn a Dolalau a throi i'r dde gyferbyn ag adfail yr eglwys, sydd wedi'i chuddio gan goed bythwyrdd, a rhaid wrth hyrfa jogel i fynd heibio Trwyn Hwch a phen feidir Dolpwll a pharhau i ddringo i gyfeiriad y Frenni Fach. Gwacawyd hanner y botel ddŵr wrth oedi i sychu chwys a bwrw golwg ar draws y wlad. Daeth ymdeimlad o unigrwydd a dieithredd drosof wrth fynd heibio tyddyn lle nad oedd neb adref ond ci bygythiol ei gyfarthiad yn rhedeg fel petai wedi ei rusio gyferbyn â mi y tu ôl i'r clawdd.

Pa gythrel oedd wedi cymell y creadur i sgyrnygu ei ddannedd? Oni wyddai nad dieithryn mohonof a fy mod yn gyfarwydd â'r feidiroedd a'r pentrefi cyfagos o Gwm Cneifa i Gwm Rhos-ddu? Onid gwell pe deuai ataf yn ysgwyd ei gwt ac yn chwennych maldod yn gyfnewid am ei groeso? Os oedd blew ei got wedi codi, roedd blew fy ngwegil inne hefyd wedi cynhyrfu wrth iddo ensynio nad oedd croeso i mi dramwyo ar hyd yr erwe hyn. Rhag ofn y deuai ataf drwy'r clawdd penderfynais gerdded am getyn gan gadw'r beic rhyngof a'r clawdd fel amddiffynfa petai angen.

Cyrhaeddais y ffordd fwy yn ddianaf ac ni fedrwn beidio

ag edrych am yn ôl i gyfeiriad Bwlch-y-groes lle gwyddwn fod Waldo wedi arddangos ei ddireidi a'i ddoniolwch yn ogystal â'i ddifrifwch a'i ddwyster ar ddau achlysur arbennig. Yn fuan wedi ei benodi'n brifathro Ysgol Bwlch-y-groes yn Hydref 1938 penderfynodd W. R. Evans y dylid uwchraddio eisteddfod y pentref yn eisteddfod gadeiriol. Roedd Cymdeithas y Storws wedi'i sefydlu eisoes a fyddai'n trefnu cyrdde cystadleuol ar gyfer y trigolion lleol ond ar gyfer y steddfod fawr ym mis Chwefror 1939 gwahoddodd W.R. ei gyfaill, y Parch. E. Llwyd Williams, o Rydaman, i feirniadu'r adran lên ac, wrth reswm, roedd y ddau'n disgwyl i drydedd goes y drybedd, sef Waldo, i gystadlu ond bu raid bod yn hirymarhous wrth ddisgwyl i Waldo anfon ei gynnyrch. Ymhen hir a hwyr daeth pecyn swmpus i law yn cynnwys nifer o delynegion, yn ogystal â dwsin o englynion ar y testun 'Y Daten', wedi'u hanfon o dan enwe pob un o feibion Jacob, y patriarch o'r Hen Destament.

Esboniodd fod Joseff wedi anfon englyn Saesneg am ei fod wedi ymgartrefu ymhlith y 'down belows' ym Mhenfro ers tro. Roedd ymdrech Jacob wedyn yn amddifad o gynghanedd 'am nad oedd wedi cael yr un manteision addysg â'i blant', ac ym marn y beirniad, englyn Isaac, y tad-cu, oedd yn rhagori. Ym marn W.R. roedd yr hiwmor a'r clyfrwch geiriol cystal ag unrhyw beth a ddarllenodd erioed. Mae'n rhaid hefyd fod camp ryfeddol Waldo yn rhyw fath o benllanw i'r holl steddfota y bu'r tri, Waldo, Llwyd a W.R., yn ei wneud ar y cyd, o ran hwyl yn amlach na pheidio, yn nyddie eu hieuenctid. "Diddiwedd ydoedd awen," meddai Waldo am y dyddie hynny. Yr englyn buddugol oedd:

> Ymborth nobl i bobl y byd, – yn y gwraidd
> Dan ei gwrysg mae'n golud,
> Ffein y bo, ffon y bywyd,
> Wele rodd sy'n ail i'r ŷd.

Mae'n debyg i'r steddfod honno fod yn gryn destun sgwrs yn yr ardal am hydoedd, os nad o hyd gan y rhai sy'n ei chofio, petai dim ond am y ffaith na ddaeth i ben tan un o'r gloch y bore a hithe'n Chwefror 18, 1939, ers awr. Roedd Llwyd yn amlwg wedi denu nifer o gystadleuwyr o'r gweithfeydd gan fod mynych gyfeiriade megis Llangennech a Chasllwchwr ymhlith rhestr yr enillwyr.

Er i Waldo ennill ar yr englyn, cyd-fuddugol oedd ar y limrig a bu'n rhaid iddo ildio i Dafydd Jones, Ffair-rhos, yng nghystadleuaeth y gadair. Serch hynny, roedd ganddo gyfraniad gwiw i seremoni'r cadeirio, yn ôl y 'Teifi-seid': 'The bards read their congratulatory verses. Amongst them was Mr Waldo Williams, Clynderwen. As usual this genius provided the 'tit-bit' of the evening'.

Doedd hi ddim syndod nad oedd telynegion Waldo yng nghystadleuaeth y gadair wedi dal llygad y beirniad fel rhai teilwng i'w gwobrwyo am ei bod hi'n amlwg mai tynnu coes oedd y bwriad, er enghraifft:

Chwys

Hyfryd iawn 'rôl blino'n tŷ
Yw mynd i'r ardd a chwysu.
Nes bo'r gwar yn cydio â'r crys
A hefyd dan y llewys.
Dod yn ôl a chymryd bath
A newid i grys arath.

A glywid bonllef o chwerthiniad drwy'r dorf pan ddarllenodd Llwyd y fath ymdrechion gwamal ynghyd â sylwade pryfoclyd o'i eiddo ei hun, sgwn i?

Yr ail achlysur oedd cyfarfod ymadawiad W.R. a'r teulu i'r Barri ym 1958 pan lefarodd Waldo, ar ôl cyrraedd yn hwyr, gywydd dros 150 llinell o hyd o'i frest gan oedi bob hyn a hyn cyn dod o hyd i ryw ddwsin o linelle ychwanegol wrth roi twc sydyn i'w drywsus a cherdded 'nôl a mlân ar y llwyfan. Doedd cadwyn o englynion smala ddim yn gwneud y tro y tro hwn. Roedd rhaid i Waldo gyfarch ei gyfaill yn null clasurol yr hen gywyddwyr o ganu mawl ond heb hepgor ambell fflach o hiwmor chwaith na ellid ei osgoi wrth sôn am

Wil Glynsaithmaen o bawb. Mae'n rhaid bod yr awyrgylch yn drydanol a'r gynulleidfa wedi'i syfrdanu gan draddodiad a oedd yn rhan o athrylith y Cymry'n ymestyn 'nôl dros ganrifoedd. 'Wyt haul mabolaeth, wyt haf./Wil wyt ti. Wele tawaf,' oedd y ddwy linell glo.

Pan fydde Waldo'n taro heibio aelwyd Wil a Fanw yn ystod y blynyddoedd blaenorol ni fyddai'n dda ganddo adael heb gael cyfle i chware gyda Gwawr, y roces a anwyd ym 1951, a blin fyddai pe bai hithe wedi mynd i'r gwely cyn iddo gyrraedd. Os byddai'n rhaid iddo adael y noson honno mynnai gael pip fach arni'n cysgu cyn ffarwelio ond fel arall ei ddymuniad oedd ei diddanu.

Af heibio pen feidiroedd ffermydd Pen-lan, Pencwarre a Bwlchclawdd, gan wneud yn fawr o awel y mynydd ar odre'r Frenni Fawr ddiorthrwm, cyn disgyn i Grymych a hithe'n hwyr brynhawn. Mae'n debyg mai'r tro diwethaf i dair 'cwês y dribe' gystadlu yn erbyn ei gilydd oedd yn Eisteddfod Crymych ar y Llungwyn ym 1934. Llwyd fyddai drechaf gan amlaf ond y tro hwn, yn ôl yr adroddiad yn y *Tivyside*, ni chafodd yr un ohonyn nhw hwyl ar y cystadlaethe llenyddol. Tomi Evans, Tegryn, enillodd yr hyn a ymddangosai'n brif gystadleuaeth, sef cyfansoddi pum pennill wyth llinell ar y testun 'Ysgoldy Newydd'.

Roedd Tomi'n gystadleuydd dansheris yn y cyfnod hwn, yn bwrw ei brentisiaeth fel bardd cyn dechre ennill yn gyson yn y Genedlaethol gan gyrraedd penllanw pan enillodd y Gadair yn Eisteddod Rhydaman 1970 am ei awdl i'r 'Twrch Trwyth'. Roedd Tomi'n gydradd fuddugol ar yr englyn ar y testun 'Cariad' yng Nghrymych hefyd. Sgwn i ai un o'r tri oedd y tu ôl i'r ffugenw 'Calon wrth galon' a nodir yn yr adroddiad? Ond rhag i'r triawd ddigalonni'n llwyr fe enillodd Wil ar yr Unawd Mowth Organ a hynny yn ôl ei arfer, mae'n debyg. Dim ond un cystadleuydd oedd wedi mentro yn ei erbyn.

Sonia W. R. Evans yn ei hunangofiant, *Fi yw Hwn,* am y cyfeillgarwch steddfodol oedd rhwng y tri:

> Rwy'n cofio un cyfnod yn arbennig, pan fyddai'r tri ohonom ni yn danfon bob i bryddest i Eisteddfod; y tri ohonom ni'n darllen cynigion ein gilydd, a chyd-eistedd i wrando ar y feirniadaeth yn yr Eisteddfod. Doedd yr un ohonom ni'n poeni rhyw lawer am golli, a byddem i gyd yn cyfarch y bardd buddugol o'r llwyfan, yn garlamus o ddoniol! Y peth mawr i Llwyd a mi yr adeg honno oedd cyfansoddi pryddest ddealladwy, ond byddai Waldo yn plymio i'r dyfnder, weithiau, gan ein gadael yn y tywyllwch. Un amser, roedd y tri ohonom ni'n ymddiddori mewn merched â gwallt coch, a galwodd rhywun ni yn feirdd 'Y Gwallte Cochion'. Teitl da ar driawd a oedd yr adeg honno yn llawn o fflam ieuenctid!

Seiclaf yr holl ffordd adref dros yr awr nesaf dan chwibanu a chanu am yn ail am nad oes dim sy'n dreth i mi. Mae hyd yn oed y rhedyn, y brwyn a'r plu'r gweunydd yn fy nghyfarch wrth i mi ddisgyn yn garlibwns i Faenclochog.

12

Siwrne i Aberystwyth

NID WYF AM eiliad am honni i mi seiclo o Faenclochog i Aberystwyth. Mae'n rhaid y byddai hi'n siwrne o ddau ddiwrnod ar gewn beic a phe byddwn am fanteisio ar wasanaeth trên byddai eto'n daith diwrnod hirfaith erbyn y byddwn wedi cyrraedd Amwythig a dal trên y Canolbarth 'nôl i Aberystwyth; ac o seiclo, prin y buaswn wedi mynd heibio ardaloedd sy'n gysylltiedig â Waldo, beth bynnag.

Na, cerbyd amdani er hwylustod a chwilio am Stryd Cambrian lle gwyddwn fod Waldo, pan oedd yn fyfyriwr rhwng 1923 a 1927, wedi bod yn lletya yng nghwmni cyfaill ysgol, John Lloyd Jones, a chefnder iddo ynte o'r enw Idwal Jones a oedd yn athro ym Mhontarfynach, ond yn athro anghonfensiynol a fyddai'n hoff o annog plant i droi rhesymeg ben i waered. Roedd wrth ei fodd pan ysgrifennodd un o'i ddisgyblion y frawddeg ganlynol, 'Pan godais bore 'ma amser te'. Roedd Idwal naw mlynedd yn hŷn na Waldo, wedi gwasanaethu yn y Rhyfel Byd Cyntaf ac o'r farn mai dyna amser hapusaf ei fywyd.

Does dim dwywaith bod Idwal wedi bwydo awen ddoniol Waldo wrth i'r ddau ddatblygu'r grefft o chwarae ar eirie tra cyfansoddent ribidirês o limrige a phenillion dwl, a hynny'n amal iawn pan oedd ffenestr eu hystafell wely yn 58, Stryd Cambrian, led y pen ar agor, fel y byddai gan amlaf gydol y nos pan ddeuai Idwal yno ar y penwythnose. Dioddefai Idwal o'r pla gwyn ac arwydd o deyrngarwch Waldo iddo fel cyfaill oedd iddo ganiatáu i'r ffenestr fod ar agor o'r funud y cyfarfu'r ddau a heb lwyr adnabod ei gilydd.

Doedd dim pall ar felltith y ddau. Anfonent gerddi honedig 'aruchel' i'r cylchgrone yn farwnade am bobl yr honnid eu bod yn gaffaeliad yn eu cymdeithas. Roedd Mrs Davies, Pantcilwrnen, druan, wedi mynd i'w haped ar ôl cwympo ar ddarn o orenj pîl, os gwelwch yn dda. Deuai Twm Pensticil i mewn iddi rywle hefyd ar gownt ei fod yn arbenigwr o ran ysgolheictod wrth draethu am limrige a hynny'n arbennig wedi amser cau.

Tua diwedd y cyfnod hwn, ym 1926, anfonwyd adolygiad Saesneg o gyfrol o farddoniaeth o'r enw *Gyda'r Hwyr,* gan fardd o'r enw Gwilym Deudrwyn, o Fynachlog-ddu, i un o bapure wythnosol Sir Benfro, y *Narberth Weekly News*. Ac fe'i cyhoeddwyd, er mawr ddifyrrwch i Idwal a Waldo mae'n siŵr. Cyfeiriwyd at enghreifftie o awen y bardd megis 'The Skylark' (Y Scadenyn) a 'The Sweep of the Scythe' (Cneifio barf fy modryb) gan ei ddisgrifio fel bardd optimistaidd ar sail llinelle megis, 'Ni waeth os tyr y botwm ola,/ Mae cordyn beinder gylch fy mola'. Tybed a fu yna holi am gopi o'r llyfr, a gyhoeddwyd gan 'Hughes a'i Fab, Wrecsam', yn ardal y Preselau ac a oedd yna ddyfalu ym Mynachlog-ddu ynghylch pwy o'u plith oedd yn ysgrifennu o dan y fath enw barddol hurt?

Hwyrach, nad oedd ryfedd na chafodd Waldo'r radd ddisglair oedd o fewn ei allu ar sail ei berfformiade academaidd yn Ysgol Ramadeg Arberth. Bodlonodd ar radd Anrhydedd Ail Ddosbarth yn Saesneg a hynny mae'n debyg wedi iddo fethu sefyll yr arholiade terfynol am iddo dorri i lawr. Dyfarnwyd gradd iddo ar sail ei farcie yn ystod y gwaith cwrs.

Ond roedd wedi ymroi ei hun i fywyd cymdeithasol y coleg drwy fod yn wyneb a llais cyfarwydd yn y Gymdeithas Ddadlau, a chyfrannu'n helaeth i'r amrywiol weithgarwch trwy weithredu fel is-lywydd y Geltaidd, sef y Gymdeithas Gymraeg, a'r Clwb Llafur, yn un o ysgrifenyddion yr eisteddfod ryng-golegol, yn aelod o'r Student Representative Council, y Social Sub-committee a'r Amalgamation Fee Committee yn ei dro. Roedd yn olygydd *The Dragon,* cylchgrawn y myfyrwyr, yn ystod ei flwyddyn olaf, gan gyfrannu perle o erthygle yn ogystal â nifer o gerddi.

Syberdod piau hi yn awyrgylch ysblennydd y Llyfrgell Genedlaethol ar Riw Penglais a thalaf ymweliad â'r ffreutur tra bo'r gweision yn cael cyfle i gyrchu unrhyw ddeunydd sydd ganddynt yn ymwneud â Waldo. Ceir wmbreth o gyfeiriade at Waldo ym mhapure D. J. Williams, Abergwaun, a dengys cofnodion yn ei ddyddiaduron fod y berthynas rhyngddyn nhw, er cymaint eu cyfeillgarwch, yn fregus a brau ar brydie. Buan y deuaf i ddirnad bod y tyndra yn ganlyniad gwrthdrawiad rhwng dwy bersonoliaeth wrthgyferbyniol er bod y ddau'n credu yn yr un amcanion a delfryde.

Byddai D.J. bob amser yn awyddus i wneud defnydd o bob awr o'r dydd yn paratoi rhyw bamffled gwleidyddol neu'i gilydd neu'n dosbarthu'r pamffledi o ddrws i ddrws tra oedd Waldo'n fwy breuddwydiol. Tueddai i golli ei dymer yn sydyn, a hwyrach na alwai heibio aelwyd D.J. a Siân am getyn wedyn er, pan wnâi hynny, fydde dim arlliw o ddicter na phwdu yn perthyn iddo. Ar yr un pryd gwelir bod D.J. yn fflangellu ei gyfaill o bryd i'w gilydd trwy ei ddwrdio am fynd draw i Iwerddon i ddysgu Gwyddeleg pan fyddai'n rheitiach iddo weithio dros Blaid Cymru yn Sir Benfro yn nhyb Defi John.

Ond yr hyn sy'n ddadlennol yw cofnod D.J. yn ei ddyddiadur ar gyfer Ionawr 24, 1958, sy'n esbonio rywfaint ynghylch natur oriog Waldo, yng ngolwg awdur *Hen Dŷ Ffarm* beth bynnag. Roedd Waldo wedi sôn am y salwch a orfododd ei dad i symud o Hwlffordd i Fynachlog-ddu ac am ei dad yn bygwth gadael y teulu. Ymddengys fod hyn wedi cael effaith na ellir ei fesur ar y Waldo ifanc ac iddo gyfaddef na fedrai, yn ei ugeinie hyd yn oed, ddarllen llyfr John Bunyan, *Taith y Pererin*, sy'n sôn am Gristion yn gadael ei wraig a'i blant, heb deimlo cryndod dros ei gorff cyfan a chwys oer ar ei dalcen, oherwydd y profiad personol hwn. 'Ni chlywsom ef yn cyfeirio at hyn o'r blaen. Mae'r cyfan yn rhan o brofiad a phersonoliaeth Waldo, a rhaid cofio pethau fel hyn yn wastad wrth geisio ei ddeall ef a'i waith', yw rhan o'r cofnod yn nyddiadur D.J.

Yn rhyfedd iawn, pan ddarllenaf y bwndel nesaf o bapure a ddarparwyd ar fy nghyfer, sy'n rhan o gasgliad y Parch. E. Llwyd Williams, deuaf ar draws llythyr gan Waldo at ei gyfaill sy'n cyfeirio at yr union ddigwyddiad hwn ar yr aelwyd mewn manylder. Mae'n amlwg fod cyflwr meddyliol John Edwal ar y pryd, ar ddiwedd degawd gyntaf yr ugeinfed ganrif, wedi cael effaith ddirdynnol ar feddwl y llanc ifanc a oedd ar ei brifiant, a bod yr effaith hwnnw wedi para am flynyddoedd wedyn tan ei ugeinie hwyr, os nad yn ddiweddarach.

Ond ceir nodyn ar wynebddalen y llythyr hwn, a ysgrifennwyd ym mis Tachwedd 1939, yn dweud na ellir dyfynnu o'i gynnwys heb ganiatâd Eluned Richards sy'n gweithredu ar ran neiaint Waldo. Af ati felly i gopïo darne helaeth o'r llythyr a digon yw dweud yn y fan hon fod ymddygiad John Edwal tuag at ei fab, yn ystod cyfnod ei salwch, wedi achosi i Waldo hefyd ddioddef o ryw fath o niwrosis nerfol a'i gwnâi'n gyson bryderus yn ddiweddarach. Teg nodi bod y llythyr wedi'i ysgrifennu ddwy flynedd a hanner wedi i Waldo dreulio deng mis yn derbyn triniaeth i'w ddolur nerfol yn Ysbyty'r Eglwys Newydd, Caerdydd.

Ond does dim rhwystr rhag cyfeirio at lythyr a anfonodd Waldo at Llwyd o Bryn Llan, Botwnnog, ym mis Mai 1942 lle mae'n gresynu ei fod yn gorfod beirniadu mewn steddfode. Dywed yn lled gellweirus iddo wobrwyo telyneg yr ysgrifennydd yn Eisteddfod Mynytho a'i fod mewn perygl o gael ei wahodd i feirniadu yno drachefn o'r herwydd. Yr un pryd, cydnabu haelioni Llwyd yn ei wobrwyo yn Eisteddfod Brynmyrnach, ym mhentref Hermon, ger Crymych. Serch ei amharodrwydd i feirniadu doedd cystadlu yn rhai o steddfode'r hen sir ddim yn fwrn iddo.

Y cam nesaf yw galw heibio Eluned, merch Mary, chwaer Waldo, a oedd flwyddyn yn hŷn na'i brawd, yn ei chartref yn Waunfawr uwchben Aberystwyth. Tra bo Eluned yn hwylio coffi mynna Ken, ei gŵr, adrodd yr hanesyn hwnnw amdano'n ymweld â Phont Hafren yn y 1960au, pan oedd newydd ei hagor, yng nghwmni Eluned, Mary, ei fam-yng-nghyfraith, a

Waldo, ac ynte Waldo yn bwrw ati i lunio englyn i goroni'r achlysur, englyn sy'n dal yn fyw ar ei gof:

> Peint hyfryd ger Pont Hafren – ni chawsom,
> Ni cheisiem y fargen,
> Nyni yn y car gyda Ken
> Yn llywio a bod yn llawen.

Daw Eluned yn y man i rannu ei hatgofion am ddyn yr adwaenai hi a'i brawd, Gareth, fel 'Bill' a hynny mae'n debyg yn seiliedig ar gymeriad y mochyn daear yn llyfre *Rupert the Bear*, ac fel 'Bill' y bydde Waldo'n arwyddo'r cardie post y byddai'n eu hala atyn nhw. Deil y ddau i gyfeirio at ei hewythr fel 'Bill' pan fyddan nhw'n hel atgofion amdano. Yn ôl Eluned, arwydd o anwyldeb ac agosatrwydd oedd yr arfer hwnnw yn hytrach nag unrhyw ddiffyg parch neu fwrw sen. Buan y synhwyrais fy mod yn gwrando ar atgofion preifat iawn.

"Ges i fy ngeni ym 1940 ac erbyn fy mod i'n ei gofio roedd Bill wedi colli Linda, ei wraig, a doeddwn i ddim yn gwybod dim am y cyfnod hwnnw. Treuliodd Waldo gyfnode hir gyda ni yn Dinas ar ddiwedd y 40au ac, wedi hynny, yn Wdig. Mynd a dod ar ei feic fydde fe. Bydde Waldo'n cyfansoddi penillion byrfyfyr i ni am ein hanifeiliied anwes neu pan fyddem yn mynd am dro i ben Garn Fowr. Yn anffodus, mae'r penillion bach 'na, oedd wedi'u cofnodi mewn llyfr bach gwyrdd, wedi mynd ar goll ers blynydde. Roedd Waldo'n un o'r teulu ac er ein bod yn sylwi weithie nad oedd e yn ei hwylie arferol pan fydde fe'n ddywedwst iawn ac yn ymgolli yn ei lyfre, fydden ni ddim yn holi beth oedd yn ei boeni. Fydden ni ddim yn gwybod am y pethe fydde'n ei boeni. Roedd e'n breifat iawn fel 'na.

"Roedd Waldo a'i frawd a'i chwiorydd yn glòs iawn a buon nhw'n gefn mawr i'w gilydd ar hyd y blynyddoedd. Roedd e'n agos iawn at Dilys, ei chwaer ifanca, a oedd hefyd wedi bod trwy'r brifysgol yn Aberystwyth, a dwi'n meddwl ei fod e'n trafod y syniade yn ei gerddi gyda hi'n amal. Ond, cofiwch chi, roedden ni'n deyrngar iawn iddo a dwi'n cofio torri ar draws dwy ddynes a glywais ar fws yn dilorni 'that man who has gone to prison' trwy ddweud 'he's my uncle'. Rhoddodd hynny daw ar eu sgwrs. Cofiwch, doeddwn i ddim yn gwybod llawer am y gwewyr meddwl oedd yn poeni Waldo pan oedd e'n wynebu'r achosion llys byth a hefyd am nad oedd yn barod i dalu ei dreth incwm. Yn fy arddege hwyr oeddwn i ar y pryd. Fydde fe ddim yn sôn am ei ddaliade wrthon ni'r plant.

"Roedd ganddo straeon di-ri am ei brofiade yn y carchar a gwnâi'n ysgafn o bob digwyddiad trwstan yno. Dwi'n ei gofio fe'n sôn amdano'n cael cwt cas ar ei droed pan oedd yn y carchar am ei fod wedi defnyddio siswrn gwinio *mailbags* i dorri ei ewinedd – dyna'r unig gyfle y câi i gael ei law ar siswrn. Fe fu'n rhaid iddo hwpo'i droed 'nôl yn ei esgid yn weddol glou pan glywodd un o'r 'sgriws' yn dod heibio. Buodd craith 'da fe ar ei droed am flynydde wedyn. Sai'n cofio fe'n colli ei dymer 'da ni o gwbwl dim ond gwylltu weithie am bethe hollol ddibwys neu pan fydde rhywbeth o bwys mawr yn cael ei drin yn ysgafn. Bydde fe'n amal yn mynd lawr i'r orsaf i weld pwy amser fydde'r trên yn mynd i'r fan a'r fan ac yn rhedeg 'nôl i'r tŷ yn wyllt i moyn y ces bach am fod y trên ar ddod. Pam na fydde fe'n mynd â'r ces 'da fe yn y lle cynta, sai'n gwbod?!

"Dwi'n ei gofio, yn ystod ei salwch olaf yn yr ysbyty, yn dweud mai yn Hwlffordd y dysgodd e gerdded gyntaf ac mai yn Hwlffordd y bydde fe'n dysgu cerdded eto – ond yn anffodus nid felly y bu. Roedd pawb mor ofalus ohono fe yno, a'r lleianod yn dod i'w weld yn gyson ac yn ei fwydo," meddai.

Prin y medrwn orfodi fy hun i holi a fedrwn ddyfynnu rhanne o'r llythyr hwnnw a welais yn y Llyfrgell Genedlaethol ynghynt a finne heb f'argyhoeddi fy hun fod angen na gwir ddiben mewn cyhoeddi rhanne ohono beth bynnag. Ond mentrais ofyn, a chael yr ateb nad oedden nhw fel neiaint yn awyddus i lythyr a ddeliai â mater personol iawn i Waldo, a'i ffrindie agosaf, gael ei gyhoeddi.

Cafodd y llythyr ei gyflwyno i'r Llyfrgell Genedlaethol ym 1971 gan weddw'r Parch. E. Llwyd Williams. Am y pymtheng mlynedd dilynol roedd ar gael i'w weld ond ym mis Chwefror

1986 cytunodd swyddogion y Llyfrgell ar gais Dilys Williams, chwaer Waldo, i'w roi o dan glo oherwydd "natur sensitif y llythyr" yn ôl llefarydd ar ran y Llyfrgell Genedlaethol. Pan ddaeth y Ddeddf Rhyddid Gwybodaeth 2000 i rym penderfynwyd nad oedd sail i barhau'r gwaharddiad o ran caniatáu i'r cyhoedd ddarllen y llythyr, a daeth i'r golwg drachefn yn 2004. Er hynny, deil hawl gyfreithiol y perchennog hawlfraint i wrthod caniatâd i gyhoeddi cynnwys y llythyr oni bai y gellid cyfiawnhau'r penderfyniad. Yn y cyswllt hwn, mae'r hawlfraint yn parhau am 70 mlynedd wedi marwolaeth yr awdur. Felly, o dan yr amode presennol, ni ellir cyhoeddi sylwade Waldo am ei berthynas â'i dad tan 2042.

Serch hynny, mae'r llythyr yno i bwy bynnag a fyn ei weld ac mae'n siŵr y bydd nifer o'r beirniaid llenyddol, fel y gwnaeth rhai eisoes, yn cyfeirio at ei gynnwys fel goleuni o'r newydd ar agwedde o awen farddonol Waldo. Ymddengys fod ei driniaeth o law ei dad ar ryw olwg wedi cael cymaint o effaith arno, os nad mwy, na marwolaeth ei chwaer, Morvydd, pan oedd yn grwt deng mlwydd oed, a marwolaeth ei wraig, Linda, yn ddiweddarach.

Ond, ar yr un pryd, does dim lle i ame bod yna bellter yn y berthynas rhwng y tad a'r mab, yn wir, i'r gwrthwyneb os ystyrir y llythyr a luniodd John Edwal, ar ei ran ynte ac Angharad, i'w gyflwyno i Waldo o ddeall ei fod am ddyfod yn aelod o eglwys Dduw. Ni ddaeth y llythyr hwn i'r golwg nes wedi marwolaeth Waldo pan ddaeth ei chwaer, Dilys, o hyd iddo, wedi'i ysgrifennu yn llawysgrifen eu mam rhwng tudalenne ei Beibl. Oedd hynny'n golygu na wyddai Dilys am ei fodolaeth neu ai mater o fod wedi 'mynd ar goll' oedd e?

Fodd bynnag, o ddeall fod Waldo wedi'i fedyddio yng Nghapel Blaenconin gan y Parch. D. J. Michael ar Ebrill 10, 1921, yn 17 oed, ac mai arfer y Bedyddwyr oedd derbyn y sawl a fedyddiwyd trwy drochiad yn gyflawn aelod yr un pryd, teg tybio fod y llythyr wedi'i gyfansoddi'r adeg honno. O leiaf roedd Waldo wedi'i restru ymhlith yr aelode'r flwyddyn honno ac wedi cyfrannu 13/6 tuag at y Weinidogaeth a 2/- tuag at y

Treuliau. Dengys y llythyr fod yna berthynas ddwys rhwng y tad a'r mab a gellir dychmygu y math o sgwrsio fyddai'n digwydd ar yr aelwyd trwy gyfrwng y Saesneg, y testune'n ddyrchafol a'r iaith yn goeth, bid siŵr. Mae'n werth dyfynnu paragraff:

> The Highest Religion I have had glimpses of is that which makes man a brother, Life a Sanctuary and the common deeds of life sacred by purity of motive. It makes a man sensible to the claims of justice upon himself and to all noble impulses; it also makes him lenient at heart to the feelings of his neighbour through weakness.

Hwyrach eich bod yn holi pam oedd rhaid i John Edwal ysgrifennu llythyr at ei fab a hwythe'n byw o dan yr un gronglwyd? Wel, 'I must write. I may perhaps have an opportunity to supplement these,' meddai John Edwal am yr ychydig eirie. Rhaid mai ar bapur yn unig y medrai fynegi ei union deimlade am benderfyniad a gredai nad oedd i'w wneud ar chwarae bach ar daith bywyd. Bydde'r geirie ar gael, beth bynnag, yn gysur ac yn gefn i Waldo yn y dyfodol. Rhaid bod y llythyr gwreiddiol a fyddai ym meddiant Waldo wedi mynd ar goll yn ystod treigl y blynyddoedd.

Af 'nôl i lawr ar hyd Rhiw Penglais a throi i'r chwith ar y gwaelod i gyfeiriad Llanbadarn, gan gofio bod yr Athro R. M. (Bobi) Jones wedi esbonio fod ei gartref ar gornel dwy stryd. Ond euthum cyn belled â'r cylchdro yn y pen draw gan sylweddoli fy mod yn amlwg heb lwyddo i ganfod Tandderwen. Doedd y ffaith fy mod inne ar y pryd wedi cymryd yn fy mhen mai Quebec oedd enw'r cartref ddim o gymorth chwaith! Doedd llif cyson y drafnidiaeth ddim yn caniatáu i mi arafu a chraffu'n ofalus ar enwe'r tai chwaith.

Mentrais holi rhywrai a gerddai ar hyd y stryd ond dieithriaid oedden nhw a waeth pe bawn wedi holi am gyfeiriad ar blaned Mawrth. Yn ôl fy arfer rhyw frith gofio'r cyfarwyddiade a gesum a wnawn a minne nawr yn hwyr ar gyfer cadw oed. Ond daeth ymwared oherwydd, wele, Dr Bobi ei hun yn sefyll ar y palmant y tu fas i Dandderwen, fel petai'n casglu'r myfyrwyr strae hynny oedd yn hwyr i'w ddarlith yn y cwad slawer dydd. Waeth beth fyddai fy esgus y dyddie hynny, mwmialais rywbeth y tro hwn fod y llwyni uchel a amgylchynai'r tŷ yn ei gwneud yn anodd i mi weld yr enw wrth yrru heibio.

Cafwyd croeso boneddigaidd os nad tywysogaidd gan Bobi a Beti a phrofiad rhyfedd oedd cynnal sgwrs gyda'r Athro tra gorweddai ar ei gefn ar wely plyg arbennig gyda phâr o sbectols a'i galluogai i fy ngweld ar yr un gwastad â phetai'n eistedd gyferbyn â mi. Os nad oedd cyflwr ei gefn yn caniatáu iddo sefyll nac eistedd am gyfnode hir doedd dim nam ar ei feddwl awchlym o finiog. Buan y sylweddolais nad dadansoddiade treiddgar o gerddi Waldo oedd yn fy aros y tro hwn ond adnabyddiaeth lawen o ddyn a oedd yn amlwg yn gyfaill mynwesol. Er nad yn frodyr yn y cnawd, hawdd credu bod Bobi a Waldo yn frodyr yn yr ysbryd ac yn medru treiddio i'r un dyfnderoedd.

Hogwyd y cyfeillgarwch ers y dyddie pan ymwelai Bobi â chartref ei wraig yng Nghlunderwen a chael treulio amal i awr ym mharlwr Rhosaeron yn trafod rhinwedde'r meddylwyr mawr uwchben y te a'r sgons. Yna'n ddiweddarach roedd Waldo'n ymwelydd cyson â chartref Bobi a Beti yng Nghaerfyrddin, ac yn ystod y mynych seiadu yn y fan honno y penderfynodd y ddau lenor sefydlu'r Academi Gymreig i roi bri ar lenorion a llenyddiaeth y Cymry. Er bod yr Academi yn sefydliad, ni ellid ystyried yr un o'r ddau sefydlydd yn ddynion y 'sefydliad' yng Nghymru.

Doedden nhw ddim yn rhan o drefniadaeth yr Eisteddfod Genedlaethol na'r un corff cenedlaethol arall, ac yn rhy unigolyddol i gowtowio i neb. Roedd y ddau yn ddigon parod i dynnu blewyn o drwyn ambell bwysigyn petai raid, yn breifat os nad yn gyhoeddus. Cofier mai Saesneg oedd iaith aelwydydd plentyndod y ddau ond roedden nhw'n rhannu'r un gobeithion a dyheade ynghylch Cymru a'r Gymraeg. Hynny yw, roedden nhw'n rhannu'r un weledigaeth.

Yn rhyfedd iawn, bwrw ati i ddarllen ribidirês o englynion Waldo a wnaeth Bobi a'r rheiny'n englynion wedi'u sgrifennu'n fyrfyfyr wrth i ryw achlysuron hynod godi. Mae'n rhaid mai dyna ddiben penna'r englyn yng ngolwg Waldo am na fyddai'n defnyddio'r gynghanedd yn y modd hwnnw pan gyfansoddai ei farddoniaeth ddwys. Pan safodd Jennie Eirian Davies dros Blaid Cymru yn etholaeth Caerfyrddin yn y 1950au, a Beti yn brif drefnydd yr ymgyrch, fe ddaeth Glyn James o'r Rhondda â'i gorn siarad i aros ar yr aelwyd ym Mhlas Ystrad, a phwy ddaeth heibio ond Waldo, a rhaid oedd llunio englyn cymen:

> Crynhoi'r sir â'r corn siarad – a fynnaf
> I ennill fy mwriad.
> Offer Glyn yn deffro gwlad
> A pharhau ei deffroad.

O bwyso ar Bobi i roi ei linyn mesur dros y gyfrol *Dail Pren* caf wybod ar unwaith ei fod yn wfftio'r rheiny a ddywedai fod yna ormod o gerddi plentynnaidd ac annheilwng wedi'u cynnwys. Mynna fod y gyfrol yn gyfanrwydd cytbwys am fod y cerddi sy'n dathlu ei dröedigaeth, megis 'Mewn Dau Gae', yn ennill eu lle ochr yn ochr â'r rhai mwy ysgafala ac oni bai am hynny, yna, ymylol fyddai ei gyfraniad llenyddol. Cofiaf am y llythyr hwnnw wedi'i ysgrifennu'n llawn cynnwrf gan Bobi i longyfarch Waldo ar gyhoeddi'r gyfrol ychydig cyn Nadolig 1956. 'Nid oes un llyfr a afaelodd ynof galon a meddwl fel hwn. Darllenaf gerdd a chaf fy mhowlio drosodd – un drachefn, ac yr wyf i lawr eto. Y mae'n llyfr sy'n cyffwrdd â dyn yn rhyfeddol iawn...' oedd byrdwn yr ymateb fel y mae wedi'i gofnodi yn y gyfrol *Bro a Bywyd*.

Rhaid cofio bod 1956 yn flwyddyn fawr i Waldo oherwydd, heblaw am gyhoeddi *Dail Pren,* dyma'r flwyddyn y traddododd yr anerchiad *Brenhiniaeth a Brawdoliaeth* gerbron Undeb y Bedyddwyr yn Abergwaun ym mis Mai. Cyhoeddodd ei lythyr 'Pam y Gwrthodais Dalu Treth yr Incwm' yn *Y Faner* ym mis Mehefin, bedair blynedd cyn ei garchariad cyntaf a thraddododd, y mis dilynol, sgwrs radio ar y testun 'Paham yr wyf yn Grynwr'.

Mae'n werth cyfeirio wedyn at ymateb Waldo i gyhoeddiad Bobi, *Y Gân Gyntaf*, y flwyddyn ddilynol pan ymddangosodd fel adolygiad mewn cylchgrawn o'r enw *Lleufer*:

> Ac wedi i mi gwpla'r *Gân Gyntaf*, yr oeddwn fel pe buaswn yn chwarae gyda phlentyn rhyfedd, plentyn o ran ei fywiogrwydd a'i ddifrifwch, a'm gwnaethai innau'r un fath ag ef imi gael rhedeg, neidio, nofio a llusgo i mewn i'r ogof ac allan, a dringo'r graig a sefyll ar y godir, a'r gwaed yn taro'n gynt a'r llygaid yn gliriach, a'r tywod obry'n fwy tywodliw a'r tonnau'n edrych yn wlypach, a bodolaeth y tywod a'r tonnau, a phob bodolaeth, yn fwy o ryfeddod ac yn ddyfnach ei hawgrym.

Hawdd deall bod Waldo Williams a Bobi Jones yn eneidie cytûn a dichon y bydde Waldo'n agor ei galon i'w gyfaill, a fagwyd yng Nghaerdydd, i'r un gradde ag y gwnâi â Llwyd Williams, ac â'i chwaer, Dilys. Edrydd Bobi ddau hanesyn dadlennol.

"Hwyrach mai teithio ar y trên o Ysgol Haf Plaid Cymru yn Nyffryn Ardudwy ym 1949 oedden ni ac roedd y ddau Bleidiwr oedd yn y cwmni yn parablu am y plant roedden nhw wedi'u cael. Roeddwn inne'n gwingo yn y gornel am y gwyddwn fod Waldo'n dal i alaru ers iddo golli ei wraig, Linda, chwe blynedd ynghynt. Er iddi farw o'r diciâu roedd yna le i gredu iddi golli plentyn yn y groth hefyd yn ystod cyfnod ei salwch. O wybod fod Waldo mor hoff o blant roedd yr ergyd yn hynod o greulon a rhoi halen ar y briw oedd y sgwrs honno ar y trên.

"Dro arall, dwi'n ei gofio yn sôn am yr helynt yn Ysgol Casmael a phethau'n go ddrwg rhyngddo a'r cyfarwyddwr addysg. Roedd Waldo am gyfle i esbonio ei resymau dros gofrestru fel gwrthwynebydd cydwybodol gerbron y pwyllgor addysg ond doedd hynny ddim yn cael ei ganiatáu iddo. 'Gallwn i ei ladd e' medde Waldo am y cyfarwyddwr ar y pryd ac fe freuddwydiodd am hynny. Gwelai Waldo'i hun yng nghanol torf ond er pob ymdrech roedd yn methu'n deg â chyrraedd at wyneb y cyfarwyddwr i'w fwrw fe, ac wedyn, yn sydyn, dyma'r wyneb yn newid i fod yn wyneb ei dad; dylifodd llif o gariad drosto wrth ddweud yr hanes a methai â mynd ymlaen ymhellach.

"Cymysg a chymhleth oedd ei deimladau am ei dad. Rhoddai Waldo bwys ar ddadansoddi breuddwydion a gweledigaethau fel y rhain am eu bod yn rhan o gyffro'r isymwybod. Dwi'n ei gofio yn sôn am freuddwyd debyg iawn i'r un dwi newydd sôn amdani, lle yr oedd Dr Roland Williams – gŵr a oedd yn ddraenen yn ystlys Waldo adeg helynt Cas-mael – yn chwarae rhan y dihiryn, a'i wyneb ef yn troi'n wyneb ewythr Waldo, Gwilamus, wrth iddo fynd i'w daro yng nghanol Ffair Arberth," meddai Bobi, gan gyfeirio drachefn at ddigwyddiade oedd wedi clwyfo enaid ei gyfaill.

Cyn ymadael, mynnodd yr Athro fy mod yn benthyca copi prin o gofiant a gyhoeddwyd ym 1939 i brifathro cyntaf Ysgol Ramadeg Arberth, John Morgan M.A., *A Man Elect of Men* gan Abel Jones, O.B.E., M.A., B.Sc, Ph.D. o Borth-cawl. Mae'r rhagair yn cydnabod y nodiade cyflawn a threiddgar a baratowyd gan Waldo am ei hen brifathro i hwyluso gwaith yr awdur. Mae'n debyg y byddai Waldo'n hoff o ddynwared John Morgan yn actio cymeriade hanes, boed Oliver Cromwell neu'r Brenhinoedd Tuduraidd, yn ei wersi gan herio'r disgyblion i ddyfalu pwy oedd y cymeriade roedd yn eu portreadu.

Yn wir, erbyn i mi fynd trwy'r gyfrol 70 tudalen, uwch pryd o fwyd yn Aberaeron ar y ffordd adre, roeddwn wedi cael cip ar ddisgyblaeth a dull o ddysgu ysgolion gramadeg dechre'r ugeinfed ganrif a roddai bwys ar drosglwyddo gwybodaeth a meithrin dysg. Nodwyd enw Waldo mewn pensel wrth ymyl rhai o'r straeon a adroddid am John Morgan.

Byddai'n arfer gan y prifathro i osod ei het ar y bwrdd o'i flaen. Un diwrnod llwyddodd un o'r bechgyn i osod aderyn du byw o dan yr het. Edrych yn syn wnâi'r prifathro wrth weld ei het yn symud 'nôl a mlân a bu'n rhaid ei berswadio i gydio ynddi i ganfod pam roedd hi'n ymddwyn mor rhyfedd. Un o dricie eraill y bechgyn yn Ysgol Arberth, yn ôl tystiolaeth Waldo, oedd clymu ede wrth dafod y gloch a genid i ddynodi amser newid gwersi. Byddai un ohonyn nhw yn rhoi twc i'r ede wedyn bob hyn a hyn yn ystod gwersi John Morgan. Roedd clywed y gloch yn tincial yn ddirgelwch i'r prifathro ac amheuai mai'r disgybl a eisteddai agosa ati oedd yn gyfrifol am ei hysgwyd ond, mewn gwirionedd, roedd yr ede'n ymestyn i gefn y dosbarth.

Ond yr hyn sy'n fwyaf dadlennol efalle yw'r gwersi Hanes Cymru y bydde John Morgan yn eu cyflwyno a'r rheiny bob amser yn ymwneud â'n hanes crefyddol ac yn cael eu cyflwyno yn Saesneg, wrth gwrs. Byddai'r gwersi'n seiliedig ar ei ymweliade â llefydd o bwys a phan fyddai'n holi'r plant beth wydden nhw am John Penri roedd disgwyl iddyn nhw ateb, "Bu rhaid i chi gerdded ar draws rhyd pan ymweloch â man ei eni yng Nghefn-brith". Ond yr hyn sy'n ddiddorol yw'r ateb disgwyliedig pan ofynnai beth wyddai'r plant am William Salesbury – "Fe welsoch gopi o'i Destament Newydd yn Rhosaeron". Roedd yn amlwg fod yna adnabyddiaeth rhwng John Morgan, prifathro Ysgol Ramadeg Arberth, a John Edwal, prifathro Ysgol Gynradd Brynconin, a thebyg nad oedd hi'n syndod fod Waldo wedi ymserchu ynddo os oedd yn ymwelydd ar yr aelwyd. Tystia'r gyfrol hefyd pa mor hoff oedd Waldo o ddireidi.

Pan oedd yn ei hwylie ac mewn cwmni dethol bydde Waldo'n hoff o ddynwared ei gyn-brifathro ysgol. Adroddai D. Tecwyn Lloyd am yr achlysur hwnnw pan oedd criw o'i ffrindie mewn caffi yn Stratford-upon-Avon o bob man. Cododd Waldo ar ei draed, yn ddall a byddar i bresenoldeb y cwsmeriaid eraill, a dechre cloffi ar draws y llawr yn ei gwman gan roi'r argraff bod yna bwyse mawr ar ei ysgwydde a'i fod yn gorfod codi'i freichie uwch ei ben i gadw'r llwyth yn llonydd. Wedi cerdded 'nôl ac ymlaen fel hyn nes bod ei goese'n dechre plygu oherwydd y pwyse dychmygol dyma fe'n holi, "What character in Virgil's 'Aenid' am I acting now?" a'i chael yn anodd peidio â chwerthin yr un pryd. Wedyn gwaeddai, "Aenas carrying Achises his father on his shoulders. That's pietas!"

Direidi Waldo ddaw i'r meddwl drachefn wrth fynd am dro ar hyd y prom a strydoedd cyfarwydd fy nyddie coleg fy hun. Wrth fynd heibio hen gaffi'r Penguin, a fu'n gyrchfan i genedlaethe o fyfyrwyr, cofiaf am gyfarfyddiad rhwng Waldo a dau fyfyriwr a fu'n amlwg ym mrwydre'r iaith yn y 1960au. Wrth sipian paned yn hwyr un prynhawn sylwodd Gwilym Tudur, sefydlydd siop lyfre Siop y Pethe yn y dref yn ddiweddarach, ar neb llai na Waldo'n cerdded heibio ffenestr y caffi ac, yn ôl ei arfer, yn cario ei ges bychan. Rhedodd Gwilym ar ei ôl a'i wahodd i ymuno â'r cwmni wrth y ford. Gareth Miles, y dramodydd bellach, ofynnodd iddo wedyn a oedd hi'n wir nad oedd wedi ymaelodi â Phlaid Cymru yn ystod y cyfnod roedd Saunders Lewis yn Llywydd am ei fod yn ystyried yr academydd yn dipyn o snob.

Mae'n debyg bod Waldo wedi rhoi'r gore i Lywyddiaeth cangen Abergwaun o Blaid Cymru, o leiaf, yng nghanol y 1950au ac wedi anfon 'llythyr o ymddiswyddiad' at Teifryn Michael, yr ysgrifennydd, ar ffurf englyn:

> Y Sgwâr – 'Fannwl Sgrifennydd – a D.J.'n
> Gwneud y job 'da'i gilydd,
> D'wedaf'n awr, da, da fy nydd,
> Abergwaun fydd ar gynnydd.

Mewn gwirionedd, ni ellid dychmygu y bydde Waldo yn gyffyrddus yn dal yr un swydd o gyfrifoldeb lle y bydde disgwyl iddo gyflawni dyletswydde penodol. Doedd yr ymddiswyddiad, wrth gwrs, ddim yn golygu ei fod yn cefnu ar Blaid Cymru ond, yn hytrach, yn arwydd na theimlai fel neilltuo ei holl amser a'i egni i ymgyrchu ar ei rhan. Arall oedd ei anian.

Ond wedyn lluniodd batrwm o adroddiad ar gyfer tudalen flaen rhifyn mis Hydref 1955 o'r *Ddraig Goch* am rali fawr a gynhaliwyd yn Llanuwchllyn ym mhresenoldeb hoelion wyth y blaid genedlaethol ar y pryd. Wrth dynnu ar ddelwedde a chyfeiriadaeth hanesyddol a Beiblaidd soniodd am frudwyr a phroffwydi Israel wrth gofnodi byrdwn areithie Gwynfor Evans, Elystan Morgan, Emrys Roberts, Ceinwen Thomas a'r Parch. Eurfin Morgan.

Beth bynnag, 'nôl yn y caffi yn Aberystwyth, ni chafwyd ateb ar ei ben i ymholiad Gareth; yn wir, ni chafwyd ateb o unrhyw fath yn y byd am getyn nes iddo awgrymu ei fod o'r farn nad oedd hafal i Saunders Lewis fel ysgolhaig a beirniad ond ei fod yn ei ystyried yn 'dipyn o snob'. Adroddodd y limrig canlynol wedyn:

Mae'r gŵr a adwaenir fel S.L
Yn ymolch o dan ei ddwy gesel.
  Ond nid oedd John Rhys
    Yn tynnu ei grys
Dim ond rhoi y styds ar y dresel.

Roedd hynny, mae'n debyg, yn gyfeiriad at yr helynt a fu ymhlith myfyrwyr Coleg yr Iesu, Rhydychen, ar ddiwedd y bedwaredd ganrif ar bymtheg, yn ymgyrchu dros well cyfleustere ymolchi, gan gynnwys baddone. Ond roedd Syr John Rhys o'r farn bod y tymor coleg o wyth wythnos yn ddigon byr beth bynnag i'r myfyrwyr ymolchi'n drwyadl pan oedden nhw adref ar eu gwylie.

Mae'n debyg fod Waldo yn hoff iawn o adrodd straeon am Syr John Rhys ac yn arbennig am yr ysgolhaig ifanc yn cerdded yn droednoeth, gan gario ei esgidie, i gofrestru fel myfyriwr yn y Coleg Normal, ym Mangor, yr holl ffordd o Bonterwyd, ger Aberystwyth. Dim ond tair hosan oedd ganddo am fod ei fam yn rhy dlawd i wau pedwaredd. Serch hynny, cyngor ei fam iddo oedd y dylai daflu'r tair at y wal ar ddiwedd pob wythnos a ph'un bynnag a lynai fwyaf wrth y wal ddylai gael ei golchi.

Gellir yn hawdd ddychmygu Waldo'n piffian chwerthin wrth ddweud y stori nes bron colli rheolaeth ohono'i hun mae'n siŵr. Roedd y syniad o brifathro Coleg yr Iesu a fu'n astudio ym Mhrifysgolion Paris, Heidelberg, Leipzig a Göttingen yn ei dro, y polymath hwn o ddyn, yn cerdded yn droednoeth gydag un hosan yn brin o ddau bâr yn ei goglish yn fawr.

Ond wedyn, i ddelio â chwestiwn Gareth Miles ac amharodrwydd Waldo i'w ateb ar ei ben, rhaid cofio i Saunders

Lewis roi'r gore i fod yn Llywydd y Blaid ym 1939 a bod cyfaill mawr Waldo, Willie Jenkins, yn dal i sefyll etholiade seneddol dros y Blaid Lafur Annibynnol yn Sir Benfro tan 1935. Mae'n debyg bod heddychiaeth ac, o bosib, sosialaeth yn uwch ar agenda Waldo yn y dyddie hynny nag ymreolaeth i Gymru.

A'r hyn sy'n rhyfedd ar ryw olwg, er efallai ddim yn rhyfedd chwaith o ystyried, yw'r ffaith nad oedd Waldo a Saunders yn adnabod ei gilydd ac erioed wedi cyfarfod. Yn rhyfedd, am fod y ddau yn llenorion ac yn ymboeni am fater Cymru ac eto ddim yn rhyfedd am eu bod yn hanu o gefndiroedd gwahanol a Saunders, wrth gwrs, i bob pwrpas wedi encilio o'r byd cyhoeddus a'r byd gwleidyddol wedi iddo golli is-etholiad seneddol Prifysgol Cymru ym 1943 fel ymgeisydd Plaid Cymru ac ymroi i lenydda a chyfrannu at ysgolheictod wedi hynny.

Petai'r ddau'n gybyddus â'i gilydd hwyrach na fyddai Saunders mor llym ei feirniadaeth o Waldo yn ei lythyre at D. J. Williams. 'Nid wyf fi'n ei adnabod yn bersonol neu mi geisiwn ei berswadio i beidio â'i wrthodiad i dalu'r dreth incwm,' meddai ym mis Mawrth 1956 ac, yna, drachefn, ym mis Medi 1960 ar yr un trywydd, 'Mae'n ddrwg gennyf am Waldo Williams. Mae e'n gwneud drwg mawr – mae e'n rhoi'r argraff i'r di-Gymraeg mai pobl gysetlyd, od, yn chwilio am gyfle i fynd i garchar yw'r cenedlaetholwyr Cymreig'. Wrth gwrs, nid yn enw cenedlaetholdeb Cymreig yr wynebodd Waldo garchar ond yn enw heddychiaeth byd-eang.

Doedd yr oracl o Benarth ddim wedi'i blesio gan gynnwys y gyfrol *Dail Pren* chwaith fel yr hysbysodd D.J. mewn llythyr a ddanfonwyd o 158, Westbourne Road, ym mis Mawrth 1957: 'Yr wyf fi, ysywaeth, yn ei gael yn fardd enbyd o anwastad, yn fardd mawr ar ambell gân, ac yn fardd rhwydd, bas ac aflêr ac yn feddyliwr sâl mewn llawer cân'. Bydde Waldo yn ei dro yn darlithio ar rai o ddramâu clasurol Saunders Lewis ac yn medru bod yn orchestol yn ôl y sôn.

Ta beth, cafodd y ddau fyfyriwr yng nghaffi'r Penguin yn Aberystwyth fodd i fyw y noson honno am i Waldo, ynghyd â'r dramodydd o Eifionydd, Wil Sam, fynychu drama gan un o awduron Ffrainc yn eu cwmni. Yn ôl Gareth Miles nid oedd erioed wedi cyfarfod â'r un dyn doniolach – heblaw am Eirwyn Pontshân – na Waldo.

Ac oedd, roedd gan Waldo sylwade am natur digrifwch pan fu'n beirniadu cystadleuaeth yr Englyn Digri yn Eisteddfod Genedlaethol Aberystwyth 1952. O'r saith deg o englynion ar y testun 'Gwlanen Goch' y bu'n eu tafoli, barnodd Waldo mai ymdrech Ellis Jones o Lanllyfni, ger Caernarfon, oedd yn rhagori. Yn ogystal â sôn am addasrwydd y gynghanedd i ddoniolwch roedd ganddo gyfeiriad rhyfedd at frogaid hefyd:

> Mae'n bwysig inni gadw'n digrifwch a'n hoffter o'r englyn yn bethau cyffredin yn ein cenedl. Ac na ryfedded neb fod yr englyn, a gychwynnodd ei yrfa, yn ôl rhai, yn gyfrwng tristwch a galar, yn talu ei ffordd mor dda hefyd fel cyfrwng donioldeb. Fe ddichon nad yw'r gynghanedd ynddi ei hun yn adnabod geiriau o gwbl, na dim ond siglau a seiniau a seibiau, ond y mae ei phresenoldeb swynol yn deffro'r geiriau i'w llawn werth, bydded hwnnw'n ddifrif neu'n ddigrif.
>
> 'Gwlanen goch' yw'r testun. Gwêl pob cenhedlaeth rywbeth digrif iawn yn y pethau a aeth allan o'r ffasiwn. Diamau gennyf mai wrth chwerthin am ei ben y mae'r broga blwydd yn "lladd" y dwyflwydd. Dyna pam y mae ei geg mor fawr. Ped arhosai i ystyried paham y mae yn chwerthin, i ddadansoddi deunydd y digrifwch, ni byddai agos cystal broga. Byddai ei ymennydd yn rhy fawr.

13

Siwrne i Hwlffordd

BRON FY MOD wedi cyrraedd Hwlffordd ben bore cyn i mi grynhoi fy meddylie ynghyd. Roeddwn yn pwyso fy meic yn erbyn wal yr archifdy chwap wedi iddo agor am hanner awr wedi naw. Arferai'r adeilad fod yn swyddfa heddlu a chyn hynny yn garchar. Yma y carcharwyd llawer o'r Ffrancwyr hynny a laniodd yng nghyffinie Abergwaun ym 1797 gyda'r bwriad o fartsio ar draws y wlad er mwyn creu chwyldro a fyddai'n diorseddu'r frenhiniaeth yn Llundain. Yma y carcharwyd y gof cloff pedwar ugain oed, Morris David, pan fethodd ag osgoi crafange'r cwnstabliaid pan oedd ymhlith yr haid o Ferched Beca a ymosododd ar dollborth Efail-wen ym 1839. Ond fe'i gollyngwyd yn rhydd ymhen ychydig fisoedd am nad oedd neb yn fodlon tystio yn ei erbyn mewn achos llys.

Yn y fan hon y codwyd castell cerrig Normanaidd helaeth yn gynnar yn y ddeuddegfed ganrif, fry uwchben y dref, fel canolfan weinyddol a symbol o rym, i gadw trefn ar y Cymry draw i gyfeiriad y Preselau, tirnod sydd i'w weld yn glir yn y pellter. Roedd yn ofynnol i bob Cymro gefnu ar ganol y dref cyn y byddai'n nosi. Newidiodd hynny bellach gan fod unig ysgol gynradd Gymraeg Sir Benfro – Ysgol Glancleddau – wedi'i lleoli yn y dref a rhwydd hynt yn cael ei ganiatáu i'r Cymry fynd a dod pa orie bynnag o'r dydd a'r nos y mynnont.

Yn wir, mae Derek Rees yno yn fy nisgwyl, yn unol â'i brydlondeb arferol a feithrinwyd yn ystod oes faith o newyddiadura, a deil mor drwsiadus ag erioed fel petai'n barod am ddiwrnod o ohebu mewn llys. Mae'r sgwrsio cychwynnol rhyngom yn Gymraeg wrth i'r ddau ohonom roi'r byd newyddiadurol yn ei le gan resynu at y newidiade a fu, a hynny, er gwaeth, er y rhwyddineb a gyflwynwyd gan y datblygiade technegol. Synno'r pethe ifanc 'ma heddi yn gwybod am y wefr o dyrchu am stori gan fod bron pob dim yn deillio o ddatganiade mwyach, a phrin fod y rheini'n cael eu haralleirio na'u dadansoddi'n ofalus yw dyfarniad y ddau hen gono. Pach, prin fod gohebwyr heddiw'n mynychu'r un cyfarfod cyhoeddus i lunio adroddiade a meithrin cysylltiade, mynte'r ddau ohonom yn unfryd unfarn gondemniol. Ta beth, dirwyn i ben a wna ein dyddie ni a rhaid glynu wrth ein hatgofion yn hytrach na chystwyo a chollfarnu. Does yna'r un stori ar y gorwel i ni i'w chofnodi mwyach.

Trof i'r Saesneg ar sail arferiad oherwydd mai wedi blynyddoedd o adnabyddiaeth y deuthum i ddeall bod Derek yn medru'r Gymraeg ac yn ymfalchïo yn hynny hyd yn oed os nad oedd yn hyderus i'w defnyddio beunydd yng nghanol prysurdeb a phwyse gwaith. Parod yw i sôn am ymweliade plentyndod â thylwyth ei dad yn ardal Tre-lech ac arferiad un o'i wncwliod o ddysgu 'rhegfeydd' iddo er mwyn cynhyrfu ei fodrybedd. Sonia hefyd pa mor ddibynnol oedd ei dad prin-o-Saesneg ar ei fam ar ddechre ei yrfa yn yr heddlu i ysgrifennu adroddiade am y trosedde y bydde'n ymwneud â nhw. Yn wir, pa well cefndir i gyw newyddiadurwr na gwybodaeth law gyntaf am weinyddu cyfraith a threfn ac adnabyddiaeth drylwyr o haen droseddol cymdeithas yn Hwlffordd wrth ddechre ar ei yrfa?

Trefnom y cyfarfyddiad er mwyn trafod gŵr a fu gerbron llys barn droeon ond nad yw'r un ohonom, serch hynny, yn ei ystyried yn droseddwr. Yn ystod ei 38 mlynedd o wasanaeth i bapur nos cylch Abertawe bu Derek yn dyst i ymddangosiade llys Waldo pan wrthododd dalu treth incwm ac yn ei ddilyn o gyfarfod i gyfarfod yn ystod ei ymgyrch etholiadol.

"Ie, yn ystod yr etholiad ym mis Medi 1959 y deuthum i'w adnabod, er fy mod yn gyfarwydd â'i weld o amgylch y lle cyn hynny ar ei feic â'i ben bob amser yn frown fel cneuen am na wisgai'r un dim ar ei ben. Dwi'n ei gofio mewn cyfarfod yn Broad Haven lle'r oedd George John, prifathro lleol, yn cadeirio ac Eirwyn Charles, yr asiant, yn canu unawde operatig tra oedd y gynulleidfa o tua 30 yn disgwyl i Waldo gyrraedd. O safbwynt gohebydd fe fyddai gan Waldo wastad ryw ongl ddiddorol ac efalle y byddai'n mynd ar ryw drywydd annisgwyl yn gwbl fyrfyfyr weithie. Byddai bob amser yn cynnig atebion gwybodus i gwestiyne a ddeuai o'r llawr a hynny gyda phinsiad o ffeithie perthnasol yn ogystal â chryn dipyn o argyhoeddiad yn y dweud.

"Roedd ganddo ffordd dda o drin heclwyr trwy ddweud hwyrach bod eu sylwade'n ddiddorol er nad falle'n berthnasol ac yn troi'r hyn oedd ganddyn nhw i'w ddweud ben i waered ac i'w felin ei hun. Byddai ei synnwyr digrifwch wedyn yn dileu'r tyndra a godai pan fyddai'r holi'n troi'n fileinig falle. Dwi'n cofio ei ddilyn i Creseli, Llangwm, Hook, a Barn Street yn Hwlffordd beth bynnag. Yn y dyddie hynny bydde cyfarfodydd yr ymgeiswyr yn yr un neuadd ar yr un noson yn amal iawn. Dwi'n ei gofio wedyn drannoeth y canlyniad ac er ei fod wedi colli'n drwm doedd dim arlliw o ddiflastod na siom yn perthyn iddo. Roedd yn sôn am y cynhaeaf a oedd i ddod ac fel y byddai'r hedyn mwstard yn tyfu. I mi roedd hynny'n rhan o fawredd y dyn.

"Dwi'n ei gofio yn y llys wedyn yn ddiweddarach a'r modd boneddigaidd a chwrtais roedd yn ymddwyn o flaen yr ynadon. Roedden nhw hefyd yn ymddiheurol ac yn ceisio ei annog i dalu ei ddyledion treth incwm neu i ganiatáu i rywun i dalu ar ei ran. Llediodd Waldo'n euog a bwrw ati i draddodi araith wleidyddol am oferedd rhyfela yn Corea ar y pryd gan bwysleisio nad oedd ei gydwybod yn caniatáu iddo neilltuo arian o'i eiddo i gael eu gwario ar greu arfe rhyfel. 'Dwi'n gwybod bod rhaid i fi fynd i'r carchar a dwi wedi pacio fy nghes yn barod,' meddai, gan ddangos y ces bychan i'r llys. Wedi dod mas o'r carchar fe fydde fe'n wyneb cyfarwydd ar hyd y sir wedyn ar ei feic, heb gapan ar ei ben, ac ar ei ffordd i ddarlithio rhywle mwy na thebyg. Roedd Waldo'n ddyn i'w edmygu. Doedd arian yn golygu dim iddo. Ecsentrig falle am ei fod yn wahanol i bawb arall ac, yn sicr, doedd 'na neb tebyg iddo," meddai Derek yn atgofus.

Wrth i'r ddau ohonom grybwyll rhai o'r straeon hynny a wyddem am Waldo a'i gwnâi'n wahanol, roedd gan Derek wybodaeth ychwanegol am o leiaf un o'r cymeriade hynny roedd Waldo'n eu hedmygu, sef Marjorie Lovell, y sipsi adnabyddus. Edmygai Waldo ei phlwc yn gwerthu styden crys iddo am naw ceiniog pan nad oedd yn codi dim mwy na dwy geiniog ar bawb arall. Cofiai Derek amdani'n dda am y byddai'n cnocio ar ddrws eu cartref bob hyn a hyn yn chwennych cymwynas gan ei dad. Gan amlaf bydde rhai o aelode iau ei theulu yn anystywallt a hithe o'r farn y bydde gair yn ei le gan blisman yn mynd ymhell ac yn osgoi ymddangosiad llys.

Wrth ffarwelio â Derek, sy'n dal i gadw'n heini ac effro trwy wneud gwaith ymchwil i ryw agwedd neu'i gilydd o hanes lleol, mentraf inne i'r Archifdy i chwilio am dystiolaeth o ymgyrch etholiadol ac ymddangosiade llys Waldo yn y papure wythnosol a gedwir yno. Arwydd pellach o'r newid agwedd ieithyddol a fu yn Hwlffordd yw'r ffaith fod dau aelod o staff yr Archifdy wedi dysgu Cymraeg a'u bod yn barod iawn i fanteisio ar bob cyfle i loywi eu defnydd ohoni. Tra disgwyliaf am y cyfrole trwchus o ôl-rifynne'r *Western Telegraph* gyrraedd o'r ystafell gefn manteisiaf ar y cyfle i fwrw golwg ar y toriade a gefais o'r *Evening Post* pan oeddwn ar ymweliad â'r Llyfrgell Genedlaethol.

Yn wir, roedd gen i'r union adroddiad roedd Derek Rees wedi'i lunio ar sail araith Waldo yn Broad Haven lle'r oedd wedi cyfeirio at helynt boddi Cwm Tryweryn, ger y Bala, fel enghraifft berffaith o ba mor ddi-rym oedd Cymru'n wleidyddol. Roedd pob aelod seneddol, heblaw un, a'r mwyafrif o'r awdurdode lleol yng Nghymru wedi gwrthwynebu bwriad Corfforaeth Lerpwl i gymryd dŵr at ddefnydd diwydiannol ond yn methu rhwystro'r bwriad am fod pleidleisie holl aelode seneddol San Steffan yn drech na chynrychiolwyr etholaethe Cymru.

Wrth amlinellu'r Gymru newydd dywedodd Waldo y bydde Llywodraeth Gymreig yn ffurfio Bwrdd Tir a Banc Tir er mwyn gwenud y defnydd gore o dir Cymru a diogelu'r ffermydd teuluol. Dywedodd hefyd y bydde Cymru'n dyblu ei phoblogaeth petai'r grym gwleidyddol yn ei dwylo am y bydde diwydianne eilaidd yn cael eu sefydlu i atal yr holl allfudo gan efelychu'r Iseldiroedd a Gwlad Belg yn hynny o beth a oedd eisoes wedi cynyddu eu poblogaeth drigain y cant.

Ymhen ychydig ddiwrnode roedd Waldo wedi cyfrannu erthygl yn delio â'r iaith Gymraeg gan resynu nad oedd hi'n cael eu dysgu yn ysgolion cynradd de Sir Benfro. Roedd o'r farn bod trigolion uniaith Saesneg de'r sir yn barotach i dderbyn y dylai'r Gymraeg a Saesneg fod yn gydradd yng ngweinyddiaeth Cymru na llawer o'r Cymry dwyieithog yng ngogledd y sir. Ychwanegodd ei fod yn rhag-weld y diwrnod pan y bydde'r Gymraeg yn cael ei dysgu i bawb yng Nghymru am y bydde rhieni am i'w plant deimlo eu bod yn 'perthyn'.

Wrth reswm, roedd yna fwy o sylw i'r ymgyrch yn y *Western Telegraph*, y prif bapur wythnosol lleol ac, yn wir, y cyfeiriad cyntaf a welais oedd gair o gyngor gan y colofnydd Artemus ar sut i drefnu ymgyrch etholiadol effeithiol. Roedd wedi cael ar ddeall nad oedd fawr neb yn bresennol mewn cyfarfodydd awyr agored a drefnwyd gan Blaid Cymru yn Solfach, Croesgoch a Thre-fin am nad oedd neb wedi mynd i'r drafferth i hysbysebu'r cyfarfodydd. Does yna fawr o lwyddiant yn debygol os taw annerch sedde gwag fydd yr ymgeisydd gydol yr ymgyrch, meddai.

Mewn colofn ddiweddarach roedd Artemus o'r farn mai priodol oedd penderfyniad Plaid Cymru i gynnal cyfarfod mabwysiadu'r ymgeisydd mewn ysgol am fod academwyr yn cael lle blaenllaw yn yr ymgyrch.

Cyn-brifathro Ysgol Dewi Sant, J. J. Evans, oedd y cadeirydd a'r prif areithwyr oedd athro mathemateg Ysgol Ramadeg Doc Penfro, James Nicholas a'r cyfreithiwr, Wynne Samuel, a oedd hefyd yn is-lywydd Undeb y Bedyddwyr.

Ond rhoddir sylw hefyd i rai o'r cyfarfodydd a oedd wedi'u hysbysebu ac i ddadleuon Waldo dros sefydlu hunan-lywodraeth i Gymru. Mewn cyfarfod yn Hwlffordd roedd wedi nodi 16 o wledydd a oedd yn llai na Chymru o ran poblogaeth ond eto'n rheoli eu hunain, gan gynnwys Seland Newydd a oedd yn talu pensiwn o £8 yr wythnos i ŵr a gwraig. Dywedodd fod 700,000 o Gymry wedi'u gorfodi i symud i Loegr i chwilio am waith ond y byddai llywodraeth Gymreig yn medru creu'r fframwaith economaidd i gadw'r bobol hyn mewn gwaith yng Nghymru.

Cyfeirir droeon at ei sylwade mewn nifer o gyfarfodydd yn ne'r sir ynghylch dyfodol amaethyddiaeth a'r bwriad i sefydlu nifer o sefydliade ymchwil cenedlaethol yn ychwanegol at yr unig un a oedd yn bod eisoes yn Aberystwyth o gymharu â'r naw oedd wedi'u sefydlu yn yr Alban. Tybed ai yn un o'r cyfarfodydd hynny y gofynnodd un wàg, er mwyn ceisio profi pa mor hyddysg oedd gwybodaeth amaethyddol Waldo, pa sawl asen oedd gan fochyn, ac iddo ynte ateb mewn fflach y byddai'n fodlon eu cyfrif pe deuai'r holwr â mochyn i'r llwyfan? Mewn adroddiad arall, ar sail cyfarfodydd yng ngogledd y sir, dywedwyd iddo sôn y byddai tir Cymru yn cael ei osod mewn rhyw fath o berchenogaeth ymddiriedol, yn hytrach na'i genedlaetholi, ar batrwm yr hen gyfreithie Cymreig, gan ychwanegu y bydde Cymru'n datblygu ar sail yr arferion hynafol wedi'u plethu â syniade modern.

Ond yr hyn sy'n ddadlennol yw ysgrif bortread ohono, gan un o'i gefnogwyr etholiadol yn ôl pob tebyg, sy'n ei gyflwyno fel dyn egwyddorol wedi wynebu grym awdurdod ar ei ben ei hun heb golli ei urddas na'i falchder a heb erioed weithredu'n groes i'w gydwybod. Sonnir amdano fel gŵr a fyddai'n barotach i dreulio oes mewn carchar na gorfod cyfaddawdu ar ei argyhoeddiade dyfnaf. Roedd Waldo wedi'i ddyfarnu'n fethdalwr er 1956 a bu'n rhaid diddymu'r methdaliad a thrwy hynny dalu ei ddyledion er mwyn cydymffurfio â'r rheole seneddol cyn y medrai sefyll fel ymgeisydd seneddol.

Nodir iddo fod yn ysgrifennydd y Cyngor Llafur pan oedd yn fyfyriwr ac iddo areithio ar lwyfanne'r Blaid Lafur yn Sir Benfro ym 1929 a 1935 pan oedd ei gyfaill, Willie Jenkins, yn ymgeisydd seneddol, cyfaill a fagwyd yn y Mans yn Prendergast, Hwlffordd, lle'r oedd ei dad o Gymro Cymraeg, y Parch. John Jenkins, yn weinidog ar gapel y Bedyddwyr, Hill Park, am ddeugain mlynedd. Nodwyd nad oedd Waldo wedi pleidleisio yn yr un etholiad er 1935 am nad oedd yn medru cefnogi'r un blaid a oedd yn arddel polisi o orfodaeth milwrol mewn cyfnod o heddwch.

Roedd Willie Jenkins, gyda llaw, wedi treulio blynyddoedd y Rhyfel Byd Cyntaf rhwng 1914 a 1918 yng ngharchar Dartmoor am ei fod yn wrthwynebydd cydwybodol. Roedd edmygedd Waldo ohono'n ddiderfyn yn arbennig fel areithydd llawn argyhoeddiad. "Pan godai ef i'w anterth ar y wedd ysbrydol yr oeddech yn clywed breichiau pob brawddeg yn codi'r ddaear i'r goleuni ac o'ch mewn hefyd ryw ias o'r tu hwnt i'r ddaear hon," meddai amdano mewn rhifyn o *Seren Cymru,* wythnosolyn y Bedyddwyr, wrth dalu teyrnged i gyfaill clòs arall, y Parch. E. Llwyd Williams.

Flwyddyn yn ddiweddarach gwelwn Artemus yn rhoi sylw i Waldo ar gorn ei garchariad gan edmygu ei eofndra er nad yn cefnogi ei safbwynt; "Does gen i ddim ond y parch a'r edmygedd mwyaf o ddidwylledd amlwg y gŵr hwn. Nid wyf yn cytuno â'i safbwynt ac nid wyf chwaith yn credu fod yna unrhyw ddiben defnyddiol yn ei ddull o brotestio ond dwi'n cymeradwyo ei ddewrder moesol a'i esiampl," meddai. Roedd yr un rhifyn wedi rhoi sylw helaeth i'r achos llys a gynhaliwyd ar ddydd Llun, Medi 5, 1960 pan wrthododd Waldo dalu £15-4-0 yn ogystal â gwrthod caniatâd i neb dalu ar ei ran.

Roedd Garfield Williams o Norwich, cyn-gyd-ddisgybl ysgol, wedi cysylltu â'r *Western Telegraph* yn cynnig talu'r ddyled ar ran ei gyfaill ond esboniodd Dilys, chwaer Waldo, mai di-fudd fyddai hynny am y medrai ei brawd dalu'r ddyled heb anhawster pe dymunai. Rhoddodd clerc y llys, J. Eaton Evans, sawl cyfle iddo i dalu ond gwrthododd bob tro gan ddweud na wnâi ei gydwybod ganiatáu iddo dalu. Gwyntyllwyd y mater yn drylwyr ac yn ôl arbenigwr trethiannol a holwyd byddai'r ddyled i'r Goron yn parhau hyd yn oed ar ôl y cyfnod o garchar. Er bod taliade o'r fath yn cael eu diddymu o dan rai amgylchiade eithriadol doedd e ddim yn ymwybodol o'r un cynsail o ddiddymu ar sail cydwybod.

Ar achlysur gollwng Waldo o garchar Abertawe roedd gohebydd y papur yn disgwyl am Waldo oddi ar y bws yn Hwlffordd a chynigiodd ei gludo yn y glaw i Pont Fadlen i moyn ei ddillad o'r londri. Yn ystod y daith, cafodd y gohebydd wybod fod y bwyd, yn arbennig y bara, yn flasus a'r gwely caled yn gyffyrddus yn y carchar. Wrth iddo esbonio drachefn ei resyme dros wrthod talu treth incwm dywedodd ei fod yn teimlo'n well ac yn lanach o'i fewn o ganlyniad i'w safiad, ac y bydde'n parhau i wrthod talu treth incwm nes y byddai'r consgript olaf yn cael ei ollwng o'r Lluoedd Arfog. Terfynodd y gohebydd ei adroddiad trwy ddweud, pa beth bynnag yw eich daliade, boed yn gwbl groes i eiddo Waldo neu beidio, ei bod yn amhosib peidio ag ymserchu yn y dyn.

Roedd criw bychan o genedlaetholwyr wedi crynhoi y tu fas i garchar Abertawe y bore hwnnw i groesawu Waldo ac ymhen ychydig ddyddie wedyn pan gamodd ar lwyfan Gŵyl Gerdd Dant Llandysul, i feirniadu'r soned deyrnged i T. Ll. Stephens, Talgarreg, cododd y gynulleidfa gyfan ar ei thraed i gymeradwyo'r gŵr a wynebodd garchar oherwydd ei argyhoeddiade.

Mae'r bore wedi hedfan a minne wedi addo cadw oed â Dilys Parry tua hanner dydd er mwyn rhannu ei hatgofion hithe am Waldo. Cerddaf i ganol y dref gan brynu brechdan a diod oer yn un o'r siope ar y sgwâr gyda'r bwriad o fwyta fy nghinio ar un o'r sedde ar lan yr afon ger y ganolfan siopa. Deil fy meddwl i ddygyfor y darlun o'r carcharor bodlon nad oedd ganddo'r un gŵyn am ansawdd y llety y bu ynddo o dan glo gydol cyfnod ei ddedfryd. Sylweddolaf fod y carchariad yn benllanw cyfnod hir ar ran yr awdurdode o geisio perswadio Waldo i dalu ei ddyledion treth incwm a chyfnod yr un mor hir ar ei ran ynte o geisio perswadio'r awdurdode i'w anfon i garchar. Roedd Waldo hyd yn oed wedi chwennych cymorth rhai o brif farnwyr y deyrnas i'w anfon i garchar.

Doedd e ddim wedi talu'r un geiniog o dreth incwm er 1949 ond roedd hi'n 1954 cyn i'r awdurdode ddechre gweithredu o ddifrif yn ei erbyn pan anfonwyd beilïaid i gymryd ei eiddo a fyddai'n gyfwerth â swm ei ddyled o £41-16. Aed â'i holl ddodrefn heblaw am ei wely, bwrdd a chadair o ffermdy Great Harmeston yn Johnston ar gyrion Hwlffordd. Arferai adrodd yr hanes amdanyn nhw hyd yn oed yn cymryd y glo o'r bocs ger y tân ac o'r cwtsh glo ei hun, a'r beili wedyn yn gofyn iddo am ddarn o linyn i glymu'r linoliwm roedden nhw wedi'i godi oddi ar y llawr, ac ynte'n eu cynorthwyo'n llawen. Roedd ymweliad y bwmbeilïaid hyd yn oed wedi cyffroi'i awen: 'Heno mae yma'n hynod / Mae'n llwm! Mae'r bwm wedi bod,' meddai llinelle agoriadol y cywydd a luniodd i gofnodi'r achlysur.

Roedd yr eiddo'n cael ei werthu wedyn a'r hyn sy'n rhyfedd yw mai ei gyfeillion o blith y Crynwyr a brynodd y rhan helaethaf o'r dodrefn er mwyn eu dychwelyd iddo. Gwerthwyd ei feic Enfield am 30/-, a chelfi parlwr roedd wedi talu £75 amdanynt ychydig ynghynt, am £15. Pan ddaeth gorchymyn pellach iddo dalu ei dreth incwm gofynnodd am gael cyflwyno ei achos mewn llys cyhoeddus ond gwrthodwyd ei gais. Yn hytrach cafodd ei wysio gerbron y Meistr Diamond yn Llundain a chael ar ddeall drachefn nad oedd ganddo hawl i wrandawiad cyhoeddus. Ymhellach dyfarnodd y Meistr na fyddai'n bosib ei eithrio rhag talu ar dir cydwybod.

Ond doedd Waldo ddim am ildio a phan apeliodd yn erbyn dyfarniad Meistr Diamond fe'i gwysiwyd i ymddangos gerbron y Barnwr Pearce yn yr Uchel Lys. Er i'r Barnwr roi gwrandawiad teg i ddadleuon Waldo wrth iddo sôn am Siartr y Cenhedloedd Unedig a'r Cytundeb ynghylch Hil-laddiad, a bod llywodraeth Prydain, o ganlyniad, o dan amode cyfraith cydwladol, wedi torri ei chytundeb ag ef fel unigolyn trwy beidio â chaniatáu iddo ddadle ei achos mewn llys agored, dyfarniad y Barnwr Pearce oedd y bydde dadleuon o'r fath yn gweddu'n well ar lwyfan gwleidyddol yn hytrach na llys barn.

Yn hyn o beth roedd Waldo'n efelychu safiad a wnaed gan un o'i arwyr, yr awdur Americanaidd Henry Thoreau, a wrthododd dalu trethi am gyfnod o chwe blynedd mewn protest yn erbyn y rhyfel rhwng America a Mecsico yn ogystal â'i wrthwynebiad i gaethwasiaeth. Bydde Waldo wedi darllen ei lyfr dylanwadol, *Civil Disobedience*, a gyhoeddwyd ym 1849. Ond yn wahanol i Thoreau roedd Waldo'n benderfynol o dreulio cyfnod y ddedfryd o garchar a roddwyd iddo yn y carchar. Gollyngwyd yr Americanwr o'r carchar ar ôl treulio dim ond noson yno am fod ei fodryb wedi talu ei holl ddyledion erbyn bore trannoeth.

Daw Dilys Parry â'i serchowgrwydd arferol i'r golwg a'r un modd mae afiaith yn ei dweud wrth sôn am ei hadnabyddiaeth o Waldo fel cwmnïwr, darlithydd a darpar wleidydd tra eisteddem yng ngwenau'r haul. Rhoes y wraig sy'n hanu o Langeitho oes o wasanaeth i Gymreictod ardal Hwlffordd o gofio mai hi oedd yr athrawes gyntaf i'w phenodi i ddysgu trwy gyfrwng y Gymraeg yn y dosbarth Cymraeg yn Ysgol Gynradd Prendergast ym 1967. Datblygodd y dosbarth yn Uned gydag amser ac yn Ysgol Gymraeg Glannau Cleddau erbyn hyn.

"Peidiwch â sôn! Roeddwn i'n treulio orie yn y swyddfa yn Dew Street adeg yr etholiad ym 1959 yn paratoi amlenni ac ateb y ffôn. Doedd Waldo braidd fyth i'w weld. Doedden ni ddim yn gwybod lle'r oedd e. Ond un diwrnod dwi'n ei gofio yn y swyddfa ac yn ateb y ffôn a rhywun eisie gwybod pa liwie oedd lliwie'r Blaid. Dyma Waldo a finne'n edrych yn syn ar ein gilydd. Doedd dim syniad gyda ni beth oedd lliwie'r Blaid a bu raid dweud hynny wrth y sawl a oedd yn holi. Ar ryw olwg, diolch byth na chafodd Waldo ei ethol yn aelod seneddol. Ond wedyn mae'n siŵr y bydde fe wedi gadael ei farc rywsut.

"Dwi'n cofio wedyn mynd i gerdded yn ei gwmni pan oedd rhai o'i ffrindie o blith y Crynwyr yn trefnu teithie. Dwi'n ei gofio'n dod rhywbryd yn gwthio'i feic am ei fod yn bwriadu mynd ymhellach wedi'r daith yn hytrach na throi 'nôl gyda ni. Bryd arall falle fydde fe yn ei sandale a'r rheiny'n gwbl anaddas ar hyd y llwybr lleidiog fydden ni'n ei gerdded. Pan fydden ni'n tynnu sylw at hynny fe fydde fe'n dweud amdano'i hun, 'A vandal in sandals'.

"Bryd arall falle na fydde fe'n dweud dim am gyfnod hir ond wedyn yn adrodd llinelle o waith Shelley neu Wordsworth. Dwi'n ei gofio'n dweud wrthon ni rywbryd wrth gyrraedd Pont

Canaston, 'O, roeddwn i'n sefyll wrth y bont 'ma am hanner nos neithiwr'. Pawb wedi syfrdanu a rhywun yn mentro gofyn 'Beth oeddech chi'n gneud fan hyn amser 'na 'te, Waldo?' Fynte'n ateb yn ddidaro, 'O, athronyddu', a dyna ni, dim mwy o esboniad, a dyna chi Waldo; neb yn holi rhagor wedyn.

"Dwi'n cofio mynychu ei ddosbarthiade nos wedyn a fynte'n traddodi heb nodiade mewn brawddege byrion pwt. Falle bydde saib hir wedyn am dair neu bedair munud cyn y bydde fe'n ailgydio ac yn chwerthin yn braf heb ddatgelu ble roedd e wedi bod yn feddyliol. Dwi'n cofio trafod un o ddramâu Saunders Lewis a finne'n magu plwc i ofyn pam nad oedd yna ferched glân yn ei ddramâu. Roedd diweirdeb yn beth mawr i fi chi'n gweld oherwydd fy nghefndir Calfinaidd ond yr ateb gafwyd gan Waldo oedd 'Dyna yw bywyd', a dyna ni, dim rhagor o drafodaeth ar y mater a bwrw arni. Ie, dyn annwyl iawn oedd yn hoff o fyfyrio," yw ei dyfarniad.

Erbyn hyn rwyf wedi bwyta fy mrechdan gaws a'r ddiod oer ac wedi mwynhau'r ciplun cryno o amryw agwedde o bersonoliaeth Waldo yn cyfleu darlun o ddyn unigryw a adawai argraff ar bwy bynnag a dreuliai amser yn ei gwmni. Af 'nôl i'r Archifdy i fwrw golwg ar adroddiade'r wasg am ei ail garchariad. Cafodd gwarant ei chyhoeddi i arestio Waldo am nad oedd wedi mynychu achos llys ym mis Ionawr 1961. Y gred yw bod yr heddychwr yn lletya yn ardal Martletwy ar y pryd, yn hytrach nag yn 1, Plas-y-gamil, Wdig, fel y credai awdurdode'r llys, ac mai amryfusedd yn fwy na dim oedd yn gyfrifol am ei absenoldeb o'r llys.

Mae'n debyg nad oedd gan blisman ardal Martletwy y stumog i arestio Waldo mwy na sicrhau y byddai'n bresennol yn yr achos llys dilynol ar ddydd Llun, Chwefror 13. 'Warrant out for Nationalist' oedd pennawd tudalen flaen y *Narberth Weekly News* a disgrifiwyd y gwron fel 'unofficial leader of the Plaid Cymru movement in Pembrokeshire'. Meddyliwch, Waldo ar ffo!

Unwaith eto roedd y clerc, James Eaton-Evans, yn holi a oedd gan Waldo y modd i dalu'r £15 oedd yn ddyledus ac ynte'n

CENSUS OF ENGLAND AND WALES, 1911.

Before writing on this Schedule please read the Examples and the Instructions given on the other side of the paper, as well as the headings of the Columns. The entries should be written in Ink.

The contents of the Schedule will be treated as confidential. Strict care will be taken that no information is disclosed with regard to individual persons. The returns are not to be used for proof of age, as in connection with Old Age Pensions, or for any other purpose than the preparation of Statistical Tables.

Number of Schedule 332

	NAME AND SURNAME	RELATIONSHIP to Head of Family	AGE (last Birthday) and SEX: Ages of Males	Ages of Females	PARTICULARS as to MARRIAGE	Completed years the present Marriage has lasted	Children born alive: Total Children Born Alive	Children still Living	Children who have Died	PROFESSION or OCCUPATION: Personal Occupation	Industry or Service with which worker is connected	Whether Employer, Worker, or Working on Own Account	Whether Working at Home	BIRTHPLACE of every Person	NATIONALITY of every Person born in a Foreign Country	INFIRMITY	LANGUAGE SPOKEN
	1.	2.	3.	4.	5.	6.	7.	8.	9.	10.	11.	12.	13.	14.	15.	16.	17.
1	John Edwal Williams	Head	47	—	Married	10	—	—	—	Elem. School Head Teacher	County Council	—	—	Carmarthen, Llandilo	—		Both.
2	Angharad Eliz. Williams	Wife	—	35	Married	10	5	5	—	—	—	—	—	Shropshire, Market Drayton	—		Both.
3	Morfydd M. Williams	Daughter	—	8	—	—	—	—	—	—	—	—	—	Pembroke, Haverfordwest	—		English
4	Mary E. M. Williams	Daughter	—	7	—	—	—	—	—	—	—	—	—	Pembroke, Haverfordwest	—		English
5	Waldo G. Williams	Son	6	—	—	—	—	—	—	—	—	—	—	Pembroke, Haverfordwest	—		English
6	Roger Williams	Son	3	—	—	—	—	—	—	—	—	—	—	Pembroke, Haverfordwest	—		English
7	Angharad Dilys Williams	Daughter	—	1	—	—	—	—	—	—	—	—	—	Pembroke, Haverfordwest	—		[illegible]

(To be filled up by the Enumerator.)

Total: Males	Females	Persons
3	4	7

(To be filled up by, or on behalf of, the Head of Family or other person in occupation, or in charge, of this dwelling.)

Write below the Number of Rooms in this Dwelling (House, Tenement or Apartment). Count the kitchen as a room but do not count scullery, landing, lobby, closet, bathroom; nor warehouse, office, shop. (Six) 6

I declare that this Schedule is correctly filled up to the best of my knowledge and belief.

Signature J. Edwal Williams

Postal Address Prendergast School House, Haverfordwest.

Cyfrifiad 1911 – noda rhieni Waldo eu bod yn medru'r Gymraeg ond yr un o'r plant.

Waldo'n myfyrio
yn ymyl y dŵr.

Teulu Rhosaeron. O'r chwith yn eistedd: Gwilamus, Roger, John Edwal, Lefi.
Yn sefyll: Mary, Gwladys, Waldo, Angharad, Dilys ac Elizabeth, gwraig Lefi.

Creigir Uchaf – cartref Waldo a Linda ym Mhen Llŷn.

Waldo yng nghwmni un o ddosbarthiadau Ysgol Casmael yn 1940. Olive Williams (Griffiths bryd hynny) yw'r drydedd o'r chwith yn y rhes flaen. Saif Len Williams, y tybir iddo daro Waldo yn ei stumog nes ei fod yn blèt, a hynny ar wahoddiad mishtir, yn union y tu ôl iddi. Mary Griffiths (Adams bryd hynny) sydd ar y chwith yn y rhes ôl.

Waldo gyda'r criw yn An Spidéal ar gwrs Gwyddeleg yn 1955.

Waldo yn sefyll rhwng D. J. Williams a Gwynfor Evans adeg y cyfarfod yn Hwlffordd pan wrthododd Waldo sefyll yr eilwaith fel ymgeisydd Plaid Cymru. Ar y dde i Gwynfor saif y Parch. W. J. Gruffydd (yr Archdderwydd Elerydd yn ddiweddarach) ac o'i flaen, ei fab, Wyn, y sylwebydd rygbi.

Capel Millin, gerllaw Cleddau Ddu, lle arferai Waldo dreulio'r oriau cynnar yn disgwyl i'r wawr dorri.

Marjorie Lovell, y sipsi a werthodd styden crys i Waldo am naw ceiniog tra na chodai fwy na dwy geiniog ar bawb arall.
Llun gan Alfred Eagers.

Beddfaen y teulu ym mynwent Capel Blaenconin, Llandysilio.

Waldo yn agor estyniad Ysgol Brynconin yn ei sliperi yn 1969.

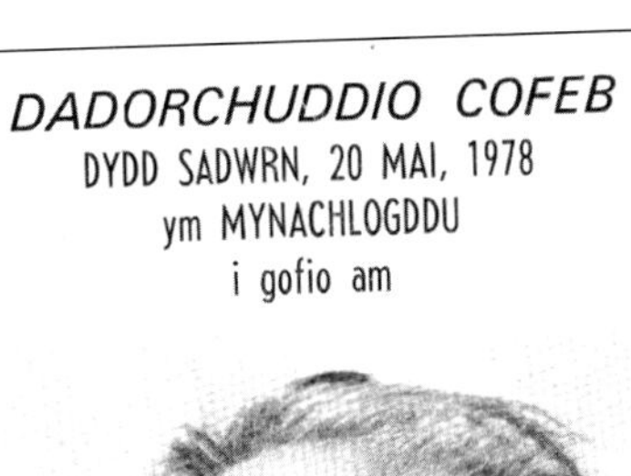

DADORCHUDDIO COFEB
DYDD SADWRN, 20 MAI, 1978
ym MYNACHLOGDDU
i gofio am

COFIO WALDO

"Daw dydd y bydd mawr y rhai bychain"
(Buddug Medi, Bala)

Perfformiad gan
Gwmni Drama'r Gromlech a Ieuenctid y Fro
(Cynhyrchydd : GRANVILLE JOHN)
yn NEUADD YSGOL Y PRESELI, CRYMYCH
DYDD SADWRN, 20 MAI, 1978
am 7.30 o'r gloch

Tocyn : £1

Rhaglen dadorchuddio 'Carreg Waldo' ar Gomin Rhos-fach, Mynachlog-ddu ym mis Mai 1978 a thocyn ar gyfer y cyflwyniad yn Ysgol y Preseli, Crymych y noson honno.

Steffan Griffith, un o gyfeillion agosaf Waldo, yn oedfa'r Crynwyr yn Aberdaugleddau ac ynte dros ei 100 oed. Bu farw yn 2011 yn 102 oed.

'A wnewch chi fadde i mi?' meddai Waldo wrth Arfon Huws.

Yr awdur yn ymdrochi
ym Mhorth Ceiriad.

Canon Dewi Thomas
– bu'n rhaid iddo gysgu
ar lawr yn Elm Cottage
am nad oedd y gwely'n
gras.

'Mi ydach chi'r un ffunud â fo' oedd dyfarniad pobol Pen Llŷn am Teifryn.

Barod i bedlo o amgylch Pen Llŷn.

Raymond 'Togo' John y bu Waldo'n ceisio ei ddiddyfnu oddi ar y ddiod.

Roedd Bessie Phillips yn un o gyd-ddisgyblion Waldo o dan athrawiaeth ei dad, John Edwal. Bu farw yn 107 oed yn 2011.

Emyr Llywelyn, ar y chwith, yn sgwrsio â'r awdur yn y tywyllwch ar derfyn y cyflwyniad awyr agored, 'Môr o Oleuni' i ddathlu canmlwyddiant geni Waldo yn 2004.

Mary Griffiths. Cofia'n dda iddi gael shigwdad gan Waldo ar gam yn Ysgol Cas-mael.

Brenda Twigg, y dafarnwraig, a gynigai sylw am bob tudalen o'r gyfrol *Bro a Bywyd Waldo.*

Y Chwaer Bosco – goleuai ei hwyneb dim ond clywed y gair Waldo.

Eirwyn Charles, asiant etholiad Waldo yn ei gartref yn Eltham, Llundain.

Gerwyn, nai Waldo, yn yr ardd.

Vernon Beynon yn sgwrsio â phererinion yn y bwlch rhwng Parc y Blawd a Weun Parc y Blawd.

Dr Patrick Fenton (Pádraig Ó Fiannachta) yn ei swyddfa ben bore.

Teifryn wedi trwsio'r pwnsier yn Waterford.

Teifryn yn dal pen rheswm â Val Adams wrth iet Great Harmeston.

Great Harmeston ger Johnston fel y mae heddiw, lle lletyai Waldo.

Y plac a osodwyd ar fur Ysgol Kimbolton yn Huntingdon ym mis Gorffennaf 2011 i gofio am gyfnod Waldo yn athro yno.

Teifryn a Gerwyn, y ddau nai, wrth y plac a ddadorchuddiwyd yn Kimbolton.

Wedi cyrraedd Sunnyside lle bu Waldo'n lletya pan oedd yn dysgu yn Kimbolton.

Y dderwen gam ar lan afon Cleddau lle byddai Waldo'n gwylio'r gwawrio.

Dai'r nai, David Williams, yn ei afiaith yn sôn am ei adnabyddiaeth o Nwncwl Waldo.

Teifryn a David yng Nghapel Pisga yn gwrando ar ddarlith gan yr Archesgob Rowan Williams ym mis Mawrth 2012.

ateb yn gadarnhaol ond yn ychwanegu nad oedd yn bwriadu gwneud chwaith am ei fod yn gwrthwynebu gorfodaeth filwrol. Ceisiodd y clerc ei berswadio i dalu trwy ei atgoffa fod y drefn o orfodaeth yn dirwyn i ben ac na fyddai neb arall yn cael ei alw i wasanaethu'r lluoedd arfog o'i anfodd rhagor.

Roedd hi'n sefyllfa ddramatig wrth i'r ynadon a'r clerc ofyn i Waldo droeon a fyddai'n fodlon talu ac ynte'n dweud na wnâi'n ddiwyro bob tro gan godi'r ces i ddangos i'r ynadon ei fod yn barod i gael ei gloi mewn cell y noson honno. Mynnodd Waldo na fydde'n rhoi'r gore i'w safiad nes y byddai'r olaf a ymunodd â'r lluoedd o dan y drefn o orfodaeth yn cael ei ollwng. Fe'i dedfrydwyd i chwe wythnos o garchar ac aed ag ef i garchar Ashwell Road, Oakham, Rutland, yn Nwyrain Canolbarth Lloegr, y tro hwn.

Ond yr hyn sy'n rhyfeddol yw'r llith golygyddol yn y *Western Telegraph* yr wythnos honno o dan y pennawd 'Mater o gydwybod' sy'n dyrchafu safiad Waldo ac yn cydnabod ei fawredd. Dywed Herbert Thomas y bydd y carcharor yn sicr o greu wal feddyliol o gwmpas ei hun gan dreulio ei amser yn myfyrio ac efalle'n barddoni heb deimlo'n flin drosto ei hun na chwaith ddifaru am ei benderfyniad am eiliad. Bydd yn ystyried ei gyfnod yng ngharchar yn union fel y gwna offeiriad sy'n treulio cyfnod mewn encil, sef er mwyn ymbellhau o bethe'r byd, meddai. Pwysleisia nad yw'r ddedfryd yn gosb o unrhyw fath ar Waldo ac mai ef ac nid yr ynadon sy wedi ennill buddugoliaeth mewn gwirionedd. Ychwanega y cyst llawer mwy i'r wladwriaeth gadw Waldo yn y carchar am chwe wythnos na'r £15 o ddyled roedden nhw'n ceisio ei orfodi i dalu. Meddai'r llith olygyddol i gloi:

> Dyma ddyn nad yw'n poeni ynghylch mynd i garchar. Dyn o feddwl ac o gydwybod sy'n barod i ferthyru ei hun am ei gredoau. Mae cadw dyn fel Waldo mewn carchar yn ddisynnwyr. Yr unig beth a wna yw darlunio pa mor analluog yw'r awdurdodau i ddelio â mater o gydwybod. Medran nhw gyfyngu corff i gell ond deil y meddwl yn rhydd. Dydyn ni ddim yn credu yn yr un pethau â

> Waldo Williams ond rydym yn plygu gerbron dewrder moesol y dyn bychan nad yw'n ofni holl geffylau na holl ddynion y Frenhines.

A'r hyn sy'n rhyfeddach yw llythyr yn y rhifyn dilynol gan G. W. John, prifathro Ysgol Camros, ac aelod amlwg o'r mudiad diarfogi niwclear a oedd yn y gwrandawiad llys yn cefnogi Waldo. Roedd teulu George John yn hanu o ardal Clunderwen ac roedd ei wraig, Mary, wedi'i magu yn Llandysilio. Canmol y deyrnged a wnâi yn ei lythyr gan ddweud bod y fath lith yn gosod disgleirdeb ar y cyhoeddiad. Aeth gam ymhellach trwy ddweud y bydde unrhyw garchar a gyfyngai Waldo yn gorfforol hefyd yn gosod disgleirdeb arno'i hun trwy'i gadw yno. Mynnodd nad oedd angen i neb gydymdeimlo â Waldo ei hun ond yn hytrach â'r ynadon a fu'n ddigon anffodus i fod yn eistedd ar y fainc pan gafodd ei ddedfrydu.

Teg dweud bod gan ŵr o'r enw 'Henry' lythyr yn yr un rhifyn yn condemnio safiad Waldo am beidio â pharchu'r gyfraith wrth weithredu yn ôl ei gydwybod. Mynnodd nad oedd dewrder Waldo yn ymestyn ymhellach na'i deyrngarwch i'w blaid ac o dynnu honno oddi wrtho byddai ei 'gydwybod yn gwywo megis dihiryn heb ddryll'. Rhag condemnio 'Henry' yn ormodol am beidio â rhoi ei enw yn llawn, er iddo roi ei gyfeiriad fel '12, Dew Street', teg dweud ei fod yn llythyrwr cyson yn y *Western Telegraph* ar y pryd. Yr wythnos flaenorol roedd yn hwtran ynghylch gosod arwydd 'No Waiting' mewn maes parcio oherwydd, wedi'r cyfan, caniatáu i gerbydau i aros yw diben maes parcio, meddai.

Mae'n hwyr brynhawn, staff yr Archifdy'n dechre ystwyrian i gau am bedwar o'r gloch, a finne'n wynebu siwrne o ryw ddwy awr tuag adref ar gefn fy meic. Gwnaf nodiade brysiog o gyfeiriade eraill a chymryd copi o deyrnged gan Artemus y deuthum ar ei thraws ar achlysur marwolaeth Waldo ym mis Mai 1971. Caf ei darllen yn fanylach ar ôl cyrraedd adref a hynny gydag eiddgarwch ar ôl sylwi ar y pennawd, sef 'Dyn heb falais'.

Deil fy meic i bwyso ar y wal a hynny er nad oeddwn wedi ei glymu na'i gadwyno na'i gloi mewn unrhyw fodd. Gwna hynny i mi gofio am stori y Dilwyn Vaughan ifanc tua 17 oed yn y 1960au cynnar yn cyfarfod â Waldo yn siop tships Phipps for Chips yn Dark Street, Hwlffordd, ar nos Sadwrn. Wedi iddo barcio ei feic daeth Waldo i eistedd wrth yr un bwrdd â'r cryts ifenc o ardal Wystog. Fuodd yna fawr o sgwrs rhyngddyn nhw am nad oedden nhw'n nabod ei gilydd a phrin fod llawer yn gyffredin rhyngddyn nhw. Ond wedi cwpla'r pryd a mynd mas o'r caffi fe sylwyd fod beic Waldo wedi diflannu; "Rhywun wedi jengyd ag e, ch'wel," meddai Dilwyn. Ond ymateb Waldo oedd wedi rhyfeddu Dilwyn a'i gyfeillion am nad oedd yn creu'r un ffwdan nac yn ystyried galw'r heddlu.

"Yr unig beth wedodd e, ch'wel, oedd, 'Gobeitho y bydd pwy bynnag sy wedi mynd â'r beic yn ei ga'l e mor ddefnyddiol ag oedd e i fi', a bant ag e getre, yn cerdded wedyn; ie, doedd e ddim o'r byd hwn, ch'wel. Fydden i ddim yn dweud ei fod e'n dlawd ond doedd ddim angen pethe'r byd hwn, y pethe materol, arno fe rywfodd. Cawr o ddyn sdim dowt. Na, doedden ni ddim yn ei werthfawrogi ar y pryd. Pictiwrs a bant â hi oedd hi gyda ni. Wedd e'n rhy ddwfwn i gryts ifenc ar y pryd. 'I feddwl e'n wahanol, ch'wel. Oedd e'n whalu meddylie siŵr o fod wrth fwyta tships ar yr un ford â ni," meddai.

A dyna i chi deyrnged hyfryd annisgwyl i finne whalu meddylie yn ei chylch wrth bedlo lan rhiw Prendergast ac anelu am Grwndél. Yn wir, prin i mi sylwi ar fawr ddim o'm hamgylch ar hyd yr holl ffordd adref. Roeddwn wedi ymgolli yn y darlun o daerineb y dyn bach yn y llys yn mynnu nad oedd ganddo'r un dewis ond mynd i garchar er gwaethaf mynych ymbilion y clerc. Rhyfedd ei fod mor jycôs wedyn yng ngharchardai Abertawe a Rutland.

Cofiais am y stori honno amdano'n cyfarfod â chyfaill ysgol iddo o Landysilio yn y jâl. Gwahanol iawn oedd trosedd 'Twm Blew', fel y'i gelwid, er mai gwrthod talu dyledion a wnâi ynte hefyd. Cael ei garcharu am nad oedd yn gyson â'i daliade cynhaliaeth oedd trosedd Thomas Evans ond roedd Waldo yn gwerthfawrogi ei gwmnïaeth a'i ddirieidi. Pan ganai'r gloch fe waeddai Twm, fel petaen nhw ar glos Ysgol Brynconin, "'Na fe, dere mlân Waldo, mae'n amser whare nawr."

Adroddai stori amdano'i hun wedyn yng ngharchar Rutland yn cael ei holi gan un o'r swyddogion pam oedd e'n bwrw ati mor galed i balu tir cleiog gan ateb, "Gwneud y gore o'r cyfle sy gen i".

"Beth wyt ti'n ei feddwl?" meddai'r sgriw ymhellach.

"Wel, wyt ti'n gwybod fy mod yn genedlaetholwr Cymreig. Dwi'n ceisio cael gafael ar gymaint o Loegr ag y medraf gyda'r rhaw er mwyn ei thorri'n ddarne mân," oedd ei ateb direidus.

Mae'n rhaid fy mod wedi chwibanu drwy Heol Clarbeston cyn i mi ddechre fy holi fy hun pam na fydde eraill wedi efelychu safiad Waldo gan fod yna gymaint o gefnogaeth iddo. Bid siŵr, bydde gweithred dorfol o'r fath, yn gwrthod talu treth incwm a fydde'n arwain at lenwi'r carchardai, yn sicr o dynnu sylw at oferedd rhyfel.

Ond, wrth gwrs, roedd Waldo wedi ei baratoi'i hun, nid yn unig yn feddyliol ond o ran ei drefniade personol hefyd am nad oedd ganddo gyfrifoldeb dros neb ond ef ei hun. Doedd dim gofalon teulu ganddo fel y cyfryw. Doedd e ddim wedi chwennych dilyn gyrfa a chyfrifoldeb swydd o bwys a olygai y byddai hwyrach yn anghyfrifol petai'n mynnu cael ei garcharu o dan y fath amgylchiade.

Roedd wedi penderfynu gwrthwynebu rhyfel â'i holl enaid ac am gyfnode wedi'i theimlo yn amhosib gadael ei gartref i wynebu ei gyfoedion gan gymaint yr euogrwydd a deimlai dros ei gyd-ddyn yn mynd ati i ladd ei frawd. Arswydai o glywed am y bomie napalm a ddefnyddid yn Corea i losgi cyrff pobol ddiniwed.

Parhaf i ryfeddu at yr unplygrwydd meddwl a'r gydwybod eirias ynghylch yr un peth sydd wedi difetha dynoliaeth erioed, sef yr ysfa i ladd, ac yna canfod pob math o gyfiawnhad dros wneud hynny sydd ond yn deillio o wendid dyn yn y pen draw.

Ym mhob sobrwydd, rhyfeddaf ymhellach at ddull cwbl

ddifalais Waldo o wrthwynebu a olygai nad oedd yn dal yr un arlliw o ddig tuag at y bwmbeilïaid, yr heddlu, y swyddogion llys nac aelode mainc yr ynadon. Rhaid wrth gryn argyhoeddiad a rhuddin cymeriad i fynychu llys barn â ches bychan o dan eich cesail i ddangos i'r byd a'r betws eich parodrwydd i fynd i garchar ac, yn wir, mai eich dymuniad yw mynd oddi yno i garchar.

Afraid dyfalu pam na fydde Waldo wedi mynnu cynnal yr achos llys yn Gymraeg fel y bydde'n medru gwneud yn ddidramgwydd heddiw. Doedd hynny ddim yn arfer cyffredin ar y pryd, hyd yn oed mewn ardaloedd Cymreiciach a hwyrach y bydde hynny'n tynnu sylw oddi ar gwir fater ei gydwybod ar y pryd a chreu helynt a fydde'n cymhlethu'r sefyllfa. Tebyg y byddai wedi gorfod aros yn hwy fyth cyn cael ei garcharu!

Wedi i mi gyrraedd adref gosodaf deyrnged Artemus yn ei golofn *Between You and Me* ar y bwrdd yn barod i'w darllen, wedi i mi fwynhau moethusrwydd cawod a phryd o fwyd, gan ystyried ein bod yn dal i fyw mewn euog fyd ar lawer ystyr a bod Waldo wedi ceisio gwneud iawn am yr euogrwydd hwnnw.

Yn wir, cyfeirir at Waldo fel gŵr a oedd yn adnabyddus i filoedd ac a oedd yn un o wir feibion Sir Benfro. Doedd yna neb a siaradai'n ddrwg amdano, meddir, ac ni fedrai neb ei gyhuddo o fod yn faleisus nac yn angharedig. Roedd wedi ymgodi uwchlaw arian a nwydde bydol gan fyw i feddwl yn dda o bobol ac i weithredu mewn diffuantrwydd a gonestrwydd tryloyw.

Dywed pwy bynnag a luniodd y deyrnged i Waldo – G. W. John, Camros, yn ôl un awgrym – ei fod yn ddyn a fedrai gerdded yn droednoeth trwy'r eira a theimlo cynhesrwydd bodlonrwydd wrth ystyried harddwch byd natur. Cyfeiria at ei safiad yn gwrthod talu treth incwm ac am ei safiad fel ymgeisydd cyntaf Plaid Cymru yn Sir Benfro. Gwell dyfynnu'r gwreiddiol:

> He stood alone against all the majesty and force of the law. He knew he could not win, but he refused to bow – and pay. He quietly

fought his battle, realising the inevitable outcome. When the litigation was over, he was made a bankrupt. It was a dear price to pay. It cost him much in his career, in his standing in society, but he made his sacrifice quietly and without complaint rather than contribute one penny towards the violent death of another human being. He lost a great deal, but he kept his conscience.

At another stage, he was persuaded to enter the political arena. He became the Plaid Cymru candidate for Pembrokeshire. It was a cause in which he believed fervently. He was a political innocent. A Daniel in the den of lions. He was abused, and trampled on. He had no hope of success, but he carried on quietly, sincerely, unruffled, to the inevitable defeat. And even in the political arena, he was never provoked to hit back, to wound, to hurt. He could not bring himself to speak ill of his opponents and those who taunted him and mocked the policies he embraced.

In many respects Waldo Williams was a man who walked alone. He had no vanities. No pretentions. No care for material possessions. He had his thoughts for company. And it is only his thoughts, and the memory of a remarkable sincere and Christian man that he leaves behind.

Nid yn amal y caiff yr un Artemus gyfle i ysgrifennu'r fath deyrnged i aelod o'r ddynoliaeth. Yn ôl papur wythnosol mwyaf dylanwadol Sir Benfro, yn y dyddie pan oedd disgwyl i bapur o'r fath fynegi safbwynt a rhoi arweiniad i'w ddarllenwyr, yn union fel y disgwylir i bregethwr sy'n esgyn i bulpud fynegi safbwynt a rhoi arweiniad i'w wrandawyr, roedd Waldo yn berson a oedd wedi'i anwylo gan Sir Benfro gyfan. Adleisia hyn y sgwrs gynharach rhyngof a Derek Rees nad oes gan y wasg leol gyfoes, sydd bellach yn eiddo i gwmni masnachol mawr o gymharu â chwmnïe teuluol lleol oes a fu, yr un gwerthoedd. Sicrhau elw yw'r nod uwchlaw pob dim a naw wfft i gynnig gwasanaeth i gymuned.

Fe'm hatgoffir gan y cyfeiriade at y modd yr ymladdodd Waldo yr etholiad cyffredinol hwnnw o dystiolaeth un o'i hebryngwyr ar y pryd, Berian Williams, a oedd yn athro yn Ysgol Ramadeg Arberth. Wrth fynd o un cyfarfod i'r llall bydde Waldo'n datgelu rhywfaint o'i fawredd yn ei sylwade. Doedd

Waldo ddim yn cymeradwyo penderfyniad rhywun mewn rhyw gyfarfod i ddarllen dyfyniade o lyfryn a baratowyd gan J. E. Jones, Ysgrifennydd Plaid Cymru, o ddatganiade gan bobol oedd wedi troi'u cefn ar y mudiad cenedlaethol. "Ma gan bawb yr hawl i newid ei feddwl," oedd geirie Waldo wrth Berian tra oedden nhw ar eu ffordd i'r cyfarfod nesaf a doedd e ddim yn credu y dylid edliw hynny i neb.

Dro arall, wrth i'r ddau fynd i gyfarfod ola'r ymgyrch yn Nhyddewi, mynegodd Waldo ei obaith na fyddai neb yn gofyn iddo am ei farn ynghylch agor tafarndai ar y Sul, am y byddai'n rhaid iddo fod yn onest a dweud mai mater o ddewis personol ddylse hynny fod.

Erbyn heddiw, mae'n siŵr y bydde pob un o'r 2,253 a bleidleisiodd dros Waldo yn yr etholiad hanesyddol hwnnw yn Sir Benfro ym mis Hydref 1959 yn ymfalchïo eu bod wedi gwneud hynny ac yn barod i ddatgan hynny'n groyw ar goedd. Serch hynny, dim ond 4.32% o'r bleidlais gyfan oedd hynny wrth i'r buddugwr, yr aelod Llafur a oedd yn amddiffyn y sedd, Desmond Donnelly, sicrhau 53% o'r bleidlais (27,623) a Graham Partridge, yr ymgeisydd Torïaidd, ddenu 43% o'r bleidlais (22,301). Ond roedd Waldo wedi hau'r hedyn mwstard, chwedl ynte.

Roedd o leiaf wedi gwneud mwy o argraff nag ymgeisydd Plaid Cymru yn y ffug etholiad a gynhaliwyd yn Ysgol Ramadeg Aberdaugleddau ar y pryd. Un bleidlais gafodd Jennifer Boyce. Roedd hyd yn oed yr ymgeisydd Comiwnyddol wedi crafu 14 o bleidleisie. Bydde hynny wedi goglish Waldo.

Erbyn heddiw mae Jennifer Boyce yn Jennifer Whyte ac yn byw ym Mhenfro. Deil i gofio'r achlysur yn dda:

"Rhaid cyfaddef fydden i ddim wedi dewis sefyll yn enw Plaid Cymru ond roedd y prifathro yn mynnu fy mod yn gwneud. Roedd e am ein gwneud ni i gyd yn ymwybodol o wleidyddiaeth trwy gynnal ffug etholiad. Do, fe wnes i areithio gerbron yr ysgol ac fe ges i afael ar rai taflenni o'r etholiad go iawn. Ond er i mi roi cyfrif da ohonof fy hun, mae'n debyg, roedd pawb yn dweud na chawswn i'r un bleidlais. Ac yn wir, dim ond un ges i, sef pleidlais gan ffrind. Doedd dim hawl 'da ni'r ymgeiswyr i roi pleidlais i ni'n hunain. A rhaid i mi gyfaddef, ers hynny, fy mod i wedi bod yn weithgar gyda'r Blaid Dorïaidd ar hyd y rhan fwyaf o'm hoes. 'Neuthum i erioed gyfarfod â Waldo Williams chwaith ond oherwydd y sylw sydd wedi bod iddo'n ddiweddar dwi wedi bod yn edrych i mewn i'w hanes ar y we ac ati," oedd byrdwn ei hatgofion.

Erbyn heddiw, nid yw'n anarferol i ymgeiswyr Plaid Cymru gael eu hethol ar Gyngor Tref Aberdaugleddau nac ychwaith eu hethol ar Gyngor Sir Penfro.

14

Capel Millin

TYNNAF Y LLENNI'N awchus o weld fod goleuni'r bore'n treiddio trwyddynt eisoes ac am olygfa o ysblander sy'n fy nisgwyl ar y gorwel draw. Cwyd yr haul yn wingoch a phinc ysgafn wrth iddo wthio'i belydre tanllyd drwy'r cymyle fel petai wedi'i sarnu ei hun o'i drwmgwsg. Deil i dywallt ei hun o'i gragen am funude lawer fel petai'n gwaedu ac am drochi'r holl gread â'i geulad cyn ymestyn i'w lawn dwf ar erchwyn y ffurfafen ar lawr y nen.

Does yna'r un deffroad yr un fath, a'r un modd mae gan bob diwrnod ei gyfrinache i'w datgelu o'r newydd. Heddiw trefnais i gyfarfod â Teifryn yng Nghapel Millin ger Rhos o dan yr A40 tua hanner dydd, a ninne heb weld ein gilydd ers tro.

Yn wir, rwyf braidd yn betrusgar am fod fy anwadalwch wedi achosi i Teifryn wastraffu cryn dipyn o'i amser y tro diwethaf i ni fod yng nghwmni ein gilydd. Ni wn sut hwylie fydd arno ac a fydd yn edliw i mi fy nhrwstaneiddiwch. Cysylltais ag ef ar fyr rybudd un noson gan ei wahodd i wrando ar seiclwr oedd wedi cylchynu'r byd ar ei feic, yn sôn am ei anturiaethe, yn Theatr y Mwldan, yn Aberteifi. Roedd ganddo ddiddordeb ac yn awchu i ddod. Holodd a oedd angen prynu tocynne ymlaen llaw ac atebais inne'n lled wamal na fydde fawr neb yno'n gwrando ar gyflwyniad mor anghyffredin ac nad oedd angen poeni am le i eistedd.

Cytunasom i gyfarfod mewn da bryd wrth groesfan Tafarn Newydd ar y ffordd fynydd o Hwlffordd i Aberteifi er mwyn iddo ynte adael ei fan wen yno a theithio yn gwmni i mi. Roeddwn i ychydig ar ei hôl hi er mai gen i oedd y pellter lleiaf i deithio i'r fan a doedd hynny ddim yn gychwyn da gan fy mod wedi'i gadw i aros. Aed dros Bwlchgwynt yn jycôs a minne'n lled ddyfalu efalle y bydde sgwrs Mark Beaumont wedi'i chanslo oherwydd diffyg diddordeb a finne heb wneud y peth amlwg o roi caniad i'r swyddfa docynne yn gynharach yn y dydd i gadarnhau a fydde yno neu beidio. Ond, pa ots, roedd hi'n nos Sadwrn braf ac roedd ymweliad ag Aberteifi bob amser yn werth chweil.

Roedd hi bron yn anos na dirwyn rhaff drwy grai nodwydd i ganfod lle i barcio yng nghyffinie'r Theatr. Pan lwyddwyd i ganfod llecyn, gwelsom fod torf helaeth yn llifo i'r adeilad a finne'n cysuro Teifryn mai ar eu ffordd i wylio rhyw ffilm neu'i gilydd oedd y mwyafrif mae'n siŵr. Yn wir, roedd rhes hirfaith wrth y ddesg yn prynu neu godi tocynne oedd wedi'u cadw ar eu cyfer. Doedd dim prinder pobl yn loetran wrth y bar na'r byrdde chwaith. Ymunodd y ddau ohonom i ddisgwyl ein tro a throdd Teifryn at ddynes a safai gerllaw a chychwyn sgwrsio'n harti â hi am ryw agwedd neu'i gilydd o seiclo.

Mynnu eu bod eisoes wedi talu am docynne â cherdyn dros y we a wnâi'r pâr o'n blaene ond ni fedrai'r rhoces wrth y ddesg gadarnhau pa sedde oedd wedi'u neilltuo ar eu cyfer. Ymhen hir a hwyr cafodd yr annibendod ei ddatrys ac aeth y ddau i chwilio am eu sedde i wrando ar y seiclwr. Roedd bron pawb arall wedi diflannu erbyn hynny hefyd a finne'n cysuro Teifryn bod y ffilm os nad y ddwy ffilm ar fin dechre. Ond pan ofynnais i'r docynwraig am ddau docyn edrychodd yn syn arnaf pan ddywedais nad oeddwn wedi talu amdanyn nhw ymlaen llaw nac yn wir wedi gofyn iddi gadw dau docyn ar fy nghyfer. Cyhoeddodd fod y tocynne wedi'u gwerthu ers wythnose. Wrth imi lyncu fy mhoeri awgrymais efalle fod rhywun heb gyrraedd ac y medrem gael eu tocynne nhw. Na, roedd ganddi restr aros o enwe hyd ei braich, meddai, a doedd dim diben ychwanegu ein henwe ni at y rhestr honno mwyach.

Doedden ni ddim am ildio ar chwarae bach chwaith. Awgrymais ein bod yn fodlon talu i sefyll wrth y drws neu yn yr ale rhywle lle na fydden ni'n niwsans. Roedden ni wedi teithio cryn bellter, wedi'n siomi ac mae'n rhaid y medrai wneud rhywbeth i leddfu ein siom. Oni fedren ni ddod i ryw fath o delere? Na, doedd dim yn tycio, roedd meiledi'n fodlon ei byd fod yr holl docynne wedi'u gwerthu a'u bod hithe'n medru cymryd hoe wedi prysurdeb yr awr flaenorol. Doedd dim amdani ond anelu am y bar a chymryd hanner peint o'r cwrw gofied cryfaf oedd ar gael. Wrth i mi ddrachtio diferyn o'r Speckled Hen sylwais fod Teifryn wedi diflannu. Does bosib ei fod rywsut wedi cael mynediad i'r awditoriwm. Nis gwelwn yn unman. O leiaf ni fedrai fynd unman hebddof oherwydd gen i oedd allweddi'r cerbyd. Oedd e wedi pwdu ac wedi mynd i arllwys ei ddigofaint mewn rhyw gornel rhywle?

Ceisiais roi'r argraff fy mod yn ddidaro gan ddweud wrth y gweinydd mai galw heibio a wneuthum ar hap am orig fer yn hytrach na bwriadu mynd i weld dim yn benodol. Ar hap y deuthum, wrth gwrs ond, pe bawn yn cyfaddef, roedd yn fwriad gennyf hefyd i wrando ar ddoethinebe a phrofiade gŵr o'r un anian a oedd wedi cyflawni cryn gamp ar ddwy olwyn. Daeth Teifryn i'r golwg o rywle yn cario clamp o lyfr 600 tudalen a oedd wedi'i lofnodi gan Mark Beaumont.

"Dyna ni, gallwn ddarllen am ei helyntion nawr ac arbed pris dau docyn go ddrud fyddai'n rhaid ei dalu i'w glywed yn traethu," meddwn gan ychwanegu fy mod newydd glywed bod nam ar ei leferydd beth bynnag ac y byddai wedi bod yn anodd i ni ei ddeall. Siarsiais Teifryn i roi benthyg y llyfr i mi wedi iddo ei ddarllen heb ystyried mai ei boced e oedd wedi talu amdano. Ond roeddwn i wedi talu am ddiod iddo eisoes. Onid oedd y ddau ohonom wedi cael y fargen ore felly?

Aethpwyd tua thre a hithe'n dal yn ole. Dywedwst oedd y ddau ohonom wrth fwrw trwy Llantwd heb fedru penderfynu a oeddem ar ein colled go iawn ac wedi bod ar siwrne ofer pan fedrem wneud rhywbeth mwy defnyddiol â'n hamser efalle. Ond erbyn cyrraedd Garej Penfro roedd y straeon yn llifo. Cefais wybod mai gair y *down-belows* am 'lloithyr' yw 'longered' i ddisgrifio rhywun sydd wedi'i glymu â rhaff, boed yn llythrennol neu'n ffigurol. Ymadrodd gwŷr gwaelod y sir wedyn am ddynes sydd wedi beichiogi'n annisgwyl yw 'She should have got off at Penally but she went on to Tenby'.

Canmolais Teifryn ar ei ddewis o drywsus smart a ffasiynol a chael ar ddeall ei fod yn ddilledyn a welir yn un o brif siope'r stryd fawr ond ei fod ynte wedi'i brynu am bum punt mewn siop elusen yn Abertawe, pan oedd hi'n argyfwng arno o ran rhywbeth deche i wisgo ar gyfer achlysur arbennig.

Wrth ffarwelio yn Nhafarn Newydd, bwrw am y cae nos gynted â phosib oedd amcan Teifryn. Doedd e ddim yn mynd i ddechre darllen am seiclo o amgylch y byd y noson honno. Roedd taith seiclo hirfaith yn ei ddisgwyl ben bore trannoeth o amgylch Sir Benfro fel sydd ganddo bron bob bore Sul. Ffarweliwyd.

Hynny a oedd flaenaf yn fy meddwl wrth i mi wisgo fy sbectol haul rhyw dair wythnos yn ddiweddarach ar las y dydd i'w hanelu ar y beic i gyfeiriad Capel Millin a ninne prin wedi siarad ers y siwrne seithug. A fyddai Teifryn yn dal dig? A fyddai am dalu'r pwyth yn ôl rywsut?

Ta waeth, fe'm hatgoffwyd gan y mwstwr a glywn wrth fynd heibio clos Ysgol Maenclochog fod tad-cu Teifryn wedi dechre ei yrfa yno fel disgybl athro pan oedd yn laslanc yng nghanol y 1870au cyn iddo symud i Peterborough i chwennych profiad cyffelyb cyn mynd i goleg. Roedd dylanwad yr erchyll Frad y Llyfrau Gleision yn drwm yr adeg honno, y 'Welsh Not' mewn bri, a phwys aruthrol yn cael ei roi ar y Saesneg fel cyfrwng i sicrhau llwyddiant yn y byd mawr masnachol. Diolch fyth mai Cymraeg yw cyfrwng yr addysg yn Ysgol Gymunedol Maenclochog erbyn hyn.

Pa mor wahanol fyddai wedi bod pe na bai'r comisiynwyr a luniodd yr adroddiad bradwrus hwnnw ym 1847 wedi bod yn Anglicaniaid di-Gymraeg a di-glem? Beth petai Anghydffurfwyr, neu o leiaf Gymry pybyr, ymhlith y comisiynwyr a dysgu trwy gyfrwng y Gymraeg wedi'i argymell bryd hynny? Byddai'r darlun ieithyddol yn dipyn gwahanol heddiw ledled Cymru a balchder mewn tras yn fwy amlwg.

Ond fy nhasg i yw llywio'r beic ar hyd clais y clawdd i roi lle i drafnidiaeth y bore ruthro heibio'n ddidramgwydd wrth i mi ei heglu hi trwy'r Mot a Phen-ffordd a'r haul wrth fy nghefn a chyrraedd y Gelli a glanne Cleddau Ddu. Deil tarth y bore'n drwm dros y bont yn fy amgylchynu fel gwlân cotwm awelog yn anwesu fy asenne. Ai dyma fel y bydd hi wrth byrth y nefoedd, sgwn i? Deil haen o lwydrew ar y dolydd. Rhy'r gwynder her i'r haul i'w doddi. Rhaid gwthio'r beic am getyn i fyny'r rhiw'r ochr draw heibio Bodringallt a bron nes cyrraedd Broadway wrth i mi wynto'r dom drewllyd a daenwyd ar y perci yn ernes bod yna gynhaeaf o laswellt eto i ddod.

I lawr ymhell obry y tu ôl i gapel y Bedyddwyr, sydd erioed wedi rhoi'r lle blaenaf i'r Saesneg yn ei oedfaon, y mae coedwig Drim lle'r oedd carcharorion rhyfel yn gweithio a lle'r aeth Roger, brawd Waldo a thad Teifryn, i weithio ar ôl iddo adael Ysgol Brynconin. Credir mai dyma'r allt oedd gan Waldo mewn golwg pan gyfansoddodd y delyneg 'Yr Hen Allt' gan sôn amdani'n aildyfu a'r coed yn deilio eto er gwaethaf ei chwympo cynt at ddibenion rhyfel.

Erbyn cyrraedd sgwâr Plain Dealings roeddwn mewn cyfyng gyngor. Er i mi astudio map yr Arolwg Ordnans yn fanwl cyn gadael doeddwn i ddim wedi'i gynnwys yn fy sach am ei fod mor fawr a lletchwith i'w blygu.

Cas-wis, neu Wiston, meddai'r mynegbost i gyfeiriad y gorllewin a gwyddwn mai rhywle gerllaw Llanhuadain islaw y dylwn droi i'r dde er mwyn seiclo ar hyd feidir wledig yn gyfochrog â'r ffordd fawr. Gwyddwn na ddylwn fynd mor bell â Chas-wis am fod y ffordd a geisiwn i'w gweld dipyn yn is ar y map. Nid oedd fy ngreddf yn rhoi arweiniad i mi. Bûm yn tindroi yn fy unfan, yn cymryd dracht o ddŵr, ac yn disgwyl i rywun ddod heibio i'w holi.

Yn wir, pwy ddaeth i'r golwg o ganol rhyw lwyni, yn cario mesurydd hir, ond cydnabod i mi a weithiai i un o'r cwmnïe dŵr. Wrth i ni gyfarch ein gilydd mewn syndod a hithe'n edrych yn osgeiddig mewn lifrai tywyll swyddogol, mentrais ddweud nad oeddwn am gyfaddef fy mod ar goll ond, yn hytrach, nad oeddwn yn gwbl sicr lle'r oeddwn i na chwaith i ble roeddwn i fod i fynd.

Ychwanegais fy mod am groesi'r A40 rywle y tu hwnt i Arnold's Hill a'r troad i Slebets ac nad oeddwn am fynd trwy Cas-wis. Bu'n pwslo am getyn byr cyn cyhoeddi mewn tafodiaith bersain y dylwn fynd yn fy mlaen tuag at Lanhuadain ond troi i'r dde cyn cyrraedd y pentref a'i hanelu hi trwy Colby, heibio coedwig 'Cashwish' ac uwchben South Dairy Mountan cyn disgyn i'r ffordd fawr. Roedd yna fiwsig yn y modd yr ynganai Susan Thomas 'Cashwish'. Bûm yn ailadrodd y gair yn uchel droeon wedyn wrth bedlo gan geisio ffurfio alaw ohono.

Am ardal hudolus na wyddwn am ei bodolaeth cynt. Doedd neb ond y fi ar hyd y feidir. Mor drwchus oedd y coed a'r prysgwydd mewn ambell fan fel na chredwn yr ymwthiai pelydre'r haul fyth trwyddynt o un pen y flwyddyn i'r llall. Perthynai ymdeimlad o gyntefigrwydd i ambell lecyn gwlyb na chafodd ei drin gan law dyn ers canrifoedd hwyrach. Roedd y pum synnwyr ar waith. Teimlwn fel fforiwr yn darganfod cyfandir newydd. Rhaid oedd cofnodi, blasu a gwerthfawrogi pob dim yn y cof, yn y daflod ac yn yr enaid. Gwelais gapel wedi cau a'i droi'n dŷ annedd a pherci gwelltog heb weld swch aradr ers cantoedd.

Er y tangnefedd o bob tu yng nghanol y bore, ymhell o rwndi trafnidiaeth yr A40, nid felly oedd hi ar Waun Colby am awr gyda'r nos ar y diwrnod cyntaf o Awst 1645. Dyna'r cetyn byr o amser gymerodd hi i 800 o filwyr Rowland Laugharne, yn cynrychioli'r Seneddwyr, drechu'r lluoedd Brenhinol. Roedd Laugharne hefyd wedi cael cymorth 200 o luoedd Syr William Batten i ymosod ar y gelyn o'r tu ôl gan eu dal mewn gefail. Mewn llai o amser nag y cymer i chwarae gêm bêl-droed tywalltwyd gwaed 150 o gyrff ar lawr a chipiwyd 700 o filwyr yn garcharorion. Ai dangos trugaredd oedd hynny?

Y trueni yw bod rhaid rhyfela yn y lle cyntaf er mwyn dal gafael ar rym yn hytrach na'i fod yn cael ei rannu rhwng gwahanol garfane sy'n arddel syniade amrywiol. A pham oedd rhaid i Ryfel Cartref Lloegr gael ei ymladd ar dir Cymru? Wel, am fod Cymru o dan iau Lloegr ar y pryd a chan y ddwy ochr eu garsiyne mewn gwahanol drefi yn y sir. Roedd tref Penfro ei hun yn allweddol am iddi fod ar un adeg yn balatin, neu uned wleidyddol, annibynnol o dan y goron o dan arweiniad Iarll. O fynd ar drywydd rhyfela yn y fangre gwell gennyf alw i gof gampe Llywelyn Fawr yn cipio castell Cas-wis ym 1220, Hywel Sais ym 1193 o afael y Normaniaid a meibion Gruffydd ap Rhys ap Tewdwr mewn cyfnod cynt yn ei gipio o law'r Ffleminiaid.

Rhof y gore i ddychmygu sŵn cleddyfe a charne meirch yr Oesoedd Canol yn diasbedain trwy'r fro wrth i mi ddisgyn i gyfeiriad y ffordd fawr, ei chroesi a chael fy atgoffa yn go sydyn fy mod yng ngwlad y byddigions wrth i ffesant glochdar yn y coed bythwyrdd trwchus. Dyma stad Castell Pictwn a thiriogaeth teulu Lort Philipps sy'n medru olrhain eu hache yn yr ardal 'nôl i gyfnod y Normaniaid. Hawdd gwybod pwy yw eu disgynyddion heddiw oherwydd sillafu'r cyfenw â dwy 'p' ac un 'l' yn groes i'r sillafiad arferol.

Mae rhythm yn fy mhedlo ar hyd y gwastad o dan gysgod y coed talsyth. Rwyf ar ben fy nigon. Trof i'r dde ac o fewn fawr o dro cyrhaeddaf glwyd Capel Millin wrth ymyl y goeden fythwyrdd. Mae'r glwyd ar gau ond pwy sydd y tu fewn wedi parcio'i feic yn erbyn y talcen ac yn cynnal sgwrs bymtheg y dwsin ar ei ffôn fach ond Teifryn, wedi cyrraedd ugain munud yn gynnar. Pa fodd y gwnaf dorri'r garw pan beidia ar y ffôn?

"A wyt ti wedi rhoi'r emyn cynta mas?" mentraf.

Am ei fod yn drwm ei glyw yn un glust ac yn tueddu i ddweud 'Beth?' i bob cyfarchiad yn ddibetrus rhaid i mi ailadrodd fy ngofyniad. Caf ateb fel bwled.

"Na, wên i'n meddwl bod hi'n well aros nes bod rhai o'r diaconied yn dod gynta."

"Jiw, paid poeni am rheiny 'chan. Ma nhw'n ddi-ddal. Cer rownd â'r casgliad!"

Chwerthin harti. O leiaf roedd meinábs mewn hwylie go lew a dim argoel ei fod yn mynd i sôn am y siwrne ffwdanus honno i Aberteifi. Wrth i mi ddiosg fy sach, diflannodd Teifryn i ganol y bedde a chlywn ambell sylw o bryd i'w gilydd er na fedrwn ddal beth yn union a ddywedai. Deallais iddo ddweud fod yna bennill Cymraeg ar un garreg fedd a hynny mewn ardal lle na fu gan yr iaith droedle ers canrifoedd. Gwyddwn am y garreg am ei bod yn coffáu gŵr a fu'n weinidog ar y capel Methodistaidd, y Parch. Arwyn Thomas o ardal Llanpumsaint, am yn agos i ddeugain mlynedd, a phan gyfarfuom mewn gwesty yn Llundain rhyw dro mynnai ein bod yn perthyn o bell.

Euthum inne am dro ar hyd y bedde wrth dalcen arall y capel a sylwi bod yna gelynnen, i bob pwrpas, yn tyfu o dalcen Benjamin Edwards a gladdwyd yn 70 oed ym 1897, un mlynedd ar hugain wedi sefydlu'r achos. Doedd neb hyd yn oed wedi torri'r eiddew oddi ar ei changhenne.

Doedd dim modd mynd i mewn i'r capel. Roedd y drws ar glo a hynny i radde o ganlyniad i'r achlysur pan gafodd Waldo ei gamgymryd am drempyn. Roedd hi'n arferiad ganddo ar un adeg i gerdded neu seiclo o Hwlffordd liw nos a gorwedd ar un o'r sedde cefn yn hepian cysgu tra disgwyliai i'r wawr dorri cyn mynd ymlaen at lan afon Cleddau wrth Drwyn Pictwn gerllaw. Pan glywodd y blaenoriaid am hyn penderfynwyd gosod clo ar y drws i atal crwydriaid rhag galw heibio ym mherfeddion nos. Wel, ystyriwch y llanast y medrai criw o gardotwyr ei achosi pe denid haid ohonyn nhw i'r adeilad? Flynyddoedd yn ddiweddarach pan sylweddolwyd pwy oedd y 'crwydryn' roedd hi'n edifar gan y gynulleidfa am yr hyn a wnaed. "Pe bai dim ond wedi gofyn neu sôn wrth rywun am ei arferiad," meddai'r lliaws.

Cofiem ni'n dau am un achlysur pan gawsom fynd i mewn i'r adeilad a hynny yng nghwmni criw teledu yn paratoi eitem am ein gwrhydri yn seiclo ar drywydd Waldo Williams. Arllwysai'r glaw ar y diwrnod hwnnw a digon da ei fod o leiaf yn gyson wrth i ni orfod dynesu at y fangre droeon ar ein beicie i fodloni gofynion y camera. Bu'n rhaid i ni ffilmio mewn lleoliade eraill hefyd gan gynnwys Parc y Blawd yn Llandysilio a Festri Capel Bethel ym Mynachlog-ddu. Ond yr hyn a gofiai'r ddau ohonom, heblaw am y glawogydd trwm, oedd awydd y criw rhagblaen i ffilmio yn sièd feics Teifryn yn Aberdaugleddau.

Er bod ganddo gasgliad niferus o feicie hynafol, yr hyn na sylweddolai'r ymchwilydd oedd bod lle yn gyfyng yno ac y bydde chwyrnu cyson y drafnidiaeth y tu fas yn siŵr o amharu ar recordio cyfweliade. Ond doedd dim taw ar yr ymchwilydd ar y ffôn bob yn eilddydd ynghylch ffilmio'r beics nes i mi ei holi a oedd Teifryn wedi sôn wrthi am y nythaid o lygod mawr oedd yno. Crybwyllais nad oedd angen eu hofni am eu bod yn eitha dof ac yn debygol o orwedd ar yr offer camera'n ddigon jycôs tra bydde'r ffilmio ar y gweill. Ni chlywais ganddi wedyn am sawl diwrnod a phan ddaeth yr amserlen ffilmio doedd dim sôn am ffilmio ym Mryn Iago, Aberdaugleddau.

Wedi cyfnewid ambell stori a hynny heb i'r un cerbyd fynd heibio'r fangre dangnefeddus, gydol yr hanner awr oeddem yno, daeth yn bryd cyfrwyo a'i hanelu am Bwynt Pictwn rhyw filltir i ffwrdd. Ein heiddo ni oedd y ffordd; medrem fynd yn ein blaene fel pâr yn hytrach na chwt wrth gwt fel y bydde'n ofynnol pe byddem ar y ffordd fawr. Blodeuai cyfeillgarwch. Addawodd Teifryn gymryd golwg ar gadwyn fy meic wrth iddo ei chlywed yn plwcio bob hyn a hyn wrth newid gêr. Eisoes roedd wedi fy rhybuddio bod y prinder gwynt yn y teiars a'm pwyse inne ar ben hynny yn ei gwneud yn anos nag arfer i bedlo.

Yn sydyn, ymegyr afon Cleddau o'n blaene trwy ddeiliach y dderwen gam yn olygfa ysblennydd odidog, yn gymysgedd o des a niwl a phelydre'r haul uwchlaw'r gwelye lleidiog. Fe'n tery'n fud, a bron y medrwn glywed y smic lleiaf yr ochr draw yn Landshipping gan mor fain yw'r awel. Bob hyn a hyn ychwanegir at y tawelwch gan gri aderyn anweladwy rhywle yn y brwyn a'r hesg yn cyhoeddi ei fodolaeth i bawb o'r byd a'r betws a'r tu hwnt a fyn ei glywed. Os bu yna erioed le i enaid gael llonyddwch dyma'r fan. A dychmygwch fod yma ar doriad gwawr. Caewch eich llygaid a dychmygwch y chwibanwyr yn codi'n un haid o'r moryd. Pa syne fydde ganddyn nhw? Mae'n rhaid bod y profiad yn gwbl ledrithiol, yn lliwie a niwloedd ac awelon cyfnewidiol wrth groesawu'r dydd.

Os oedd codiad yr haul ym Maenclochog ychydig orie ynghynt yn drawiadol mae'n rhaid ei fod yn ganwaith fwy tanbaid fan hyn uwchben y dŵr wrth i fyd natur ddihuno a llif yr afon ddilyn patrwm oesol y llanw. Byddai yma gyffro a hwnnw'n gyffro fydde wedi ei ailadrodd ei hun yn feunyddiol ers canrifoedd.

Nid rhyfedd bod Waldo'n cael ei dynnu i'r fan. Deuai ei ddychymyg a'i synnwyr o amgyffred yn fyw yng nghanol y berw boreol. Fan hyn y gwelai'r bwlch a arweiniai i Annwfn a dirgel lefydd y canrifoedd cynnar. Rhywle fan draw mae Ynys Afallon. Oni welai gleddyf Arthur yn codi o'r dwfn? Chwery'r haul ei dricie ar wyneb y dŵr. Daw sibrydion i'r glust yn sŵn yr awel. Golygfeydd yn mynd a dod yn chwarae mig â'i ymwybod a welai Waldo rhwng yr haene o niwl. A welai'r seintie cynnar yn cludo neges o heddwch yn eu badau brau un funud ac yna'r funud nesaf rhyw nerthol wynt yn sgubo heibio fel y teimlasai gynt ym Mharc y Blawd pan oedd yn laslanc? Fan hyn yng nghanol y llonyddwch mawr y bydde'r 'mashîn manglo' ar ei phrysuraf.

Mae'n rhaid fod cyfaredd y fan wedi cydio yn Waldo ers dyddie llencyndod pan arferai dreulio cryn dipyn o'i amser yng nghwmni un o'i gyfoedion ysgol ar fferm Mynwair gerllaw gyda theulu'r Jamsiaid.

Diflannodd Teifryn, yn ôl ei arfer, i archwilio pob twll a chornel yn y cyffinie. Sylwodd ar grefft codwyr cloddie cerrig ac ar gamp rhywun yn creu clawdd eithin trwchus gerllaw sy'n amddiffynfa rhag gwyntoedd geirwon yn ogystal ag yn artistri o liwie eurfelyn. Pan ddaeth yn ôl eisteddasom ill dau ar y wal gerrig i rannu cynnwys fy mocs bwyd. Yn anarferol dyma Teifryn yn dechre sôn am ei brofiade yng nghwmni ei wncwl heb i mi ei brocio. Cofiai gael darn o darten ganddo pan alwodd i'w weld yn y bwthyn hwnnw ar gyrion Pont Fadlen gerllaw Hwlffordd. Deil y bwthyn bychan yno o hyd ar ymyl y ffordd ac yn ôl ei olwg nid yw wedi newid fawr ddim ers y dyddie roedd Waldo yn ei renti, a phan luniodd yr englyn hwnnw o glywed ei chwaer, Dilys, a'i ffrind, wedi galw heibio i lanhau, yn dweud amdano yn ei glyw 'ei fod e'n eitha heini 'fyd':

On my own, Oh! I manage, – I prepare
  A repast with courage.
 I live, active for my age,
 In a cute little cottage.

Cofia'r ddau ohonom wedyn am ein hymweliad â ffermdy Great Harmeston rhwng pentrefi Johnston a Steynton ar y ffordd o Hwlffordd i Aberdaugleddau. Dyna lle bu Waldo'n lletya am sawl blwyddyn yn y 1950au pan rentai ystafelloedd gan ei gyfaill o gyd-Grynwr, Jim Kilroy, a'i wraig, Winnie. Pan elom yno ar hyd y feidir leidiog cawsom ychydig o fraw o weld cyflwr yr adeilad a'r haid o wydde a warchodai'r fynedfa. O leiaf roedd iet rhyngom a nhw ond ni feiddiem agor yr iet o weld y gwydde'n chwythu'n fygythiol. Am fod yna gerbyde ar y clos tybiem fod yna rywun neu rywrai yn yr adeilad a mater o aros oedd hi felly i weld a ddeuai rhywun i'r golwg. Hwyrach y gallai'r rhywun hwnnw fod yn cario dryll a bod ganddo gŵn bygythiol wrth ei sodle. Gwneuthum yn siŵr fy mod yn sefyll y tu ôl i Teifryn tra rhoddai ei bwyse ar yr iet.

Ymhen hir a hwyr daeth dynes ddigon rhadlon yr olwg trwy'r drws a chyn pen dim synhwyrodd Teifryn fod ganddi acen Gwlad yr Haf. Cafodd groeso diamod yn ddiymdroi wrth iddo sôn am ei brofiade yn ystod y saith mlynedd a fu'n byw yn y rhan honno o Loegr. Esboniom ein bod wedi galw heibio am fod yna ŵr enwog wedi bod yn byw yn Great Harmeston, meddem.

"Dwi'n gwybod," meddai Val Adams.

"Wel, odych chi'n gwybod ei enw?" holom.

"Wel, bardd, a dwi'n gwybod ei fod e wedi rhenti stafell ym mhen pella'r tŷ. Fyddwn i'n ei galw hi'n stafell felen ond gallen ni ei galw hi'n stafell Waldo, mae'n siŵr,"

Wel, rhyfeddod y rhyfeddode, cawsom ein gwadd i'r tŷ a chael ar ddeall fod gan Val gopi o lyfryn James Nicholas am Waldo yn y gyfres *Writers of Wales* yn ei meddiant yn rhywle er na wyddai ble ar y pryd yng nghanol yr annibendod amlwg. Rhyw olwg felly oedd ar y lle'n gyffredinol ond, serch hynny, ni fu fawr o dro yn canfod y gegin a hwylio paned o de yr un i ni ac erbyn hynny daeth ei gŵr, Alan, i'r golwg, ynte o Sir Gaerloyw, a hir a diddan fu'r sgwrsio rhyngddo a Teifryn am 'yr hen ardal' tra maldodwn inne'r ddau gi strae oedd wedi'u hachub o genel rhag oes o drallod.

Wedyn y foment fawr. Cawsom ein tywys i 'Stafell Waldo' a chael ar ddeall ei bod yn un o'r ychydig ystafelloedd oedd wedi'i hadfer i'w hen ogoniant yn ystod y deng mlynedd y bu'r ddau'n byw yno gyda'r bwriad o drwsio'r adeilad cyfan, a hynny'n unol â chanllawie penodol am ei fod wedi'i gofrestru fel adeilad o werth hanesyddol gan CADW, un o asiantaethe'r Cynulliad. Treuliwyd cryn amser yn ail-doi trwy ddefnyddio llechi chwareli Caernarfon a chyflawni'r gwaith asiedu yn yr hen ddull traddodiadol.

Rhoddais y gore i ysgrifennu nodiade a chydio yn fy nghamera. Rhaid oedd tynnu llun o Teifryn yn ystafell ei ewythr. Dychmygwn Waldo wrth y ffenestr fawr eang yn darllen, ysgrifennu a myfyrio. Adroddodd Teifryn yr hanes am y beilïaid yn mynd â holl gelfi Waldo o'r ystafell, heblaw am ei wely, am ei fod yn pallu talu ei ddyledion treth incwm ac amdano'n eu cynorthwyo trwy gynnig darn o linyn iddyn nhw i glymu'r carped. Pwysleisiodd Teifryn na fu raid iddo boeni ei fod heb ddodrefn am yn hir oherwydd pan gafodd ei eiddo eu rhoi ar werth fe'u prynwyd gan gyfeillion o blith y Crynwyr er mwyn eu dychwelyd iddo, a'i landlord, Jim Kilroy, yn eu plith mae'n siŵr. Profiad rhyfedd oedd sefyll yn yr union ystafell lle bu Waldo'n anadlu.

Ond ni ddaeth hanes yr ymweliad i ben yn 'ystafell felen Waldo'. Wedi mynd adre'r diwrnod hwnnw sylweddolais nad oedd fy llyfr nodiade gennyf a doedd dim golwg ohono lle bynnag y chwiliwn. Cofiwn i mi sgriblan ynddo yng nghegin

Great Harmeston rhwng dygymod â llyfu'r cŵn a chymryd llymaid o de. Oeddwn i wedi'i ollwng rhywle y tu fas wrth ymadael, a'r gwydde wedi damshel arno a'i rwygo â'u pige nes ei fod yn ddim? Fydde'r cŵn wedi cydio ynddo a'i racsan yn ddarne? Roedd yn ddigon bregus ei gyflwr beth bynnag ond yn dal peth wmbreth o wybodaeth a oedd yn werthfawr i mi. Doedd dim modd i mi ffonio Alan a Val Adams. Doedd gen i ddim rhif ffôn iddyn nhw a synhwyrwn eu bod yn ddibynnol ar ffôn symudol beth bynnag ac nad oedd diben cysylltu ag adran ymholiadau'r un cwmni ffôn.

Doedd dim amdani ond gorchymyn Teifryn i alw heibio drannoeth. Gwyddwn y byddai'n mynd i Hwlffordd i arolygu arholiade yn un o ysgolion y dref a medrai alw ar ei ffordd neu wrth ddychwelyd. Gwnaeth hynny ond, yn anffodus, doedd neb gartref heblaw am y gwydde. Doedd hynny ddim yn rhwystr iddo adael darn o deisen fanana wrth y drws cefn rhywle yn gydnabyddiaeth am y gymwynas a'r croeso a gafwyd y diwrnod cynt. Ond roeddwn i'n dal wedi fy ngwahanu oddi wrth fy llyfr nodiade. Doedd dim amdani ond galw heibio fy hun y diwrnod canlynol. Yn ffodus roedd Alan gartref. Ar ôl sgwrsio am hynt tîm pêl-droed Hwlffordd dywedais fy neges ond na, doedd e ddim wedi sylwi ar lyfr du bychan ag ymyl goch iddo'n unman. Dechreuodd fy nghoese wegian ac aeth fy llwnc yn sych.

Fe'm tywyswyd i'r tŷ ond doedd y llyfr ddim i'w weld yn y gegin, er edrych yn ddyfal, a'r un modd yn yr ystafelloedd eraill ar hyd y llawr. Aed i'r llofft gan archwilio pob twll a chornel ar hyd y grisie, yr ystafell wely lle buom yn edmygu gwaith coed cywrain Alan ond dim yn tycio yno chwaith. Dim ond 'ystafell Waldo' oedd heb ei harchwilio ac wrth agor y drws, yn wir, dyna lle'r oedd y llyfr bach ar ben celficyn, wedi'i osod yno pan oedd angen dwy law arnaf i drin y camera mae'n siŵr. Doedd Alan a Val ddim wedi bod yn yr ystafell ers tridie ac ar y pryd roeddem wedi ymgolli yn y profiad nes i hynt y llyfr nodiade fynd yn angof. Teimlwn ryddhad parasiwtiwr pan gyffyrdda ei draed ar ddaear gadarn. Doedd y ffaith nad oeddwn wedi cael hwyl wrth dynnu llunie y tu fewn i'r tŷ ddim yma nac acw o gymharu â chael gafael ar y llyfr nodiade.

Fe'n hatgoffwyd gan Teifryn ein bod y diwrnod hwnnw hefyd wedi galw heibio'r tŷ roedd Waldo wedi'i brynu, ar gyrion Hwlffordd, ar ddiwedd ei oes ond na chafodd iechyd i'w wneud yn ddiddos. Credai'n lled sicr ein bod wedi gweld y tŷ cywir yn y rhes am ei fod o'r farn mai gwaith llaw Benni Lewis, y masiwn o Ben-câr ac un o gyfellion pennaf Waldo, oedd y ffenestri ac mae'n rhaid eu bod nhw yno ers y 1960au hwyr. Cofiai i Waldo ddweud ar y pryd wrth rywun o'r cyfrynge y byddai'n defnyddio'r arian breindal a gafodd am gyfieithu *Hen Dŷ Ffarm* D. J. Williams i dalu am yr ystafell faddon.

Roedd wedi rhoi'r wobr o £100 a gafodd gan Gyngor y Celfyddydau am y gyfrol *Dail Pren* at waith dyngarol UNESCO. Credir iddo dderbyn y siec honno o law Dr William Thomas, cyn-Brif arolygydd Ysgolion Cymru, ar un o strydoedd Hwlffordd ar Chwefror 10, 1958, wrth ymyl 'Green yr ironmonger'. Roedd gan Dr Thomas gartref yn Trefloyne ger Dinbych-y-pysgod ac roedd Waldo'n gyfarwydd iawn â'r teulu ac, o bosib, wedi ymneilltuo yno at chwaer Bill ar adege o iselder.

Mae'n ddiddorol mai yn Hwlffordd y dewisodd Waldo brynu cartref, rhyw filltir fel yr hed y frân o'r fan lle cafodd ei eni, ac nid yn Llandysilio neu Fynachlog-ddu. Tebyg y gwelai'r fan yn gyfleus i'r orsaf reilffordd pan âi ar ei deithie yn ogystal â boddhau ei hoffter o'r dref lle treuliodd saith mlynedd gyntaf ei fywyd. Byddai'n hwylus iddo fynychu Tŷ'r Crynwyr yn Aberdaugleddau hefyd. Tybed a oedd ganddo gynllunie ar gyfer yr ardd? Oedd hi'n fwriad ganddo i godi rhes o bys a rheffyn o ffa yn ogystal ag ambell goesyn o riwbob er mwyn gwneud tartenni?

Gwacawyd fy mocs bwyd wrth i ni anadlu awelon glanne'r Cleddau o dan gysgod y dderwen gam. Aeth Teifryn am dro sydyn ar fy meic i weld faint o rwystr oedd y diffyg gwynt yn y teiars ac i weld a fedrai ddatrys problem y cnocio achlysurol wrth newid gêrs. Yn y cyfamser gosodais inne fy sach ar fy nghewn. Y dyfarniad oedd bod y beic ymhell o fod fel peiriant gwinio ar ei ore ac y dylid astudio'r diffygion ymhellach.

Cyn gadael, tynnwyd ychydig lunie o'r dderwen hynafol sydd yn ei phlyg gan gofio am y gerdd 'Y Dderwen Gam' a gyhoeddwyd yn y gyfrol *Cerddi '69*. Ceisiodd Waldo gyfleu'r hud a berthyn i'r lle ac mae'n rhaid gen i iddo weld Pwyll Pendefig Dyfed yn ymlid Rhiannon a hithe'n dal heb fod fymryn yn nes waeth pa mor gyflym y marchogai ei farchogion ar eu meirch cyflymaf. Bydde'r olygfa hon i'w gweld wrth i darth y bore deneuo a thewhau uwchben y dŵr yn sŵn y chwibanwyr.

Gweld y ddwy Gleddau'n dod ynghyd a'r llanw yn dyfod i fyny rhwng Coed Pictwn a Martletwy a ysgogodd Waldo i gyfansoddi'r englyn canlynol rywbryd:

Hallt yw'r cŷn sy'n hollti'r coed, – a'r aing ddwfr
Rhwng y ddau dewgoed.
Hynt y weilgi rhwng talgoed
Trawsli cawr rhwng treselau coed.

Aed yn ôl i bentref Rhos cyn ffarwelio, wrth i Teifryn fynd i'r gorllewin a minne i'r dwyrain. Cefais inne deisen hefyd yn ogystal â benthyg copi o'r gyfrol drwchus *The Man Who Cycled the World.* Dywedodd na chafodd fawr o hwyl yn ei darllen. Ni ddywedodd fwy na hynny. Rhoddais olwg sydyn dros y broliant a chanfod bod Mark Beaumont wedi seiclo 18,297 milltir ar ei ben ei hun mewn 194 o ddiwrnode a 17 o orie i haeddu ei enw yn y *Guinness Book of Records*. Cyflawnodd y gamp 81 diwrnod ynghynt na'r sawl oedd wedi tramwyo'r byd ar gewn beic gyflymaf cyn hynny. Rhoddais y llyfr a'r gacen yn fy sach cyn ffarwelio. *Adios, amigos*! Roedd Teifryn yn hynod hael â'i haelioni. Cynigiai deisen yn offrwm o gyfeillgarwch i bawb yn union fel y gwnâi trigolion llwythe'r brodorion cyntaf yng Ngogledd America gynnig dyrnaid o dybaco i gydnabod a dieithriaid.

Penderfynais ddychwelyd ar hyd y ffordd fawr cyn belled â Phont Canaston.

Oedd teiars Mark Beaumont mor brin o wynt â'm rhai i, meddyliwn, wrth i mi orfod gwthio'r beic y llathenni olaf i gopa Arnold's Hill? Doedd dim pleser mewn ymdrechu i seiclo mewn llinell syth wrth ymyl y cwrbyn pan ddeuai ambell lorri o fewn chwe modfedd i'm clustie ar ras heb i'r gyrrwr hidio ffeuen am fy niogelwch. Wrth ddynesu at y troad i Lanhuadain gwelwn fod y gweithwyr a oedd wrthi ers misoedd yn llydanu'r ffordd yng nghyffinie Llangwathen yn disgwyl i mi fynd yn fy mlaen am yn agos i hanner milltir cyn troi 'nôl drachefn i gydiad yn y ffordd droi.

Tynnais sylw un o'r gweithwyr ac amneidio arno i adael i mi gario fy meic dros y pridd yr ugain llath at y ffordd a ddeisyfwn. Ond doedd e ddim yn awyddus i ganiatáu hynny. Ymbiliais ymhellach fy mod yn awyddus i ddilyn y llwybr tarw gan fod blinder yn cydio ynof. Awgrymodd petawn yn mynd yn fy ôl rhyw hanner canllath y medrwn groesi fan 'ny yn llechwraidd lle na fyddai mor hawdd iddo fy ngweld neu fe fyddai'n rhaid iddo fy hebrwng o'r tamed safle. Erbyn i mi groesi, gwnaeth yn siŵr nad oedd yn sefyll mewn man lle medrai fy ngweld, beth bynnag.

Tynfa oedd hi eto i'r pentref sydd â'i enw mwyaf cyfarwydd, Llawhaden, yn swnio'r un mor Gymraeg â'i enw Cymraeg swyddogol, Llanhuadain. Hedfan i lawr i Gelli ar y gwaered gan ddal yn dynn yn y brêc ond yn hytrach na throi am Penffordd y tro hwn, bwrw mlân at Landre Egrmwnt a dringo i Faenclochog. Nid yw'n arferol i mi ddod oddi ar y beic ar y ffordd hon ond y tro hwn disgynnais deirgwaith. Y teiars fflat oedd yn cyfrif am hynny.

Fy nhasg gyntaf wrth gyrraedd Maenclochog oedd galw yn y garej i gael cyflenwad o wynt yn y teiars a dyna rwydd oedd y seiclo ar y siwrne fer adref wedyn. Os prociwyd y cof am John Edwal yn dysgu ei grefft fel athro yn yr ysgol yng nghanol y pentref ben bore cofiwn yn awr am ei fab yno'n annerch un o'r cyfarfodydd etholiadol ym 1959. Deil rhai o do hŷn y pentref i gofio'r achlysur o hyd. Doedd dim sôn am Waldo'n cyrraedd, a'r cadeirydd, Titus Lewis, y prifathro lleol, yn gorfod traethu'n hir yn y ddwy iaith i ddal sylw'r gynulleidfa.

Gwelwyd gŵr ifanc eiddil yn sefyllian wrth y drws. Fe'i gwahoddwyd i gymryd sedd o'i weld yn tindroi. Dewisodd y sedd wag a oedd ar y llwyfan. Pan ddeallodd y cadeirydd fod y gŵr dieithr yn un o'r tîm etholiadol fe'i gwahoddwyd i areithio. Cafwyd araith danllyd gan James Nicholas tra disgwylid i Waldo gyrraedd. Cyrhaeddodd yr ymgeisydd ei hun ymhen hir a hwyr mewn trywsus byr. Nos Wener Hydref yr ail oedd hi, ond ni thaniodd Waldo'r noson honno yn ôl y sôn.

Cyn clwydo penderfynais fwrw golwg fanylach ar lyfr y seiclwr a amgylchynodd y byd mewn byr amser. Ni chefais flas ar y penode cyntaf yn sôn am y paratoi, am gefndir Mark Beaumont a chefnogaeth ei deulu. Roeddwn yn ysu am ychydig o gyffro. Ofnaf mai cofnodi'r pellter a seiclwyd fesul diwrnod a'r trafferthion i ganfod lle i osod ei babell gyda'r nos oedd byrdwn y penode. Troais at bennod tua'r diwedd gan feddwl y bydde ychydig o flas y pum synnwyr yn cael ei gyfleu erbyn hynny.

Mentraf ymuno ag ef ar y daith o Texas i Louisiana. Ni wnaf sôn beth oedd ei hyd o ran milltiroedd. Ond pe bai wedi loetran ychydig yn hwy ym mhentref Roosevelt, a phentrefi nodedig cyffelyb, hwyrach y buaswn wedi cynnig fy hun yn gwmpeini iddo ar hyd y tudalenne. Ei wendid oedd ei fod ar ormod o hast. Pa les tramwyo'r holl filltiroedd heb oedi i flasu rhin y cyfandiroedd? Rhaid i mi hysbysu Teifryn i ni fod yn ffortunus nad oedd gennym docynne ar gyfer y sgwrs honno yn Theatr y Mwldan. Doedd hi ddim yn siwrne mor seithug â hynny wedi'r cyfan. Hwyrach y dylsai gael gwared ar y llyfr mewn arwerthiant cist car yn rhywle.

15

Sunnyside

NI THÂL I loetran na dal pen rheswm ben bore bach. Bu hynny bron â chostio'n ddrud i mi pan oedd gen i drên i'w ddal yng Nghlunderwen ar amser penodol.

Wrth i mi ffarwelio â Maenclochog, a hithe'n dal i ddyddio, gwelwn gysgod corff blinedig yr olwg yn croesi'r ffordd yn araf, araf, yn y pellter o'm blaen. Erbyn i mi nesáu gwelwn Dai Gilmwr yn pwyso yn erbyn iet y parc gyferbyn â'r clos yn gwylio tarth y bore'n garped ar draws y dyffryn cyn paratoi i fynd i odro. Ni fedrwn beidio ag oedi a tharo sgwrs gan mai anaml y cyfarfyddem mor gynnar yn y dydd.

"Fe fydda i wedi cyrraedd Paddington nawr erbyn amser cinio, 'chan," meddwn, yn hyderus falch wrth ganu cloch y beic.

O fy ngweld ar gewn fy ngheffyl haearn, wrth droi i'm hwynebu, credai Dai, yn ôl y wên lydan a oedd ar ei wyneb, fy mod naill ai'n cellwair neu'n cyfeiliorni'n drybeilig.

"Na, na, fe fydda i'n dala'r trên yng Nghlunderwen nawr whap a fe fydda i'n cyrraedd Paddington am hanner awr wedi un," meddwn, yn llawn argyhoeddiad.

"Synnot ti'n meddwl y byse hi'n well i ti fynd mewn car?" oedd yr ymateb.

"Wel, na, ma hi siŵr o fod yn rhatach o lawer i deithio ar y trên ac yn fwy hwylus. Jawch, meddylia am yr holl betrol dwi'n ei arbed i ddechre," mentrais, o glywed y datganiad annisgwyl.

"O, peidied e â bod mor siŵr nawr. Ma lot o'r ceir newy 'ma'n neud milltiroedd dychryn i'r galwyn, a byddi di siŵr o fod yn Llunden yn gynt os 'nei di ddreifo, t'wel," oedd yr her nesaf i fy ngallu i ddadansoddi a rhesymu.

Sylweddolais yn sydyn y gallai'r sgwrs hon bara am getyn a hynny gyda chanlyniade trychinebus i fy mwriade'r bore hwnnw.

Rhoddais bwyse fy nhroed ar y pedal a bant â mi gan ganolbwyntio ar drafaelu heb yn gymaint â dymuno'n dda i Dai a fyddai'n dal o fewn golwg i'r clos, mae'n siŵr, am hanner awr wedi un.

Ond roedd mashîn manglo'r ymennydd yn gweithio hefyd am yn ail â thuchan ar hyd ambell ripyn wrth nesáu at Brechfa. Doedd dim rhaid i mi yrru'r trên na'i lenwi â thanwydd a bydde'r teithwyr eraill yn rhannu'r gost o dalu am y tanwydd a'r holl goste eraill o gynnal a chadw'r trên, meddyliwn.

Doedd dim rhaid i mi wneud mwy nag eistedd a tharo sgwrs gyda hwn a'r llall pe dymunwn. Pe bawn yn gyrru i Lundain mewn cerbyd, yna bydde rhaid i mi ganolbwyntio ar y dasg o lywio ar hyd yr holl ffordd, yn ogystal â chanfod y ffyrdd cywir beunydd, a hynny heb neb yn gwmni i mi i felysu'r daith, hwyrach, ar wahân i leisie'r radio.

Bydde rhaid i mi fod yn gwbl effro a bydde rhaid i mi fod yn berchen cerbyd neu fod wedi hurio cerbyd, ac i wneud hynny byddai'n ofynnol bod gennyf drwydded yrru ac yswiriant perthnasol. Na, gyda mi oedd y fargen ore bid siŵr. A doedd penderfynu p'un oedd gyflymaf, y cerbyd neu'r trên, ddim yma nac acw.

Prin fy mod yn edrych ar wawn y bore ar y gwlith dros ben y cloddie mwyach wrth gefnu ar Landre Egrmwnt a nesáu at Bont Bigni. Dim amser i loetran uwchben Cleddau Ddu heddiw. Mater o bedlo ffwl pelt oedd hi am yn ail â pharatoi i regi Dai Gilmwr i'r cymyle petai fy siwrne foreuol yn profi'n ofer. Hwyrach mai dim ond mynd am sbin roeddwn i wedi'r cyfan, fel y credai David Nicholas, ac y byddwn 'nôl gartre wrth y ford yn bwyta brecwast erbyn naw o'r gloch.

Dwysaodd fy mhryderon o weld rhywun yn mynd â'i gi am dro yng nghyffinie Pwllcwarre wrth i mi gyrraedd Llandysilio.

Mae'n rhaid ei bod ymhell wedi saith o'r gloch, meddwn. Am nad wyf yn cario oriawr rhaid oedd dyfalu'r amser. O leiaf gwyddwn na fedrwn wastraffu amser yn tynnu fy ffôn o'i phoced yn fy sach i weld faint o'r gloch oedd hi'n gwmws.

Rhaid oedd i mi bedlo fel cath i gythrel ar hyd y filltir a hanner nesaf i gyrraedd pentref Clunderwen a'r orsaf reilffordd yno. Clywn y ffôn yn canu wrth i mi droi am yr orsaf. Teifryn yn ffonio i fy hysbysu ei fod wedi hen ffarwelio â Chlunderwen ac yn nesáu at Hendy-gwyn, meddyliwn. Ond wrth droi i mewn i'r platfform, â'm gwynt yn fy nwrn, gwelwn fod yna rai teithwyr yn aros yno, a chan nad yw'r trene'n cyrraedd mor amal â hynny roeddwn am ddyfalu fy mod wedi'i gwneud hi wedi'r cwbwl. Roedd hi'n union hanner awr wedi saith.

Yn wir, gwelwn amlinell y trên yn troi'r cornel yn y pellter, ac erbyn i mi ddisgyn oddi ar fy meic a thynnu fy sach oddi ar fy nghewn, roedd Teifryn yn dal drws y carej, lle'r oedd hi'n ofynnol i mi osod fy meic, ar agor. Fe'i cyfarchais fel pe bai 'na ddim o'i le na'r un cynnwrf wedi digwydd y bore hwnnw. Cadarnhaodd iddo fy ffonio ychydig ynghynt gyda'r bwriad o ddweud dim mwy na'i fod wedi hen adael Aberdaugleddau ac ar fin cyrraedd Clunderwen. Roedd hynny'n ychwanegol i'r alwad gynnar gefais ganddo am chwech o'r gloch.

Cyn pen dim roedd brecwast ar y gweill. Arllwysodd Teifryn goffi cynnes i'r ddau ohonom a thra oedd ynte'n hanshan brechdane trwchus roedd gen i fy sosejis oer. Gosododd fapie ar y bwrdd yn barod i astudio sut y byddem yn anelu am ardal Kimbolton yn Swydd Huntingdon wedi i ni gyrraedd Llundain; ond yn y man fydde hynny.

Wrth nesáu at Gaerfyrddin dechreuodd adrodd stori am ei wncwl yn mynd i gwrdd â chyfaill coleg yng Ngwesty'r Llwyn Iorwg. Roedd Gwilym James wedi ennill gradd dosbarth cyntaf yn Aberystwyth ac wedi dringo i fod yn Is-ganghellor ym Mhrifysgol Southampton yn ogystal â chyhoeddi nifer o lyfre am y Rhamantwyr Saesneg. Cafodd un o'i lyfre mwyaf adnabyddus, *Mathew Arnold and the Decline of English Romanticism*, ei argraffu ugain gwaith rhwng 1961 a 1969.

Bydde ynte a Waldo yn cyfarfod yn flynyddol i adnewyddu eu cyfeillgarwch.

Ar yr achlysur hwn roedd Gwilym, a hanai o Griffithstown yn Sir Fynwy, yn sefyll yng nghyntedd y gwesty yn disgwyl am ddyfodiad ei gyfaill. Roedd y porthor hefyd wrth y drws a phan welodd greadur braidd yn ddi-lun yn disgyn oddi ar ei feic ac yn ei osod i bwyso yn erbyn y wal, cyn anelu am y prif ddrws, dyma fe'n ei gynghori'n reit gadarn i fynd at y drws cefn, gan feddwl mai galw i sgwlcan pryd o fwyd o'r gegin oedd ei ddiben. Ond camodd Gwilym James i'r adwy gan gyfarch ei gyfaill yn harti ac yn uchel, "Ah, Lord Prendergast..."!

Cofiais inne am stori'r arferai cydnabod i mi o'r dref ei hadrodd amdani'n adrodd o dan feirniadaeth Waldo mewn steddfod yn Saron, Llandybïe, o dan 12 oed yn y 1950au. Ni chofiai Yvonne Francis beth oedd y darn adrodd na chwaith pwy oedd yn fuddugol ond cofiai'n dda iddi orfod adrodd yr eilwaith, a'r cystadleuwyr eraill yr un modd.

"Doedd dim llyfr gan Waldo i gadw nodiade am bob ymgeisydd fel sydd gan feirniaid heddi. Rhyw dameidie o bapurach oedd gyda fe ac, yn wir, pan aeth ar y llwyfan i draddodi'r feirniadaeth fe gwympodd y tameidie'r holl le. Doedd 'da fe ddim syniad beth oedd beth a doedd dim amdani medde fe ond gofyn i bawb adrodd 'to. A dyna fu raid i ni ei wneud. Dwi'n siŵr fod ei sbectols wedi cwympo sawl gwaith yn ystod y steddfod a ma rhyw gof 'da fi iddo droi rownd yn ei unfan ar y llwyfan gan hala fi i feddwl bod rhywbeth yn bod arno," oedd tystiolaeth plentyndod Yvonne.

Wrth i'r trên arafu ym Mhorth Tywyn cododd Teifryn ar ei draed i geisio nodi union leoliad y tŷ crand lle byddai Waldo yn mynd i aros gyda'i 'Anti Lizzie', gweddw ei ewythr Lefi, bob hyn a hyn. Sefydlodd Lefi fusnes yn Llanelli a phan aeth ati i godi tŷ doedd yr un enw yn gwneud y tro ond enw'r hen gartref yn Llandysilio, sef Rhosaeron. Yn ôl Teifryn byddai Anti Gwladys yn mynd i aros yno'n amal i roi help llaw i'r ddynes glymhercyn na fyddai'n llwyddo i gadw morynion lleol yn ei chyflogaeth am yn hir, na chwaith ddenu fawr neb i gymryd yr ystafelloedd a gynigiai ar rent. Doedd hi ddim yn helpu ei hun trwy gyhoeddi na châi neb o Borth Tywyn gymryd yr ystafelloedd ar ei chrogi.

Yn wir, yn un o'i fynych lythyron at D. J. Williams yn ymddiheuro am na fedrai wneud hyn a'r llall yn enw Plaid Cymru, er mawr ddigofaint i'r gŵr o Rydcymerau a gredai nad oedd gwaith pwysicach yn bosib, roedd Waldo'n ysgrifennu o Borth Tywyn ym mis Mai 1952 gan nodi nad oedd ei fodryb, a ddioddefai'n ddrwg o wynegon, gyda'r hawsaf i'w thrin. Serch hynny, tra arhosai yno, hysbysodd D.J. ei fod wedi cael cyfle i ddarllen *The Condition of Man* gan Lewis Mumford.

Doedd dim angen newid trên yn Llanelli y tro hwn ac ni chafwyd cyfle felly i frecwasta go iawn yn y caffi Twrcaidd wrth ymyl yr orsaf. Cofiais inne am dystiolaeth un arall o'r adroddwyr yn Eisteddfod Saron. Cystadlu o dan 15 oed oedd Eiri Jenkins ac wedi dewis un o ddarne'r beirniad ei hun, sef 'Menywod' ac ynte, Waldo, yn llawn haelfrydedd.

"Nansi Jones o'r Tymbl oedd wedi fy hyfforddi a fe ddywedodd Waldo iddo gael rhywbeth yn y darn wrth ei glywed nad oedd e ei hunan wedi'i weld ynddo cynt pan oedd wedi'i gyfansoddi. Yr hyn dwi'n ei gofio yw dyn bychan, eiddil, mewn cot frethyn, oedd yn barod i ganmol pob un o'r cystadleuwyr. Fydde fe ddim yn beirniadu'n amal a dwi'n meddwl bod llawer wedi dod i'r steddfod honno wedyn oherwydd hynny. Rown i'n dwlu ar ei ddarne adrodd a sdim dwywaith fe greodd dipyn o argraff arnaf y diwrnod hwnnw," meddai Eiri.

Erbyn hyn roedd y trên yn gyffyrddus lawn yn cludo pobol i'w gwaith yn ninas Abertawe. Gwacáu dros dro wedyn cyn codi teithwyr drachefn yng Nghastell-nedd a Phen-y-bont ar eu ffordd i Gaerdydd. Gwrando ar gerddoriaeth yn eu clustie neu'n brysur yn anfon negeseuon testun os nad yn chware gême ar eu ffôns a wnâi'r mwyafrif. Roedden ni'n dau'n ots i'r cyffredin am ein bod yn sgwrsio. Am fod pawb arall wedi ymgolli yn eu bydoedd eu hunain ofnwn fod yna waharddiad ar sgwrsio ar y trên ben bore er na welwn rybudd yn dynodi hynny'n unman chwaith.

Doedd dim modd tynnu sgwrs â neb am eu bod i gyd wedi eu cau yn eu hogofâu eu hunain, yn ddall a byddar i bob dim o'u cwmpas. Ond, wedyn, roedden nhw'n teithio'n ddyddiol mae'n siŵr a bron yn medru teithio â'u llygaid ynghau gan amled y profiad, ac wedi hen benderfynu nad oedd diben mireinio'r gelfyddyd o sgwrsio.

Cawsom ryw ddeugain munud i oedi ar blatfform Caerdydd a manteisiwyd ar y cyfle i fynd mas o'r orsaf am baned o goffi gan gredu y byddai'n rhatach i'w brynu oddi ar stondin fwyd. Hwyrach hynny, ond doedd dim mwy y gellid ei ddweud am y coffi na'i fod yn wlyb! 'Nôl ar y platfform sylwyd bod teier blaen fy meic yn brin o wynt. Doedd dim y medrem ei wneud ynghylch hynny ar y pryd am nad oedd y cyfarpar priodol gennym a'r un seiclwr arall i'w weld yn y cyffinie y medrem ei holi am gymorth.

Bu bron i Teifryn esgyn ar y trên anghywir am ei fod o dan yr argraff bod y trefniade wedi newid yn sydyn. Llwyddais i'w ddarbwyllo nad felly yr oedd hi ar ôl gwrando ar yr uchelseinydd a bwrw golwg ar yr amserlen uwchben. Ond cael a chael oedd hi wrth iddo godi ei feic i'w wthio trwy ddrws y carej a fydde wedi'i dywys i Ganolbarth Lloegr.

Daeth y trên priodol ac am ei bod yn ganol y bore bellach, prin oedd y teithwyr. Medrem eistedd ble a fynnom wedi'r ddefod o glymu'r ddau feic yn eu llefydd priodol. Gwelais gip ar gydnabod mewn cyntedd rhwng dau garej wedi ymgolli mewn sgwrs ffôn ac yn ddall i fy ymdrechion i geisio tynnu ei sylw. Wrth i'r trên ddechre ar ei siwrne tynnodd Teifryn ei fapie o'i fag drachefn a chychwyn eu hastudio. Penderfynais godi ar fy nhraed er mwyn chwilio am y bardd o'r Rhosllannerchrugog a welswn ychydig ynghynt.

Deuthum ar draws Grahame Davies yn eistedd ar ei ben ei hun ac wedi ymgolli mewn llyfr a oedd yn trin a thrafod bywyd a gyrfa Simone Weil. Roedd ar ei ffordd i Lundain i gymryd rhan mewn trafodaeth stiwdio ar un o raglenni Radio 4 am y cyfrinydd a'r athronydd Ffrengig y clywswn Emyr Llywelyn yn ei gosod ar yr un gwastad â Waldo. Ond roedd ganddo awch i sôn am yr hen amsere pan oedd yn ohebydd papur newydd ym Merthyr Tudful cyn symud i swbwrbia Caerdydd.

Roedd ganddo awch hefyd i sôn am amseroedd i ddod ac fe daniwyd ei ddychymyg pan soniais am fy mherwyl i Lundain a thu hwnt. Bûm mor feiddgar ag awgrymu y byddai'n braf pe gellid troi un o'r tai a gysylltir â theulu Waldo yn ardal y Preselau yn ganolfan ddehongli yn ymwneud â'i waith. Os taniwyd dychymyg Grahame ynghynt roedd ei frwdfrydedd wedi'i danio hefyd nawr am y gwelai bosibiliade di-ri. Fe'm hanogodd i ymweld â chartref John Keats yng nghanol Llundain a soniodd am gartrefi nifer o lenorion eraill sydd wedi'u cadw yn union fel yr oedden nhw yn nyddie'r llenorion, a hynny o dan adain yr Ymddiriedolaeth Genedlaethol yn bennaf.

Rhagwelai y byddai ychwanegu un o gartrefi Waldo at y rhestr, sy'n cynnwys Tŷ Mawr Wybrnant, ym Mhenmachno, Dyffryn Conwy, sef cartref yr Esgob William Morgan, a Chae'r Gors yn Rhosgadfan, Arfon, sef cartref Kate Roberts, 'Brenhines ein Llên', yn gaffaeliad gwerthfawr i'r genedl.

Rhyfeddais fel y gall ambell sylw ffwrdd â hi gydio a thyfu'n weledigaeth cyn pen dim ar sail siawns gyfarfyddiad. Gadewais Grahame yng ngwres yr eiliad gan addo cadw mewn cysylltiad er mwyn ei oleuo ynghylch unrhyw ddatblygiade. Gwyddwn y byddai'n anodd perswadio Teifryn i gredu hanfod y sgwrs roeddwn newydd ei chael ac y byddai o'r farn fy mod yn ei blawdo hi. Ond ni fedrai wadu bod yna bosibiliade.

Soniodd yn frysiog fod Rhosaeron yn eiddo i Waldo ar un adeg, oherwydd mai fe oedd y mab hynaf, ond iddo ei roi i'w chwaer, Dilys, rhag bod ganddo eiddo y gellid ei gymryd oddi arno pan oedd yn gwrthod talu treth incwm. Penderfynodd Dilys, a oedd yn ddibriod ac yn ddi-blant, ei werthu ar y farchnad agored yn hytrach na'i roi yn nwylo un o'r neiaint. Ond, serch fy mrwdaniaeth, y mapie a âi â bryd Teifryn o hyd wrth inni ddynesu at Reading.

Sylwais mai Bartholomew oedd cyhoeddwyr y mapie a

chefais ar ddeall eu bod wedi'u cyhoeddi yn ystod y 1940au a'r 1950au. Er fy mod yn ame eu dilysrwydd i deithwyr yn ystod degawd gyntaf yr unfed ganrif ar hugain cefais ar ddeall ymhellach fod stori ddiddorol ynghylch y modd y daeth y casgliad cyflawn ohonyn nhw i ddwylo Teifryn am £5. Pe bawn yn gasglwr mapie byddwn wedi sylweddoli eu bod yn werthfawr.

"Gweld hysbyseb wnes i yn un o'r cylchgrone seiclwyr yn cynnig y pentwr o fapie 'ma. Pan ffonies i'r rhif fe wedodd y bachan ei fod e wedi'u gwerthu nhw ond ei fod e'n dal i ddisgwyl i'r prynwr ddod heibo i'w moyn nhw. Ar ôl dala pen rheswm am damed dyma'r boi yn gweud y cesen i nhw os na ddele'r prynwr heibo. Reit, wedes i wrtho fe y bydde £5 yn y post ac y galle fe ei hala 'nôl i fi os dele'r prynwr i'w moyn nhw. Fel 'ny fuodd hi.

"Clywed dim byd am sbel nes bo'r boi'n ffono a gweud ei fod e wedi ildo'r prynwr ac y cesen i nhw. Yr unig broblem o'dd bod Mr Wilding yn byw yn Walthamstow a doedden nhw ddim y math o bethe i'w hala gyda'r post neu fe fydde Mr Wilding mas o'i boced yn drwm. Wedes i wrtho fe y ffeindien i ryw ffordd i ddod i'w moyn nhw. Nawr, wedd Catrin, y ferch, yn byw yn Llunden, ond wedd e bach yn bell iddi hithe fynd mas i'w moyn nhw liweth.

"Rhyw ddiwrnod, dyma drafaeliwr o Iddew wedd yn galw 'da fi yn y siop bob hyn a hyn yn dod heibo a dyma ni'n dechre siarad am dipyn o bopeth. Diawch, dyma fe'n gweud ei fod yn arfer galw mewn siop yn Walthamstow oedd yn agos i gyfeiriad Mr Wilding, a dyna hi'n fargen; fe fydde fe'n galw am y mapie ac yn dod â nhw lawr i Aberdaugledde. Wel, fel 'ny fuodd hi," meddai Teifryn.

Wedi clywed y fath stori roedd y mapie hynod, er nad yn cynnwys y tirnode a'r traffyrdd diweddaraf ond yn cynnwys rheilffyrdd oedd wedi eu hen gau, wedi codi yn eu gwerth yn fy ngolwg inne hefyd. Mae yna rai pethe sy'n werthfawr nid oherwydd nhw eu hunain ond oherwydd eu cysylltiade. Mawr fu'r astudio wedyn i weld sut fydde cyrraedd ardal Lyneham drannoeth neu dradwy yn ogystal ag Eltham ar gyrion de Llundain.

Wedi cyrraedd Paddington roedd rhaid cymryd y daith danddaearol fer i King's Cross. Gwyddai Teifryn fod yna reole ynghylch cludo beicie ar y trenau tanddaearol er na chofiai'r manylion. Sylwyd ar ambell feic wedi'i blygu yn un olwyn ym meddiant ei berchennog. Doedd dim modd plygu'n beicie ni. Rhaid oedd eu gwthio trwy'r tyrfaoedd.

Aed trwy pob gât a heibio pob swyddog yn ddidrafferth er mwyn cyrraedd y trên tanddaearol cywir. Dim ond dyrnaid o deithwyr oedd arno. Penderfynom mai doeth fyddai sefyll wrth ein beicie yn y naill ben i'r carej wrth y dryse rhag peri tramgwydd i neb. Buan y daeth haid o deithwyr i lenwi pob carej. Yng nghanol y clindarddach cyffredinol clywyd llais yn llefaru o rywle dros uchelseinydd. Erbyn i mi gyfarwyddo â'i acen roedd wedi terfynu ei neges ond credwn iddo sôn rhywbeth am seiclo ac am feicie. Teflais gip i gyfeiriad Teifryn ond doedd dim modd dal ei sylw yng nghanol y dorf am ei fod wedi ymgolli mewn sgwrs â'r ddynes a safai wrth ei ymyl.

Synhwyrwn fod rhai o'r teithwyr yn aflonyddu am nad oedd y trên yn symud ac ynte eisoes yn orlawn. Yn sydyn dyma ddyn mewn lifrai glas yn ymddangos wrth y drws a deallais ei fod am wybod sut oeddwn i wedi gosod fy meic ar y trên. "Wel, trwy ei godi oddi ar y platfform," atebais, yn onest ddiniwed.

Diflannodd y gŵr, a dybiwn oedd yn gyrru'r trên, gan wneud ystum o anobaith â'i ddwylo. Efalle ei fod yn cael yr un drafferth i ddeall fy acen inne ag roeddwn i'n ei gael i ddeall ei acen ynte a'i fod wedi penderfynu na fyddai'n ymarferol i geisio cynnal sgwrs. Ar y llaw arall, os oedd hi'n fwriad ganddo i'm tywys i a fy meic oddi ar y trên mae'n rhaid ei fod wedi sylweddoli mai peri trafferth i deithwyr eraill fyddai hynny am fod yna nifer eisoes wedi crynhoi i ddisgwyl dyfodiad y trên nesaf. Beth bynnag, roedd gen i docyn dilys wedi'i dalu amdano.

Wrth ddisgyn yn King's Cross, sôn am y ddynes ddiddorol a gyfarfu, oedd yn hanu o Langollen, âi â bryd Teifryn, a rhyw sylw wrth fynd heibio oedd ganddo am ryw reol o wahardd beicie oddi ar y trenau tanddaearol ar adege prysur o'r dydd. Y cam nesaf oedd esgyn i'r brif orsaf uwchben y ddaear. Dechreuais godi a chario'r beic dros y dwsin neu fwy o risie ond roedd Teifryn wedi gweld bod yna esgynfa wrth ymyl. Am fod ganddo ddau fag trymlwythog y naill ochr a'r llall i'w olwyn ôl gwnâi synnwyr ei fod yn defnyddio'r cyfleuster ond, am mai sach oedd gen i ar fy nghewn, gwelwn y byddwn i'n cyrraedd y copa mewn byr o dro. "Wela i di ar y top" oedd fy nghyfarchiad ffarwél.

Oedais ar ben y grisie cyn symud ychydig lathenni er mwyn gweld yn gliriach y wybodaeth o ran yr amserlenni ar y sgrin fawr. Nid oeddwn am grwydro i ganol y torfeydd rhag ei gwneud yn anodd i Teifryn fy ngweld. Astudiais yr amserlen yn ddigon hir i ddeall y bydde yna drên yn mynd i gyfeiriad Peterborough ymhen rhyw hanner awr o blatfform naw, ac y byddai'n fanteisiol inni fod arno. Ond doedd dim golwg o Teifryn.

Ni fedrwn inne weld unrhyw ddrws nac arwydd yn dynodi lle'r oedd yr esgynfa. Gwir bod yna gryn dipyn o waith ailwampio yn mynd yn ei flaen yn yr orsaf ac adeiladwyr a sgaffaldie ymhobman yn creu rhywfaint o ddryswch. Aros yn fy unfan mewn man hawdd i gael fy ngweld oedd ore, meddyliwn. Edrychwn i bob cyfeiriad ond ni fedrwn weld y gwalch na'i feic. Trodd yr oedi'n fater o bryder ac roedd y cloc yn cerdded a ninne am gyrraedd West Perry cyn nos lle'r oedd llety yn ein disgwyl. Doedd Teifryn ddim wedi'i herwgipio, doedd bosib? Fydde rhaid i mi dalu pridwerth am ei ryddhau? Tebyg yr elwn ar fy nhaith ar fy mhen fy hun cyn gwneud hynny oni bai y medrwn fargeinio i gael ei fapie o leiaf.

Gwelais blisman talsyth, ifanc yr olwg, yn sefyll gerllaw yn cadw golwg ar yr holl fynd a dod yn yr orsaf. Edrychai'n unig heb neb yn torri gair ag ef. Euthum ato a chyfarch gwell a chael ymateb serchog a chael ar ddeall ei fod yno i gynorthwyo'r holl dwristiaid yn gymaint ag oedd i gadw'r heddwch a datrys trosedde. Mentrais ddweud yn bwyllog fy mod yn ystyried ei hysbysu fod yna berson ar goll. Esboniais beth oedd wedi digwydd a pham fy mod wedi cael fy ngwahanu oddi wrth fy nghyd-deithiwr.

Dywedais fod Teifryn yn filiwnydd ecsentrig ac na ddylai neb gael ei dwyllo ei fod yn dlawd am ei fod yn gwthio beic. Am nad oeddwn wedi cynhyrfu, nac yn rhoi'r argraff fy mod yn ymboeni, ni welodd y plisman reswm dros dynnu ei ddwy law bleth o'r tu ôl i'w gefn. Safai'n jycôs yn ei unfan yn mwynhau'r sgwrs a gwên lydan ogleisiol ar ei wyneb.

Gyda hyn dyma Teifryn yn dod i'r golwg â gwên lydan ar ei wyneb ynte hefyd. Esboniais iddo beth oedd hanfod y sgwrs rhyngof a'r plisman ond ni chawsom esboniad o'r hyn oedd wedi digwydd iddo mwy na rhagor o gellwair a thynnu coes. Dymunodd y plisman yn dda i'r ddau ohonom cyn troi ar ei sawdl a diflannu i ran arall o'r orsaf. Gobeithio ein bod wedi ysgafnhau ei ddiwrnod os nad ei oleuo ynghylch cyfeillgarwch rhwng dyn a'i gyd-ddyn. Wedi cwnsela am dipyn trwy rythu ar yr amserlen penderfynom anelu am blatfform naw a hithe'n tynnu at ddau o'r gloch, gan brynu byrbryde ar y ffordd yno. Am ei fod wedi dod i'r golwg ac yn dal yn ei hwylie aeth holi hynt Teifryn pan fu 'ar goll' yn angof gennyf.

Roedd ein trên newydd gyrraedd ac yn gollwng ei deithwyr ond ni fyddai'n gadael am getyn. Cawsom hynny o amser a fynnem i osod y ceffyle haearn yn eu lle a dewis sedde yn eu hymyl i fwyta'r brechdane, y ffrwythe a'r creision. Roedd y ddau ohonom ar ben ein digon ac ysbryd antur yn berwi yn ein gwythienne wrth inni wynebu tiroedd dieithr gan wybod y byddem yn treulio'r noson honno yn yr union lety y bu Waldo'n byw am ychydig dros ddeunaw mis.

Buan y sylweddolem fod hwn yn drên arbennig o ran ei gyflymdra am ei fod yn drên trydan wrth iddo hedfan rhwng gorsafoedd Bishop's Stretford, Stevenage, Hitchin, Arlesey, Biggleswade a Sandy. Fe'n hamgylchynwyd gan haid o bobol ifanc yn cario sache a phebyll. Gwisgent welingtons ac mae'n rhaid eu bod ar eu ffordd i ŵyl roc yn rhywle. Roedden nhw naill ai'n hepian cysgu neu wedi gosod y gwifre gwrando yn eu clustie. Ni chawsom gyfle i holi eu hynt.

Mentrais dynnu sgwrs â dynes a roddai'r argraff ei bod yn gyfarwydd â'r siwrne am ei bod i'w gweld yn gysurus yn ei sedd. Gwir a dybiais, a datgelais ddiben ein taith gan nodi ein bod yn anelu am West Perry. O ddeall hynny fe'n cynghorodd i ddisgyn yng ngorsaf St Neots yn hytrach na theithio i Huntingdon rhag ein bod ni'n seiclo mwy o bellter nag oedd raid.

Profwyd drachefn ei bod bob amser yn ddoeth i wirio pob gwybodaeth a godir oddi ar daflen neu ar fap, yng ngoleuni gwybodaeth a geir gan bwy bynnag sydd â phrofiad llaw gyntaf yn y meysydd hynny o dan sylw, rhag ein bod yn gwneud cam gwag yn ddiangen.

Yr hyn a'n trawai wrth wibio ar hyd y wlad oedd pa mor wastad oedd pob dim a bod y perci o boptu'n llawn cnyde llafur. Ni welwyd unrhyw greaduried heblaw am bonis sipsiwn yn unman. Roedd yn amlwg nad godro gwartheg na phesgi anifeilied a wneid yn y cyffinie ond tyfu ŷd. Gwelwyd yr un cnyde ar bob llaw drachefn wrth i ni gefnu ar dref lân a chymen St Neots. Roedd ein hwynebe'n blastar o bryfed mân a godai'n gawodydd o'r perci llafur gan wneud i ni deimlo'n annifyr.

Ond roedd pob dim yn newydd a chyffrous a dieithr a ninne'n teimlo fel fforwyr cynnar ar gewn ein beicie. Gellid synhwyro ein bod mewn ardal gyfoethog o weld yr ydlanne crand a'r tai fferm a edrychai fel plastai. Heb os roeddem mewn ardal a oedd yn sedd seneddol Doriaidd ddiogel i ryw wleidydd.

Dygymodasom ag un rhiw serth wrth ddynesu at West Perry a chanfod ein hunain yng nghanol pentref tawel a thlws a chwbl nodweddiadol o gefn gwlad Lloegr. Ymddangosai pob dim yn ei le. Ni chawsom drafferth i ganfod Sunnyside, 38, West Perry, y tu ôl i glawdd uchel, ffrwythlon, â chnwd go dda o iorwg yn gorchuddio brics coch y tŷ ei hun. Cafwyd croeso twymgalon gan berchnogion y llety gwely a brecwast, Diana a John Hickling, a chawsom ein llunie wedi'u tynnu ar ein beicie y tu fas i gartref dros dro Waldo wedi iddo adael Llŷn.

Tra oeddem yn sipian coffi yn yr ardd gefn, yng nghanol

amrywiaeth o dyfiant, cawsom gopi o gylchgrawn hanes yr ardal oedd yn cynnwys erthygl gan Paul Bryant Quinn yn cyfeirio at gyfnod Waldo yn athro Lladin dros dro yn Ysgol Uwchradd Kimbolton gerllaw rhwng mis Chwefror 1945 a mis Tachwedd 1946. Gweld y swydd yn cael ei hysbysebu yn y *Times Education Supplement* a sbardunodd Waldo i gynnig amdani, yn ôl pob tebyg.

O'i blaid oedd y ffaith bod y prifathro o Gymro, William Ingram, o Lanidloes, yn hoff o benodi cyd-Gymry yn aelode o'i staff er, mae'n debyg, na fyddai wedi cynhesu at y ffaith fod Waldo yn wrthwynebydd cydwybodol i ryfel petai hynny'n hysbys iddo a hithe'n gyfnod rhyfel. Tua'r un adeg y penodwyd O. Wynne Ellis i ddysgu ymarfer corff.

Bu cryn ddyfalu rhyngom i ba radde oedd yr adeilad wedi newid ers y dyddie pan oedd Waldo'n lletya yno yng nghwmni Mrs Topham a oedd yn ei hwythdege. Cadarnhaodd John Hickling fod yna rywfaint o helaethu wedi'i wneud, yn cynnwys codi estyniad sylweddol yn y cefn, a bod Sunnyside, wrth reswm, wedi'i foderneiddio'n drwyadl.

Yma y bu Waldo yn ailgydio yn ei Ffrangeg ac Almaeneg yn ôl llythyr a ddanfonodd at D. J. Williams a Siân yn Abergwaun ym mis Mehefin 1946. Ymddengys fod Mrs Topham yn ddynes annwyl iawn, byth a hefyd yn annog Waldo i fynd i Gaergrawnt i astudio ar gyfer gradd MA. Roedd yna gymdoges 86 oed wedyn a oedd yn darllen y *Daily Telegraph* yn ddefodol bob dydd ac yn annog Waldo i wneud yr un modd tra oedd ynte'n mynegi safbwyntie gwrthimperialaeth ac egalitaraidd nes ei bod yn mynd yn ddadl wyllt rhyngddyn nhw. Cyngor y ddynes oedd: "Don't be afraid to tell me anything, because you think I wouldn't understand it, or wouldn't like it." Mae'n rhaid eu bod yn cael seiade difyr.

Roedd dynes arall wedyn yn byw gerllaw a oedd yn 97 oed, ac meddai Waldo'n gellweirus wrth D.J. a Siân, "Nid wyf wedi darganfod eto pa bryd y maent yn gweld yn dda i orffen." Nid rhyfedd iddo ddweud ei fod bellach yn cysgu'n dda ac yn teimlo'n well.

Ailgydiodd yr awen ynddo hefyd a dywed iddi gael ei chynhyrfu pan glywodd yr ehedydd yn canu wrth iddo seiclo i'r ysgol un bore. Dyna gychwyn y gerdd 'Caniad Ehedydd' yn ôl pob tebyg. Ond, ar yr un pryd, wrth iddo ddarllen yn eang, daeth i'r casgliad mai 'clatsho gwynt yw naw rhan o bob deg o feirniadaeth lenyddol a deg rhan o bob deg yn achos W. J. Gruffydd'. Roedd yr ysgolhaig, a golygydd *Y Llenor,* yn drwm o dan lach y cenedlaetholwyr ar y pryd am iddo sefyll yn erbyn Saunders Lewis yn etholiad sedd y Brifysgol, ac ennill, dair blynedd ynghynt.

Cawsom ein tywys i'n hystafell wely lle'r oedd yna ddau wely sengl yn ogystal â chawod a thŷ bach. Ond fe'n rhybuddiwyd nad oedd y toiled yn gweithio a rhag ein bod yn ceisio ei ddefnyddio roedd John wedi llwyddo i glymu'r caead fel na fyddem yn medru ei godi yn ein hast a'n hanghofrwydd ganol nos efalle.

Bydde sefyllfa o'r fath wedi denu englyn o enau Waldo mae'n siŵr a hwnnw yn Saesneg debyg iawn er difyrrwch i'r perchnogion. Ond roedd stafell ymolchi a thoiled at ddefnydd pawb ar draws y grisie petai'n fater o argyfwng arnom yn ystod yr orie mân. Aed ati i gael gwared ar ludded y diwrnod ac olion y gwybed yn y gawod gynnes.

Roeddwn wedi cysylltu ymlaen llaw â Nora Butler, aelod o Gymdeithas Hanes Kimbolton, a rhaid oedd ei hysbysu o'n presenoldeb yn yr ardal am ei bod wedi cynnig ein tywys o amgylch y dref. Ond yn anffodus fydde hi ddim ar gael drannoeth. Serch hynny, roedd ganddi wybodaeth ychwanegol wedi dod i'r fei, yn sgil ymateb i erthygl Paul Bryant Quinn gan gyn-ddisgyblion alltud a gofiai am Waldo yn eu dysgu.

Cofia Michael Wordley am Waldo'n cymryd meddiant o'i gyllell boced a'r bad pren roedd wrthi'n ei naddu o dan y ddesg ond fe'u cafodd yn ôl ar ddiwedd y wers. Fe fydde ynte a'i gyd-ddisgyblion wedyn yn adrodd y rhediadau berfol Lladin gydag acen Gymreig gref am eu bod yn dynwared Waldo'n gwneud hynny.

Yn ôl Mick Rich wedyn roedd gan Waldo aelie trwchus

a'i gwnâi i edrych yn ffyrnig, a chanddo wallt yn teneuo, a byddai'n ymddwyn yn hynod o Gymreig ac yn amal yn taro'r llyfr gosod yn erbyn y ddesg yn sydyn mewn rhwystredigaeth oherwydd ei anallu i gael y plant i ddeall rhywbeth neu'i gilydd. Cofia Mick am Tom Pierce, Glyn Davies, Wynne Ellis a Kyffin Owen ymhlith y Cymry ar y staff ar y pryd ac roedd y rheiny, yn wahanol i Waldo, yn chwaraewyr rygbi neu bêl-droed o fri.

Tebyg oedd disgrifiad Michael Tailby wrth iddo ychwanegu bod yr ymadrodd 'suck it up with your eyes', a ddywedai Waldo'n gyson, yn goglish y disgyblion. Roedd rhywun arall, gwraig un o'r athrawon oedd yn trigo yn yr ysgol, yn ei gofio fel person braidd yn unig ac yn gwisgo'n flêr. Roedd hefyd yn hynod yng ngolwg y plant am ei fod yn seiclo 'nôl a mlân i'r ysgol. Bu'n rhaid i Waldo adael wedyn pan ddychwelodd yr athro clasuron, George Ansell, o'r Awyrlu, yn ôl y drefn arferol ym mlynyddoedd y rhyfel.

Roeddem eisoes wedi sylwi bod yna dafarn o fewn hanner can llath i'r llety ac anelu am y Wheatsheaf oedd y nod gyda'r nos i ymlacio, i fwyta a chynllunio'r amserlen ar gyfer trannoeth. Fe'n hysbyswyd fod yna ddau bysgotwr o Fetws-y-coed yn rhannu'r llety â ni'r noson honno. Edrychem ymlaen at rannu eu cwmni dros beint yn ddiweddarach. Ystafell fawr a nenfwd uchel iddi oedd nodwedd amlycaf y dafarn â'r bar derw, ar lun ochr llong, yn tanlinellu'r ffaith ein bod mewn lle llawn cymeriad. Doedd dim osgoi'r ffaith ein bod ym mherfeddion Lloegr o weld rhai o'r cryts ifanc yn gwisgo cryse-T baner San Siôr.

Doedd y ferch ifanc y tu ôl i'r bar ddim yn un i gynnal sgwrs. Edrychai'r cwsmeriaid eraill oedd yno yr un mor gyffyrddus â'r dodrefn ac yn ddigon cyfarwydd â gweld dieithriaid i beidio â chymryd sylw ohonom. Eisteddasom yn y gornel gyda chopi o'r fwydlen a chyflenwad o greision fel tamed i aros pryd. Roedd yna ystafell fwyta helaeth o'n blaene ond doedd yna ddim prysurdeb i'w weld yno. Doedd y byrdde ddim wedi'u gosod. Penderfynwyd cymryd ail beint o Guinness tra disgwyliem.

Dechreuodd Teifryn sôn am y dosbarth dysgu Cymraeg oedd

ganddo yng Nghastell Gwalchmai ar gyrion Aberdaugleddau bob nos Fercher. Ymddengys ei fod yn ddosbarth tra anghonfensiynol am ei bod yn arferiad gan y mynychwyr i rannu potelaid o win ar derfyn pob sesiwn. Yn wir, profodd mor anghonfensiynol nes i'r awdurdod lleol wrthod ei gefnogi a cheisio ei ore glas i'w gau trwy ei symud i leoliad arall. Ond am fod mwy na'r nifer angenrheidiol sydd ei angen i ariannu dosbarth o'r fath yn mynychu'n rheolaidd, penderfynodd y selogion sefyll yn gadarn am na chytunent â chymhelliad yr awdurdod dros ddiddymu'r dosbarth. Am fod yna bobol broffesiynol yn eu plith, yn gyfarwydd â ieithwedd gyfreithiol, aed ati i lythyru'n frwd nes eu bod yn teimlo eu bod yn taro eu penne yn erbyn y wal. Deil y dosbarth i gyfarfod ar ei liwt ei hun a deil yr aelode i fwynhau gwydraid o win cyn caniatáu i Teifryn seiclo adref.

Penderfynwyd buddsoddi mewn gwydraid arall o'r maeth Gwyddelig ac, yn wir, aeth y syniad o archebu pryd o fwyd yn angof wrth inni yfed gwydraid arall drachefn o'r ddiod ddu y darbwyllem ein hunain ei bod yn gyfystyr â phryd o fwyd, beth bynnag. Roeddem ar ben ein digon. Mae'n rhaid y bydde Waldo wedi taro heibio'n gyson, meddyliem, a'i fod wedi eistedd yn yr union gornel wedi ymgolli yn ei feddylie dwys ac ynte'n dal i alaru am golli ei annwyl Linda. Gwelai ei hun fel 'yr hydd clwyfedig' y soniai'r bardd Rhamantaidd William Cowper amdano yn ei gerdd 'The Task', yn y cyfnod hwn.

A hithe'n hwyrhau, clustfeiniem o bryd i'w gilydd pan ddeuai cwsmeriaid o'r newydd at y bar am seiniau Cymraeg y pysgotwyr o Fetws-y-coed. Ond bu raid i ni ildio gan dybio bod diwrnod o bysgota ar ei hyd wedi'u gorfodi i noswylio'n gynnar. Pan ddechreuodd rhai o'r selogion chwarae gêm gardie am arian ar y bwrdd nesaf atom yng nghwmni'r landledi hirgoes a lluniaidd, penderfynodd y ddau ohonom mai gwell fydde tynnu'r diwrnod hirfaith i ben.

Wrth ddychwelyd i'r llety sylwom fod bathodyn 'Cymru' wedi'i osod ar gefn cerbyd gyriant pedair olwyn oedd wedi'i barcio y tu fas i'r tŷ drws nesaf i Sunnyside. Byddai'n rhaid holi fore trannoeth er mwyn bodloni ein chwilfrydedd. Mae'n rhaid dweud, er fy mod wedi fy rhybuddio gan Teifryn ei hun, a chan gydnabod iddo, ei fod yn chwyrnwr heb ei ail, ni chlywais i ddim ond ambell chwyrniad ysgafn mewn tiwn gydol y nos. Esmwyth gwsg gwydreidi o Guinness.

Ychydig a feddyliem y noson honno y byddem ymhen byr amser yn dychwelyd i'r ardal, a thrwy gydweithrediad hynod Nora Butler, yn dadorchuddio plac, gyda chymorth Mick Rich, ar wal Ysgol Kimbolton yn enw Cymdeithas Waldo. Anrhydeddwyd yr achlysur, ar brynhawn Sadwrn cyntaf mis Gorffennaf 2011, gan bresenoldeb yr Archdderwydd Jim Parc Nest, a rhai o aelodau corau meibion Huntingdon a Chymry Llundain gan roi min arbennig i'r datganiad o 'Hen Wlad Fy Nhadau' wrth derfynu'r seremoni.

16

Eltham a'r Trotting Horse

AM FRECWAST I'N digoni ben bore yng nghwmni'r ddau bysgotwr o Fetws-y-coed! Buan y sylweddolwyd pam nad oeddem wedi dod ar draws ein gilydd yn y Wheatsheaf y noson cynt. Roedden nhw'n cyfeirio at eu cynefin fel 'Betsy's' a'u hacenion yn awgrymu'n gryf iddyn nhw dreulio'r rhan fwyaf o'u hoes yn ochre Manceinion. Chwarae teg i John a Diana Hickling, rhoesant ostyngiad pris i ni am nad oedd y toiled yn yr ystafell wely'n gweithio. Bydde hynny, mae'n siŵr, wedi bod yn destun englyn neu limrig byrfyfyr arall i Waldo yn ei ddireidi petai'n gwmni i ni.

Am fore braf i seiclo wrth i ni ddewis ffordd wahanol, ar anogaeth ein gwesteiwyr, i ddychwelyd i St Neots. Aed heibio carchar Littlehey ac ar hyd ymylon llyn anferth Grafham a hynny bron yn gyfan gwbl ar y gwastad. Cyfnewidiem safle mor rhwydd ag anadlu wrth i'r pellter rhyngom amrywio o bump i ddeg llath a mwy a'n synhwyre ar eu mireiniaf. Ymolchai'r elyrch ar y llyn gan lyfnhau eu pluf a chlywem y sguthanod yn crawcian yn isel yn y caeau sofl wrth i'n llyged ddwrhau yn awel fain y bore.

Wedi cyrraedd gorsaf betrol brysur yn ymyl y draffordd yn Buckden bu'n rhaid holi a oeddem ar y trywydd cywir. Cafwyd cyfarwyddyd gan ffermwr lleol, yn ogystal â gŵr a hanai o gyffinie Abertawe, ar sut i ymuno â'r llwybr seiclo ar hyd trafford A1 i gyfeiriad y de. Buan y cyfarwyddom â sŵn rhuthr y traffig diderfyn wrth seiclo'n hamddenol ar hyd y gwaered am ddwy neu dair milltir. Sbwriel a chyrff adar wedi'u taro'n gelain gan gerbyde welwyd ar hyd y llwybr. Dim ond un seiclwr ddaeth i'n cyfeiriad ac roedd yn amlwg taw defnyddio'r llwybr o ran hwylustod a wnâi yn hytrach nag er mwyn pleser.

Erbyn cyrraedd cyrion St Neots gwelem fod y dref yn dadebru wrth i'r siope agor eu dryse. Gwelwn hwn a'r llall yn oedi i gyfarch ei gilydd yn harti ar hyd y stryd. Doedd rhuthro, mae'n amlwg, ddim yn rheidrwydd ar hyd strydoedd St Neots. Roedd gan y trigolion stori neu ddwy i'w hadrodd wrth ei gilydd. Am ein bod wedi dod i mewn i'r dref o gyfeiriad gwahanol i'r modd roeddem wedi'i gadael y prynhawn cynt bu raid cwnsela am ychydig cyn canfod y ffordd i'r orsaf reilffordd. Fel ag erioed, bu raid holi pwy bynnag a welem i wneud yn siŵr ein bod yn dyfalu'n gywir.

Codwyd tocynne a chariwyd y beicie i fyny'r grisie dur ac ar draws y bont i'r platfform ar yr ochr draw. Doedd yna'r un gofid yn ein poeni wrth ddisgwyl am y trên.

Cawsom le i eistedd o fewn golwg i'r beicie ar y siwrne drên 'nôl i Lundain. Ein bwriad oedd galw i weld Eirwyn Charles, asiant Waldo adeg yr etholiad cyffredinol ym 1959, yn ei gartref yn Eltham. Trafodwyd a ddylid cysylltu ag ef i wneud yn siŵr ei fod adref ond barnwyd mai gwell fyddai galw ar hap fel y byddem yn ei wneud petai'n dal i fyw yn ardal Mathri ei blentyndod.

Clywsom ŵr croenddu'n gofyn a gâi fenthyg beiro inc du gan rywun. Teifryn oedd y cyntaf i ddod o hyd i feiro yn ei sach a'i estyn, gyda gwên lydan a chyfarchiad cyfeillgar, i'r gŵr bonheddig. Bu hwnnw wrthi gydol y daith i Lundain yn llenwi ffurflenni di-ri am yn ail â dal pen rheswm ag aelode o'i deulu mewn iaith na ddeallem. O leiaf roeddem wedi gwneud ein rhan i bontio rhwng y cenhedloedd y bore hwnnw.

Aed ar draws y brifddinas ar y trenau tanddaearol yn ddidrafferth i Charing Cross cyn canfod y trên cywir ar hyd ardaloedd tlawd de Llundain a thrwy Lewisham a Blackheath i Eltham. Ceisiodd Teifryn gysylltu â'i ferch, Catrin, er mwyn trefnu llety dros nos yn ei fflat fel yswiriant pe na baem wedi gadael Llundain cyn iddi dywyllu. Awgrymais y medrem deithio cyn belled â Swindon, beth bynnag, os nad i gyffinie Lyneham, cyn chwilio am lety. Mater o adael neges oedd hi gyda Catrin ta beth am ei bod yn mynychu cwrs nyrsio'r diwrnod hwnnw. Dibynnai ein cynllunie ar gyfer gweddill y diwrnod, i radde helaeth, ar hyd ein harhosiad yng nghwmni Eirwyn Charles, – a derbyn y byddai gartref.

Doedd fawr o gyffro na phrysurdeb yng ngorsaf Eltham. Doedd yr un trên yn dod heibio'n rhy amal ac o gau ein llyged, rhag gweld ein bod mewn maestref, gallem yn hawdd ddychmygu ein bod yng nghefn gwlad. Er bod Teifryn wedi bod yng nghartref Eirwyn ychydig fisoedd ynghynt, y cam doethaf oedd gofyn drachefn sut i gyrraedd Dunbreck Road. Pwy yn well i'w holi na'r gyrrwr tacsi a eisteddai gerllaw? Ond swniai ei gyfarwyddyd yn gymhleth am ei fod yn amlwg yn ein cyfeirio ar hyd y ffordd fyrraf gyda mynych droade i'r chwith a'r dde. Tebyg nad oedd yn ystyried ein bod yn ddieithriaid llwyr.

Gwelai ei gyfaill ein penbleth wrth iddo synhwyro nad oedd cyfrifiadur meddwl yr un ohonom wedi llwyr ddiogelu'r wybodaeth. Roedd fy nghyfrifiadur ymenyddol i wedi hen ddalgwympo'n garlibwns. Rhoddodd y cyfaill gyfarwyddyd syml i ni ar hyd y brif ffordd trwy'r dref, troi i'r dde wrth y goleuade, i'r dde eto ac yna i'r chwith pan fyddem yn Dunbreck Road. Hawdd i'w gofio a medrem bob amser oedi i holi drachefn, wrth gwrs.

Seiclasom ar hyd y stryd hirfaith unionsyth nes cyrraedd rhif 155 a chanfod nad oedd ein siwrne'n ofer am y gwelem Eirwyn drwy'r ffenestr wrth ei gyfrifiadur. Er ei fod yn 84 oed ar y pryd roedd wrthi'n gloywi ychydig ar ei Rwsieg, meddai. Fel canwr opera, a enillodd ysgoloriaeth i Bayreuth yn nyddie ei ieuenctid, roedd wedi hen arfer â chanu mewn nifer o'r ieithoedd Ewropeaidd. Yn wir, digwydd bod adre o Genefa oedd Eirwyn pan alwodd D. J. Williams a James Nicholas, a oedd yn un o'i gyfoedion ysgol yn Nhyddewi, rhyw noson tua hanner nos ym 1959 i'w berswadio i fod yn asiant etholiadol i Waldo.

"Wel, mae'n siŵr na allech chi gael gwaeth asiant oherwydd er bod gen i ddigon o frwdfrydedd doedd y gallu i drefnu ddim yn un o'm cryfdere," meddai, gan fanteisio ar y cyfle i siarad ei famiaith am y tro cyntaf ers misoedd lawer.

"Dwi'n cofio Waldo, finne a D.J. yn mynd lan i Fynachlog-ddu i weld Parri Bach – y Parch. R. Parri-Roberts, ac ynte'n gweud wrthon ni y bydden ni'n siŵr o gael 10,000 o bleidleisie. Wel, dyma fwrw ati wedyn i drefnu cyfarfodydd a chanfaso'n bobman. Cofiwch, falle bydde neb yn troi lan i ambell gyfarfod a ninne wedyn yn ffaelu ffeindio ambell le achos y niwl.

"Doedd hi ddim help fod Waldo ddim yn gyrru wrth gwrs a wedd rhaid trefnu i rywrai fynd ag e i'r holl lefydd 'ma. Dwi'n cofio mynd lawr i'r Labour Exchange yn Abergweun i whilo rhywun i fynd ag e i ambell fan.

"Wedyn dwi'n cofio cael tua 16,000 o gopïe o'r *Welsh Nation* o swyddfa Plaid Cymru yng Nghaerdydd mewn bwndeli o tua hanner cant; dyna lle'r oedden nhw ar stasion Hwlffordd a rhywfodd aed â nhw lawr i Milffwrd a'u gadel ar y pafin. Daeth plisman heibio a gweud ein bod ni'n torri'r gyfreth o ran gollwng sbwriel ond whare teg, ar ôl gweld beth oedden nhw, fe wedodd nad oedd e wedi'u gweld nhw!

"Doedd dim lot o obeth 'da ni o ennill pleidleisie yn Milffwrd ond fe benderfynon ni fynd i ganfaso yno a'r cwestiwn cynta fydden ni'n ei ofyn ymhob tŷ pan ddele'r wraig i'r drws oedd, 'Odych chi'n ddigon ifanc i bleidleisio?' Gawson ni lot o hwyl.

"Wedyn, wedd lot o heclo yn digwydd yng nghyfarfodydd de'r sir. Dwi'n meddwl mai yn Rhosfarced wedd Waldo a finne un nosweth. Wedd hi'n eitha tanllyd a Waldo, fel arfer, wedi rhoi araith rymus. Fe ddywedodd un bachan ar y diwedd nad oedd e'n bwriadu rhoi ei bleidlais i ni ond ein bod wedi creu argraff arno am nad oedden ni wedi ymosod ar yr ymgeiswyr eraill. Dwi'n meddwl mai yn Solfach wedyn y gofynnodd rhywun pwy ffatrïoedd fydden ni'n eu hagor er mwyn creu swyddi a dyma un ohonon ni'n ateb fel bwled 'ffatri iete'! Wedd tipyn o hwyl fel 'ny nawr wrth ddod o hyd i ambell ateb sydyn, chi'n gweld.

"Falle nad oedd Waldo'n ennill pleidleisie ond wedd e'n ennill parch yn bobman, ch'wel. Hwnnw oedd y tro cynta i Blaid Cymru ymladd lecsiwn yn Shir Benfro ac er i ni golli'r ernes ac er bod y cyfanswm pleidleisie o 2,253 ymhell o dan y 10,000 yr anelwyd ato, roedden ni wedi cael ein derbyn. Ie, dwi'n cofio fod bil ffôn Mam yn Glasfryn bwtu £800 ar ôl y lecsiwn," meddai, gyda thinc o hiraeth.

Llifodd yr atgofion dros ddishgled o de a chroeso nodweddiadol Gymreig oedd yn cynnwys darn o gacen. Am iddo fyw'n alltud i bob pwrpas ers diwedd y 1950au, ac am na pherthynai iddo anian gwleidyddol, doedd hynt gwleidyddol diweddar Cymru ddim yn or-hysbys i Eirwyn Charles bellach. Ond braint oedd cael bod yng nghwmni'r gŵr a fu'n gyfrifol am anhrefn un o ymgyrchoedd etholiadol arloesol Plaid Cymru sydd wedi hen dyfu'n chwedloniaeth ymhlith cenedlaetholwyr. Caiff yr englyn hwnnw a luniodd Waldo am y gynulleidfa denau mewn un cyfarfod ei dadogi i amryw o lefydd:

I mewn heb sôn am enaid – i glywed
Y glewion wroniaid.
O Dduw! Tydi a ddywaid
Ai tri ydyw'r blydi Blaid?

Dro arall, mynnodd Waldo areithio er taw dim ond un person oedd yn y neuadd a hwnnw'n eistedd yn y cefn. Ar ôl tewi gofynnodd iddo a oedd ganddo gwestiwn neu sylw i'w wneud a chael yr ateb, "Wês, pryd 'ych chi'n bwriadu cwpla, ma ishe cloi'r neuadd arna i." Y gofalwr oedd y pwr dab!

Disgrifiad James Nicholas o'i gyfaill Eirwyn, a oedd fel ynte wedi graddio mewn Mathemateg yng Ngholeg Prifysgol Cymru, Aberystwyth, yn y gyfrol *Bro a Bywyd* yw, "gŵr gwreiddiol ac anghonfensiynol, a adawodd ei ôl ar yr etholiad".

Rhan o'r agwedd 'anghonfensyniol' honno, mae'n siŵr, oedd y ffaith fod Eirwyn, y diwrnod hwnnw ac ynte wedi hen groesi oed yr addewid, yn gwisgo trywsus byr. Ymhellach, mynnodd ddangos ei feic trydan gan bwysleisio ei fod i'w weld yn seiclo ar hyd strydoedd Eltham yn gyson. Cyn ffarwelio cytunasom i ddod heibio rywbryd drachefn er mwyn mynd i seiclo yng nghwmni ein gilydd. Tarwyd bargen ar yr amod ein bod yn rhoi rhybudd o'n dyfodiad. Cawsom gwmni gŵr y cyfeiriwyd ato adeg yr etholiad hanesyddol honno fel y 'General' neu'r 'Cadfridog'.

Dieithr oedd ein llawenydd i drigolion Eltham wrth iddyn nhw fynd o gwmpas eu dyletswydde tra oeddem yn seiclo 'nôl i gyfeiriad yr orsaf drên. Ni theimlem feichie wedi'r cyfle i ail-fyw cyfnod arwyddocaol yn hanes Sir Benfro, os nad yn hanes Cymru, a hynny o enau gŵr a oedd yn rhan allweddol o'r achlysur. Rhoesom gopi o'r gyfrol *Waldo – Un funud fach*, sef pigion o gerddi ei gyfaill, iddo fel cydnabyddiaeth o'i groeso cyn gadael.

Ni wyddem pryd y deuai'r trên nesaf heibio i'n cludo 'nôl i ganol Llundain. Doedden ni ddim yn orawyddus i ganfod pa amser fydde hynny chwaith. Gwyddem mai aros fydde raid a chymryd mantais o hynny fydde ore i fwyta byrbryd o ddanteithion o'r ciosg ar yr orsaf. Dihysbyddu wnâi maeth brecwast y bore erbyn hyn. A chan mai parablu'n afieithus, os nad yn wrthwynebus â'i gilydd, yn un o ieithoedd cyfandir India a wnâi'r ddau oedd y tu ôl i'r cownter, ymataliais rhag holi a oedd gwybodaeth am amserlenni trên yn rhan o'r gwasanaeth roedden nhw'n ei gynnig i gwsmeriaid. Y cam synhwyrol oedd eistedd ar y platfform a bwyta ffrwythe a melysion tra disgwyliem am y trên.

Dechreuodd Teifryn sôn am ei brofiade yn seiclo mewn gwledydd Sbaeneg eu hiaith ar gownt ei allu i siarad yr iaith. Doedd yr holl ddosbarthiade nos a fynychai yn Nhyddewi ddim wedi bod yn ofer. Ni fyddai'r teithie hynny, boed yng Nghiwba, yn yr Ariannin neu yn Sbaen, wedi'u trefnu'n fanwl ymlaen llaw rhag difetha'r elfen annisgwyl. Cyrraedd y wlad oedd y nod ac wedyn bwrw ati i ddilyn ei drwyn oedd y drefn. Byddai pob diwrnod yn antur o'r newydd o ganlyniad gan na wyddai pa brofiade newydd a ddeuai i'w ran na pha gyfeillion o'r newydd a ddeuai ar eu traws trwy fracsan ei Sbaeneg bob gafael.

Ac roedd y ffaith ei fod yn Gymro yn agor dryse annisgwyl iddo ym Mhatagonia pan ddeuai ar draws Archentwyr o dras Gymreig a'r rheiny, efallai, wedi hen golli cysylltiad â'r Wladfa. Swniai'r dyn garej cymwynasgar o Drelew, Vivian Jones, yn dipyn o gymeriad petai dim ond am y ffaith ei fod wedi cadw'r Gymraeg trwy siarad ag ef ei hun. Ac nid pawb fyddai wedi cael lletya'n rhad mewn hostel oedd wedi'i darparu ar gyfer cartrefu milwyr, ond dyna sy'n digwydd pan wnewch holi hwn a'r llall am wybodaeth pan fyddwch ar eich pen eich hun ymhell o gartref.

Nid ar fws moethus gyda phob dishgled o de a phob gwely beunos wedi'u trefnu'n fanwl gysáct, cyn gadael cartref, y teithir i fwynhau gogonianne gwledydd tramor, yng ngolwg Teifryn, ond trwy fentro mewn ffydd a chariad y ceir cysur a llety lle bynnag y deuir ar draws cyd-ddyn. Ar gewn beic yw'r dull delfrydol o deithio waeth beth yw'r tywydd oherwydd gellir oedi os yw hi'n rhy arw, yn rhy wlyb neu'n rhy oer, a rhoi cychwyn arni drannoeth petai raid. Mae gan y sawl sy'n penderfynu seiclo ddigon o amser i gwblhau ei siwrne beth bynnag.

Dal i lifo a wnâi'r straeon pan gyrhaeddom ganol Llundain a hithe dim ond wedi troi pedwar o'r gloch. Gellid gwireddu'r cynllun gwreiddiol o gefnu ar Lundain ac anelu am Swindon cyn y rhuthr tua thre, ddiwedd diwrnod gwaith, a fydde'n llenwi pob trên. Doedd dim rhaid ystyried clwyda mewn hostel i'r digartref fel y gwnaeth Waldo ar un o'i bererindode i'r ddinas pan oedd yn byw naill ai yn ardal Kimbolton neu Lyneham. Clywsom sgerbwd yr hanes o enau Vernon Beynon dro yn ôl.

Mae'n debyg i Waldo seiclo i Lundain i weld rhyw gynhyrchiad penodol yn y West End ac wrth barcio'r beic wrth dalcen y theatr, gwelodd ddynes yn chwydu yn ei meddwdod gan ddweud wrtho'i hun na fyddai'n ddymuniad ganddo i dreulio'r noson honno o dan ei chronglwyd hi. Pan aeth i moyn ei feic wedi'r sioe gofynnodd i rywun a oedd yn cerdded heibio a wyddai am lety yn y cyffinie a chael ei gyfeirio at dŷ digon di-raen yr olwg. Pwy ddaeth i'r drws ond y ddynes a welodd ynghynt. Dywedodd ei neges wrthi a phan gafodd ar ddeall fod ganddi wely ar ei gyfer ni allai ei gwrthod.

Gwelodd fod pump neu chwech o welye yn y llofft a thrempyn yn cysgu yn un ohonyn nhw. Aeth Waldo i'r gwely nesaf at y trempyn, diosg ei ddillad ac i mewn i'r gwely ond heb dynnu un o'i sane am ei fod wedi dodi ei waled ynddi. Ofnai y byddai'r crwydryn yn ymbalfalu yn ei ddillad yn ystod y nos pan fyddai'n cysgu ac yn dwyn ei arian. Ond wrth i Waldo osod ei ben ar y gobennydd dechreuodd y trempyn dynnu sgwrs gan holi beth oedd e'n ei wneud yn Llundain.

"Dod i weld drama," meddai Waldo.

"O, barddoniaeth sy ore gen i," meddai'r dieithryn. "Swinburne yn fwy na neb," a dechre adrodd talpie o farddoniaeth.

Dwrdiodd Waldo ei hun am ame cymhellion ei gyfeillion dieithr wedi iddo osod ei arian yn ei hosan o dan y dillad gwely. Roedd un o'i gyd-letywyr yn medru adrodd rheffynne helaeth o farddoniaeth y Rhamantwyr ar ei gof. Creodd hynny gryn argraff ar Waldo. Os oedden nhw'n fydol dlawd, doedden nhw ddim yn droseddwyr calon galed chwaith, boed yn rhan o froc môr dynoliaeth neu beidio.

Ond yn gyntaf rhaid oedd cyrraedd Paddington a phenderfynwyd seiclo ar draws Hyde Park yn hytrach na mentro ar y trenau tanddaearol o Victoria ar adeg o'r dydd pan na fydde croeso i feicie, efalle, ac y byddai gwibio trwy'r torfeydd yn fwrn. Cafwyd ymdeimlad o ryddid llwyr wrth seiclo ar ras heibio i feicwyr eraill am yn ail â sylwi ar yr heidie o ymwelwyr a phobloedd o amrywiol dras yn ymlacio o dan y coed. Mae'n debyg eu bod hwythe hefyd yn chwennych ennyd o lonyddwch o ruthr a phrysurdeb y strydoedd.

Doedd dim amser i holi hynt y ddau fws o Gymru a welem yn un o'r strydoedd wrth nesáu at Paddington. Rhaid oedd astudio'r amserlenni'n drwyadl a chymryd pwyll wrth ddewis y siwrne briodol a thalu'r pris cywir yn y peiriant tra disgwyliai rhes o deithwyr y tu ôl i ni'n eiddgar i brynu eu tocynne hwythe.

Ein gofid penna oedd y bydde seiclwyr eraill wedi bachu'r llefydd ar gyfer gosod y beicie ac na chaem fynd ar y trên o'r herwydd. Darllenasom golofn lythyre papur nos Llundain lle'r oedd nifer o lythyrwyr yn mynegi eu dicter tuag at deithwyr oedd yn mynnu cludo beicie ar drene. Y disgrifiad caredicaf ohonom oedd ein bod yn giwed a achosai niwsans ac yn amlwg roeddem yn peri digofaint i lawer. Ond y rheiny a fynnai gludo beicie ar y trenau tanddaearol oedd yn ei chael hi waethaf. Os oedd gennym feicie, wel, dylem eu defnyddio ar y ffyrdd, neu'r llwybre priodol sydd wedi'u neilltuo ar eu cyfer, oedd byrdwn y sylwade. Hm.

Cysylltodd Teifryn â Chatrin drachefn i'w hysbysu na fyddai angen llety arnom y noson honno er doedd dim wedi'i drefnu gennym yng nghyffinie Swindon chwaith. Tish baw, mae'n siŵr y bydde yno ddewis helaeth o lefydd gwely a brecwast am brisie rhesymol! Doedd dim lle i ofidio, nag oedd? Pan gyrhaeddodd y trên y platfform dynodedig rhuthrodd haid ohonom amdano ond dim ond ni ein dau oedd yn gwau ein beicie drwy'r teithwyr-newydd-ddisgyn a gerddai tuag atom. Rhaid oedd i ni fynd i'r pen draw eithaf i'r carej lle'r oedd stabal wedi'i neilltuo ar gyfer clymu beicie. Roedd yna ddwy stâl wag yno a chyflawnwyd y cam pwysicaf yn ddiffwdan.

Erbyn i ni ddirwyn ein ffordd i un o'r carejis agosaf roedd pob sedd yn llawn a rhes o deithwyr yn sefyll ar eu traed ar hyd yr ale. Doedd dim amdani ond sefyll yn y coridor rhwng dau garej gan fod yn ddiolchgar am hynny. Gyda'i hawddgarwch arferol llwyddodd Teifryn i dorri'r garw â rhoces dene a safai yn ei ymyl a chynnal sgwrs â hi weddill y daith tan iddi ddisgyn o'r trên. Roedd hi'n rhedwraig broffesiynol a newydd fod mewn derbyniad swyddogol yn Llundain lle'r oedd y gwin yn llifo ond doedd dim diferyn wedi cyffwrdd â'i gwefuse. Ei dewis hi oedd monitro pob briwsionyn roedd ei chorff yn ei gymryd er mwyn cyflawni ei photensial i'r eithaf. Rhaid oedd edmygu ei hunanddisgyblaeth, ei hymroddiad a'r her roedd hi wedi'i osod iddi hi ei hun; yn bendifadde, roedd ganddi stori i'w hadrodd.

Roedd hi'n dal yn olau pan gyrhaeddwyd Swindon a finne o'r farn y dylid anelu am dafarn o'r enw The Trotting Horse yng nghyffinie Lyneham cyn iddi dywyllu. Am fy mod wedi astudio fy map fy hun, a oedd yn gyhoeddiad lled ddiweddar, credwn fy mod yn gwybod pa ffordd i gymryd ond i ni ddod o hyd iddi. Holwyd hwn a'r llall, gan gynnwys gyrwyr tacsi, ond doedd y cyfarwyddyd a roddwyd ddim yn rhy glir nac yn addawol, i ddau ddieithryn beth bynnag, ar sut i gyrraedd y ffordd A4361 o ganol y dref. Credwn mai rhyw ugain munud o daith oedd hi mewn car ac na ddylai gymryd rhyw lawer mwy nag awr ar feic.

Penderfynwyd oedi ar y cyrion pan synhwyrom nad oedd yr arwyddion ffyrdd a welem yn debyg o'n harwain i'r cyfeiriad a ddymunem. Dechreuodd cysgodion y nos ddisgyn ac, yn eu sgil, ychydig o bryder na fyddai gennym lety ar gyfer y noson. Tynnodd Teifryn sylw gŵr canol oed a gerddai heibio at ein picil a bu'r ddau yn sgwrsio'n frwd â'u trwyne yn y map Bartholomew. Cofiais inne i mi ddarllen rywle fod Waldo wedi bod yn athro ar ddosbarth Cymraeg yn Swindon a'i fod wedi traddodi darlith i'r Poetry Circle am Dafydd ap Gwilym. Ond tebyg nad nawr oedd yr amser priodol i sôn am hynny.

Amneidiodd Teifryn arnaf i'w ddilyn a bant â ni ar hyd ffordd gymharol wastad a oedd yn rhedeg yn lled gyfochrog â'r M4. Anelwyd am Wootton Bassett gan fanteisio ar y llwybr seiclo i wasgu arni gan gyfnewid lle fel ceffyl blaen o bryd i'w gilydd ar hyd yr wyth milltir. Ymlaen am bum milltir arall wedyn i Lyneham a hynny ar y goriwaered y rhan fwyaf o'r daith cyn oedi i astudio'r mapie drachefn. Daliai'n ddigon gole i ddarllen map ond cael a chael oedd hi.

Mentrais awgrymu wrth edrych ar fy map A-Z y byddai wedi bod yn gynt pe buasem wedi dewis y ffordd roeddwn i wedi'i hawgrymu ond mynnai Teifryn fod yna ormod o riwie serth ar hyd honno. Ni ddeallwn sut y gwyddai hynny trwy edrych ar fap.

Ond doedd dim amser i doethan am fod yna bum milltir

dda yn ein hwynebu cyn cyrraedd pen ein siwrne yn y Trotting Horse, ym mhentref Bushton, a derbyn ei fod ar agor wrth gwrs. Doedd dim llety wedi'i drefnu byth ond doedd dim lle i boeni am fod yna wnifeintoedd o lefydd gwely a brecwast yn y cyffinie mae'n siŵr, meddwn, yn hyderus. Bant â'r cart felly, neu bant â'r beics yn hytrach.

Blinai fy nghoese wrth ymgiprys ag ambell riw serth a rhaid oedd cymryd hoe haeddiannol wedi cyrraedd ambell gopa. Nid rhyfedd bod Teifryn bellach ryw hanner milltir dda o'm blaen a doedd dim golwg ohono'n arafu. Mae'n rhaid ei fod yn awyddus i gyrraedd pen y siwrne a threfnu'r cae nos. Hwyrach ei fod yn edliw nad oeddem wedi aros yn Llundain yn fflat ei ferch. Yr hyn a'm synnodd oedd y ffaith nad oedd arwyddion 'Gwely a Brecwast' i'w gweld yn unman. Yn wir, prin oedd y tai annedd yn y cyffinie heb sôn am dai oedd yn awyddus i groesawu ymwelwyr. Wrth i'r haul fachludo edrychai'r sefyllfa braidd yn ddu arnom o ran canfod llety dros nos. Machludo wnâi ein gobeithion ninne hefyd.

Cyrhaeddwyd pentref Bushton ond doedd yn fawr ddim mwy nag enw ar fap. Ni welem ganolfan gymdeithasol na chapel nac eglwys na siop na thafarn. Aed ymlaen i'r groesffordd a phenderfynu cymryd y ffordd i gyfeiriad Clyffe Pypard am getyn ac, yn wir, o fewn hanner canllath cyrhaeddwyd tafarn ysblennydd The Trotting Horse. Doedd yna'r un cerbyd yn y maes parcio er ei bod bellach wedi troi wyth o'r gloch. Parciwyd y ddau feic yn ddigon ysgyfala yn erbyn y wal ger y drws ac i mewn â ni. Gwelwyd llun mawr o wŷr mewn cotie coch ar gefn ceffyle yng nghanol haid o gŵn hela ar bared y cyntedd. Doedd ond angen cip sydyn ar y bar i sylweddoli ein bod mewn ardal wledig am nad oedd dim yn soffistigedig nac yn 'welwch chi fi' am y lle.

Cawsom groeso twymgalon gan y landledi, Jenny Nickolls, ac wrth bori trwy'r fwydlen cawsom gyfle i ddweud ein hynt wrth bâr o glustie parod i wrando a'r un modd clustfeiniai'r ddau neu dri o ffyddloniaid wrth y bar. Dyma dafarn na welai ddieithriaid yn rhy amal. Adroddwyd y stori honno am un o'r trigolion lleol yn credu mai treulio ei amser yn agor ffosydd yn hytrach na dysgu a wnâi Waldo yn yr ardal ar ddiwedd y 1940au am fod yr ynganiad o 'ditching' a 'teaching' mor debyg ar ei leferydd.

Esboniwyd bod Waldo'n lletya yn Barrow End Farm ar gyrion Lyneham gyda Egbert ac Ada Kane ond ei fod hefyd gyda'r nos yn seiclo i Thickthorn Farm gerllaw at Reg a Muriel Pocock er mwyn defnyddio un o'u hystafelloedd i ddarllen mewn tawelwch cyn taro heibio am beint ac yna seiclo 'nôl i Barrow End. Ein gobaith, wrth gwrs, oedd canfod briwsionyn o wybodaeth am arhosiad Waldo yn yr ardal neu, gwell fyth, gael ein cyfeirio at rywun a fyddai yn ei gofio.

Er mwyn creu argraff hysbysais y cwmni mai William a Ruth Prowton oedd y landlordiaid ar y pryd tan iddyn nhw gael eu holynu gan George ac Elizabeth Fulcher ym mis Hydref 1947. Prin y medrai fy ymchwil ar sail cynnwys cofrestr plwyf Clyffe Pypard fod yn fwy manwl. Ond oedd yna bobol yn arddel y cyfenwe hyn yn dal yn yr ardal holwn ac, os oedden nhw mewn gwth o oedran, a fyddai'n bosib i mi eu holi tybed? Soniodd un hen gono ei fod yn cofio am deulu'r Fulcher's ond ni fedrai feddwl am ddisgynyddion neb o blith y bobol y cyfeiriais atyn nhw oedd yn dal yn yr ardal.

Roedd Waldo wedi sôn am y trefniant hwn o'i eiddo o alw yn y dafarn yn feunosol mewn llythyr a anfonodd at Anna Wyn Jones ar Ionawr 26, 1948, gan awgrymu iddo fod yn gweithio rywfaint ar y tir cyn gadael West Perry. Efallai iddo wneud hynny yn ystod gwylie'r haf neu yn yr hydref, a derbyn bod ei gyfnod yn Ysgol Kimbolton wedi dod i ben yn yr haf, ac ynte'n ddi-waith tan iddo ddechre yn Lyneham ym mis Tachwedd:

> Rwy'n dod lawr yma bob prynhawn yn union ar ôl yr ysgol, yn dod a digon o frechdan i de mewn bocs tun hwylus iawn sydd gennyf, yr un un ag oedd gennyf yn Huntingdon ar y tir. Mae'r bobl yma yn cael tamaid cyn mynd i odro, ac felly mi allaf gael y te cyn cynneu'r tân. Ar ôl cael fy nhe rwyn mynd at y gwaith hwnnw, weithiau mae'n hala tipyn o amser os bydd y tanwent yn

> wlyb – nid wyf yn ddigon darbodus i gasglu crugyn ymlaen llaw a'u rhoi dan do i sychu, mae'n rhaid imi ddiwygio ar y pen hwn. Wedyn ar ôl gwneud hyn a'r llall o gwmpas fy ystafell rwyn barod i setlo i lawr tua phump o'r gloch, ac yr wyf yn cadw ymlaen hyd hanner awr wedi naw. Wedyn rwyn mynd, nid yn ôl i Barrow End eto, ond i'r cyfeiriad arall, tua milltir, i le bach o'r enw The Trotting Horse ac rwyn cael peint a sgwrs yno, cyn mynd yn ôl i Barrow End sydd dair milltir a hanner i ffwrdd.

Erbyn hynny, cyrhaeddodd llond plât o *lasagne* cartref ar fy nghyfer i a hadog ar gyfer Teifryn. Cafwyd gwledd a wnaeth yr holl ymdrech i gyrraedd yno yn werth chweil hyd yn oed os nad oedd gennym lety ar gyfer y noson a hithe'n hwyrhau. Anodd credu ein bod yng nghanol rhuthr gwyllt Llundain deirawr ynghynt a nawr yng nghanol tangnefedd canol haf cefn gwlad Lloegr. Roedd y fwydlen hyd yn oed yn annog cwsmeriaid i beidio â bod yn swil os oedden nhw am gwyno am ansawdd y bwyd. Mae'n rhaid bod gan y cogyddion hyder yn eu galluoedd i blesio oherwydd amhosib fyddai canfod bai ar yr arlwy a gawsom. Ni ellid gwella ar y gacen gaws fefus a gefais ac, yn wir, teimlwn awch i ddychwelyd rywbryd eto i flasu'r holl bryde cartref eraill oedd ar y fwydlen.

Yng nghanol hyn oll holais Jenny, yn hollol ddidaro, a wyddai am lety ar ein cyfer dros nos. Ni fedrai roi ateb ar ei hunion. Yn y cyfamser roedd ei gŵr, Richard, wedi dod i'r golwg a dechreuodd Teifryn ei holi'n daer am y cysylltiad Wi-Fi a gynigid am ddim. Cyn pen dim roedd Teifryn wedi tynnu ei gyfrifiadur bychan o'i sach ac roedd y ddau ar eu penglinie ar y llawr. Roedd angen cryfhau'r batri cyn ei gael i weithio. Trwy ffliwc y cafwyd y teclyn i weithio'r noson flaenorol ar gyfer anfon a derbyn e-byst heb ddefnyddio cyfrinair cyswllt cyfrifiadurol y llety yn West Perry. Cynigiodd Richard ddamcaniaeth neu ddwy ynghylch sut y gallai hynny fod wedi digwydd. Clywais Teifryn yn ei holi'n daer hefyd am hynt yr hostel ieuenctid nid nepell o'r fan.

Ymhen hir a hwyr, neu felly yr ymddangosai i mi er nad

oeddwn am gyfaddef hynny, cefais rif ffôn ffermdy cyfagos a gynigai wasanaeth gwely a brecwast o bryd i'w gilydd. Deialais y rhif ond doedd dim ateb. Daliai Teifryn i swnian am yr hostel ieuenctid oedd o fewn rhyw ddwy filltir mae'n debyg er ni soniai ddim am y lle wrthyf yn uniongyrchol chwaith. Er ein bod yn yr un ystafell ymddangosai bron nad oedd unrhyw gyswllt rhyngom rhagor. Deialais rif y ffermdy drachefn a chael ateb y tro hwn. Dywedodd y llais pen arall y bydde'n rhaid iddi ofyn i'w mam a oedden nhw'n mynd i gymryd lletywyr y noson honno. Esboniais fod yna ddau ohonom yn teithio ar gewn beic a'n bod yn swpera yn y dafarn gyfagos a heb unman i aros. Addawodd fy ffonio 'nôl.

Doedd dim amdani tra disgwyliem ond dychmygu Waldo yn eistedd yn y gornel ar noson gyffelyb o haf ar ôl treulio ychydig orie ar ffarm Thickthorn yn darllen gweithie rhai o'r meddylwyr mawr. Tebyg y bydde ar goll yn ei feddylie ei hun a hwyrach yn llunio ambell linell o'r cerddi hynny y gwyddys iddo eu cyfansoddi yn y cyfnod hwn, megis 'Wedi'r Canrifoedd Mudan', 'Cymru a Chymraeg', 'Geneth Ifanc' a 'Cwmwl Haf". Roedd 'Eneidfawr' wedyn wedi'i chyfansoddi wrth iddo ddychwelyd o rali yn Llundain i gofio am Mahatma Gandhi. Erbyn hyn roedd Teifryn wedi llwyddo i ddarbwyllo Richard bod ganddo wybodaeth helaeth am yr ardal ar sail ei gyfnod yn gweithio mewn ffatri laeth yn Bason Bridge yng Ngwlad yr Haf.

Canodd fy ffôn fach. Peidiodd pob sgwrs yn y dafarn. Edrychodd pawb arnaf mewn chwilfrydedd. Ie, merch ei mam oedd yn cadw at ei gair. Oedd, roedd gan ei mam un ystafell wely wedi'i pharatoi ac roedd croeso inni gael honno, meddai. "Un gwely dwbl oedd yn yr ystafell," ychwanegodd. "Popeth yn iawn," myntwn inne heb betruso rhyw lawer a heb ymgynghori â meinábs. "Byddwn draw mewn fawr o dro," meddwn wrth derfynu'r sgwrs.

Wrth hysbysu Teifryn bod y fargen wedi'i tharo sylweddolais nad oeddwn yn gwybod enw'r ffarm na chwaith wedi gofyn am gyfarwyddyd ar sut i'w chyrraedd. Ond daeth perchnogion rhadlon y Trotting Horse i'r adwy gan esbonio taw troi i'r chwith ar y groesffordd ac yna'r cyntaf ar y dde ymhen rhyw filltir a hanner, i fyny rhiw am hanner milltir, a byddai'n amhosib inni beidio â gweld y tŷ brics coch anferth ar y dde, gydag arwydd 'Gwely a Brecwast' yn rhywle, medden nhw yr eilwaith i wneud yn siŵr nad oedd yr un ohonom wedi camddeall y cyfarwyddyd.

Seiclo yn y gwyll a wnaem nawr. Ymddangosai'r filltir a hanner cyn y troad yn hynod o hir fel y gwna pob pellter wrth ei dramwyo am y tro cyntaf a hynny ar ychydig o frys. Canmolais fy hun nad oeddwn, er y demtasiwn, wedi cyffwrdd â diferyn o Guinness yn ystod yr orie blaenorol. Roedd y bolied o fwyd maethlon wedi'i olchi lawr â sawl gwydraid o sudd oren yn sichrau bod y cyhyre wedi'u hatgyfnerthu a'r synhwyre wedi'u miniogi unwaith eto i fy ngalluogi i farchogaeth y beic yn ddidrafferth. Tybed ai Thickthorn oedd enw'r fferm laeth yr aed heibio iddi ar y dde? Edrychai rhanne ohoni fel petai heb newid rhyw lawer ers y 1940au. Doedd dim amser i graffu'n fanwl ar yr arwydd heb sôn am roi cnoc ar y drws a ninne prin yn gweld cysgodion ein gilydd ar y ffordd erbyn hyn.

Gwelwyd feidir yn troi i'r dde ac aethpwyd ar ei hyd yn weddol sionc nes gweld y ffermdy brics coch anferth gyda ffenestri modern, gwynion, a lawnt helaeth o'i flaen ar y dde. Mae'n rhaid taw hwn oedd ein cyrchfan, meddem yn hyderus wrth ddilyn y ganllath o fynedfa ar hyd cerrig mân i'r cefn. O leiaf roedd gole i'w weld yno ac wrth osod ein beicie i bwyso ar y ffens bren gwelsom yn y llwydole fod parot yn clwyda ar foncyff uwch ein penne. Ond am nad oedd i weld yn symud ei draed na'i ben ni wyddem a oedd yn aderyn byw neu beidio. Sylwom hefyd fod yna ddau adargi go swnllyd yno, un ohonyn nhw'n glafoerio'n drybeilig. Trwy lwc, roedd y ffens rhyngom a nhw. Ymhen hir a hwyr clywsom glicied y drws cefn yn agor.

Fe'n tywyswyd i'r cyntedd a'n gadael yno'n ddiseremoni am getyn. Er ein bod yn clywed lleisie gwragedd yn rhywle ni ddaeth yr un ohonyn nhw i'n cyfarch. Gwnaethom ein gore glas i fod yn gyfeillgar wrth yr hwn na allwn ei ddisgrifio'n ddim caredicach na chrymffast o grwt a'n tywysodd at waelod grisie pren llydan a'n cyfeirio at ystafell wely uwchben ym mhen draw'r adeilad. Doedd ganddo ddim diddordeb mewn holi ein hynt na chynnig yr un gwasanaeth o ddiddosrwydd. Roedd offer gwneud paned yn y llofft, meddai wrth agor drws lolfa a oedd at ein defnydd, meddai ymhellach.

Tra eisteddem yno ar gadeirie lledr yn bwrw lludded a phendrymu uwch hynt ein diwrnod, dychwelodd y crymffast ymhen ysbaid i ddweud ei fod wedi gadael jwged o laeth at ein defnydd ar waelod y grisie. Diolchais iddo gan ollwng ochenaid o flinder wrth ymestyn fy nghoese i'w hyd eithaf. Ond synhwyrem fod yna rywbeth yn dal yn anghyflawn ynghylch y gwasanaeth mor belled.

Dychwelodd y crymffast drachefn a gofyn y tro hwn pa bryd fydden ni'n dymuno brecwasta fore trannoeth. Wrth gwrs, y trefniade brecwast oedd wedi mynd yn angof. Awgrymon ni ill dau y bydde tua wyth o'r gloch yn plesio. Rhagwelem y cymerai awr dda i seiclo i Chippenham yn y bore ac er y gwyddem y byddai'r archifdy yno'n agor am naw o'r gloch, doedd dim rheidrwydd i fod yno'n disgwyl iddo agor. Diflannodd y crymffast heb ddweud dim.

Pan aethom i fyny'r grisie i'r ystafell wely gwelsom ei bod yn ddigon mawr i osod chwech o welye sengl ynddi. Ond yr unig wely yno oedd un gwely dwbwl anferth.

17

Chippenham

MAE'N RHAID FY mod wedi cysgu cwsg y meirw er roedd gennyf frith gof o fynd i'r ystafell faddon rhyw ben hefyd i moyn diod o ddŵr, a chlywed sŵn rhochian cysgu yn rhywle a fedrai ysgwyd yr adeilad pe chwyrnai fymryn yn uwch. Tebyg bod yna rywrai eraill yn aros yno dros nos wedi'r cyfan, neu roedd y crymffast yn mynnu tynnu sylw at ei bresenoldeb, meddyliais.

Pan agorwyd llenni ffenestr flaen yr ystafell ben bore gwelwyd ei bod yn argoeli am ddiwrnod braf wrth i'r haul sbecian a'r tarth godi. Cefais fy nhemtio i agor y ffenestr a thynnu anadl ddofn. O agor llenni'r ffenestr gefn gwelem faw cŵn trwyddi draw ar y fflagie obry a'r hen barot glas yn dal ar ei glwyd. Nid oeddem am agor y ffenestr honno. Dadebrwyd ar ôl ymolchi yn y gawod a pharod oeddem am frecwast ac i ailgydio yn y daith.

Dros frecwast cafwyd ar ddeall ei bod yn gyfnod prysur ar y teulu am fod galw mawr am eu gwasanaeth i rostio moch mewn pob math o sioeau haf. Eisoes roedd un aelod o'r teulu wedi mynd i rywle er mwyn goruchwylio'r gwaith araf o rostio. Roedd y fam ar ei thraed ers pump o'r gloch ac roedd y diwrnod cynt wedi bod yn ddiwrnod hir yn cyflawni'r un gorchwylion. Deallem felly pam nad oedden nhw'n hidio rhyw lawer p'un a fyddai ymwelwyr am fanteisio ar eu gwasanaeth gwely a brecwast ar y pryd. Wedi mynd i roi sylw i'r ceffyle roedd y ferch. Deuai'r ieuengaf o'r ddau adargi i'r ystafell frecwast bob hyn a hyn cyn iddo gael ei hysian 'nôl i'r gegin. Cadwn lygad gwyliadwrus arno bob tro y deuai trwy'r drws.

Cawsom ar ddeall fod y parot yn symud o foncyff i foncyff

yn achlysurol ond na fedrai ddilyn ei reddf naturiol o hedfan am fod ei adenydd wedi'u tocio. Soniodd Teifryn yn helaeth am ei brofiade pan oedd yn byw yng Ngwlad yr Haf gan enwi nifer o'r ffatrïoedd llaeth o eiddo Unigate oedd bellach wedi'u cau. Cnyde a dyfid ar y fferm hon er bod brodyr y gŵr yn dal i odro buchesi ar ffermydd cyfagos. Doedd dim gwybodaeth gan y fam am hen deuluoedd yr ardal ac ofer oedd ein hymdrechion i ddatgelu ein rhesyme dros ymweld â'r cyffinie.

Digwyddiad mwya cofiadwy'r cyfnod brecwast i mi oedd gweld cysgod y crymffast wrth y drws â'i lygaid yn rhythu arnom trwy'r rhwyll o ole rhwng y drws a'r pared. Eiliad neu ddwy wedyn bowndiodd tuag at y bwrdd a chymryd meddiant o'r sos brown at ei ddefnydd ei hun yn y gegin. Cafwyd ar ddeall mai bachgen wedi'i fagu mewn tref oedd y crymffast a'i fod yn sboner i'r ferch.

Astudiwyd y mapie, a gyda chyfarwyddyd y ddynes, sylweddolwyd nad oedd angen i ni ddychwelyd y ffordd y daethom arni ond bwrw yn ein blaene i gyfeiriad Calne ac oddi yno ddilyn llwybr beicio ar hyd camlas i Chippenham.

"Fe fydd y daith yn gymharol wastad yr holl ffordd," meddai Teifryn, yn awdurdodol. Gwir a ddywedodd oherwydd, wedi'r cyfan, beth yw ambell hanner can llath o bwffian am i fyny a gostwng y gêrs yn sydyn ond her haeddiannol i'r fegin. Y math yna o fore oedd hi pan fedrem ganmol ein hunain am fod yn fyw wrth gyfnewid lle i dywys bob hyn a hyn ond heb deimlo bod yna frys i gyrraedd unman erbyn amser penodol.

Aethpwyd trwy bentrefi dymunol a dioglyd yr olwg, megis Berwick Bassett a Winterbourne Monkton heb anghofio taflu golwg ar safle Neolithig Windmill Hill. Wrth ddynesu at Avebury, ar hyd yr A4361, rhaid oedd ein hatgoffa ein hunain bod Waldo wedi ymweld â'r cyffinie, yng nghwmni Linda, cyn iddyn nhw briodi. Pe bawn wedi galw heibio Coleridge Cottage yn Nether Stowey, sydd yn eiddo i'r Ymddiriedolaeth Genedlaethol, byddem wedi gweld llofnodion y ddau yn y llyfr ymwelwyr yn profi iddyn nhw alw heibio ar Fawrth 2, 1940. Fe fu Linda Llewellyn yn athrawes ym mhentref Puriton ger

Bridgwater yn yr ardal. A diau fod Waldo wedi ailymweld â nifer o gyrchfanne'r ddau yn y cyffinie pan oedd yn byw yn Lyneham, fel rhan o'i alar, ac oherwydd ei ddiddordeb yn hen hanes yr ardal. Myfyrio uwchben yr 'ysgerbwd carreg' o groten fach yn Amgueddfa Avebury a'i hysgogodd i gyfansoddi'r gerdd 'Geneth Ifanc'.

Ymlaen â ni i gyfeiriad Calne ar hyd yr A4. Disgynnodd y darne i'w lle wrth seiclo'n hamddenol ar hyd glan yr hen gamlas. Sylweddolais yn sydyn nad miliwnydd ecsentrig oedd Teifryn wedi'r cyfan oherwydd roedd yna rinwedd yn perthyn i seiclwr a ddibynnai ar hen fapie. Am y byddai'r hen fapie'n dangos y camlesi a'r rheilffyrdd gellid bod yn lled sicr y byddai'r ffyrdd cyfagos a chyfochrog yn gymharol wastad. Roeddwn wedi'i deall hi! Dyna pam nad oedd meinábs wedi ffafrio fy awgrym i pan oeddem yn gadael Swindon echnos. O graffu ar fy map fy hun yn fanylach gwelwn fod yna rife 2 a 5 wedi'u gosod wrth ymyl y ffordd y seiclwyd ar ei hyd i Lyneham a'r rhif 12 wrth ymyl y ffordd na thrafaeliasom ar ei hyd. Oedd hynny'n awgrymu pa mor serth oedd y ffyrdd tybed? Ond wedyn pe byddem wedi dewis y ffordd roeddwn i'n ei ffafrio a hithe'n rhedeg ar ei gwaered byddem ar ein hennill, bid siŵr?

Daeth y siwrne ar hyd y llwybr trwy'r coed deiliog i ben yn llawer rhy sydyn. Manteisiai eraill, a oedd o'r un anian â ni, ar y bore braf i fwynhau gogonianne byd natur. Synhwyrem ein bod oll yn gwerthfawrogi'r cyfoeth oedd gennym yn y modd y cyfarchem ein gilydd yn siriol odiaeth. Doedd dim angen i ni oedi i wrando ar ganu'r amrywiol adar rhagor na chydnabod eu bodolaeth fel rhan o'r cylch crwn. Mynegi eu llawenydd yn soniarus a wnaent hwythe hefyd wrth ddathlu eu tiriogaeth. Teimlem belydre'r haul ar ein cewne erbyn cyrraedd ffordd darmac yn hytrach na'i fod yn ein llygadu fel y gwnâi drwy'r coed ynghynt. Gwelsom ribidirês o dai moethus ac ambell ffarm nad oedd yn ffarm waith rhagor yn ôl tystiolaeth y closydd oedd wedi glasu a'r tai mas gwag.

Manteisiwyd ar y cyfle cyntaf posib ar gyrion Chippenham i holi'r ffordd i'r Archifdy. Cawsom ein hannog i fynd trwy ganol y dref, yn ogystal â'n siarsio i wthio'r ddau feic trwy'r ganolfan siopa am fod trafnidiaeth wedi'i wahardd o'r strydoedd hynny ac yna i ddilyn yr arwyddion ar gyfer y Ganolfan Hamdden. Byddai'r Archifdy, neu'r Wiltshire and Swindon History Centre i roi iddo'i enw cywir, yn ein hwynebu ar draws y ffordd mewn adeilad gwydrog modern. Doedd dim prinder siope arbenigol yn y dref ac yn ôl tystiolaeth yr holl gawsie ar un o'r stondine awyr agored, mae'n rhaid bod yna gyfoeth yn yr ardal, a phryde bwyd ots na'r cyffredin yn cael eu coginio ar y rhelyw o aelwydydd. Ni welwyd arwyddion tlodi yn unman.

O ran hynny, tybed ai yn y dref hon yr aeth hi'n argyfwng ar Waldo pan nad oedd ganddo fotwm ar ôl i ddal ei fresys? Mentrodd alw heibio siop ddillad dynion a oedd yn hynod o grand a'r un modd y dynion a oedd yn gweini'r cwsmeriaid. Safai Waldo yn ei drywsus byr ar y carped trwchus yn esbonio ei bicil i glamp o ddyn talsyth yn gwisgo cadwyn aur ar draws ei frest. Rhoddodd hwnnw orchymyn i aelod arall o'r staff a ddiflannodd i'r cefn am getyn cyn dychwelyd yng nghwmni teiliwr o'r gweithdy. Gwahoddwyd Waldo wedyn i ystafell o'r neilltu lle bu'n dyst i grefft y teiliwr yn gwnïo rhes o fotyme ar ei drywsus fel y gallai fynd ymlaen ar ei siwrne ar gewn ei feic yn hyderus na ddigwyddai'r un cam gwag.

Doedd dim ame bod y Ganolfan Hanes yr un mor ysblennydd â'r Ganolfan Hamdden wrth inni gael ein croesawu yn y dderbynfa a chael ein hysbysu o'r holl adnodde oedd ar gael at ein defnydd. Ni fedrwn fyth mwyach feddwl am archifdy fel lle tywyll a llawn llwch a phawb yn ymorol ar ben ei gilydd wrth fyrdde trymion. Ehangder, goleuni ac ysgafnder oedd nodweddion yr ystafell fawr. Doedd dim prinder swyddogion ar ddyletswydd yno. Am hanner awr wedi deg ar fore Sadwrn roedd nifer wrthi'n ymchwilio ac yn astudio hen ddogfenne.

Roeddwn eisoes, trwy gyfrwng e-byst, wedi sefydlu cysylltiad â'r sefydliad ac wedi cael peth gwybodaeth berthnasol. O'r herwydd, roeddwn wedi ennyn chwilfrydedd rhai o'r staff ar sail fy ymholiade mynych am gysylltiad Waldo â'r ardal. Mentrodd un ohonyn nhw hyd yn oed gynnwys cyfarchion Cymraeg wrth i ni ohebu. Yn anffodus doedd hi ddim ar ddyletswydd y bore hwnnw. Ta waeth, cawsom weld y cofrestre plwyf i gadarnhau mai yn Barrow End Farm roedd Waldo'n lletya a daethpwyd â llyfr lòg ysgol eglwysig Lyneham at y bwrdd. Roedd ei gynnwys yn ddadlennol.

Nodwyd bod Waldo wedi ymuno â'r staff ar Dachwedd 4, 1946, wedi'r gwylie hanner tymor, fel Athro Cynorthwyol, a bod ei gyflog yn dipyn uwch nag eiddo'r athrawon eraill. Hwyrach bod hynny am fod ganddo radd a phrofiad helaeth o ddysgu.

Pan agorodd yr ysgol wedi gwylie hanner tymor ar Chwefror 25, 1947, wedyn, roedd Waldo'n absennol oherwydd salwch ac roedd hi'n Fawrth 17 arno'n ailymuno. Tybed ai salwch nerfol oedd yn ei boeni'r adeg honno am ei bod yn anodd credu bod dos o ffliw, dyweder, wedi para mor hir?

Mae'n bosib bod nifer o Gymry ar y staff o sylwi bod cyfeiriad at Miss I. M. Davies yn gadael yn ystod y cyfnod y bu Waldo'n dost. Cyflwynwyd llestr gwydr cerfiedig a bowlen ffrwythe arian iddi gan y rheolwyr, yr athrawon a'r disgyblion am 'ei gwaith ardderchog yn yr ysgol'. Does dim cyfeiriad at Waldo wedyn tan Rhagfyr 21, 1948, pan nodir fod cyflwyniad wedi'i wneud iddo gan y Parch. H. T. A. Kendall ar achlysur ei 'ymadawiad i wneud gwaith cyflenwi yng Nghymru'. Nodwyd iddo dderbyn ces teithio fel anrheg. Mae'r sylw mor foel â hynny heb unrhyw gyfeiriad at ei gyfraniad tra oedd yn yr ysgol.

Ond y gwir amdani, yn ôl tystiolaeth Anna Wyn Jones, doedd gan brifathrawes ysgol Lyneham fawr o olwg ar allu Waldo fel athro, a hynny'n benodol wrth ddysgu rhifyddeg a barddoniaeth. Cadwodd Anna Wyn gysylltiad clòs â Waldo ers y dyddie roedden nhw'n gyd-aelode staff Ysgol Uwchradd Botwnnog a mynych y bydde Waldo'n galw ar ei haelwyd ym Mynachlog Nedd yn ddiweddarach. Dywedodd Anna Wyn ymhellach, wrth gofio am atgofion Waldo o ddysgu yn Lyneham, y bu'r brifathrawes yn ddigon haelfrydig i ddweud wrtho, wedi ymweliad arolygwr i dorri'r ddadl rhyngddynt; "It seems, Mr Williams, that you have a wonderful way of teaching Arithmetic".

Bydde Waldo yn arllwys ei ofidie ynghylch yr ysgol, a 'Miss Webb' yn benodol, mewn ambell lythyr at D. J. Williams a Siân yn Abergwaun. Anfonodd lythyr o Thickthorn yn gynnar ym mis Hydref 1948 yn achwyn ar ei fyd ac yn sôn am adael yr ysgol ar ddiwedd y tymor heb fod ganddo swydd arall mewn golwg. Cwynai ei fod yn gorfod dysgu ei ddosbarth mewn cornel o'r ystafell a bod yr holl waith papur yn fwrn arno. 'Os na bydd y cwbl lawr ar fy llyfr a marciau fel traed brain gennyf ar lyfrau'r plant nid yw Miss Webb yma'n credu fy mod yn gweithio. Gwyn eu byd y rhai ni welsant, ac a gredasant,' oedd byrdwn ei sylwade.

Edrydd hanesyn yn yr un llythyr amdano'n mitsio sesiwn o ymarfer corfforol, roedd disgwyl i bawb gymryd rhan ynddo, ddiwrnod cyn i'r ysgol dorri ar gyfer gwylie'r haf. Mynnai iddo gymryd rhan yn y mwyafrif o'r ymarferion blaenorol a llwyddo'n eithriadol o dda er ei fod ddeuddeng mlynedd yn hŷn na'r gweddill oedd yn cymryd rhan o dan arweiniad hyfforddwr a ddeuai heibio i gyflawni'r union dasg. Cwynai nad oedd yn cysgu'n dda ar y pryd ac iddo fynd i orwedd o dan goeden o'r golwg yn hytrach nag ymuno yn yr ymarferion egnïol, gan gredu na fydde neb yn sylwi ar ei absenoldeb am fod yr ysgol gyfan yn cymryd rhan. Ni soniodd a oedd Miss Webb yn cymryd rhan chwaith.

Mae'n debyg iddo syrthio i gysgu a phan ddihunodd penderfynodd fynd am dro i'r wlad ac wrth iddo ddychwelyd tua saith o'r gloch gwelodd yr hyfforddwr ymarfer corff yn gyrru heibio. Ond ni ddywedodd y naill na'r llall ddim am hyn wrth ei gilydd fore trannoeth pan ofynnodd Waldo iddo a gâi ei esgusodi o'r drafodaeth, cyn cau'r ysgol am hanner dydd, am ei fod yn awyddus i gyrraedd Aberdâr cyn iddi dywyllu. Cafodd rwydd hynt i wneud hynny ond, ar yr un pryd, cafodd wybod yn ystod y gwylie nad oedd yn teilyngu tystysgrif i brofi ei fod wedi cymhwyso'i hun yn llwyddiannus yn ystod y cwrs, ynghyd ag awgrym y byddai'n ofynnol iddo ddilyn y cwrs drachefn.

Ymhen deufis anfonodd lythyr at D.J. o 7, Tower Street, Crucywel, wedi'i ddyddio'r trydydd o Ragfyr, yn dweud iddo gael ei benodi'n 'permanent supply' yn Sir Frycheiniog gan wamalu mai'r ymadrodd cyfatebol yn Gymraeg mor bell ag y gwyddai oedd 'arglwydd raglaw neu rywbeth'. Mae'n rhaid bod hynny, felly, ar y diwrnod roedd yn cael ei gyf-weld ar gyfer y swydd am nad oedd y tymor yn Lyneham yn dod i ben tan bedwar diwrnod cyn y Nadolig pan gafodd ei anrhegu gan y staff a'r disgyblion. Ond hyd yn oed os oedd Waldo'n teimlo fod Miss Webb beunydd yn ei blu ac ynte'n falch o gefnu arni doedd hynny ddim i ddweud nad oedd yn amharod i gyflawni cymwynas ar ei rhan, o leiaf yn nyddie cynnar eu hadnabyddiaeth.

Mewn nodyn arall at D.J., nad oes dyddiad arno, dywed iddo fynd â dau nai'r brifathrawes i Trowbridge am y diwrnod am fod eu mam draw yn Calne wedi dioddef yn enbyd cyn ac wrth roi genedigaeth. Mae'n debyg bod hynny yn ystod gwanwyn 1947. Yn yr un nodyn a ysgrifennwyd yng Ngwesty'r GWR (Great Western Railway), Swindon, ar Wener y Groglith, ymddiheura am nad oedd wedi galw ar aelwyd D.J. a Siân pan fu gyda'i chwaer, Dilys, yn Wdig, ychydig ddyddie ynghynt. Roedd rhaid iddo adael 'ar fyrder os nad ynghynt, chwedl ffeirad Llanfair Orllwyn wrth alw ar ddynion i ben llwyfan,' meddai.

Serch hynny, datgelodd ei fod wedi cyfieithu'r gerdd 'Preseli' i'r Saesneg ac roedd honno wedi'i chyfansoddi'n wreiddiol y mis Tachwedd cynt. Roedd y frwydr i achub y Preselau rhag cael eu meddiannu gan y Swyddfa Ryfel ar ei hanterth ar y pryd. Ymateb Waldo i'r bygythiad oedd anfon y gerdd i'w chyhoeddi ar dudalen flaen *Y Faner*. Tebyg bod D.J. wedi'i berswadio i'w chyfieithu er mwyn ei defnyddio fel rhan o bropaganda'r frwydr er does dim tystiolaeth i'r fersiwn Saesneg gael ei chyhoeddi'n unman ar y pryd chwaith.

Gellid treulio'r diwrnod cyfan yn ddirwgnach yn awyrgylch gartrefol y Ganolfan Hanes, gyda'i hadnodde modern a'i staff cyfeillgar, ond parhau â'r siwrne oedd raid. Pum munud o daith oedd yna i'r orsaf reilffordd ac am fod yna ddeugain munud o oedi cyn y deuai trên a fydde'n ein cludo i gyfeiriad Caerdydd, cafwyd cyfle i gael byrbryd o fwydydd a diodydd maethlon. Medrai'r ddau ohonom fwrw cilwg yn ôl dros y tridie fel siwrne lwyddiannus am ein bod wedi goroesi pob trychineb arfaethedig, ac wedi cael blas ar ffordd o fyw a fyddai'n gyfarwydd i Waldo ar ddiwedd y 1940au, a hynny mewn dull na fyddai mor ddilys pe byddem wedi teithio mewn car.

Roedd y trên mor llawn nes bod teithwyr hyd yn oed yn sefyll yn y fangre oedd wedi'i neilltuo ar gyfer clymu beicie. Am mai fi oedd y cyntaf i godi fy meic ar y trên bu'n rhaid i fi ofyn i'r ddynes groenddu symud ei ches anferth yn ogystal â hi ei hun er mwyn i mi gael gosod fy meic yn y lloc priodol. Gwnaeth hynny'n anfoddog wrth imi esbonio mai dyna oedd y drefn. Wrth i Teifryn osod ei feic ynte yn ei le gyda chryn drafferth am fod lle mor brin, a neb fel petai'n barod i gynorthwyo er hwylustod, dyma ddynes bengoch, ifanc, a oedd yn darllen un o'r cylchgrone hynny sy'n llawn hanesion am selébs a ryseitie a sut i golli pwyse, tra safai ar ei thraed yn y coridor, yn cynnig ei chnegwerth.

Mynnodd ein bod ill dau yn ein hoed a'n hamser yn niwsans am ein bod yn mynnu cludo beicie ar drên ac y dylid gwahardd y fath drefniant. Ychwanegodd y bengoch ein bod yn hynod o anghwrtais ac, ar ben hynny, ein bod yn Gymry, fel petai hynny'n fwy gwaradwyddus na dim arall. Doedd fy ymateb i ddim mor rasol ag eiddo Teifryn. Gyda gwên lydan dywedodd wrthi nad oedd ganddo wrthwynebiad iddi ein disgrifio yn 'anghwrtais' ond ei bod yn ymddwyn yn hiliol wrth ein galw'n 'Gymry' yn y fath ffasiwn. Doedd gan Teifryn ddim cywilydd ei fod yn gwisgo crys ar batrwm y Ddraig Goch.

Ceisio ei darbwyllo nad oedd ei sylwade o unrhyw bwys oedd byrdwn fy ymateb inne, gan bwysleisio nad byw fy mywyd er mwyn ei phlesio hi na'i hach oedd fy mwriad. Yn rhyfedd iawn dyma un o'i chriw yn cyfrannu at y sgwrs mewn Cymraeg gloyw a finne'n ymateb ymhellach trwy ddweud nad oedd yn fy mwriad i ymgreinio mewn unrhyw fodd. Awgrymais, rhwng difri a chwarae, y gwnâi les iddi, hwyrach, i dreulio ychydig amser yn un o'r *gulags* oedd gennym yn y mynyddoedd. Sylw terfynol y gochen wrth iddi symud i sefyll yng nghyntedd y carej drws nesaf oedd dweud pa ryfedd ei bod hi wedi symud o Gymru flynyddoedd lawer 'nôl. Ymataliais rhag cynnig yr un sylw sarhaus mewn ymateb ond parasom i lygadrythu ar ein gilydd. Daeth yr ornest rhyngom a'r gochen benchwiban i ben pan fu'n rhaid datglymu'r ddau feic o'u stâl er mwyn disgyn yng ngorsaf Temple Meads a dal trên arall i Gaerdydd.

Pa ddiben oedd dweud wrth y gochen bod y llenor Alun Llywelyn-Williams, o Gaerdydd, wedi cael llawer mwy o hwyl yng nghwmni Waldo a Gwilym James mewn cynhadledd ym Mhrifysgol Bryste, rywbryd yng nghanol y 1950au, nag a gafodd yn gwrando ar ddarlithie'r Dr F. R. Leavis? Tebyg y bydde esbonio'r cysylltiade wedi bod yn boen. Er nad oedd yn ymdroi'n ddyddiol yn y byd academaidd roedd yn amlwg fod Waldo yr un mor gyffyrddus ymhlith academwyr ag oedd ymhlith gwerinwyr y Trotting Horse er, rhaid cofio, mai ei gyfaill ers dyddie coleg, Gwilym, a oedd yn ddarlithydd ym Mryste ar y pryd, oedd wedi'i ddenu i'r gynhadledd benodol honno, mae'n siŵr.

Pa ddiben fydde dweud wrth y 'benchwiban' chwaith mai yn ystod ei gyfnod o alltudiaeth y cyfansoddodd Waldo gerddi megis 'Cymru a Chymraeg' a 'Yr Heniaith' a'n bod yn ddyledus i Anna Wyn Jones am ei brocio i esbonio union ystyr rhai o'i gerddi. Mewn llythyr a ysgrifennwyd ym mis Mawrth 1967 fe'i cawn yn egluro ei fod, yn 'Yr Heniaith', yn cymharu'r Gymraeg ag ieithoedd gwladwriaethe'r byd gan roi iddi urddas yn hynny o beth ond gan bwysleisio nad oes yr un yn rhagori ar y llall:

> Ond nid ydynt yn harddach na'r iaith Gymraeg, er bod honno bellach heb balas na thŷ o fath ond yn crwydro'r wlad yn dlawd, ond nid heb glywed lleisiau o'r amser a fu – rhai heddiw hefyd yn para'n ffyddlon iddi. Mae'r iaith Gymraeg fel rhai o'r arwyr dienw y sonnir amdanynt yn Hebreaid 11, y rhai nid oedd y byd yn deilwng ohonynt, yn crwydro mewn anialwch a mynyddoedd a thyllau ac ogofeydd y ddaear; ac wrth grwydro mae hi'n clywed y gorllewinwynt (hwnnw sy'n sgubo Cymru fwyaf) yn y tyllau

> a'r ogofeydd – a'r rheini fel cyrn iddo. Ac mae'r udo hwn yn ei gwawdio hi, ac yn mynegi teimlad dynion ati – y dynion sy'n annheilwng ohoni, fel roedd y byd yn annheilwng o'r arwyr uchod. Mae hi'n holi a all hi fyw.

 yn ei flaen i esbonio mai cyfrwng mynegiant yw iaith yn union fel y mae goleuni yn gyfrwng gweld ac nad ydym yn gwerthfawrogi'r naill na'r llall nes eu bod mewn perygl, gan gymharu cyflwr yr iaith i ymdrech ehedydd i godi eto i'r entrychion ond yn cael ei hatal gan haen o awyr na all fynd trwyddo. Serch hynny, esbonia, wrth gyfeirio at y trydydd pennill, na ddylid anobeithio:

> Fe fu'r iaith Gymraeg, trwy ei chwedlau a'i rhamantau, yn foddion i ddeffro cenhedloedd Ewrop a'u meithrin ymhell cyn iddynt gyrraedd eu hanterth (ffaith). Oes posib na all hi ddim ei hadfer ei hun, felly? Dweud yr wyf yn llinell 4 mai i'r Celtiaid mae'r gwledydd yn ddyledus am ddyfod sifalri. A'r teimlad hwn sy'n codi ynom ni at ein hiaith yn y niwl. Mae'r llys yn furddun, ond mae'r meini'n annistryw. Codwn y llys. Rhown wladwriaeth i Gymru, wedyn bydd urddas ar yr iaith, a bydd adferiad ar y wlad ym mhob cylch.

Cafwyd lle i eistedd am weddill y daith i Glunderwen. Doedd dim angen amddiffyn ein hawl i gludo beic ar drên wrth neb. Dechreuodd Teifryn sôn am Waldo rywbryd yn seiclo'r holl ffordd o Lyneham i Grucywel i ymweld ag 'Anti Mwynlan', chwaer ei fam, oedd yn briod â ffeirad, y Parch. William Seaward Edmond. Doedd pellter ddim yn rhwystr iddo deithio i unman. Mae'n debyg iddo gael cryn drafferth ar y daith am fod yr olwyn flaen yn blèt. Roedd yna awgrym hefyd nad oedd aelode o'r teulu yn hollol sicr ble'n union roedd Waldo yn ystod y cyfnod hwnnw ond, am ei fod yn ei fabandod, doedd Teifryn ddim yn ymwybodol o hynny ar y pryd. Yn wir, dengys Llyfryddiaeth a luniwyd gan B. G. Owens mai 1945 oedd un o'r blynyddoedd mwyaf hesb o ran cyhoeddiade Waldo.

Tra bydde Waldo yn gyfrannwr cyson i gyhoeddiade megis

Y Ford Gron – yn ystod y pum mlynedd tan 1935 y bu mewn bodolaeth – a *Baner ac Amserau Cymru,* dim ond un gerdd o'i eiddo, sef 'Cyfeillach', a welodd ole dydd ym 1945 a hynny yn *Y Faner* ym mis Ionawr. Roedd honno wedi'i chyfansoddi ar Ddydd Nadolig mae'n debyg ac yn seiliedig ar y ffaith i filwyr y Cynghreiriaid gael eu rhybuddio y bydden nhw'n wynebu dirwy o £16 petaen nhw'n dymuno Nadolig Llawen i un o filwyr yr Almaen. Cafodd y gerdd ei chynnwys yn y gyfrol *Dail Pren* yn ddiweddarach.

Wrth gyrraedd gorsaf reilffordd Caerdydd cofiaf i Waldo feirniadu cystadleuaeth yr englyn digri pan gynhaliwyd yr Eisteddfod Genedlaethol yn y brifddinas ym 1960. Cynigiodd sylw am bob un o'r pedwar ugain a saith o englynion ar y testun 'Corcyn' cyn dyfarnu'r wobr o £4 i Rees R. Davies o Fryntirion ger Pen-y-bont ar Ogwr. Draw yn y Barri wedyn ym 1968 roedd yn un o dri beirniad y bryddest ar y testun 'Meini' pan roddwyd y goron i'r Parch. L. Haydn Lewis, Ton Pentre, sef dewis Waldo. Ond am fod y ddau feirniad arall, Thomas Parry ac Euros Bowen, yn ffafrio cystadleuwyr gwahanol, bu'n rhaid gofyn i bedwerydd 'beirniad', Alun Llywelyn-Williams, i dorri'r ddadl.

Yr hyn sy'n dal sylw wrth ddarllen sylwade byrion Waldo am y ddwy bryddest ar hugain yw ambell sylw bachog megis, 'Er cystal y darlun nid yw hyn yn ddigon i godi'r lats' a 'Mae yma hefyd ormod o ymyl y ddalen'. Ond yn ei gyflwyniad dywed fod y wers rydd, neu'r *vers libre,* yn gynhenid Gymreig:

> Mae rhywfaint o ganu yn ein siarad cyffredin. Mae'n geiriau lluosill yn gorffen gyda sill sy'n ysgafn ac eto'n uchel ei thraw. Rhoddodd hyn gyfle i'n pregethwyr ddatblygu'r hwyl a'u gwrandawyr yn teimlo fod hon yn gelfyddyd naturiol. Dyma'n wers [sic] ? rydd gyntaf. Oblegid yn yr hen amser cyn datblygu'r gynghanedd er bod y canu'n ddi-fydr fe rifid yn llinellau â'r un nifer o sillau, a chedwid hyn ymlaen gydag amrywiadau mewn Cerdd Dafod. Credaf felly fod gwraidd brodorol i'n hoffter o'r wers rydd. Mae hefyd yn ddihangfa rhag prinder ein hodlau unsill.

Wrth gefnu ar Ben-y-bont ar Ogwr cofiwn iddo, ym 1948, feirniadu'r ddychangerdd a'r cywyddau digri pan ymwelodd yr Eisteddfod Genedlaethol â'r dref gan roi'r wobr yn y naill gystadleuaeth i'r Parch. T. Elfyn Jones, Llanelli, ac yn y llall i Lizzie Jones, Cesarea, Caernarfon. Yn ôl ei arfer roedd gan Waldo sylwade treiddgar a chredai nad oedd dychanu'n un o gryfdere'r Cymry:

> Mewn gwlad fach lle mae pawb yn byw yn agos, neu'n perthyn o bell, dysgasom beidio â bod yn rhy bersonol, y mae'n debyg, a'r ddychangerdd chwareus sy'n mynd â hi ers blynyddoedd... Mae'r oes hon yn dychanu ei hun.

Wedyn 'pwnc isel a diawen' oedd y dasg a osodwyd i gyfansoddwyr y cywyddau digri oedd sylw agoriadol ei feirniadaeth o dan destun y dasg, sef 'Y casglwr trethi'n annerch y trethdalwr a'r trethdalwr yn ei ateb'. Roedd ganddo sylw i'w wneud ynghylch natur hiwmor:

> P'un yw'r wythïen fwyaf toreithiog gan ddigrifwch, ai'r difrïo o fôn braich, ai'r goganu syml, ai'r rhyfeddod o gael awdurdod yn ymhwedd, a'r bychan am fyr dro yn fawr?

Yn Eisteddfod Aberafan wedyn ym 1966 tasg Waldo, ar y cyd â Mathonwy Hughes, oedd beirniadu'r gerdd dafodiaith. Rhannwyd y wobr rhwng Prys Morgan, Llandeilo Ferwallt ger Abertawe, a W. R. Evans, Y Barri, erbyn hynny. Wrth dafoli ymdrech ei hen bartner steddfodol yn sgrifennu am 'Ffinnon 'Richen', ar lethre'r Preselau, dywedodd Waldo, 'y disgrifio yn fywiog yn yr iaith-bob-dydd gyfoethog, ac mae'r athronydd cefn-gwlad wedi taro ar wirionedd sy'n ein hargyhoeddi.'

Wrth ddynesu at Bort Talbot, priodol edrych draw i gyfeiriad Mynachlog Nedd lle galwai Waldo'n gyson ar aelwyd Anna Wyn Jones, yn ogystal â gohebu â hi. Soniodd lawer wrthi am ei gyfnod yn Kimbolton a Lyneham. Yn y gyfrol deyrnged i Waldo, a olygwyd gan James Nicholas, cofnoda

Anna Wyn amdano'n dweud na ddeallai arfer y Cymry o sôn am ddistawrwydd llethol gan fod distawrwydd yn ei ddyrchafu ynte yn hytrach na'i lethu. Meddai am y dyddie yn Lyneham, "Yma yn nwfn y wlad y mae'r cyfan mor ddistaw yr ydych yn teimlo eich bod yng nghanol byd meddwl a dychymyg."

Wedyn pan ymwelodd yr Eisteddfod Genedlaethol ag Abertawe ym 1964 fe ofynnwyd i Waldo dafoli'r sonedau ar y testun 'Abertawe' a phenderfynodd rannu'r wobr o £5 rhwng Prys Morgan, Margaret Bowen Rees – fel 'S. L. Owen (dim Cyfeiriad)' y caiff ei nodi yng nghyfrol y Cyfansoddiadau – a Tomi Evans, Tegryn, Sir Benfro, o blith yr un ar bymtheg ar hugain o ymdrechion. Yr hyn sy'n rhyfedd am ymdrech 'S. L. Owen' oedd ei bod linell yn fyr o'r pedair ar ddeg a gynhwysir yn arferol mewn soned ond bod Waldo'n barod i'w gwobrwyo ac ynte'n ymwybodol o'r bai hwnnw.

Byddai Waldo'n feirniad cyson pan fyddai'r Eisteddfod yn y gogledd yn y cyfnod hwn hefyd gan gynnwys beirniadu'r awdl yn y Bala ym 1967 ond bu'n un o feirniaid y bryddest ar bedwar achlysur gan gynnwys yn Eisteddfod Llanelli 1962, am yr eildro, pan goronwyd y Parch. D. Emlyn Lewis, Llanddarog, ar y testun 'Y Cwmwl'. Cafodd Waldo 'brofiad mawr' wrth ddarllen ei waith am ei fod yn canu'n 'gywirgalon, yn synhwyrus ac yn ddisglair,' meddai yn ei feirniadaeth o'r pump ar hugain o ymgeision.

Rhywle i'r gogledd-ddwyrain o Lanelli mae Llandybïe, lle bu cenedlaethe o blantos y de, beth bynnag, yn ceisio mynd yno i moyn 'wye' heb ddweud 'ie' a phrin yr un ohonyn nhw'n llwyddo. Yno, ym 1944, yr aeth Waldo i feirniadu'r bryddest yn yr Eisteddfod Genedlaethol pan oedd â'i olwg ar adael Llŷn er mwyn treulio cyfnod dros Glawdd Offa wedi iddo synhwyro nad oedd croeso iddo ddychwelyd i ddysgu yn ysgolion Sir Benfro ar y pryd. Ei gyd-feirniaid oedd Dyfnallt a Dewi Emrys ac roedden nhw'n ffafrio gwobrwyo 'Banc-y-môr', sef J. M. Edwards, Y Barri, am ei gerdd ar y testun 'Yr Aradr'. Cytunai Waldo mai honno oedd y gerdd ore o'r deg ar hugain yn y gystadleuaeth ond nid oedd o'r farn ei bod yn haeddu'r goron chwaith, ac roedd ganddo resymeg pendant dros ei ddyfarniad wrth iddo holi nifer o gwestiyne iddo'i hun:

> Diffyg saernïaeth. Mewn gwirionedd, nid oes dim ond y teitl yn cydio'r rhannau ynghyd a bûm yn fy holi fy hun, a ellir galw'r cyfansoddiad yn bryddest? Bûm yn holi, a geir mewn ieithoedd eraill gyfansoddiadau barddonol nad oes dim ond teitl yn eu cadw ynghyd? Os mai ym marddoniaeth Cymru yn unig y ceir y bryddest laes, tybed nad ystyriaethau allanol ac nid cymhelliad mewnol sy'n penderfynu'r ffurf?

Aeth deunaw mlynedd heibio wedyn cyn i Waldo gael ei wahodd i feirniadu'r bryddest drachefn er iddo feirniadu nifer o'r cystadlaethe llai yn gyson.

Cofiwn mai draw yng nghyffinie Cefneithin neu Cross Hands wedyn yr ymddangosodd Waldo'n annisgwyl yn ei drywsus khaki mewn neuadd lle'r oedd T. James Jones yn cynnal ysgol nos. Roedd hi wedi mynd braidd yn dywyll ar Jim wrth geisio esbonio ystyr proest, nad oedd o reidrwydd yn fai barddonol, i aelode'r dosbarth. Daeth presenoldeb Waldo fel ymwared er iddi gymryd cryn berswâd iddo ddod o'r tu cefn i'r tu blaen at y bwrdd du i oleuo'r dosbarth ynghylch dyrys elfenne prydyddiaeth.

Wrth nesáu at ddiwedd y siwrne dechreuodd Teifryn a finne gynllunio ein hymweliad arfaethedig ag Iwerddon drachefn. Bu'n rhaid gohirio'r daith droeon oherwydd anghyfleuster munud olaf ar ran y ddau ohonom. Ar un achlysur roeddwn wedi trefnu i groesi i'r Ynys Werdd pan fydde Teifryn wedi cwpla taith feicio elusennol o un pen o'r wlad i'r llall. Y noson cyn i mi drefnu i groesi cefais alwad ffôn yn dweud wrthyf am beidio â symud o Faenclochog am fod Teifryn wedi anafu gweyllen ei bigwrn wrth ddathlu'n wyllt y noson cynt ac na fydde'n seiclo am rai wythnose os nad misoedd. Synno roc a rôl yn hwyr y nos yn gweddu i bawb.

Pwysleisiais fy mod wedi cysylltu â'r Chwaer Bosco yn Cahir droeon yn ei rhybuddio ein bod ar ein ffordd draw i'w gweld a thebyg ei bod yn dechre ein hildio nawr wedi sawl addewid gwag. Byddem am fynd draw i Dingle yn y Gaeltacht hefyd i gwrdd â chlerigwr a adwaenai Waldo yn dda o'i gyfnod yn offeiriad yng Nghymru a phan drefnodd i Waldo dreulio cyfnod yn darlithio yn Maynooth. Trefnodd iddo hefyd letya yn ei gartref teuluol ger An Daingean er mwyn gloywi ei afael ar y Wyddeleg. Addawodd Teifryn astudio'r gyfundrefn reilffordd yn Iwerddon drachefn i weld i ba radde y bydde teithie trên yn hwyluso ein siwrne. Cytunasom y medrem groesi o fewn ychydig ddyddie o rybudd a chynheuwyd yr awch o'r newydd i fynd ar drywydd Waldo ar gewn beic ar draws Iwerddon.

18

Iwerddon amdani

ROEDD Y GWYNT yn fy hwylie wrth imi dasgu trwy bentref Twffton y bore Sul hwnnw wrth anelu am Hwlffordd ac yna i harbwr Doc Penfro i ddal y fferi ganol prynhawn. Teimlwn ym mysedd fy nhraed, wrth imi bedlo heb ofid, ysgafnder y sawl sydd ar drywydd menter fwya cyffrous ei fywyd. Teimlwn fod pob gewyn ac asgwrn yn ymateb i'r her y bûm yn dyheu am ei chyflawni ers tro byd. Erbyn cyrraedd cylchdro Pont Fadlen, ar gyrion Hwlffordd, sylweddolais fy mod eisoes wedi cymryd awr o amser ac na fyddwn yn debyg o gyfarfod â Teifryn ar yr amser penodedig ar y cylchdro sy'n arwain i Neyland am y byddai ynte, yn ôl pob tebyg, yn seiclo ar draws o Aberdaugleddau trwy Waterston.

Rhaid oedd ei ffonio i gael cyfarwyddyd p'un ai trwy Johnston ar y ffordd brysur lle'r oedd yna lwybr seiclo am getyn neu ar hyd y ffordd wledig droellog i gyfeiriad Hook y dylaswn anelu. Heb betruso, awgrymodd y ffordd wledig fel y ffordd fyrraf gyda'r fantais fy mod wedyn yn ymuno â'r ffordd fawr wrth ymyl Pont Cleddau. Felly y bu. Collais ychydig ddefnynne o chwys nawr ac yn y man wrth gyfuno'r angen i bydru arni â'r pleser a geir bob amser o dramwyo ar hyd ffordd ddieithr, gan werthfawrogi pob modfedd o'r dirwedd oddi amgylch. Teimlwn yr awel yn goglish fy ngwar a gwelwn wartheg blithion yn gorwedd yn bodlon gnoi eu cil yn y perci cyfagos wrth i mi gefnu ar Freystrop a nesáu at Sardis a Hill Mountain.

Canodd fy ffôn fach a gwelwn mai Teifryn oedd yn galw. Beth oedd yn ei gorddi nawr, tybed? Oedd yna ryw helbul wedi codi'i ben? Fyddai'n rhaid i ni ohirio'r daith i Iwerddon unwaith yn rhagor ar y funud ola? Oedais cyn gwasgu'r botwm a pharatoi fy hun am y gwaethaf. Holodd ble oeddwn i a cheisiais ei ddarbwyllo fy mod wedi hen fynd heibio'r Trooper Inn ac o fewn rhyw ugain munud i'w gyrraedd. Ni fedrwn fod yn fwy manwl na hynny am nad oedd y ffordd yn gyfarwydd i mi. Cynigiodd ddod i'm cyfarfod ond ni welwn ddiben yn hynny oni bai mai ei fwriad oedd fy hysbysu i fynd tua thre wedi'r cyfan. Cynigiodd ddod i'm cyfarfod mewn fan. Cefais ar ddeall ei fod eisoes wrth Bont Cleddau ac nad oedd wedi seiclo yno ond yn hytrach wedi cael ei gario yno mewn fan. Roedd am gynnig yr un gwasanaeth i mi.

Ni wyddwn sut i ymateb. Doeddwn i ddim wedi diffygio. Doedd y tywydd ddim wedi dirywio. Ac roedd awr dda cyn y byddai'r fferi'n hwylio. Ni fedrwn lai na chredu fod y fath gynnig yn sarhad o ystyried ein bod, o bosib, ar fin wynebu marathon o daith seiclo ar draws Iwerddon. Oni wyddai fy mod yn heini ac yn barod i wynebu pob her resymol? Yng nghefn fy meddwl, credwn o hyd bod yna newyddion ar fin ei ddatgelu a fydde'n profi fod fy ngobeithion yn ffradach drachefn. Dywedais wrtho fy mod yn pydru arni ac y byddwn yn ei gwmni chwap. Hedfanais trwy Houghton ac i lawr ar fy mhen i Burton gan wasgu'r brêcs ag arddeliad. Gwelwn yr hafan yn holl ogoniant ei glesni'n ymagor o'm blaen.

Ond wrth ddringo'r tyle serth i gyfeiriad y bont gwelwn rinwedd mewn cario fy meic a minne mewn fan. Nid oeddwn am gyflawni gwrhydri gwyrthiol, felly bodlonais i wthio fy meic gan hanner pwyso arno i adennill fy ngwynt wedi'r ymdrech i bedlo am i fyny ar hyd y gwaelodion fynd yn drech na'r fegin. Pan glywn lorri y tu ôl i mi'n tuchan yn y gêr isaf gwyddwn nad dychmygu anferthedd yr her a wnawn. Beth bynnag, roedd cerdded yn gyfle i sbecian ar y dŵr trwy'r coed gan wybod y byddem ar ei drugaredd o fewn fawr o dro pan na fyddai yna ddim i'w weld o'n hamgylch ond tonne'r môr mawr. A derbyn na fydde yna anhap yn ein rhwystro rhag mynd ar y llong, wrth gwrs.

Pan ddeuthum at y bont ni welwn olwg o Teifryn nes i mi

sbecian yn y maes parcio gerllaw a sylwi ar feic yn pwyso yn erbyn fan. Canais fy nghloch droeon ac yn betrusgar y disgwyliais amdano i ddod i'r golwg. Daeth tuag ataf yng nghwmni ei gyfeilles ac er ei fod yn gwthio ei feic ni welwn yr un arwydd eu bod yn ffarwelio â'i gilydd ac, felly, ofnais y gwaethaf. Ond, gyda chryn ryddhad y syllais ar Teifryn yn codi ei goes dros ei feic ac yn amneidio i groesi'r bont gyda'i ddwy sach gewn lawn wrth yr olwyn ôl. Ni ddatgelais ddim am fy ngofid, dim ond canolbwyntio ar y seiclo ar draws y bont a thrwy Ddoc Penfro nes cyrraedd terfynell y fferi.

Tawel oedd hi yn y porthladd heb yr un rhes o deithwyr na cherbyde yn disgwyl eu tro i fynd ar fwrdd y llong. Yn wir, bu'n rhaid disgwyl am getyn cyn i wyneb ymddangos y tu ôl i'r cownter gwerthu tocynne. Talwyd am docynne dwyffordd er na fedrem ddweud pa bryd yn bendant, ar ddiwedd yr wythnos, y byddem yn dychwelyd. Cawsom ein hysio i grombil y llong yn ddiseremoni gan y swyddogion porthladd, a'n gorchymyn i glymu ein beicie wrth y rhaffe trwchus, yn y tu blaen, nid nepell o'r drws lle byddem yn ymadael wedi cyrraedd harbwr Rosslare. Roedd yr howld eisoes yn llawn o gerbyde ac erbyn i ni ddringo i'r lolfeydd clywid y geirie o groeso, a'r rhybuddion arferol dros yr uchelseinydd yn brawf ein bod ar fin codi angor.

Wrth i ni gefnu ar Benrhyn Santes Ann a chychwyn hwylio ar y môr mawr o olwg pob dafnyn o dir i gyfeiriad Solfach, penderfynodd Teifryn orwedd yn ei hyd yn un o gilfache'r lolfa enfawr. Doedd dim sioncrwydd yn perthyn iddo na'r un awydd i archwilio'r llong. Yn fwy na hynny, ni thynnodd sgwrs â'r teithwyr hynny oedd o fewn ein clyw er mwyn holi eu perfedd. Mantais hynny bob amser wrth gyfnewid profiade yw canfod gwybodaeth a fedrai fod o fudd i ni ar ein siwrne. Ond na, ni chafwyd siw na miw o'i enau. Oedd Teifryn yn clafychu ac yn debyg o chwilio am wely cynted ag y bydden ni wedi glanio, meddyliwn?

Euthum am dro ar hyd lolfeydd y gwahanol lorie i glustfeinio ar yr acenion ac i weld a ddown ar draws cydnabod. Ofer fu fy nhaith yn hynny o beth ond roedd yn gyfle i ystwytho'r cymale.

Dal yn ei hyd oedd Teifryn pan ddychwelais a dyna sut y bu nes i ni gyrraedd o fewn golwg i Iwerddon. Cefais inne a'r holl deithwyr eraill lonydd ganddo gydol y daith. Pan holais a oedd yn teimlo'n anhwylus cefais yr ateb mai un o blith yr ychydig o'i gas bethe oedd teithio ar long. Diolch fyth nad oedd y siwrne'n arw a stormus ac nad oedd yn cymryd dyddie lawer i'w chwblhau fel y buasai pe baem yn hwylio i Dde America.

Gadawsom y llong yn ysgafn droed ar ein beicie gan fod ymhlith y cyntaf i osod ein traed ar dir Erin. Rhythai'r teithwyr cerbyde'n syn arnom yn ei heglu hi am i fyny o'r porthladd. Oni wydden nhw mai gennym ni oedd y fargen ore? Doedden ni ddim wedi ein caethiwo y tu fewn i dun dur. Medrem fwynhau'r awel a haul yr hwyr brynhawn yn ddilyffethair. Hwyrach eu bod nhw wedi trefnu eu llety dros nos ac eisoes wedi dewis eu pryde o'r fwydlen dros y rhyngrwyd. Ond pa ots os na wyddem ni ble fyddem yn rhoi ein penne i lawr y noson honno na lle byddem yn cael ein hwyrbryd? Wedi'r cyfan, cyraeddasom Iwerddon, a dyna oedd yn bwysig, glei, yn hytrach na rhyw fân drefniade ynghylch ein buchedde'r noson honno. Tali-ho nerth ein traed!

Roedd Teifryn wedi astudio'r mapie yn ogystal ag amserlenni'r ychydig drene oedd yn dal i redeg yn y Weriniaeth. Y nod y noson honno oedd lletya rhywle yng nghyffinie Bridgetown, a oedd yn daith o ryw ddeng milltir ac yna, efallai, dal trên oddi yno i Waterford fore trannoeth. Sylwom nad oedd prinder llefydd gwely a brecwast yn Killinick, uwchben yr harbwr, a thybiem mai felly y byddai hi yn y pentrefi cyfagos. Doedd dim lle i boeni. Byddai'r dewis helaeth yn siŵr o'n drysu.

Gwyddem ei bod yn ofynnol troi i'r chwith yn rhywle ond yn ble ni fedrem ddirnad am nad oedd yr enwe a welwn ar y mynegbyst i'w gweld ar ein mapie. A doedd yr un mynegbost yn awgrymu y medrem gyrraedd Bridgetown, neu Baile an Droichid. Os mewn penbleth, doedd dim amdani ond holi. A pha le gwell i wneud hynny na mentro trwy ddrws tafarn? Roedd hi'n fywiog ac yn swnllyd yn y dafarn gyntaf y daethom ar ei thraws a doedd dim ame mai yn Iwerddon yr oedden ni o sylwi ar yr hysbysebion a'r posteri ac o wrando ar y gerddoriaeth a'r acenion. Serch hynny, ymwrthodasom â'r demtasiwn o godi peint yr un gan feddwl y ceid cyfle i ddrachtio'r Guinness yn nes ymlaen yn rhywle arall.

Gadewais yr holi yn nwylo Teifryn gan fod ei brofiad o'r Ynys Werdd yn helaethach na'm heiddo inne. Ond roedd yn amlwg fod y gŵr bonheddig y tu ôl i'r bar am gael amser i feddwl cyn ateb ac am ymgynghori â hwn a'r llall. Eisteddais wrth y drws gan bendroni beth fydde Waldo ei hun wedi ei wneud mewn amgylchiade tebyg. Mae'n siŵr y bydde wedi gwerthfawrogi'r arabedd a glywai pan fydde ei glustie wedi cynefino â'r patryme siarad. Tebyg y byddai wedi'i daro bod cyndeidie rhai o'r rhain wedi dioddef o dan law goresgyniad Iarll Penfro, Richard Strongbow, a'i fintai o Normaniaid, yn cynnwys bwawyr glew o Gymry, yn 1170. O ganlyniad, ni pheidiodd y tywallt gwaed yn Iwerddon am ganrifoedd wedi hynny.

Gwahoddwyd Iarll Strongbow drosodd i Iwerddon gan y brenin Dermot Macmurrough i'w gynorthwyo i adfeddiannu gorsedd Leinster. Dyna a wnaed yn ddidrafferth am nad oedd ffyn tafl a cherrig y Gwyddelod brodorol yn medru gwrthsefyll goruchafiaeth militaraidd y Normaniaid yn eu harfwisgoedd ynghyd â'u saethe miniog. Rhoddodd Dermot un o'i ferched yn wraig i Strongbow a phan fu farw Dermot gwnaed yr Iarll yn frenin y dalaith. Am fod Penfro ar y pryd yn Balatin roedd yr Iarll yn medru gweithredu ar ei liwt ei hun heb ymgynghori â brenin Lloegr a heb sêl ei fendith.

Doedd hynny ddim yn plesio Harri'r II am y pryderai y gallai Strongbow fod yn fygythiad iddo yn y pen draw wrth iddo rodresa ei awdurdod yn y fath fodd a hwyrach feddiannu'r rhan helaethaf o Iwerddon. Am yn agos i dair canrif wedi hynny fe fu'n fater o ryfela di-baid yn Iwerddon wrth i'r Normaniaid godi eu cestyll a chlymbleidio gyda'r penaethiaid brodorol tra ceisiai coron Lloegr osod ei hawdurdod ar y wlad yr un pryd.

Daeth Teifryn i'm dadebru gyda golwg ddryslyd ar ei wyneb ond ei gyfarwyddyd oedd cadw i seiclo ar hyd y briffordd yng nghanol y llif trafnidiaeth am getyn cyn troi i'r chwith. Dyna a wnaed ond doedd dim sôn am Bridgetown ar yr un mynegbost er ei fod yn enw amlwg ar ein mapie. Buan y gwelwyd amal i blasty a oedd naill ai'n wag neu wedi'i adael ar hanner ei adeiladu a hynny'n dystiolaeth o'r dirwasgiad oedd wedi taro'r wlad. Yn rhyfedd iawn doedd 'run o'r tai crand yn cynnig llety dros nos chwaith. Er, doedd dim angen danto, am nad oeddem wedi cyrraedd pen ein siwrne eto. Serch hynny, roedd pum milltir o seiclo yn ymddangos fel pymtheng milltir pan na wyddys i sicrwydd ai troi mewn cylchoedd a wneir neu beidio.

Rhyw fentro ar draws a wnaem wrth bob croesffordd gan gredu mai tuag at ymlaen oedd Canaan. Roedd y feidiroedd mor wledig â'r diriogaeth honno rhwng Rhydwilym, Login a Llanfallteg, ar y ffin rhwng Sir Benfro a Sir Gâr, ond heb yr holl riwie serth wrth groesi o un cwm i'r llall. Rhaid cyfadde bod cysgodion y nos yn dechre disgyn a phylu oedd y bwriad o ganfod llety yn lled gynnar er mwyn cyrchu am bryd o fwyd a hwyrach mwynhau'r *craic* mewn tafarn gysurus cyn clwydo.

Daethom at ffordd brysur, ddwy lôn, a gwelsom arwyddion yn cyfeirio at Wexford a Waterford ond erbyn hynny doeddwn i ddim yn siŵr at ba un o'r ddau roeddem yn anelu ei gyrraedd fore trannoeth a ph'un roeddem wedi'i adael ynghynt. Ar draws y ffordd gwelais dafarn ond cyn i mi gael cyfle i awgrymu y dylasem alw i gael cyfarwyddyd, roedd Teifryn bron â diflannu o'r golwg yn y pellter ac wedi troi i'r dde. Beth ddylwn ei wneud? Ei ffonio a'i alw 'nôl? Penderfynais ei ddilyn gan fod ei reddf ynte, hwyrach, yn gryfach na'm heiddo i.

Mae'n rhaid ein bod eisoes wedi seiclo tipyn mwy na'r pymtheng cilomedr yr amcangyfrifwyd oedd y pellter rhwng yr harbwr a Bridgetown. Doedd mo'r un sioncrwydd yn fy nghoese bellach ag oedd pan adawsom y llong. Yn wir, roeddwn yn dechre tuchan yn jogel wrth geisio gwasgu arni i gadw o fewn golwg i meinábs. Pan oeddwn ar fin rhoi gwaedd arno i drafod ein picil, gwelwn yr hyn a ymddangosai'n bentref gweddol o faint yn y pellter. Gwir a dybiais, hwn oedd y Bridgetown bondigrybwyll. Ond os gwelsom dai mawr gweigion cynt, roedd ystade ohonyn nhw ar y cyrion fan hyn. Wrth gyrraedd croesfan chwiliem am yr hen bentref yn y gobaith y bydde yno res o dai wedi'u hamgylchu gan flode persawrus o bob lliw a fydde'n cynnig gwely a brecwast i deithwyr blinedig.

Troesom i'r dde a thros bont y rheilffordd gan basio siop tships lle'r oedd rhes o bobl yn disgwyl eu tro i gael eu gweini. Gwelem siop a gorsaf betrol yn y pellter ond dim argoel o dafarn na bwyty. Golwg dlodaidd a di-raen oedd ar y lle wrth i adeilade gwag a rhydlyd dynnu sylw yn ogystal â chwyn a mieri, yn warged o ddyddie gwell. Mentrais i'r siop yn dalog gan ofyn a oedd yna fusnese gwely a brecwast yn yr ardal. Edrychodd y siopwr yn syn arnaf, fel petawn wedi gofyn a oedd yna fws yn mynd i'r lleuad o'r sgwâr am hanner nos. Ni fedrai feddwl am unman, meddai wrth barhau â'i waith wrth y cownter. Mentrais drachefn, gan bwysleisio bod yna ddau ohonom ar gewn beicie a'i bod yn dechre tywyllu a ninne heb lety. Bron i mi ddweud mai Mair oedd enw fy nghymar a'i bod yn feichiog. Holodd y siopwr un o'r gwragedd a oedd wrthi'n talu am ei nwydde a wydde hi am rywun a gynigiai wely a brecwast yn y cyffinie.

Bu'r ddynes yn dyfalu am ychydig cyn awgrymu ei bod yn weddol sicr fod yna ffarm o fewn pellter o rhyw filltir yn arfer cymryd lletywyr. Roedd yna obaith felly, a doedd dim amdani ond rhoi cynnig arni. Doedd dim manylion o ran rhif ffôn neu daflen wybodaeth i ymwelwyr neu garden fusnes y ffarm gan neb yn y siop. Ond y cyfarwyddyd oedd i fynd 'nôl dros y bont a throi i'r dde wedyn a chadw ar y ffordd honno am tua milltir. Fydde ddim modd i ni beidio â'i weld, meddai'r ddynes.

Arweiniai'r ffordd at Kilmore ar yr arfordir a thybiem, felly, y bydde yna ddarpariaeth helaeth ar gyfer ymwelwyr yn y cyffinie, yn cynnwys dewis o lefydd i aros dros nos. Ymddangosai'r filltir yn filltir faith unwaith eto heb fawr o dai i'w gweld, heb sôn am ffarm yn cynnig gwely a brecwast. Ni welsom yr un cerbyd a dichon nad oedd yna fawr o drafaelu ar hyd y ffordd. Mewn manne, cyfarfydde canghenne'r coed uwch ein penne â'i gilydd ar draws y ffordd. Oeddwn i wedi camddeall y cyfarwyddyd neu oedd y ddynes wedi ein twyllo ac wedi ein hanfon i ryw Annwfn dwfn na fyddem yn debyg o ddod oddi yno am flwyddyn a diwrnod? Daethom at fynedfa grand yr hyn a ddisgrifia'i hun yn 'ffarm afalau' ond doedd dim sôn am lety chwaith ymhlith yr holl wybodaeth ar yr arwyddion.

Roedd yn demtasiwn mentro ar hyd y feidir i gyfaddef ein bod ar goll ac i holi am gyfarwyddyd. Ond hwyrach mai dyna fyddai ein diwedd am y bydde'r gatie'n cau o'n hôl a dege o ddrychiolaethe a choblynnod gwyrdd yn ein hwynebu ac yn taflu fale atom o bob cyfeiriad. Onid yw'r dychymyg yn medru bod yn afreolus weithie? Penderfynom ddal ati am 'hanner milltir' arall ac yna troi am yn ôl pe na fyddem wedi dod ar draws y ffarm na wyddem ei henw a oedd, o leiaf, yn cynnig gwely a brecwast weithie neu wedi bod yn gwneud yn y gorffennol.

Ta waeth, aed heibio cornel neu ddau arall. Dim golwg o gyffordd na chroesffordd, dim ond cysgodion tywyllach yn dirwyn trwy'r dail a hanner lleuad yn codi yn y ffurfafen. Ymddangosai pob dim yn iasol fel y gwna bob amser pan fydd y nos yn cau amdanom. Pe bawn am gyfaddef hynny, roedd ymdeimlad o arswyd yn barod i gydio ynof ond yna, wrth i mi ddychmygu pob math o ellyllon yn neidio arnaf o'r coed, bron i mi fynd heibio'r arwydd y chwiliwn amdano heb ei weld. Roedd yr enw 'Groveside Farm Bed and Breakfast' bron wedi'i guddio gan y tywyllwch a'r tyfiant. Ond roedd e yno.

Amneidiais ar Teifryn a'i hysbysu ein bod wedi canfod y lle o'r diwedd a bod gole yno, o leiaf, os nad oedd ystafelloedd gweigion ar ein cyfer. Ni fedrem beidio â thynnu cymhariaeth â'r plastai o ffermydd mawr hynny a welir mewn taleithie megis Tecsas yn ôl yr hyn a ddangosir ar raglenni sebon ar y teledu byth a hefyd. Disgwyliwn weld Larry Hagman yn rhith J. R. Ewing, o'r gyfres deledu *Dallas,* yn dod i'r golwg i'n cyfarch yn ei Stetson anferth. Roedd y fynedfa yn drwch o raean mân a haws oedd gwthio'r beic na'i farchogaeth at y drws. Amgylchynwyd y tŷ gan goed anferth a gwelwn, hyd yn oed yn y gwyll, fod yna berllan o goed fale a phêrs wrth dalcen yr adeilad.

Canwyd y gloch a daeth gŵr bonheddig i wrando ar ein cais ond esboniodd mai ar ymweliad â'r teulu oedd e, ei fod yn byw yn Waterford ac nad oedd gwraig y tŷ gartref ar y pryd. Nid oedd mewn sefyllfa i'n gwrthod na chwaith i'n derbyn, meddai. Rhag ofn ei fod yn gweld golwg amheus arnom ac nad oeddem, yn ei olwg, yn deilwng i orwedd ar gynfase gwely'r ffermdy crand gwnaethom ein gore i'w ddiddori a'i ddiddanu mewn modd didaro rhag rhoi'r argraff ei bod yn ben set arnom o ran lletya am y noson. Holom faint o amser a gymerai i ni gyrraedd Kilmore ac a fydde yna ddewis helaeth o lefydd gwely a brecwast yno. Fe ddangosodd mai yn ein blaene am ryw ugain munud y bydde'n rhaid i ni fynd ond prin y gwelem ugain modfedd o'n blaene erbyn hyn gan mor dywyll oedd hi, a'r lleuad wedi'i chuddio gan gwmwl.

Ond daeth ymwared wrth i Teifryn sôn am ei adnabyddiaeth o Waterford ac am union gyfeiriad cydnabod a fu'n gyd-weithiwr iddo yn un o'r ffatrïoedd llaeth hynny yng ngorllewin Lloegr. Wel, onid oedd y gŵr bonheddig yn adnabod yr union ddyn ac yn medru sôn am ei hynt yn ystod y blynyddoedd diwethaf hyn? Doedd hi fawr o dro cyn i'r gŵr mewn siwt lwyd ein gwahodd i mewn i'r cyntedd tra bydde'n ffonio gwraig y tŷ i weld a fydde hi'n gyfleus i ni aros dros nos. Mae'n amlwg y byddai'n rhoi geirda ar ein rhan.

Dychwelodd y gŵr bonheddig o'r cefn yn wên o glust i glust gan ddatgelu fod yna ystafell wely ddwbl heb ei chymryd a'i fod yn siŵr y bydde honno'n ein plesio. Wel, pwy oedden ni i anghytuno a bwrw ati i holi am ystafell yr un a hithe'n tynnu am ddeg o'r gloch? Rhaid oedd bod yn ddiolchgar oherwydd nid ein swyddogaeth ni yn y byd hwn oedd bod yn lletchwith nac yn rhwystr i neb. Fe'n tywysodd i lolfa ysblennydd a'n hannog i fwrw golwg ar yr ystafell yn y llofft cyn iddo fynd ati i baratoi te a choffi ar ein cyfer. Roedd Teifryn a finne'n gwenu hefyd.

O'r tri chloc yn y lolfa, doedd yr un ohonyn nhw'n cerdded

ac roedd yr un peth yn wir am y rhai a welsom yn y cyntedd llydan. Os oedd angen prawf nad oedd y Gwyddelod yn rhoi pwys ar amser, wel, dyma ni. Doedd dim lle i ame bod nam ar bob un ohonyn nhw ond hwyrach mai dyma ddull cyfrwys Mary Cousins o dynnu sylw ymwelwyr at y ffaith eu bod ar eu gwylie tra oedden nhw o dan ei chronglwyd ac nad oedd amser o'r pwys lleiaf. Serch hynny, pan gyrhaeddodd adref a chynnig croeso twymgalon i ni, roedd am wybod pryd y bydden ni am frecwasta fore trannoeth. Wedi cadarnhau na fyddem yn dal y trên saith o'r gloch o Bridgetown ac y byddem yn seiclo i Waterford, cytunwyd i frecwasta am wyth o'r gloch.

Ond anodd oedd codi o'r lolfa gynnes, chwaethus a chyffyrddus. Medrwn dreulio'r nos ar y soffa petai raid. Roedd amrywiaeth o lyfre ar y bwrdd yn apelio at chwaeth pawb. Cydiais mewn llyfr o'r enw *Book of the Century,* wedi'i olygu gan Fintan O'Toole a'i gyhoeddi gan bapur yr *Irish Times* ar gyfer y milflwyddiant. Wel, am lyfr anodd i'w roi o'r neilltu. Gellid dotio ar y llunie am noson gyfan. Doedd ond angen bodio hanner dwsin o dudalenne i sylweddoli fy mod mewn gwlad wahanol a oedd yn meddu ar hanes cyfoethog, hyd yn oed os oedd yna dristwch a chyflafan yn dilyn cyflafan yn rhan o'r hanes hwnnw. Roedd balchder yn y dweud, a theimlad bod Iwerddon yn benderfynol o drefnu ei thynged ei hun, doed a ddelo.

Pam yn wir fu raid i'r Sais ymherodraethol ymyrryd mor hir ac mor filain ym materion y wlad? Dechreuais sylweddoli pam fod Waldo'i hun wedi ymserchu mewn rhai agwedde o hanes y wlad a bod ei fynych ymweliade â hi yn dwysáu ei adnabyddiaeth ohoni.

Mae'n rhaid gen i mai pwrpas yr holl obenyddion ar fy ngwely oedd er mwyn eu rhoi dros fy mhen yn hytrach nag oddi tano pan fydde Teifryn yn chwyrnu'n ansoniarus yn ystod y nos. Mae'n rhaid gen i hefyd ein bod yn y gwesty gore a mwyaf rhadlon yn Iwerddon gyfan; gwesty pum seren a mwy a doedden ni ddim hyd yn oed wedi blasu'r brecwast eto.

Ni fedrem ddymuno gwell ystafell i ddeffro ynddi ben bore.

Roedd y gwely fel pluf ac oni bai bod yna antur yn ein haros byddai wedi bod yn anodd codi ohono. Ymddangosai pob dim yn ole ac o edrych drwy'r ffenestr gwelem gwrt tennis a chloddie bythwyrdd uchel yn glustog rhag y gwynt yn y cefn. Er nad oedd llawer o le i droi yn y gawod a'r ystafell faddon roedd pob dim angenrheidiol yno gan gynnwys amrywiaeth o sebone persawrus. O agor y drws clywn wynt brecwast yn cael ei hulio obry.

Yn wir, roedd y bwrdd brecwast yn ddigon o ryfeddod o ystyried mai dim ond ni'n dau oedd yn lletya yno. Lliain trwchus a llestri a fyddai'n gymwys ar gyfer y mwyaf uchel ael. Doedd y ddau gloc yn yr ystafell hon ddim yn cerdded chwaith ond roedd y radio a glywn yn y gegin yn sicrhau bod Mary Cousins o leiaf yn ymwybodol faint o'r gloch oedd hi. Cawsom ein digoni cyn i'r prif gwrs gyrraedd ac onid oedd yna urddas mewn arllwys te o debot tseina mawr?

Cawsom ar ddeall mai mater o amser oedd hi cyn y bydde'r rheilffordd leol yn cau am nad oedd yna fawr o ddefnydd yn cael ei wneud ohoni bellach. Roedd ar ei phrysuraf pan oedd bron pawb o'r ffermwyr lleol yn tyfu erwe lawer o fetys siwgr a fydde'n cael ei gludo mewn wagenni rheilffordd i'r ffatrïoedd i'w droi'n siwgr gwyn. Ond pan ddaeth y cymorthdaliade i ben yn 2006 rhoddwyd y gore i dyfu'r cnwd dros nos a throi at gnyde eraill. Ni wadai Mary bod aelode o'i theulu wedi gwneud yn fawr o'r cymorthdaliade Ewropeaidd wrth dyfu'r cnwd ar raddfa helaeth a chreu cyfoeth iddyn nhw eu hunain yn y fargen. Ond, ar ôl cyfnod o lewyrch, ofnai y bydde llawer o ieuenctid yn gadael y wlad i chwilio am waith oherwydd cyflwr gwantan yr economi.

Gadael Groveside oedd raid i ninne yn y glaw mân tua naw o'r gloch a'r tro hwn prin yr ymddangosai'r siwrne 'nôl i Bridgetown yn filltir o hyd. Y nod oedd cyrraedd Waterford i ddal trên am hanner awr wedi un a fydde'n ein cludo i Cahir i aros dros nos yno yn rhywle er, yn ôl ein harfer, ni wyddem yn union ble ar y pryd oherwydd wedi cyrraedd y bydde hynny'n cael ei drefnu, wrth reswm. Amcangyfrifwyd y gellid seiclo'r ugain cilomedr a mwy yn gyffyrddus mewn rhyw bedair awr heb golli fawr o chwys. Am ein bod yn mynd ar hyd yr arfordir rhagwelwyd y bydde'r ffyrdd yn gymharol wastad ar hyd yr un lefel â'r môr. Dyna fripsyn bach arall o wybodaeth a ystyria pob seiclwr yn allweddol wrth drefnu teithie i fod mor hwylus â phosib.

Erbyn cyrraedd Wellingtonbridge peidiodd y glaw ac ymddangosodd yr haul i losgi ei wenau ar ein gwegil. Rhaid oedd oedi bob hyn a hyn i gymryd dracht o ddŵr wrth i ni ddihysbyddu nerth y bore. Ymestynnai ambell ddarn o ffordd am filltir a rhagor o'n blaene heb yr un tro. Deuai ambell dro a oedd bron yn dro pedol ar ein gwarthaf i amharu ar rhythm y seiclo ar hyd y darne hirion wrth i ni gyfnewid y lle blaenaf o bryd i'w gilydd. Teithiem ar gryn gyflymdra ar adege er ni wnaf frolio ein bod yn llwyddo i oddiweddyd yr un cerbyd chwaith ond mae'n lled debyg y byddem wedi gadael ambell dractor o'n hôl pe delai'r cyfle.

Gwelsom foron praff wedi'u gwasgaru ar y ffordd mewn un man a bu'n demtasiwn i'w codi a rhoi'r goreuon o'u plith yn ein sache. Ond penderfynwyd peidio am nad oedd gennym yr amser i wilibowan a ninne am gyrraedd Waterford mewn da bryd i ddal trên. Be wnelem â nhw, beth bynnag? Nid cwningod mohonom yn barod i'w bwyta'n amrwd, er medrem roi cynnig ar hynny mae'n siŵr yn ôl ffasiwn y cymeriad cartŵn Bugs Bunny. Doedd dim profiad brafiach na seiclo ar hyd ymyl y dŵr i gyfeiriad Duncannon ac Arthurstown a'r fan lle byddem yn croesi hafan Waterford mewn cwch. Gadawai'r cwch wrth i ni gyrraedd ond gwyddem y byddai'n dychwelyd o fewn ugain munud am fod rhes o gerbyde eraill eisoes yn disgwyl i groesi'r siwrne fer.

Cawsom gyfle i fwrw llinyn mesur dros ein hymdrechion mor belled yn ystod y bore a daethom i'r casgliad ei bod hi'n dal o fewn ein gallu i gyrraedd y trên yn Waterford gydag amser i sbario ar yr amod nad elai dim o'i le. Bron i hynny ddigwydd wedi i ni groesi i'r ochr draw. Gadawodd yr ychydig gerbyde'n go handi ac roeddwn inne am wneud yr un modd pan sylweddolais nad oedd Teifryn wrth ei feic na chwaith i'w weld yn unman a doedd yna fawr o le i gwato ar y bad agored. Doeddwn i ddim wedi clywed yr un sblash yn y dŵr wrth groesi chwaith na'r un sgrech yn gweiddi am help.

Amneidiai'r cychwr i ddychwelyd wrth i mi ddweud wrtho fy mod yn disgwyl am fy nghyfaill gan gyfeirio at y beic segur. Ymhen hir a hwyr fe ddaeth Teifryn i'r golwg wedi bod yn cymryd mantais o'r cyfleustere tŷ bach ar y bad. Pe bawn wedi dilyn fy ngreddf arferol ac wedi mynd i'r lan ar fy union, mae'n debyg y byddai Teifryn wedi dychwelyd ar y cwch i'r ochr draw, a finne'n gorfod sefyllian amdano ar y cei am hanner awr neu fwy i wneud y siwrne'r eilwaith. Ni fyddem wedi cyrraedd Waterford mewn da bryd i ddal y trên pe bai hynny wedi digwydd.

Dring am i fyny oedd hi o'r cei ond gwelsom arwydd cyn hir yn dweud mai deuddeg cilomedr oedd rhyngom a'r orsaf drên. Rhaid oedd pydru arni gan wasgu cyhyre'r coese i'r eitha. Doedd dim amser i oedi i gyfarch gwell i neb na phrynu siocled, hufen iâ na dim a fydde'n cyfrannu i gynnal yr egni. Ni fedrem loetran i gymryd llwnc o'r botel ddŵr hyd yn oed. Tuchan ac ambell anadliad ddofn oedd hi wrth ddilyn ein gilydd. Tua hanner awr wedi hanner dydd gwelsom arwydd yn dynodi ein bod o fewn ffinie dinas Waterford. Ymlaciwyd, gan gredu mai mater o funude fydde hi bellach cyn y byddem yn yr orsaf reilffordd, lle bynnag y bo honno.

Ond anghofiwyd bod Waterford yn ddinas o 50,000 o boblogaeth a bod tair neu bedair milltir o bellter o'i chyrion i'w chanol. Rhaid oedd dal ati yng nghanol y drafnidiaeth a'r mynych oleuade gan fanteisio ar y palmentydd a oedd hefyd yn eu cynnig eu hunain yn llwybre beicio o bryd i'w gilydd. Roedd Teifryn y tu hwnt i bellter gwaedd o'm blaen pan welais y darn metel ar y palmant. Rhy hwyr i'w osgoi fel y gwnaeth Teifryn. Clywais powns uchel ac o fewn ychydig lathenni gwyddwn fod rhywbeth o'i le ar fy meic. Nid ergyd o ddryll roeddwn wedi'i chlywed ond y darn metel oedd wedi trywanu'r teiar ôl. Ni lefais ond doedd dim amdani ond derbyn fy nhynged. Pwnsier.

Roedd y teiar eisoes mor fflat â phancosen. Oedd, roedd gen i diwben sbar ond doedd gen i ddim o'r geriach, y sbaneri a'r allweddi, ar gyfer tynnu'r olwyn yn rhydd a gwneud yr hyn roedd angen ei wneud. Roedd y rheiny ym meddiant Teifryn.

Erbyn i mi lwyr sylweddoli fy mhicil roedd Teifryn ymhell o'r golwg. Ceisiais ei ffonio ond doedd e ddim yn ateb. Mae'n rhaid ei fod o'r farn mai galwad o'r ochor draw i'r dŵr oedd yn ei boeni ac y medrai ddelio â hi yn nes ymlaen. Wel, doedd dim pwynt i mi aros yn fy unfan. Dechreuais lusgo a hanner cario'r beic wrth hanner hercian rhedeg gan gredu na fyddwn fawr o dro cyn cyrraedd yr orsaf. Ffoniais Teifryn yr eilwaith. Dim ateb. Gadewais neges fachog y tro hwn ond heb ddatgelu'r manylion erch. Ymhen hir a hwyr daeth i'r golwg yn dod lawr y tyle gyferbyn. Bu'n funude lawer cyn y medrwn groesi'r ffordd ato oherwydd llif di-baid y drafnidiaeth. Roeddem yn afradu amser.

Pan gafwyd cyfle i edrych ar y difrod, cynigiodd Teifryn wneud y gwaith trwsio yn y fan a'r lle ond am fod yna rwyg difrifol yn y teiar ei hun amheuwyd a ellid cyflawni'r dasg yn llwyddiannus. Ac olwyn ôl oedd hi yn hytrach nag olwyn flaen a gwnâi hynny'r gwaith trwsio ychydig yn anos. Ond er ein bod yn dal mewn ardal breswyl yn hytrach nag ardal fusnes dyfalwyd ein bod o bosib o fewn pum munud i'r orsaf reilffordd ac mai doethach fyddai i Teifryn fynd yn ei flaen i gadarnhau hynny tra byddwn i'n ei ddilyn ore medrwn. Ond stryd ar ôl stryd o dai preswyl crand oedd o'm blaen wrth droi pob cornel a chloffi heibio pob croesfan oleuade. Dechreuais ddanto. Chwiliwn am dacsi a fydde'n barod i fy nghludo i a'r beic i ben ein siwrne, ond yn ofer.

Pan ddeuthum i stryd lle'r oedd haid o siopwyr yn gwau trwy ei gilydd, yn ogystal â'r arwyddion hynny y disgwylir eu gweld yng nghanol dinas yn cyfeirio at amgueddfeydd ac atyniade cyffelyb i ymwelwyr, mentrais holi'r ffordd i'r orsaf reilffordd. Cefais yr argraff nad oedd yn daith y gellid ei chwblhau o fewn pum munud ac roedd sawl pum munud wedi mynd heibio nawr ers y pwnsier. Roedd rhaid anelu at y cei a cherdded ar hyd glan afon Suir a chroesi pont yn rhywle. On'd yw hi'n gymaint haws os ydych chi wedi gwneud y siwrne rywbryd o'r blaen? Ond o fewn fawr o dro doedd dim rhaid i mi boeni oherwydd cefais neges gan Teifryn i ddweud bod y trên wedi gadael. Penderfynodd ynte aros yn yr orsaf nes fy mod yn cyrraedd cyn ein bod yn trafod pa gam i'w gymryd nesaf.

Erbyn i mi gyrraedd roedd Teifryn wedi cadarnhau bod y trên nesaf yn gadael am Cahir am hanner awr wedi pedwar a bod yna siop feicie 'nôl yr ochr draw i'r bont, o fewn ychydig strydoedd y tu ôl i'r brif stryd. Roedd gennym dros ddwy awr dda i ladd amser ac i osod trefn ar bethe – a derbyn bod hynny'n bosib. Y cam cyntaf oedd prynu amrywiaeth o fân fwydydd yn siop manion yr orsaf a ffugio ein bod yn mwynhau picnic ar gae gwair. Pa ddiben galarnadu am dro trwstan? Rhaid bod yn ffyddiog y daw pob dim i ben gydag amynedd a dyfalbarhad ac ychydig o synnwyr cyffredin. Gellir trwsio'r galon yn ogystal â theiar beic o fynd o'i chwmpas hi yn y ffordd gowir. Ac o fethu hynny gellir prynu teiar newydd – a chael calon newydd o ran hynny. Fe ddaw'r haul i sheino hyd yn oed ar barc gwair gwlyb. Mae rhywun rhywle yn ei chael hi'n waeth na ni wedi'r cyfan.

Penderfynwyd mai Teifryn elai i'r siop feics gan ei fod yn dallt y dalltings tra byddwn inne'n gwarchod y beic clwyfedig yn ystafell aros yr orsaf. Doedd fawr neb yno am ei bod yn amlwg nad oedd trenau'n cyrraedd na gadael yr orsaf yn amal. Doedden ni ddim yn niwsans felly ac, am wn i, roedd ein helbul yn ysgafnhau'r diwrnod i'r swyddogion rheilffordd a oedd ar ddyletswydd. Dychwelodd Teifryn gan gludo teiar newydd fflam am fod yr un briwedig y tu hwnt i'w drwsio yn ôl y ferch o un o wledydd Dwyrain Ewrop a oedd yn gweini yn y siop feics. Diolchais nad oedd wedi mynd draw â'r beic cyfan i'r siop neu efallai y byddai wedi dod oddi yno â beic newydd sbon ar fy nghyfer!

Ni fu Teifryn fawr o dro yn troi'r beic wyneb i waered ac yn gosod y teiar newydd yn ei le tra oeddwn inne'n eistedd yn gyffyrddus, yn ei wylio o hirbell, ond gan ymestyn ambell nyten neu sbaner iddo yn ôl y gofyn. Euthum am dro ar gefn y beic i wneud yn siŵr fod pob dim wedi'i wirio ac i fwrw golwg ar y gwestai a'r tai bwyta crand ar hyd y cei. Gwrandewais ar Wyddel tafotrydd yn swyno haid o Americaniaid i'w ddilyn ar daith bws a fyddai'n eu tywys i weld rhai o ryfeddodе pennaf yr 'hen wlad'. Anodd troi clust fyddar i'w ddawn berswâd pan mae yna ddoleri dirifedi yn y goden. Gerllaw hefyd eisteddai gŵr nad oedd mwyach ym mlode ei ddyddie gyda photel gwrw yn ei law a chapan gwag ar lawr yn ei ymyl yn ymbil ar yr Iancs i gymryd trueni drosto ac arllwys eu harian i'w gyfeiriad. Doedd dim o'i le ar y beic gyda llaw.

Wedi dychwelyd i'r orsaf awgrymais hwyrach y gallem barhau â'n taith trwy seiclo yn hytrach nag aros am ddwy awr arall pan ddeuai'r trên. Ond, na, doedd hynny ddim yn ymarferol oherwydd natur y dirwedd a, ph'un bynnag, fydden ni ddim yn debyg o gyrraedd pen ein siwrne cyn y trên, oedd barn yr arbenigwr, a rhaid oedd i mi blygu i'w awdurdod. Soniodd droeon hefyd na fyddai'n ofynnol i dalu am docynne trên oherwydd polisïe goleuedig y wladwriaeth o ganiatáu i bawb sydd dros drigain oed deithio am ddim er mwyn hybu defnydd o'r gwasanaethe.

Dechreusom chwedleua am y troeon trwstan hynny y gwyddom a ddaeth i ran Waldo pan oedd yn Iwerddon. Galwodd mewn un siop, rhywle yng ngorllewin y wlad, gyda'r bwriad o brynu lamp ar gyfer ei feic a hithe'n ganol haf. Bu'n drafodaeth faith rhyngddo a'r siopwr ond y canlyniad fu na fodlonai'r siopwr werthu lamp i Waldo am y dadleuai nad oedd fyth yn nosi go iawn yr adeg honno o'r flwyddyn. Rhyfeddai Waldo at siopwr yn gwrthod gwerthu nwydde i gwsmer trwy ddadle nad oedd eu hangen ar y cwsmer!

Mae'n debyg iddo gael ei gamgymryd am drempyn pan oedd yn cysgu ar sedd wrth ddisgwyl bws yn gynnar un bore. Cyngor y plisman a'i dihunodd oedd y dylai 'fynd ar ei ffordd'. Ond fel y bydde Waldo'n adrodd y stori daeth ci heibio a dechre ei wynto gan ysgwyd ei gynffon yn groesawgar i brofi bod ganddo well crebwyll am ddaioni'r natur ddynol na'r plisman. Ar y pryd roedd wedi gobeithio lletya yn y Coleg Gwyddeleg yn Dungarvan ond, am ei fod heb siafio ac yn gwisgo'i got lwyd adnabyddus, chafodd e ddim croeso gan y pennaeth yno chwaith, a bu raid iddo fynd ar ei ffordd ymhellach cyn cael lle i glwydo.

Dro arall cafodd ei erlid o ddrws siop, lle'r oedd yn cysgodi rhag y glaw, am fod y perchennog yn amheus ohono o weld yr olwg oedd arno. Fe'i bygythiodd trwy godi dryll i'w gyfeiriad a'i orchymyn i'w sgidadlan hi yn ddiymdroi. Unig ddymuniad Waldo oedd cael siawns i fynd cyn belled ag y medrai cyn i'r dryll gael ei danio. Os oedd hynny'n unrhyw linyn mesur o'r hyn sy'n debygol o ddigwydd yn Iwerddon roedd yn amlwg y dylem fod yn barod bob amser am yr annisgwyl wrth ddelio â'r Gwyddelod.

Cymaint y soniodd Teifryn am ddinasyddion hŷn yn teithio am ddim ar drenau Iwerddon nes bod y ddau ohonom wedi llwyr argyhoeddi ein hunain na fyddai raid i ni godi tocynne ar gyfer y siwrne. Clywais Teifryn yn adrodd ei stori am deithio o un pen y wlad i'r llall, wrth y ddynes yn y swyddfa docynne, ac ynte'n methu deall pam nad oedd neb fyth yn gofyn iddo am ei docyn. Dim ond wedyn y deallodd fod pob swyddog yn cymryd yn ganiataol, o gymryd un edrychiad arno, ei fod dros ei drigain ac felly'n medru hawlio teithio am ddim.

Symudasom yn nes at ddrws y platfform pan oedd hi bron yn bryd i'r trên gyrraedd gan ei gwneud yn amlwg ein bod am gludo ein beicie ar y trên hefyd. Yn naturiol gadawsom i'r teithwyr hynny oedd yn disgyn oddi ar y trên i ddod trwodd yn gyntaf a'r un modd, o ran cwrteisi, gadawsom i'r teithwyr hynny oedd am esgyn ar y trên i fynd o'n blaene rhag bod y ddau feic yn peri tramgwydd i neb.

Pan ddaeth ein tro ni i fynd trwy'r drws cawsom ein hatal gan y swyddog a mynnodd weld ein tocynne. Esboniodd y ddau ohonom fod rheole'r wlad yn caniatáu i ni deithio am ddim oherwydd ein hoedran. Ni wadodd hynny ond roedd am brawf bod gennym yr hawl i fanteisio ar y trefniant. Dangosom gardie i brofi ein hoed ond doedd hynny ddim yn ddigon da am nad oedden nhw'n ddogfenne oedd wedi'u codi yn Iwerddon.

Awgrymai'r swyddog y dylai fod gennym docynne priodol i brofi ein bod wedi'n heithrio rhag gorfod talu am docyn trên.

Nawr, collasom y trên cynt oherwydd y pwnsier, a chan ein bod wedi aros am deirawr a mwy am y trên hwn, doedden ni ddim am ei golli. Yn amlwg, doedd dim modd troi braich 'Mistar Awdurdod' yn hyn o beth a rhaid oedd i mi, felly, ruthro 'nôl at y swyddfa docynne tra gwnâi Teifryn yn siŵr na fyddai'r trên yn mynd hebddom. Ond mynnai'r ddynes docynne na fedrai hi roi caniatâd i ni deithio am ddim am nad oeddem yn ddinasyddion o'r wlad. Byddai rhaid i ni wneud hynny mewn swyddfa dwristaidd a fydde'n ein cynghori y dylid gwneud y trefniant dros dro hwn o leiaf dair wythnos ymlaen llaw. Gwell fyth petaen ni wedi gwneud y trefniant dros y we cyn cyrraedd y wlad, meddai.

Doedd dim amser i doethan a doedd dim amdani ond talu'r pris tocyn arferol. Gwneuthum hynny ar fyrder a rhuthro 'nôl i ddangos y tocyn i 'Mistar Awdurdod' wrth i Teifryn a finne, mewn undod, geisio gwthio ein beicie heibio iddo fynd ar y trên. Ond, na, doedd dim yn tycio. Tocyn yn caniatáu i un ohonom i fynd heibio iddo oedd gen i ac nid ar gyfer y ddau ohonom. Wel, doedd hynny ddim yn mynd i ddigwydd, nag oedd. Cafwyd digon o balafar eisoes heb ein bod yn ychwanegu ato. Rhaid oedd mynd 'nôl at y ffenestr docynne a disgwyl fy nhro i esbonio i'r ddynes fy mod wedi gofyn am docyn ar gyfer dau y tro cynt. Cyfaddefodd iddi gamddeall ac wrth iddi baratoi tocyn arall ar fy nghyfer taflwn edrychiad nerfus tuag at y platfform rhag ofn bod y trên ar fin ffarwelio. Doedd yr 'awdurdod' ddim yno pan ddychwelais a doedd dim i'n rhwystro rhag gosod ein beicie a ni'n hunain ar y trên yn ebrwydd.

Eisteddasom yn llipa gan ddiolch i'r drefn ein bod o leiaf wedi cyrraedd y trên hyd yn oed os oeddem yn gwneud hynny dair awr yn hwyrach na'r bwriad. Ond doedd dim golwg o'r trên yn paratoi i symud chwaith. A doedd yna fawr o deithwyr ar ei fwrdd. Daeth swyddog mewn lifrai heibio. Ni fedrai fod yn fwy serchog wrth i ni esbonio ein bod yn anelu am Cahir a chawsom ar ddeall na fyddem fawr o dro cyn cyrraedd yno a'r unig beth oedd angen i ni ei gofio oedd mai'r trydydd arhosiad ar y siwrne fyddai Cahir. "Bydd y trên yn cychwyn ar ei siwrne nawr chwap pan ddaw'r gyrrwr i'r golwg a bydd cyhoeddiad yn cael ei wneud wrth nesáu at bob arhosiad," meddai'r swyddog yn rhadlon. Beth oedd yn cadw'r gyrrwr, felly? Hwyrach ei fod yn cael trafferth i gyrraedd y platfform am nad oedd ganddo'r tocyn priodol! Ateb posib arall oedd ei fod yn dal i ddisgwyl wyres ei ail gyfnither i gyrraedd ar ei ffordd adre i Clonmel neu Tipperary. Hwyrach ei fod yn dal yn ei wely neu wedi cael pwnsier wrth seiclo i'w waith. Dim ond dyfalu, wrth gwrs, wrth i ni setlo'n jycôs ar gyfer y daith.

Aed ar hyd dyffrynnoedd ffrwythlon a heibio mynyddoedd uchel Comeragh heb weld anheddiad am filltiroedd. Rhaid cyfaddef bod yr holl wylltineb a'r unigedde, yn ymestyn dros filltiroedd lawer, yn gymysgfa o liwie glas, gwyrdd a gwinau cryfion, i'w weld yn drawiadol liw dydd. Hanner gwrandawn ar sgwrs dau ŵr canol oed am faterion gwleidyddol diweddar Iwerddon. Ymddengys fod un ar ei wylie yng nghwmni aelode o'i deulu a hwyrach yn ddarlithydd prifysgol tra bo'r llall wedi ymddeol, meddyliwn, ac o bosib wedi bod yn gyfreithiwr wrth ei alwedigaeth neu, o leiaf, yn gyn-ddeilydd swydd o gyffelyb bwys a chyfrifoldeb. Roeddwn hefyd yn hanner hepian cysgu wrth wrando ar eu trafodaeth wâr a gwybodus.

Yn sydyn fe'm dadebrwyd gan fwstwr Teifryn yn dweud ei bod yn bryd i ni ddisgyn oddi ar y trên am ein bod wedi cyrraedd Cahir. Rhyfedd, meddwn wrthyf fy hun am nad oeddwn wedi cyfrif dau arhosiad cynt chwaith ond, wedyn, roedd yna lais wedi'i glywed dros yr uchelseinydd, a rhaid bod Teifryn wedi'i ddeall yn cyhoeddi ein bod yn Cahir. Rhaid cyfaddef nad oeddwn i wedi dal yr hyn a ddywedwyd. Beth bynnag, o fewn fawr o dro roeddem wedi gadael yr orsaf ac yn sefyll yn wynebu dwy ffordd heb wybod pa un i'w chymryd. Chwilio am y cwfaint a oedd yn gartref i'r Chwaer Bosco oedd ein bwriad.

Mentrais dynnu sylw'r gŵr a gredwn oedd yn gyfreithiwr wrth iddo gerdded heibio gan feddwl ei fod ar ei ffordd i'w gartref yn Cahir ac y bydde'n gwybod pob dim a oedd i wybod am y dref.

"Esgusodwch fi, a fedrwch chi ddweud wrthon ni ble ma dod o hyd i'r cwfaint?" holais yn hyderus.

"Pa un?" oedd ei ateb.

Wrth i mi ymbalfalu i geisio cofio'r union enw, gan feddwl na fyddai mwy nag un cwfaint yn y dref beth bynnag, cynigiodd ddau enw. Doedd yr un ohonyn nhw'n canu cloch. Deuthum o hyd i gyfeiriad y Chwaer Bosco yn fy llyfr bach.

"Sisters of Mercy Convent," meddwn.

"Does dim cwfaint o'r enw yna yn y lle hwn," meddai'n ddibetrus.

Amheuwn ei osodiad oherwydd onid oeddwn wedi anfon gohebiaeth at yr union gyfeiriad droeon, a phob llythyr wedi'i gydnabod gyda throad y rhod? Mae'n rhaid bod y gŵr bonheddig yn cafflo neu bod yna ddau enw i'r cwfaint fel sydd yna i gynifer o anhedde ym Mynachlog-ddu. Mentrais drachefn:

"Ond dwi'n hollol sicr bod yna gwfaint o'r enw Sisters of Mercy yn Cahir," meddwn, gyda chyn gymaint o awdurdod ag y medrwn.

Edrychodd arnaf fel pe bawn yn ynfytyn cyn datgan gyda phendantrwydd eithafol:

"Ond Clonmel yw'r lle hwn."

Syrthiodd y beic o'm gafael a'i daro ar ei bigwrn nes iddo neidio am yn ôl mewn braw os nad mewn dolur! Ceisiais ymddiheuro am fy lletchwithdod ond gwell ganddo oedd hercian tua thre na gwrando ar fy ymgreinio mursennaidd.

Mentrais 'nôl tuag at y platfform ond roedd y trên wedi mynd a'r gât wedi'i chloi am y noson am na ddisgwylid trên arall nawr tan y bore. Yr arswyd golomen, am halibalŵ, a hynny am fod Teifryn yn drwm ei glyw a minne'n hepian cysgu. Ond roedd tipyn o bobol wrth yr orsaf yn disgwyl am fws a gofynnais i fwy nag un p'un ai Clonmel neu Cahir oedd y lle hwn? Yn anffodus ni fentrodd yr un ohonyn nhw ddweud Cahir er i mi ymbilio arnyn nhw i wneud hynny. Euthum ar draws y ffordd i'r siop orsaf betrol a phrynu losin i'w rhannu.

Erbyn i mi ddychwelyd roedd rhaid wynebu'r posibilrwydd o chwilio am lety yn Clonmel a dal y trên fore trannoeth neu fentro seiclo yn y gobaith o gyrraedd Cahir ymhen rhyw ddwy awr, cyn iddi dywyllu. Ond ni wyddai'r un ohonom am ansawdd y ffordd. A fydde perygl i ni syrthio ymysg lladron? Beth petai un ohonom mor anffodus â chael pwnsier? Wrth bendrymu gwelwyd bod yna ymwared posib arall, yn rhythu arnom yn y fan a'r lle, oherwydd os oedd yna bobol yno'n disgwyl bws, wel, mae'n rhaid fod y bysie'n mynd i rywle, a thybed ai'r rhywle hwnnw fydde Cahir? Dechreusom holi, ac oedd, roedd un neu ddau o'r teithwyr yn credu y bydde yna wasanaeth bws yn mynd i Cahir cyn nos.

Ond, i gael sicrwydd, gwell oedd holi gyrwyr y bysie oedd eisoes wedi'u parcio gerllaw. "Byddai'r bws i Cahir yn cyrraedd cyn hir" oedd yr ymateb digynnwrf. Ymddengys fod pob dim yn digwydd 'cyn hir' yn Iwerddon. Felly, roedd hynny'n bosibilrwydd ond a fyddai modd cludo'r ddau feic ar y bws? Roeddem wedi sylwi fod ambell fws yn rhoi bagie a chesys teithwyr mewn howld o dan y cerbyd ac, yn sicr, roedd yna ddigon o le i osod beic neu ddau yn y fan honno pe na bai'r bws yn orlawn o deithwyr yn cludo pedwar ces yr un. Ni wyddem nawr pa mor hir oedd 'cyn hir'? Rhaid oedd disgwyl yn amyneddgar. Ond byddai'n dechre nosi cyn hir ac roedd rhaid ystyried bwyta pryd o fwyd hefyd am nad oeddem wedi bwyta pryd maethlon ers y brecwast ffarm harti hwnnw ben bore.

Er bod yna ddwsin o bobol yn disgwyl am fws i rywle, doedd yr un ohonyn nhw'n barod i sgwrsio'n rhydd. Cadw eu hunain iddyn nhw eu hunain a wnâi pawb. Hwyrach eu bod yn amheus ohonom am ein bod yn siarad iaith a oedd yn ddieithr iddyn nhw neu oherwydd ein golwg neu oherwydd cyfuniad o'r ddau beth. Rhaid cyfaddef i ninne gael ychydig o fraw o weld gŵr digon trwsiadus yr olwg yn cario bag yn dod trwy dwll yn y wal o ganol llain o dir a oedd yn llawn mieri a chanclwm a thyfiant gwyllt. Hwyrach bod gan bawb reswm dros fod yn dawedog am eu bod yn gwybod rhywbeth nad oedden ni'n dau yn ei wybod. Cymerais sbec trwy'r hollt yn y wal a chanfod bod yna lwybr yn arwain trwy'r trash i rywle. Ond i ble? Bernais nad doeth fyddai mynd i ymchwilio na chwaith holi'r dyn a ddaeth oddi yno. Ai dyna lle y diflannodd y ferch fach a wisgai'r hugan goch honno slawer dydd, sgwn i? Tawed â sôn piau hi rhag ofn y daw Mistar Blaidd ar ein gwarthaf. Beth oedd gan y dyn yn ei fag? Gweddillion corff? Cyffurie? Miloedd o ewros?

Erbyn hyn roedd Teifryn wedi ymddiddori mewn blwch postio lliw gwyrdd a welodd yn y wal ac y mynnai ei fod yn anghyffredin. Cytunais mai coch oedd lliw arferol y blyche postio ac mai ER, yn dynodi Elizabeth Regina, oedd y llythrenne a welid arnyn nhw. Ond heblaw am hynny blwch postio digon cyffredin nad oedd yn haeddu fawr o sylw oedd y blwch yn y wal, yn fy ngolwg i. Digon teg, roedd wedi bod yno ers codi'r wal mae'n siŵr ac roedd, o'r herwydd, yn rhywbeth y gellid ei ystyried yn grair.

Ond mynnai Teifryn fod y llythrenne'n dynodi un o ragflaenwyr Elizabeth o Windsor ac, o'r herwydd, yn gwneud y blwch yn anghyffredin os nad yn unigryw. Roedd o leiaf yn destun chwilfrydedd, meddai. Mynnai y gallai fod yn cyfeirio at Edward VII na fu ar yr orsedd am fwy na naw mlynedd. Wedi gwrthryfel 1916 doedd y Weriniaeth ddim yn cydnabod brenhiniaeth Lloegr ar eu blyche post. Ni fedrwn rannu ei frwdfrydedd yn y mater gan ame fod ei wybodaeth yr un mor gywir â'i wybodaeth am deithio am ddim ar drenau Iwerddon – yn sigledig.

Cyrhaeddodd y bws y disgwyliasem amdano. Wedi cael sicrwydd gan y gyrrwr ei fod yn mynd yn ei flaen i Cahir, dyma osod y beicie yn yr howld anferth yn gymysg â chesys rhai o'r teithwyr eraill. Roedd digon o le ar y bws i'n galluogi i hawlio sedd yr un. Rhyw hepian cysgu a wneuthum nes cyrraedd cyrion Cahir ac yna cadw llygad barcud yn agored am arwyddion yn dynodi cwfaint. Do, gwelais yr arwydd yn dynodi bodolaeth Cwfaint Chwiorydd Trugaredd. Pan gawsom ein gollwng yng nghanol y dref sylweddolais fy mod wedi bod yma o'r blaen, pan gynhelid gŵyl y cyfarwyddiaid yn Lough

Gur ger Ballyhoura. On'd yw hi'n rhyfedd fel y gwna treulio dim ond ychydig orie yn rhywle eich gwneud i deimlo'n gartrefol pan ddychwelwch yr eildro, gan gredu eich bod yn adnabod y lle fel cefn eich llaw?

Bernais mai'r cam cyntaf oedd galw heibio'r cwfaint i sicrhau bod y Chwaer Bosco yno ac i drefnu i'w gweld fore trannoeth. Roeddwn wedi'i rhybuddio y byddem yn galw heibio i'w gweld rywbryd yn ystod y mis heb fod yn fwy penodol na hynny. Gwyddwn ei bod yn iach ac yn heini ac yn dal i fod yn hoff o deithio, felly, gobeithiwn na fydde wedi mynd ymhell os oedd hi ar ei thrafels. Mae'n rhaid bod cwfeinie yn llefydd o bwys yn Iwerddon oherwydd doedd dim prinder arwyddion yn Cahir yn ein tywys at y Sisters of Mercy Convent. Ond, wedyn, ni welsom arwydd wrth fynedfa'r cwfaint hwn, lle bynnag roedd yr arwyddion yn ein harwain, ac aed heibio iddo am gryn hanner milltir cyn i ni holi rhywun ar y stryd am ei leoliad. Tebyg bod disgwyl i bawb adnabod cwfaint yn Iwerddon heb iddo'i hysbysebu'i hun.

Roedd yn blasty o adeilad cerrig crand o nifer o loriau ynghyd â maes parcio helaeth, yn ogystal â lawntie a gerddi. Hawdd gweld fod yma hen gyfoeth. Cafodd y deunaw erw o dir ei roi at ddefnydd y Chwiorydd fel rhodd gan Lady Margaret Butler-Charteris ym 1877. Tystiai'r cerbyde twt fod gan y lleianod gytundeb cyflenwi â rhyw fodurdy yn rhywle. Canwyd y gloch a bu'n rhaid ei chanu'r eildro. Oedd y cwfaint yn croesawu ymwelwyr gyda'r nos? Tebyg bod y preswylwyr wedi dweud eu paderau am y noson. Roeddem ar fin ildio ac wedi dechre crwydro i edmygu anferthedd yr adeilad pan agorwyd y drws. Cawsom groeso ebrwydd, a sicrwydd nad oedden ni'n niwsans o gwbwl a chael ein cystwyo am feddwl shwd beth.

"Bydd y Chwaer Bosco'n falch o'ch gweld," meddai'r ddynes serchog wrth iddi ein tywys i ystafell aros tra âi i'w chyrchu.

Er ei bod yn 86 oed roedd y Chwaer Nora Castigan Bosco yn ddynes osgeiddig ac urddasol. Goleuai ei hwyneb pan ddywedwyd yr enw 'Waldo' a'i hymateb, ar amrant, oedd 'anwyldeb'. Trysorai ei hadnabyddiaeth ohono tra fu'n byw yn Hwlffordd. Doedd dim angen ei chymell i draethu.

"Dyn hynod, hynod o garedig. Dyn ysbrydol iawn. Dyn nad oedd o'r byd hwn. Dyn a oedd yn sant. Doedd ganddo ddim gwerthoedd materol."

Cofiai'n dda amdano yn ystod ei salwch olaf yn Ysbyty Sant Thomas, Hwlffordd, ym 1970 a 1971.

"Dwi'n cofio Teifryn Michael yn fy mherswadio i fynd i weld Waldo. A rhaid cyfaddef fy mod yn teimlo fy mod ym mhresenoldeb rhyw ysbryd o'r tu hwnt bob tro roeddwn yn ei gwmni, er gwaethaf ei waeledd. Roedd wedi'i barlysu ac roedd yn anodd ei berswadio i fwyta. Ofnwn y byddai'n marw o newyn a bûm yn ei fwydo â llwy bob nos am gyfnod. Roedd hi'n drueni mawr gweld dyn fel Waldo yn methu sgrifennu. Cofiwch, byddai'n cael pwl o chwerthin weithiau am rywbeth oedd yn ei ogleisio fel y tro hwnnw roedd un o'r cleifion eraill yn chwilio am ei sbectol a'r sbectol, wrth gwrs, ar ei drwyn.

"Doedd hi ddim bob amser yn hawdd deall ei leferydd chwaith. Ond llwyddai i ddweud ambell sylw dirdynnol hefyd. 'Fe wnes i'r hyn a fedrais,' meddai wrthyf tua'r diwedd. Cofiwch, fe fu rhai o blantos Ysgol y Fair Ddihalog, Hwlffordd, yn adrodd 'Pitran Patran' o amgylch ei wely ac roedd hwnnw'n brofiad arbennig iawn i bawb.

"Roedd ganddo goeden fach mewn potyn wrth ymyl ei wely yn ystod y dyddie ola a hynny'n symbol o deitl ei gyfrol o farddoniaeth. Ac ar ei gais fe drefnodd lleianod Ysgol y Fair Ddihalog i ddod â nyth aderyn i'w rhoi ger y goeden fechan a honno'n symbol o'i gariad tuag at Linda mae'n siŵr a'r llinell honno 'Hi fu fy nyth, hi fy nef, / Fy nawdd yn fy nau addef'. Do, fe aeth enaid Waldo i'r nefoedd ar ddydd Iau Dyrchafael o bob diwrnod."

Yng nghanol ei llif o atgofion ceisiais awgrymu hwyrach y byddai'n well pe byddem yn dychwelyd trannoeth i'w gweld am ein bod heb swpera na chanfod llety yn Cahir ar y pryd. Er doedd hynny ddim yn bryder chwaith am ein bod wedi sylwi ar nifer o lefydd yn cynnig llety wrth seiclo i'r cwfaint. Doedd dim prinder tafarndai na llefydd bwyta yn y dre ac er ei bod yn hwyrhau pa raid pryderu? Gofynnais a fedrai awgrymu llefydd addas ar ein cyfer. Ond yn hytrach nag ateb ar ei phen, fe'n siarsiodd i aros yn ein hunfan tra byddai'n ymholi. Pan ddychwelodd, fe'n gwysiodd i'r gegin lle'r oedd swper o gigoedd oer a salad yn ein disgwyl gan gynnwys shetni o wneuthuriad y lleianod a jam o'u heiddo hefyd i'w roi ar y bara soda. Am wledd annisgwyl a chwmpeini rhadlon wrth i un arall o'r lleianod, y Chwaer Josephine, a fu'n dysgu yn Hwlffordd am gyfnod, ymuno â'r tri ohonom wrth y bwrdd.

Roedd y sgwrsio'n rhydd ac yn rhwydd wrth i ni fwyta ein gwala ac wrth i ni gael ar ddeall fod un o'r Chwiorydd wedi cysylltu â chydnabod yn y dref a fyddai'n rhoi llety i ni dros nos. Chwarddai'r Chwaer Bosco'n braf wrth gofio am ei hadnabyddiaeth gynnar o Waldo.

"Fe fyddwn i'n mynychu ei ddosbarth nos ar lenyddiaeth Gymraeg ac yn dysgu'r iaith yn ei gwmni. Dwi'n cofio bu raid rhoi'r gorau i'r dosbarth am gyfnod pan oedd Waldo'n sefyll etholiad cyffredinol ond wedyn fe ailgydiodd yn y dosbarth yn Hwlffordd. Nawr, doedden ni ddim yn siŵr beth i'w ddweud wrtho am nad oedd wedi'i ethol yn aelod seneddol. Dyma fi'n mentro dweud, 'Wel, mae'n siŵr ei bod hi'n anodd i chi orfod dod 'nôl at y dosbarth'. Fel fflach dyma fe'n dweud, 'Na, dim o gwbl, llawer gwell na gorfod mynd i San Steffan'.

"Cofiwch, fydde hi ddim yn hawdd bob amser yn y dosbarth. Weithiau fe fyddai'n huawdl iawn a phryd arall ceid adegau hir o ddistawrwydd. Falle y bydde fe wedi ysgrifennu llinell o farddoniaeth ar y bwrdd ac yn myfyrio uwch ei phen am rai munudau wedyn mewn distawrwydd. A bydde'r hyn a oedd ganddo yn y ces bach wastad yn ddirgelwch. Dwi'n cofio un tro pan oedd yn byw yn Great Harmeston, ac wedi bod yn sâl am gyfnod, dyfalu ei fod siŵr o fod yn cario meddyginiaeth yn y ces. Ond, na, pan agorodd y ces yr hyn oedd ynddo oedd afalau ac orennau ac nid ar ei gyfer ei hun ond ar gyfer plant Jim a Winnie Kilroy yn Great Harmeston. Fe fydde fe wastad yn meddwl am eraill.

"Roedd nifer ohonon ni'n deyrngar iawn i'w ddosbarth am ein bod yn sylweddoli cymaint oedd Cymru a'i llenyddiaeth yn ei olygu iddo. Byddai Sam James a'i wraig, Vera, yno o Scarrowscant Lane. Roedd gan Waldo ddiddordeb mawr yn llenyddiaeth a hanes Iwerddon hefyd a byddwn i'n ei gynorthwyo trwy drefnu iddo ymweld â llefydd yn Iwerddon. Dwi'n cofio un tro iddo agor ei ges bach a dyna lle'r oedd copi Gwyddeleg o hunangofiant enwog Tomás Ó Criomhthain o fywyd ar Ynysoedd y Blasket a doedd hwnnw ddim yn llyfr hawdd i'w ddarllen hyd yn oed i'r sawl a oedd yn rhugl yn y Wyddeleg."

Wrth i'r sgwrs dasgu i bob cyfeiriad ac wrth i'r Chwaer Bosco gael ei phrocio gan ei chyfeilles o bryd i'w gilydd, pan oedd ei chlyw'n profi'n ddiffygiol, teimlem ein bod yng nghwmni hen gydnabod, a'n cyfeillgarwch wedi'i seilio ar adnabyddiaeth o berson arbennig a oedd yn ewythr i un ohonom a thipyn o eilun, os dyna'r gair cywir i ddisgrifio edmygedd o berson sy'n gyfystyr â pharchedig ofn, i'r gweddill ohonom.

Wrth alw i gof y Gymraeg a ddysgodd Waldo iddi, soniodd y Chwaer Bosco pa mor anodd oedd cyfieithu union ystyr y gair 'hiraeth' a pha mor arbennig oedd ei ystyr yn y Gymraeg a pha mor emosiynol oedd ei ystyr i bob Cymro. Mynnodd Teifryn, â'i dafod yn ei foch, nad oedd ei ystyr yn ddim ond rhamantiaeth sentimental wrth i bobol edrych ar ryw orffennol pell trwy sbectol euraid. Chwarddodd y Chwaer Bosco'n harti gan ddweud bod gan Teifryn yr union un hiwmor â'i wncwl.

"Dyna'n union beth fyddwn yn ei ddisgwyl i Waldo ei ddweud. Fe fyddai'n amal yng nghanol sgwrs ddwys, pan fyddai pob agwedd o fywyd Iwerddon wedi bod o dan y chwyddwydr, ac ynte wedi dangos bod ganddo gryn wybodaeth am y wlad, yn ateb y cwestiwn, 'Beth yw'r peth pennaf sy'n eich taro chi am y wlad?' trwy ddweud, 'Y bara brown'!"

Gyda hynny, dyma'r ddau ohonom yn ymestyn am dafell arall o'r bara soda er mwyn taenu'r jam cartref drosto a chymryd ail os nad trydedd ddishgled o de gan ddweud ein bod yn cytuno â dyfarniad Waldo. Ond a wyddai hi beth oedd i gyfrif am ddiddordeb Waldo yn hanes Iwerddon?

"Wel, dydw i ddim yn siŵr, ond y cysylltiad rhwng y seintiau cynnar a'r ieithoedd fwy na thebyg. Dwi'n meddwl ei bod yn fwriad ganddo i sgrifennu un gerdd fawr am Iwerddon a dyna pam roedd wedi bwrw ati i feistroli'r Wyddeleg a threulio cymaint o amser yn y wlad. Roedd e am sôn am arwyr y wlad – nid y rhai treisgar – ond pobl fel Terence McSwiney, maer Cork, a ferthyrodd ei hun trwy ymprydio am 74 diwrnod yng ngharchar Brixton, a Pádraig Pearse a wnaeth gymaint dros yr iaith ymhlith plant ym mlynyddoedd cynnar y ganrif ddiwethaf.

"A dweud y gwir roeddwn yn gweld tebygrwydd mawr rhwng Pádraig Pearse a Waldo am eu bod o'r un anian ac yn medru anwylo eu hunain i blant drwy ymuno â'u bydoedd nhw. Meddyliwch am Waldo yn dod â llond côl o bapurau i'r wers a'r plant yn methu'n deg â deall beth oedd ar fin digwydd wrth iddo ddweud wrthyn nhw am wasgu'r tudalennau yn beli. Wedyn, dyma fe'n dewis un plentyn i sefyll ar ganol y llawr ac yn gosod crys gwyn amdano. 'Dyna chi, dyn eira, ewch ati i dowlu peli eira ato,' oedd y gorchymyn wedyn. Byddai'n dysgu geirfa a chystrawennau yng nghanol y chwarae a'r plant wrth eu bodd yn dysgu heb sylweddoli eu bod yn gwneud. Byddai crybwyll yr enw Pádraig Pearse yn ei gwmni yn ddigon i'w gynhyrfu am fod ganddo gymaint o gydymdeimlad â dyheadau'r dyn dros ei wlad."

Sut wnaeth hi gyfarfod â Waldo yn y lle cyntaf?

"Wel, roedd hynny'n ddoniol iawn. Roedd y Chwaer Ignatius a minnau wedi mynd i wrando ar ddarlith yn Saesneg gan Bob Owen, Croesor, yn Ysgol Taskers, Hwlffordd, ym mis Chwefror 1959. Rhaid cyfaddef nad oeddwn yn deall llawer ohono am fod ei acen Saesneg mor Gymreig ond rhyfeddem fel y dywedai 'Bobol annwyl!' bob hyn a hyn nes i ni ddechrau cyfrif pa mor amal fyddai'n ei ddweud. Ar y diwedd fe ofynnodd rhywun gwestiwn iddo nes iddo gynhyrfu'n lân ac ateb yn Gymraeg ac fe gynyddodd y 'bobol annwyl!' seithgwaith wedyn.

"Ond wrth i ni baratoi i adael dyma ddyn mewn sbectols bach crwn, hen ffasiwn, yn ein cyfarch ac yn ein holi a oeddem yn dysgu Cymraeg. Ninnau'n dweud ein bod yn gwneud ein gorau trwy ddarllen llyfr Caradar a dyma fe'n ein cyflwyno i ddyn o'r enw 'Williams' wedyn, a oedd braidd yn swil. Sut bynnag, dyma ni'n ymuno â dosbarth Cymraeg 'Williams' yn Ysgol Prendergast ar y nos Fawrth ganlynol a chael cwmni gwas sifil o'r enw Idris Jones; gweinidog Methodist, y Parch. Burden o Milffwrd a'r Crynwr, Jim Kilroy. Y dyn â'r sbectol gron, wrth gwrs, oedd D. J. Williams a'r 'Williams' oedd Waldo."

Sut brofiad oedd hi i fod yn y dosbarth?

"Wel, roeddwn i'n mwynhau. Roedd Idris Jones yn hoff o ddadlau am bynciau crefyddol gan amlaf a byddai ambell egwyl yn hynod ddiddorol. Nawr, mae'n anodd dweud bod Waldo'n defnyddio unrhyw ddull penodol wrth ein dysgu mwy na bwrw ati i'n heintio â'i gariad at Gymru a'r Gymraeg. Dwi'n cofio fel y talodd swyddog o'r awdurdod addysg ymweliad â'r dosbarth y noson honno gan ddweud na fyddai'n bosib cynnal y dosbarth gyda chyn lleied o aelodau. Aethom ati i genhadu a denu rhagor wedyn ond lleihau wnaeth y rhif eto ac erbyn diwedd y tymor penderfynwyd y byddai'r pump ohonom a oedd yn dal yn ffyddlon, yn cyfarfod mewn ystafell yn Ysgol y Fair Ddihalog.

"Wedyn, hwyrach na fyddai'r pump ohonom yn bresennol bob tro a byddai Waldo'n mynd yn benisel. Rai blynyddoedd wedyn pan oedd y nifer yn disgyn eto dwi'n cofio'r Chwaer Alacoque, a oedd newydd ymuno â'r dosbarth, yn dweud wrth Waldo am beidio â phoeni, am fod pob dosbarth yn colli aelodau wrth i'r tymor fynd yn ei flaen gan gynnwys y dosbarth Daeareg. Ymateb Waldo oedd dweud nad oedd perygl i'r creigiau ddiflannu o gymharu â'r Gymraeg.

"Dwi'n meddwl mai ar y ffordd adref o un o'r dosbarthiadau hyn y bu Waldo'n esbonio i'r tair ohonom sut oedd torri i mewn i dŷ. Roedd e newydd dreulio cyfnod yng ngharchar am beidio â thalu treth incwm. Wel, meddyliwch, pa ddiben fyddai gwybodaeth felly i dair lleian nad oedd yn debyg o droi'n lladron? Ond, dyna i chi Waldo, yng nghanol y dwyster roedd yna ddireidi bob amser. Ie, dyn annwyl iawn," meddai Nora Costigan wrth i ni godi o'r bwrdd bwyd.

Cawsom ddau bryd o fwyd y diwrnod hwnnw mewn amgylchiade cwbwl wahanol, ar ddau ben y diwrnod, ond y ddau yr un mor gofiadwy. Cawsom gyflwyniad i groeso Iwerddon ben bore ac achlysur a glymai gwlwm rhwng dwy wlad gyda'r hwyr, wrth hel atgofion am ddyn a garai'r gore a berthynai i'r ddwy wlad. Mae'n rhaid fod y Chwaer Bosco wedi gweld y goleuni a'r gogoniant a berthynai i Waldo yn gliriach na neb. Gofalodd am ei anghenion corfforol a'i anghenion ysbrydol yn ddiofn yn ystod ei waeledd olaf ac ynte ei hun wedi dychwelyd i ystâd y plentyn bach. Gorlifai ein ffiole wrth seiclo trwy'r strydoedd yn y gwyll gyda cherbyd y Chwaer Josephine yn ein tywys i'r llety ar sgwâr y dref wrth ymyl y cerflun efydd a godwyd i gofio am y pibydd dall, Edward Keating Hyland.

19

An Daingean a'r siwrne ofer

DIHAFAL OEDD CROESO Liam Roche, y lletywr, y noson honno. Adwaenai leianod y cwfaint yn dda ac roedd eu geirda nhw amdanom yn amlwg yn cyfrif llawer yn ei olwg. Tebyg ei fod eisoes wedi clywed rhywfaint o'n hynt pan gysylltodd un ohonyn nhw ag ef ar ein rhan a pharod oedd i wrando ar ein stori lawnach. Gresynai fod y cwfaint, a arferai fod yn gartref i ddeugain a mwy o leianod wedi ymddeol, bellach yn gartref i lond dwrn yn unig. Ond derbyniai fod hynny'n arwydd o'r amserau o ran y newid crefyddol yn y wlad ac nid oedd, o reidrwydd, yn beth drwg bod cyn lleied o ferched yn dewis gyrfa fel lleian mwyach.

Pan drafodwyd pryd byddem yn dymuno brecwasta drannoeth rhaid oedd datgan y bydde hynny'n dibynnu ar faint o'r gloch roedd y trên cynnar yn gadael tua'r gorllewin. Cadarnhaodd Liam y byddai'n gadael chwap wedi saith o'r gloch ac na fydde'r un trên arall yn rhedeg wedyn tan y prynhawn. Cytunwyd y byddem yn cael brecwast ysgafn tua hanner awr wedi chwech gan feddwl y medrem fwyta pryd llawnach yn ddiweddarach yn y bore yn un o'r trefi lle byddem yn gorfod oedi wrth newid trên. Parhaodd y sgwrsio wrth i Liam sôn am hynt ei deulu a'i fenter ynte'n gweld ei gyfle dros ugain mlynedd ynghynt i sefydlu busnes gwely a brecwast. Yn wir, roedd naws y cyfnod cynharach hwnnw i'w deimlo yn yr adeilad, o ran ei olwg ac o ran ei ddodrefn.

Aeth Liam ati i ferwi'r tegell i wneud llond tebot o de ar ein cyfer erbyn i ni ymgyfarwyddo â'n hystafell wely. Tynnwyd fy sylw at y wybodaeth oedd wedi'i fframio ar y wal am Edward Keating Hyland, y pibydd dall lleol a gollodd ei olwg yn bymtheg oed oherwydd y frech wen. Fe'i hystyrid ymhlith y goreuon yn y wlad yn ei ddydd. Cyfansoddodd yr alaw 'Hela'r Cadno', a gwelodd y Brenin Siôr IV yn dda, pan oedd ar ymweliad â Dulyn ym 1821, i roi hanner can gini i'r cerddor dall i brynu set o bibau Gwyddelig newydd. Rhaid oedd bwrw golwg fanylach ar y cerflun oedd wedi'i godi i gofio'r pibydd gerllaw drws y gwesty a hynny'r noson honno am y bydde amser yn brin fore trannoeth bid siŵr. Roedd Liam Roche yn Wyddel a ymfalchïai yn ei dras a'i hanes.

Wrth ddrachtio'r te penderfynwyd y bydde'n syniad i fynd am dro i weld ble'n union roedd yr orsaf reilffordd rhag peri penbleth ben bore ac, ar yr un pryd, cytunem y byddai'n waradwyddus ar ein rhan pe na baem yn blasu'r Guinness cyn clwydo. Teimlwn ryw ysgafnder o'r newydd yn fy mynwes oherwydd pa well dull o ganu'n iach i ddiwrnod lled helbulus na drachtio diod genedlaethol y wlad heb yr un gofid yn y byd, gan ddymuno gwell yfory i'n gilydd.

Rhaid cyfaddef bod y cerflun i'r pibydd a fu farw ym 1845 yn Nulyn yn 65 oed yn un urddasol. Gallwn weld ei fod wedi colli ei olwg a bron y medrem glywed y sain a ddeuai o'r pibau *uilleann* ar ei arffed. Mae'n rhaid bod y Gwyddelod yn fwy parod na'r Cymry i gofio am ladmeryddion eu cerddoriaeth draddodiadol. Oes yna gerflun o delynor neu grythor Cymreig wedi'i godi'n rhywle i gofio am eu cyfraniad i gynnal traddodiad? Beth am y gerdd honno gan W. B. Yeats dywedwch, 'The Fiddler of Dooney', un o hoff gerddi Waldo, mae'n debyg? Ystyriai'r bardd fuchedd y ffidlwr yn uwch nag eiddo'r offeiriad am fod ei gerddoriaeth yn gydnaws ac yn gyfystyr â sŵn tonne'r môr.

Wrth ddilyn cyfarwyddiade Liam tuag at yr orsaf reilffordd buom yn bwrw golwg ar sawl bwyty a thafarn, gan ddod i'r casgliad y bydde un o'u plith yn siŵr o'n hymhŵedd ar y ffordd 'nôl. Doedd yr orsaf yn ddim mwy na phlatfform a chysgodfa fechan wedi'u hamgylchu gan adfeilion a oedd yn brawf o brysurdeb a fu mewn dyddie pan oedd masnach yn ddibynnol ar reilffyrdd. Gwyddem i ba gyfeiriad i deithio ben bore, felly, a gwelsom na chymerai fwy nag ychydig funude ar gewn beic. Anwybyddwyd y tafarndai swnllyd yr olwg a dewiswyd tafarn nad oedd iddi ffenestr yn dangos ei thu fewn ond, serch hynny, roedd hysbyseb y tu fas yn dweud bod gwasanaeth trefnu angladde yn cael ei gynnig hefyd. Penderfynwyd mai'r gwasanaeth disychedu roedd ei angen arnom ni'n dau yn hytrach na chael ein mesur ar gyfer arch a'n pêr eneinio.

Ystyriai'r tafarnwr hi'n grefft i dynnu'r Guinness am ein bod wedi hen wneud ein hunain yn gysurus wrth fwrdd cyn bod y ddau wydr yn barod ar ein cyfer. Roedd y criw a oedd wrth y bar yn amlwg yn ffyddloniaid ac yn adnabod ei gilydd yn dda. Doedd dim angen i'r tafarnwr ofyn i'r un ohonyn nhw pa ddiod roedden nhw'n ei dymuno wrth iddyn nhw ymestyn eu gwydre gweigion tuag ato. Cymerai dwy o'r gwragedd gryn ddiddordeb yn y gystadleuaeth 'Rhosyn Tralee', a ddarlledid yn fyw ar y teledu uwch eu penne, gan chwerthin yn harti o bryd i'w gilydd. Ni cheisiom dynnu sgwrs â neb am y bydden nhw'n siŵr o wynebu'r un drafferth i ddeall ein hacenion ni ag y caem ni i ddeall eu hacenion nhw.

Prin fod y peint cyntaf wedi cwrdd â'r ochre wrth iddo lifo lawr y lôn goch. Irwyd fy llwnc ar gyfer yr ail beint. Trafodwyd amserlen debygol ar gyfer trannoeth gan fynegi'r gobaith o gyrraedd Dingle, neu An Daingean, yn gynnar yn y prynhawn er mwyn dod o hyd i'r Dr Patrick Fenton. Gwyddwn ei fod yn ei ystyried ei hun yn un o gyfeillion Waldo. Doedd y ffaith nad oeddem wedi cysylltu ag ef i ddweud ein bod ar ein ffordd ddim yn mennu dim arnom. Doedd y ffaith na wyddem ei gyfeiriad na'i rif ffôn yn poeni dim arnom chwaith. Mae'n siŵr y bydde pawb yn An Daingean yn ei adnabod ac yn medru ein cyfeirio at ei gartref, a derbyn nad oedd wedi mynd i ffwrdd, wrth gwrs. Gwyddwn ychydig o'i hanes pan fu'n fyfyriwr ac yn offeiriad yng Nghymru ac iddo ddysgu Cymraeg trwy weithio ar ffermydd.

Roeddwn i'n barod am y trydydd peint ac yn barod i'w

archebu a thalu amdano ar ôl sylwi mai doeth yw gwneud hynny pan fydd y peint sydd yn eich gafael yn dri chwarter gwag. Doedd dim brys arnaf i adael y dafarn fach gysurus. Gwyddwn mai siwrne fer oedd hi 'nôl i'r llety. Roedd rhywbeth am yr holl waith coed yn y dafarn a'i gwnâi'n apelgar. Pa eisie gwell, meddyliwn wrth ymestyn fy nghoese i'w llawn hyd? Ond doedd Teifryn ddim am ddiferyn arall ar unrhyw gyfrif. Doedd dim troi arno. Ceisiais ei ddarbwyllo y byddai Liam yn siŵr o'n dihuno yn y bore ac nad oedd yna'r un gofid ynghylch hynny. Onid oedd y ddiod ddu yn fwyd ac yn ddiod, meddwn, a hithe bron yn ddyletswydd arnom i fuddsoddi mewn un gwydraid arall yr un? 'Un am y ffos,' chwedl bois Tafarn Sinc ym mhentref Rhos-y-bwlch, meddwn, gydag angerdd. Ond troedio am yn ôl fu raid heb drydydd lenwi.

Fore trannoeth yn blygeiniol cyhoeddodd Teifryn nad oedd wedi cysgu'n esmwyth. Credaf i minne fod ar ddihun am gyfnode meithion hefyd. Roeddwn yn fwy argyhoeddedig nag erioed mai'r cwtogi a fu ar y feddyginiaeth y noson cynt fu'n gyfrifol am hynny. Esmwyth gwsg cawl erfin a thri pheint o Guinness, meddwn i. Ta waeth, er i Liam geisio hwrjio brecwast anferth arnom, rhaid oedd ymwrthod a chyfyngu ein hunain i dost a dishgled o de cyn mynd i chwilio am y beicie yn y cefn, cyfarch gwell i'r cerflun o'r cerddor, a bant â ni am yr orsaf â'r gwynt yn ein hwylie.

Pan gyrhaeddom yr orsaf doedd neb yno. Ond cyn i ni ddechre dyfalu ein bod wedi colli'r trên cyrhaeddodd teithwraig yn drwm o fagie a chesys. Ni fu Teifryn fawr o dro yn holi ei pherfedd a chawsom ar ddeall nad oedd yn teithio ar y trên yn gyson ond ei bod yn arfer galw heibio am saith o'r gloch ond bod sôn wedi bod am newid yr amser i hanner awr wedi saith. Er mwyn bod yn sicr na chollai'r trên roedd wedi cyrraedd erbyn saith o'r gloch, meddai, er mwyn cyrraedd Dulyn erbyn hanner dydd yn hytrach na dal yr ail drên o Cahir yr amser hwnnw. Yn wir, wrth iddi sylweddoli nad oedd unrhyw falais na'r un cymhelliad tywyll yn holl holi Teifryn fe ddechreuodd feddalu ac agor ei chalon.

Doedd neb ond ni ein tri ar y platfform am getyn ac aed ar drywydd hanes diflaniad y rheilffyrdd, a'r ffaith fod yr union un roedden ni ar fin ei defnyddio o dan fygythiad, am fod cyn lleied o ddefnydd arni. Cawsom gyfle i ddychmygu'r holl brysurdeb a arferai fod yno cyn i'r mieri dyfu'n wyllt a thagu pob dim, heblaw am ambell lwyn a choeden anghyffredin, a ddynodai fod rhywrai ar un adeg wedi cymryd balchder mewn cadw border a gardd. O dipyn i beth cyrhaeddodd teithwyr eraill nes bod yna dorf o hanner dwsin ohonom yno erbyn i'r trên gyrraedd am hanner awr wedi saith. Tish baw, medrem fod wedi bwyta ein gwala o frecwast wedi'r cyfan a fyddai wedi'n cynnal am weddill y dydd. Wyddai Liam ddim am y newid yn yr amserlen oherwydd prin ei fod am gael gwared arnom mor gynnar a gallai ynte hefyd fod wedi gorwedd yn ei wely am hanner awr arall.

Rhaid oedd oedi er mwyn newid trên yng Nghyffordd Limerick i fynd i Mallow. Cafwyd cymorth gan un o'r swyddogion rheilffordd i osod y ddau feic yn rhan bellaf y trên oedd wedi'i neilltuo ar gyfer cludo pob math o geriach trwm. Ymddengys nad oedd neb ond y swyddog yn abl i agor y dryse mawr ac fe'n hysbysodd y bydde ar gael ar ben ein siwrne i wneud hynny. Rhyfeddod penna'r daith ar hyd dyffrynnoedd ffrwythlon yng nghesail mynyddoedd anferth oedd clywed cyhoeddiade cyson dros yr uchelseinydd mewn Gwyddeleg am yn ail â Saesneg. Gwnâi i ni deimlo ein bod mewn gwlad ddieithr lle rhoddai'r trigolion bwys ar eu hiaith frodorol. Clywsom rai o'r swyddogion ifanc ar y trên yn sgwrsio â'i gilydd mewn Gwyddeleg, am wn i.

Cyrhaeddwyd Mallow pan oedd ambell wlithyn yn dal heb sychu yng ngwres yr haul. Ymestynnodd y ddau ohonom ein cyhyre gan ddylyfu gên yr un pryd wrth sefyll ar y platfform ger y drws lle disgwyliem i'r swyddog ei agor er mwyn cyrchu'r ddau feic. Ni phryderem yn ormodol pan welsom y swyddog, a fu'n ein rhoi ar ben ein ffordd yng Nghyffordd Limerick, yn cerdded yn sionc i'r cyfeiriad arall gan gludo bag ar ei gefn fel petai wedi cwpla ei ddyletswydde am y diwrnod. Byddai'n siŵr o ddychwelyd pan fydde wedi cyflawni pa orchwyl bynnag oedd ganddo ar y gweill, meddyliem, er yn lled betrusgar wrth edrych ar ein gilydd. Na, mater o fod yn ffyslyd a thrafferthus fydde gweiddi arno, mae'n siŵr; tynnu sylw at ein hunen heb fod angen. Ond pan nad oedd golwg ohono'n dychwelyd, a'r trên wedi'i wacáu o deithwyr ac, yn wir, teithwyr eraill yn esgyn iddo, dechreusom boeni go iawn.

Ni wyddem sut oedd mynd ati ar ein penne ein hunain i agor y drws anferth a lletchwith yr olwg. Gwelodd teithiwr a safai wrth ein hymyl ein picil ac awgrymodd y dylem dynnu'r beic o'r carej pellaf ac i'r coridor a'i dynnu mas trwy ddrws arferol y teithwyr. Llamais ar y trên i weld a oedd hynny'n bosib. Datgymalais fy meic o'r lloc a'i lusgo at y drws. Roeddwn ar fin gwthio olwyn flaen y beic trwy'r drws i ofal Teifryn ar y platfform pan ddechreuodd y trên symud. Yffach gols, beth oedd yn digwydd, gwedwch? Ond, popeth yn iawn, arafodd y trên drachefn ond dim ond am eiliad cyn cynyddu ei gyflymder a'i gleuo hi o'r orsaf. Arswyd y byd!

Dyna lle'r oeddwn ar y trên a dau feic yn fy meddiant. Dyna lle'r oedd Teifryn ar y platfform yn Mallow a dwy sach gewn yn ei feddiant. Roedd fy ffôn yn fy sach a doedd dim modd i mi gysylltu â Teifryn, felly, na chwaith iddo ynte gysylltu â mi. Gollyngais y beic yn y fan a'r lle a rhuthro ar hyd y carejis i chwilio am swyddog. Gwelais ddynes fechan yn y pedwerydd carej wrth y cownter bwyd a chredaf iddi gynhyrfu'n lân o weld yr olwg a oedd arnaf cyn i mi yngan gair. Mynnais ei bod yn atal y trên yr eiliad honno am fy mod ar hanner ei adael. Doedd dim modd iddi wneud hynny, meddai. Ofnais fod fy mhwyll ar fin fy ngadael.

Cynddeiriogais yn saith gwaeth. Gwelais fod y ddynes yn ceisio cysylltu â rhywun ar ryw fath o ffôn mewnol. Am eiliad cefais ras i geisio adfeddiannu fy hun am ei bod newydd fy nharo ei bod hwyrach yn trefnu i heddlu arfog ddod ar y trên i ddelio â gwallgofddyn. Dywedodd rhyw chweched synnwyr wrthyf am esbonio fy mhicil yn rhesymol cyn y byddwn yn cael fy nghloi mewn cadwyne a'm rhyddid yn cael ei ddwyn oddi arnaf a'r ddau feic yn cael eu harchwilio gan arbenigwyr fforensig.

"Gwrandwch. Mae'n ddrwg 'da fi. Ond roeddwn i'n ceisio tynnu fy meic oddi ar y trên pan ddechreuodd y trên symud. Ma rhaid i fi ddal trên arall i gyfeiriad Killarney yn Mallow. Ma fy nghyfaill ar y platfform yno'n disgwyl amdanaf. Mae ei feic ynte ar y trên hwn hefyd. Ddyle rhywbeth fel hyn ddim digwydd. Dewch nawr, whare teg, mae'n rhaid i'r trên fynd 'nôl ar unwaith. Dwi mewn picil," meddwn ar ras.

Synhwyrwn ei bod yn disgwyl ei chyfle i ddweud gair ers meitin a'i bod, beth bynnag, yn hen bryd i finne dynnu anadl ddofn o'm hymysgaroedd rywle.

"Ie, mae'n ddrwg 'da fi ond sdim byd y galla i ei wneud ar hyn o bryd. Fe gaf i air gyda'r swyddog 'nôl yn yr orsaf mewn munud i esbonio'r sefyllfa iddo," meddai, a hithe'n dal mewn tipyn o gynnwrf ac yn amheus ohonof.

Rhaid oedd i mi regi yn Gymraeg o dan fy ngwynt a cheisio atal y llif o eirie oedd yn ymffurfio yn fy ymennydd ac ar fin cyrraedd fy nhafod.

"Bydd rhaid i chi ddod gyda ni ar y siwrne i Cork nawr..."

"Beth? Cork?"

Doedd fy ngwybodaeth o ddaearyddiaeth y wlad ddim yn glir iawn ar y pryd. Gwyddwn fod Cork rhywle ar hyd arfordir y de-ddwyrain o Waterford a finne'n credu ein bod eisoes yn ddwfn yng nghanolbarth y wlad. O wybod pa mor anamal y rhedai'r gwasanaethe trên ofnwn na fuaswn yn medru dychwelyd i Mallow tan drannoeth.

"Cork? Cork!" bloeddiais wrth i'r pwysedd gwaed godi.

"Ie, ond fe gewch ddod 'nôl gyda ni wedyn o'r fan honno..."

"Ond pryd fydd hynny? Heno? Bore fory? Trennydd? Tradwy..."

"Ymhen tri chwarter awr," oedd yr ateb.

Llyncais fy mhoeri. Fe'i llyncais drachefn nes bod fy ngheg yn sych.

"Odych chi'n siŵr?" ymbiliais, am yn ail ag ymddiheuro am fy nghyflwr.

"Yn berffaith siŵr. Garech chi rywbeth i yfed a rhywbeth i'w fwyta ar draul y cwmni, syr?"

"Diolch."

"Dyna ni. Os ewch chi i eistedd, mi ddof â diod a byrbryd i chi cyn pen dim, syr."

Euthum yn fy ôl i osod y beic yn ei le drachefn cyn eistedd i ystyried fy mhicil. O leiaf roedd y bagie yng ngofal Teifryn. Beth petai Teifryn wedi bod ar y trên hefyd yn ceisio llusgo ei feic oddi arno? Bydde'r bagie ar y platfform ar eu penne eu hunen wedyn a dyn a ŵyr beth fydde wedi digwydd iddyn nhw? Peidiodd y chwys oer wrth i'r ddynes osod cwpan plastig o de, *croissant* a chacen ffrwyth ynghyd â chopi o'r *Irish Times* o fy mlaen. Ychwanegodd fod y swyddogion yn Mallow yn gwybod am y sefyllfa erbyn hyn.

Prin ei fod yn frecwast cyflawn chwaith a hwyrach y dylaswn fod wedi gofyn am weld y fwydlen er mwyn archebu pryd cynhwysfawr ar draul y cwmni, ond doedd y meddwl ddim yn gweithio'n ebrwydd ar y pryd. O leiaf byddai gennyf ddigon i gnoi cil yn ei gylch pe darllenwn pob erthygl a oedd yn y papur dyddiol trwm ac, erbyn hynny, tebyg y byddwn wedi bod yn Cork ac wedi dychwelyd i Mallow.

Yn wir, ymhlith yr holl erthyglau hyglod a roddai olwg Wyddelig ar y byd a'i bethe roedd un yn arbennig a dynnodd fy sylw gan neb llai na Fintan O'Toole, y gŵr y bûm yn pori yn ei lyfr am hanes ei wlad echnos. Roedd yna lun ohono uwchben yr erthygl wrth ymyl y pennawd a ddywedai, 'Llais sy'n ein cysylltu â'r gorau yn niwylliant Iwerddon'. Roedd yn erthygl ysblennydd a goludog am Mícheál Ó Muircheartaigh, sylwebydd radio gêmau pêl-droed Gaeleg, a oedd newydd ddathlu ei ben-blwydd yn bedwar ugain oed ond heb roi'r gore i ddisgrifio'r gêmau mewn modd meistrolgar a oedd yn fiwsig i glustie Fintan.

Priodoleddai lwyddiant Mícheál nid yn gymaint i'w allu i ddisgrifio gêm ond yn hytrach i gyfleu dawns y chwarae a hynny am ei fod yn berfformiwr traddodiadol ei hun wedi'i drwytho yn nwy iaith y wlad. Roedd gwrando arno, meddai, yn debyg i brofiad y bardd Thomas Kinsella, yn gwrando ar y perfformiwr *sean nós*, Jerry Flaherty yn canu *Casadh an tSúgáin*. Canolbwyntio ar y gân yn hytrach nag ar ei lais ei hun a wnâi'r datgeinydd nes bod y gynulleidfa'n eistedd yn gefnsyth mewn edmygedd ac, o'r herwydd, yn gymaint rhan o'r perfformiad eu hunain ag eiddo'r datgeinydd. Doedd dim llun o Mícheál yn rhan o'r erthygl ond, wrth gwrs, llais radio ac nid wyneb teledu oedd e.

Ar yr un dudalen roedd yna erthygl am swyddogaeth diweirdeb, neu yn hytrach 'ymgadw rhag priodi', o fewn yr Eglwys Babyddol a ddadleuai na ddylai fod yn gyflwr gorfodol ond yn hytrach yn ddewis gwirfoddol yr offeiriad plwyf unigol. Doedd dim yn nysgeidiaeth Crist a fynnai ddiweirdeb yn yr ystyr o ymgadw rhag ymhél â rhyw, am nad oedd wedi traethu ar fater rhyw mwy na chondemnio ysgariad a godineb. Dadleuai'r awdur nad oedd ymwrthod â phriodi yn gyfystyr ag ymwrthod â rhyw am y gellir ymwrthod â rhyw yn y stad briodasol. Dadleuai ymhellach mai moesau'r oes sy'n penderfynu a yw rhyw cyn priodi yn dderbyniol neu, hyd yn oed, rhyw yn ychwanegol i'r cyflwr priodasol, yn dderbyniol neu beidio.

Esboniodd mai datblygiad cymharol ddiweddar, yn yr Oesoedd Canol hwyr, oedd mynnu na ddylai offeiriaid briodi. Cynt roedden nhw'n tueddu i ddal gafael ar eu bywoliaethau o genhedlaeth i genhedlaeth wrth iddyn nhw epilio trwyddi draw nes eu bod yn ddigon grymus i wrthsefyll datganiadau'r Pab. Barnwyd ar gam, wedyn, y byddai offeiriad yn medru gwasanaethu anghenion ei blwyfolion yn fwy effeithiol heb deulu yn tynnu ei sylw oddi ar ei waith beunyddiol.

Condemnia James P. Clancy yr Eglwys Babyddol am ei hagwedd wyrgam tuag at ryw ac am ei gyfystyru â phechod. Ymhellach, condemnia'r colegau offeiriadol am beidio â pharatoi'r offeiriad am fywyd di-briod a sut i ddelio â chwant rhywiol. Does ryfedd, meddai, bod offeiriaid yn ystyried plant o dan eu gofal yn ddim mwy na grifft pechaduriaid ac, o ganlyniad, pan ddigwydd trais rhywiol, perswadir y dioddefwyr i gredu mai nhw yw'r rhai euog a'u bod yn haeddu eu cosbi drosodd a throsodd.

Byrdwn yr erthygl, a oedd yn un o gyfres wythnosol, oedd ei gwneud yn hysbys, dybiwn i, ei bod yn ofynnol i Iwerddon gyfan, a'r Eglwys Babyddol yn benodol, i ailystyried holl batrwm yr offeiriadaeth yn wyneb y modd y cafodd sawl cenhedlaeth o blant eu cam-drin yn rhywiol gan offeiriaid. Ond yn araf y try rhod y sefydliad a chymerth sawl cenhedlaeth i'r Eglwys Babyddol yn y wlad i adennill ei pharch waeth pa gyfnewidiadau a wneir. Yn wir, hwyrach mai cynt y cyferfydd dau fynydd nag y gwna hynny ddigwydd. Tebyg nad drwg o beth pe gwnâi'r sefydliad lacio ei afael ar feddylfryd y wlad.

Ond mae'n rhaid bod awdur yr erthygl fer, ond gynhwysfawr a threiddgar, wedi cyflawni ei orchwyl, ar y dudalen drafod, am ei fod wedi llwyddo i dynnu fy sylw oddi ar fy mhicil o fod yn teithio ar y trên anghywir, oherwydd amryfusedd, ac wedi fy nhynnu i ganol trafodaeth, fel sylwebydd diduedd, ar fater o bwys cenedlaethol yn Iwerddon. Erbyn hyn roeddwn wedi cyrraedd Cork ac ar ôl cadarnhau mai'r trên hwn fydde'n dychwelyd i Mallow, ac nad oedd y carej lle'r oedd y ddau feic ar y pryd yn cael ei ddatgysylltu, penderfynais na fentrwn ar y platfform nac unlle oddi ar y trên rhag ofn...

Wrth gael fy nhynnu i mewn i hynt a helynt cyfoes y wlad sylweddolais mai dibwys iawn oedd fy nhipyn argyfwng inne'r bore hwnnw yn enwedig o fyfyrio dros rai o ddigwyddiade'r gorffennol a gofnodwyd yn llyfr Fintan O'Toole. Meddylier am flynyddoedd y Newyn Mawr pan ddifethwyd y cynaeafe tatws gan falltod rhwng 1845 a 1849 a arweiniodd at ymfudiad dros filiwn o bobl i'r Unol Daleithiau a dinasoedd Lloegr tra bu farw nifer cyffelyb o newyn yn Iwerddon. Mae'r hanesion o dlodi affwysol yn arwain at dranc araf yn lleng am fod ymateb y llywodraeth yn Llundain yn amlwg yn annigonol. Barn Charles Trevelyan, Pennaeth y Trysorlys, a oedd yn gyfrifol am gydlynu cymorth i'r anghenus, oedd bod yna ormod wedi'i wneud dros y Gwyddelod eisoes ac y dylid gadael i'r drefn naturiol gymryd ei chwrs.

Cyhoeddodd y prif weinidog, yr Arglwydd John Russell, yn Nhŷ'r Cyffredin, nad oedd yn credu ei bod yn bosib atal y dioddefaint a'r marwolaethau yn Iwerddon. Y bwriad oedd gadael yr argyfwng yn nwylo grymoedd y farchnad am na ellid peryglu bywoliaethau marsiandwyr trwy fewnforio bwydydd am ddim i'r miloedd o ddioddefwyr. Roedd traean o boblogaeth Iwerddon yn gwbl ddibynnol ar datws i gadw eu hunen yn fyw ac yn rhy dlawd i brynu bara hyd yn oed pan oedd hi'n ddyddie da arnyn nhw; 'Nid yw'n fwriad i fewnforio bwydydd at ddefnydd pobl Iwerddon,' oedd datganiad cignoeth Syr Charles Wood, Canghellor y Trysorlys.

Dadleuwyd mai cyfrifoldeb y landlordiaid oedd gofalu am anghenion eu tenantiaid ond, ysywaeth, doedd Charles Trevelyan ddim yn fodlon i'r landlordiaid gyflwyno cnyde eraill, megis erfin, i'w cynaeafu chwaith.

Doedd tosturi a thrugaredd ddim yn nodwedd amlwg o lywodraeth y dydd tuag at ei dinasyddion ar draws y dŵr a hyn er bod Deddf Uno 1800 yn nodi bod y ddwy wlad i'w trin fel un a'u holl ddinasyddion i gael yr un chware teg. Ond, yn anffodus, ystyriwyd nad oedd y Gwyddel yn fawr gwell nag anifail a deil y ddelwedd ohono ar ei gythlwng yng nghanol pange marwolaeth ar wely o wellt heb ei llwyr ddileu; deil ambell enw, megis Skibbereen, i fod yn gyfystyr â thlodi affwysol.

Erbyn hyn roeddwn wedi dychwelyd i Mallow ond heb dderbyn yr un briwsionyn o faldod ar y ffordd 'nôl. Gwelwn wyneb Teifryn Williams yn wên o glust i glust yn disgwyl amdanaf ar y platfform. Cyn dweud dim amneidiais arno i gyrchu ei feic rhag i mi gael fy hebrwng 'nôl i Cork yr eilwaith. Roedd yn amlwg iddo fwynhau adrodd yr helynt am yr hyn a ddigwyddodd wrth un o'r swyddogion rheilffordd gerllaw gan ei rybuddio, dybiwn i, y byddai anwedd yn codi o'm clustie pan ddychwelwn yn gaclwm wyllt. Cawsom ein tywys gan y swyddog serchog wedyn i lwytho'r ddau feic ar y trên cywir a fydde'n mynd â ni ymhellach i'r gorllewin, sef y trên roeddem wedi bwriadu ei ddal ymron ddwy awr ynghynt wrth gwrs.

Doeddwn i ddim i wybod, wrth gwrs, p'un ai oedd Teifryn wedi mynd ar hwnnw ac yn disgwyl amdanaf, ac am ei feic, mewn rhyw orsaf arall. Ond bydde hynny wedi gwneud pethe'n anodd i mi, yn arbennig pe bai Teifryn wedi mynd â fy sach hefyd am na fyddai gennyf ddim i'w ddangos pwy oeddwn i ac, efallai, y byddai gan yr An Garda Síochána rywfaint o ddiddordeb ynof wedyn gan ame fy mod yn palu celwydde neu yn amlwg ynfyd neu yn fewnfudwr anghyfreithlon o Ddwyrain Ewrop.

Stori fawr Teifryn oedd ei fod wedi bwyta homer o frecwast da mewn caffi tebyg i'r un yr arferai'r ddau ohonom ei fynychu ger gorsaf reilffordd Llanelli. Roedd yn barod am y diwrnod. Doeddwn i ddim yn teimlo fod gen i ddigon o danwydd ar gyfer y dasg oedd o'n blaene ond doedd gen i ddim amser i fentro i'r caffi y bu Teifryn ynddo i wirio ei honiade. Ni fedrwn wneud gwell na tharo heibio'r ciosg ar y platfform i brynu byrbryd a chyflenwad o ffrwythe. Cefais fy nghyfarch gan y ddynes fel petawn yn aelod o un o lwythau coll Israel pan sylweddolodd mai fi oedd gwrthrych yr hyn roedd Teifryn wedi bod yn traethu yn ei gylch wrthi'n gynharach.

Ond y datblygiad pennaf oedd y cyfeillgarwch a ffurfiwyd rhwng Teifryn a merch ifanc, brydferth, o Ethiopia. Mae'n debyg ei bod yn byw'n lleol ac, yn ôl yr hyn y medrem ei gasglu, ar ei ffordd i'w gwaith yn Nulyn. Gwisgai ddillad lliwgar â'i gwallt wedi'i blethu. Siaradai Saesneg da ar y cyfan heblaw am yr adege hynny pan ofynnem gwestiyne penodol iddi ynglŷn â'i gwaith a'i hamgylchiade. Dirywiai ei geirfa'n sylweddol wedyn. Hwyrach petai Teifryn wedi datgelu iddi ei fod yn filiwnydd ac yn chwilio am wraig, byddai wedi'i briodi yn y fan a'r lle heb holi'r un cwestiwn, a byddai ei geirfa Saesneg wedi gwella'n rhyfeddol o sydyn!

Daeth yn amser i ni ymadael ac ymlacio wrth weld y wlad yn mynd heibio, yn diroedd ffrwythlon ac yn fynyddoedd mawrion, nes ein bod yn cyrraedd Farranfore y tu hwnt i

Killarney. Barnwyd mai doethach fyddai disgyn yn y fan honno na mynd yn ein blaene i Tralee a seiclo trwy fynyddoedd Slieve Mish i An Daingean. Roeddem eisoes wedi sylwi ar anferthedd mynyddoedd Boggeragh a Derrynasaggart. Chwilio am ffyrdd gwastad ar hyd yr arfordir oedd y nod. Gore i gyd po leiaf o ddringo bydde'n rhaid i ni ei wneud.

O bryd i'w gilydd prociwn Teifryn i gofio rhai o'r hanesion hynny a wnâi Waldo yn gymeriad mor hynod. Cofiwn inne am yr hanesyn hwnnw a glywais pan benderfynodd ei ewythr bod rhaid cael cloeon newydd ar ddryse'r tŷ cyn ei fod yn mynd i'r Eisteddfod Genedlaethol. Bu wrthi'n ddiwyd am ddiwrnode a chael cymorth cymdogion i gyflawni'r dasg. Ond pan ddaeth adre o'r Steddfod sylweddolodd nad oedd wedi cloi'r dryse cyn mynd i ffwrdd wedyn.

Anodd gan Teifryn gredu mai Rhosaeron fyddai'r tŷ hwnnw am na fyddai'n arferiad i gloi'r dryse yn y fan honno, beth bynnag, a phenderfynwyd mai'r tŷ y bu Waldo'n byw ynddo yng nghyffinie Pont Fadlen, y tu fas i Hwlffordd, y gallai fod.

Gorsaf ddi-nod oedd yn Farranfore, tebyg i Cahir, er yn fwy glanwedd ond, fel honno, ymddengys nad oedd hi heb ei chymeriad petaem yn penderfynu loetran i'w harchwilio. Penderfynwyd mai rheitiach fydde loetran yn y dafarn agosaf er mwyn bwrw golwg ar ein bwriade a dechre'r diwrnod o'r newydd fel petai. Cafwyd diod oer yr un a bûm yn dadle â mi fy hun p'un a ddylwn neilltuo'r amser i fwyta'r 'brecwast' hwnnw roedd ei fawr angen arnaf. Ond ymddangosai nad oedd y tafarnwr ar frys i weini pryde i'r rhai a oedd eisoes yno ers meitin ac ofnwn y buaswn yn afradu gormod o amser petawn yn ychwanegu archeb arall at ei restr. Roedd gennym siwrne o hanner can cilomedr cyn cyrraedd An Daingean ac mae'n siŵr y bydde cyfle i brynu byrbryd ar y ffordd rhywle heb orfod eistedd wrth fwrdd i'w gnoi.

Digon hamddenol, heb fawr o angen dringo rhiwie serth, oedd y cilomedre cyntaf o seiclo i gyfeiriad Milltown ac, yna, ymlaen i gyfeiriad Castlemaine. Bellach, roedd yr haul ar ei fwyaf crasboeth a'r sbectol dywyll yr un mor angenrheidiol â dracht o ddŵr bob hyn a hyn. Cyfnewidiem le ar y blaen wrth lyncu'r milltiroedd a hynny ar hyd ambell ddarn o ffordd yffachol o hir nad oedd iddi dro na gwyriad. Bu'n rhaid oedi wrth orsaf betrol a siop tipyn o bopeth i holi am rowlyn o dâp roedd ei angen ar Teifryn tra manteisiais inne ar y saib i fwyta banana. Ni ddaethpwyd o hyd i dâp du er dirfawr a dyfal chwilio ar ran y siopwr o ystyried yr amser a dreuliodd Teifryn yn y siop.

Yn y cyfamser cyrhaeddodd gŵr yn gyrru car a oedd yn fawlyd o'i fwdgard blaen i'w fwdgard ôl a hwnnw'n gymysgedd o faw, mwd a dom da wedi hen sychu. Mae'n rhaid ei fod yn gorchuddio'r cerbyd ers y gaeaf os nad ers sawl gaeaf. Yn ôl y modd y parciwyd y cerbyd roedd y gyrrwr yn gyfarwydd â'r lle ac, o bosib, yn rhannol gyfrifol am y busnes. Wrth i mi osod fy sach ar fy nghewn ac ymbaratoi i ailafael yn y daith, a Teifryn yr un modd, wedi iddo ildio trwsio'r strapen rydd, rhuthrodd gyrrwr y cerbyd o'r siop gan estyn tâp i gyfeiriad Teifryn. Roedd rowlyn wedi dod i'r golwg wedi'r cyfan. Ond gwrthododd y gŵr bonheddig dderbyn tâl a gwrthododd dderbyn yr hyn a oedd yn weddill o'r tâp yn ôl. Mae'n rhaid ei fod yn falch o gael gwared ohono am ei fod heb lwyddo i'w werthu ers blynyddoedd a dyna pam y bu mor anodd dod o hyd iddo.

Bant â ni ar hyrfa arall. Doedd yr haul yn gwanio dim a rhaid ein bod yn dynesu at hanner ffordd pan sylwais ar dŷ o'r enw Tŷ'r Berllan ar ymyl y ffordd ar y chwith. Doedd Teifryn ddim o fewn pellter gwaedd a rhaid oedd i mi dynnu fy ffôn o'i phoced yn fy sach er mwyn cysylltu ag ef i'w alw 'nôl i roi gwaedd ar ddeiliaid Tŷ'r Berllan. Teimlwn flas dishgled o de ar fy nhaflod os nad dyrnaid o bice ar y maen hefyd. Canwyd y gloch a chnociwyd ar y drws ond doedd dim ateb. Doedden ni ddim am ildio'n rhy hawdd chwaith am fod chwilfrydedd yn drech na mi. Aed am sbec i'r cefn a rhoi gwaedd gyfeillgar. Ond er i ni weiddi 'Oes rhywun getre?' trwy dwll y clo ni chafwyd ymateb.

Gwelwyd sgwter Lambretta yn y cefn a cherbyd a oedd wedi hen weld dyddie gwell er y gwelai Teifryn bosibiliade o'i danio drachefn. Teimlem yn ddigon eofn i sbecian trwy ffenestri'r tŷ i geisio dyfalu pwy a allai fod yn byw yno. Gwelsom lamp colier ar un silff a rhibidirês o lyfre'n ymwneud â threnau a rheilffyrdd. Ni fedrem weld yr un llyfr Cymraeg chwaith ond credem fod yna rai'n ymwneud â Chymru ar silff yn y gornel.

Tebyg y dylem fod wedi gadael nodyn i ddweud ein bod wedi galw, ynghyd â rhife'r ffôns symudol gan esbonio pwy oeddem a beth oedd ein gorchwyl, yn y gobaith y deuai galwad sydyn yn y man a fyddai'n datrys y dirgelwch a boddhau ein chwilfrydedd. Ond pwy a ŵyr, hwyrach fod pwy bynnag a oedd yn byw yno ar eu gwylie 'nôl yng Nghymru ar y pryd? Tebyg na chawn oleuni ar y mater fyth mwy. Beth bynnag, roedd gennym ein tasg i'w chyflawni. Roeddwn am gyfarfod â'r ysgolhaig, y Dr Patrick Fenton cyn nos.

O'r diwedd deuthum i olwg y môr a theimlad y byddem yn siŵr o weld An Daingean yn y pellter wedi'r tro nesaf ond nid felly y bu ac, yn wir, aed heibio sawl tro arall heb i ben draw'r siwrne ddod i'r golwg. Amheuwn fod yr hanner can cilomedr yn debycach i hanner can milltir erbyn hyn. Dechreuai'r haul bensynnu p'un a ddylai fachludo neu beidio. Rhaid oedd oedi i edrych ar fap i weld a gaem oleuni o'r fan honno. Doedden ni ddim wedi cyrraedd Inch eto a rhyw ychydig dros hanner y daith fyddai wedi'i chyflawni wedi cyrraedd y fan honno yn ôl y map. Bwyteais fanana arall ac yfed y diferyn olaf o ddŵr oedd gennyf. Doedd dim amdani ond anelu am Inch cyn cael hoe go iawn a chymryd hyrfa arall wedyn.

Deuai'r golygfeydd ag atgofion o wylie ar hyd y penrhyn a sylweddoliad bod cyrraedd An Daingean yn dipyn cyflymach mewn cerbyd, wrth gwrs, a hynny oedd yn gwneud i'r daith hon ymddangos yn hir yn yr isymwybod. Pe na bawn wedi bod yn y cyffinie o'r blaen ni fyddwn yn gwybod beth i'w ddisgwyl a thebyg na fydde'r dyheu i gyrraedd mor gryf. Doedd gen i mo'r stumog i gasglu atgofion ynghyd wrth weld golygfeydd cyfarwydd yn gymysgfa o dirnode a thafarne cysurus. Pydru arni oedd y nod nawr a cheisio cadw Teifryn o fewn golwg wrth i'w frecwast helaeth ei gynnal ynte. Rhaid oedd i mi ostwng y gêrs i'r man isaf mewn ambell fan a hynny nid yn gymaint am fod ambell ddarn yn serth ond am fod fy nghoese'n diffygio.

O'r diwedd cyrhaeddwyd Inch lle trawai'r tonne'r traeth gan greu yr un gerddoriaeth a glywid gan ffidlwr Dooney nid fy mod mewn hwylie i'w werthfawrogi ar y pryd chwaith. Chwythai'r gwynt yn llym o gyfeiriad yr Iwerydd gan chwipio'r tywod yn gymyle ysgafn ar hyd y traeth bob hyn a hyn nes gwneud i bawb droi eu cefne tuag ato. Euthum ar fy mhen i'r siop i chwilio am ddanteithion a dŵr a fyddai'n fy nghynnal am weddill y daith tan amser swpera. Prynais hufen iâ mawr yr un i ni a'i fwyta gydag afiaith fel taswn yn blasu Guinness cyntaf y dydd. Eisoes tynnodd Teifryn sgwrs â chyd-seiclwyr o'r Almaen yn cludo cynifer o fagie wrth eu beicie nes ei gwneud yn amhosib iddyn nhw dramwyo mwy na rhyw ddeg cilomedr y dydd dybiwn i, a hynny ar y gwaered. Roedden nhw'n cario geriach ar gyfer codi pebyll hefyd. Pawb at y peth y bo.

Dring am i fyny oedd hi am getyn go lew a rhaid cyfaddef y bu raid i mi wthio'r beic droeon heb deimlo unrhyw gywilydd, er bod Teifryn yn llwyddo i bedlo gered. Mewn gwirionedd, doedd dim dewis gen i am fod y coese'n gwynio o bryd i'w gilydd a phob pedlad yn ymdrech. Haws oedd gwthio un droed o flaen y llall heb orfodi'r goes gyfan i droi mewn hanner cylch beunydd. Doeddwn i ddim yn gwneud hyn er mwyn edmygu anferthedd y môr ar fy llaw aswy chwaith am fod fy llyged wedi'u hoelio obry ar y ffordd rhyw deirllath o fy mlaen ar y mwyaf.

Erbyn cyrraedd Anascaul roeddwn yn ddigon bodlon gweld seiclwyr eraill yn gwibio heibio i mi. Roedd y graddiant lleiaf yn dipyn o her erbyn hyn a'r hen haul yn dal i anelu ei belydre tuag ataf nes bod fy nghrys yn chwys domen stegetsh. Yn hytrach na'i fod yn oedi amdanaf byth a hefyd, gorchmynnais Teifryn i fwrw am An Daingean ar ei ben ac y byddwn yno, yn ôl fy mhwyse, cyn iddi dywyllu. Ceisiais gysuro fy hun pan ddaeth pen y siwrne i'r golwg mai yn y boen y mae'r pleser ac na thâl i deithio ar drên neu fws byth tragywydd os am werthfawrogi pob dim â'r pum synnwyr. Mae'n rhaid nad yw seiclo ar hyd yr Alpau yn fwy o her na hyn.

20

Sbectols a'r carthwr moch

NI FÛM BALCHACH o weld pen yr un siwrne. Gwyddwn mai anelu am swyddfa'r Bórd Fáilte oedd y cam cyntaf, a derbyn na fydde wedi'i chau am y diwrnod, er mwyn trefnu llety a chychwyn ein cwest i ganfod Pádraig Ó Fiannachta, i roi i Patrick Fenton ei enw Gwyddeleg priodol. Do, cawsom ein cyfarch yn siriol odiaeth gan y ddwy ddynes y tu ôl i'r cownter yn y swyddfa dwristiaeth. Roedd yn amlwg o'r eiliad gyntaf y treuliasom yn eu cwmni na fydde dim yn ormod iddyn nhw ei wneud ar ein rhan i sicrhau y bydde ein harhosiad yn y dref yn gysurus. Bu rhywfaint o dynnu coes rhyngom.

Gwnaethom sioe o ganmol eu swyddfa eang a'r holl ddewis o lyfre a phob math o dwmbwriach safonol a fydde o ddiddordeb i'r ymwelydd chwilfrydig. Bydd rhaid i ni ddychwelyd eto ben bore i wario ein harian oedd byrdwn ein sylwade. "Mi ydan ni'n gwneud ein gore," oedd ymateb y ddwy gyda'r oslef gerddorol hyfryd yna sy'n rhan mor apelgar o sgwrs y Gwyddelod. Rhaid oedd eu canmol hefyd am siarad Gwyddeleg â'i gilydd wrth i ni'n dau siarad Cymraeg yn eu gŵydd. Ond doedd eu gafael ar y Wyddeleg ddim mor gadarn â hynny, medden nhw.

Ond roeddem mewn ardal a gâi ei chydnabod yn Gaeltachta lle rhoddid blaenoriaeth i'r iaith frodorol am nad oedd erioed wedi llwyr beidio â bod yn iaith naturiol o leiaf rhai teuluoedd hyd yn oed os nad oedd bellach yn iaith gymunedol. Gwelsom eisoes rai busnese yn rhoi lle amlwg i'r iaith Wyddeleg ar eu harwyddion. Roedd y llywodraeth wedi cyflwyno mesure er mwyn ceisio ei chryfhau ac i annog ei defnydd. Pob rhwyddineb i'w hymdrechion ac eli ar y benelin, meddwn ninne.

Ond cawsom ar ddeall, yn ddiweddarach, fod cryn wrthwynebiad wedi bod pan gyhoeddodd y llywodraeth yn ddiweddar mai'r enw Gwyddeleg, sef An Daingean, y dylid ei ddefnyddio'n swyddogol gan hepgor yr enw Saesneg, Dingle. Doedd dim gwrthwynebiad yn yr ardaloedd gwledig oddi amgylch dros fabwysiadu'r enwe Gwyddeleg yn unig ond ofnai'r mwyafrif o drigolion y dref y byddai'r fath gam yn ergyd i'r diwydiant ymwelwyr. Penderfynwyd wedyn, os gwelwch yn dda, mai 'An Daingean' fyddai'r enw Gwyddeleg swyddogol a 'Dingle' yr enw Saesneg swyddogol gan arddangos rhesymeg Wyddelig ar ei gore. Y canlyniad fu ymgyrch brws paent i ddileu'r enw Saesneg ar arwyddion.

Roedd yna sioncrwydd yn holl ymarweddiad y ddwy ddynes drwsiadus wrth iddyn nhw ein holi am ein hanghenion o ran llety. "Lle cysurus o fewn tafliad carreg i gartref Patrick Fenton," meddem. "Dim mwy a dim llai." Oedden, roedden nhw'n adnabod Dr Fenton ac yn gwybod ei fod yn byw wrth ymyl yr eglwys. Roedd pethe'n dechre dod i drefn ar derfyn dydd. Doedden nhw fawr o dro yn canfod lle i ni yn Sraíd Eoin a bydde'r perchennog yn ein goleuo ar sut i gysylltu â Dr Fenton a chyrraedd yr eglwys. Esboniwyd i ni'n eglur sut oedd cyrraedd y llety.

Ond roedd un mater bach arall i'w ddatrys. Pan ofynnwyd a oedd rhywbeth arall y medren nhw ei wneud ar ein rhan atebais yn ddibetrus bod angen pâr o sbectols arnaf, am fy mod wedi gadael fy rhai i ar y siwrne drên honno i Cork y bore hwnnw, heb esbonio pam yr euthum i'r ddinas honno chwaith. Awgrymais, hwyrach, y byddai ganddyn nhw bâr neu ddau o sbectols sbâr mewn blwch eiddo coll. Mae'n siŵr eu bod wedi hen alaru ar gasglu llwch ac yn dyheu am fod yn eu priod le yn pwyso ar drwyn rhywun unwaith eto, myntwn yn hyf. Mae'n rhaid eu bod wedi delio â cheisiade tipyn rhyfeddach yn y gorffennol oherwydd, heb feddwl ddwywaith, dyma'r blwch eiddo coll yn dod i'r golwg ac, yn wir, roedd yna ddewis o sbectols ynddo.

Cefais rwydd hynt i ddewis pâr priodol ac am nad oeddwn yn medru dewis rhwng dau bâr penodol dywedwyd wrthyf am gymryd y ddau bâr. Wel, roedd hi'n bwysig fy mod yn medru gweld trwyddyn nhw yn ogystal â'u bod yn edrych yn drwsiadus ar fy nhrwyn. "Go raibh mile maith agat," meddwn, gan obeithio iddyn nhw ddeall fy mod yn ceisio dweud 'diolch yn fawr mil gwaith drosodd'.

Cyrhaeddwyd y llety o fewn fawr o dro ac yno, wrth y drws, roedd y perchennog yn barod i'n cyfarch yn rhadlon. Doedd ynte fawr o dro yn hulio paned o goffi ar ein cyfer gan ymddiddori yn ein hynt ar yr un pryd. Esboniom ein bod yn awyddus i gysylltu â Dr Fenton am y gwyddom iddo dreulio rhan o'i oes yng Nghymru a'i fod yn gyfaill i fardd nodedig, a oedd yn ewythr i un ohonom. Ein perwyl oedd mynd ar ei drywydd ar gewn beic yn union fel y bydde ynte'n teithio ar draws Iwerddon, meddem. Roedd Maurice O'Connor wedi'i gyfareddu ac yn llawn gwybodaeth am gyfraniad nodedig Patrick Fenton fel offeiriad ac ysgolhaig.

Cawsom ein hebrwng i'r ystafell wely. Ar y pryd doeddwn i ddim yn ddiolchgar mai'r ystafell uchaf yn yr adeilad oedd wedi'i neilltuo ar ein cyfer am fy mod yn cario holl ludded y diwrnod yn fy nghoese. Fy mwriad oedd gorwedd yn fy hyd am getyn, cael cawod a chanfod bwyty cysurus i swpera neu, o ran hynny, i frecwasta. Tra oedd fy llyged ar gau yn dychmygu fy hun yn mynd i'r afael â saig flasus yn un o'r tai bwyta, canodd y ffôn ar y wal, dadebrais, a chlywais lais Mr O'Connor yn dweud bod Patrick Fenton ar y lein. Fe'i cyferchais trwy ddweud "Ewch i garthu'r moch", a chlywed chwerthin harti ar y pen arall. Byrdwn y sgwrs wedi iddo ddweud y bydde'n falch o sgwrsio am Waldo oedd trefnu i alw i'w weld ymhen dwyawr.

Cenais node o lawenydd yn y gawod wrth i fy mlinder ddiflannu gyda'r wablin sebon. Roedd holl duchan a grwnsial y diwrnod yn ddim ond clych atgof. Am fod y ddau feic wedi'u tywys trwy'r gegin i'w stablo yn yr iard gefn yn gynharach doedd dim angen mynd trwy'r un rigmarôl eto. Doedd dim rhuthr i gyflawni dim. Doedd dim rhaid galw gyda Dr Fenton ar amser penodol. Doedd dim rhaid rhuthro i fwyta pryd o fwyd. Yng ngorllewin Iwerddon oedden ni wedi'r cyfan ac roedd yna wastad yfory i'w gael pe na bai hyd y diwrnod yn ddigonol i gyflawni'r hyn oedd gennym mewn golwg.

O ran y pryd bwyd, profwyd o'r newydd nad maint y cyflenwad ar blât sy'n bwysig ond ei ansawdd. Bonws a maldod oedd y pwdin o gacen ffrwythe i ddilyn y cig eidion a'r llysie llawn maeth. Roedd Teifryn, yn ôl ei arfer, wedi mynd i'r afael â physgodyn yn llawn o ffresni'r môr ac, yn ôl ei arfer, yn ei fwyta fel pe na bai yfory i'w gael. Rhaid oedd i mi ei rybuddio i dolio am nad oedd Gerwyn, ei frawd hŷn, yn debyg o ddod heibio a dwyn dim oddi ar ei blât, a ninne ym mhen draw Iwerddon, fel y digwyddai yn nyddie eu plentyndod. Dŵr gloyw oedd fy newis ddiod rhag y bydde gwin coch neu win y gwan yn amharu ar fy ngallu i gadw ar ddihun a llawn werthfawrogi'r sgwrs arfaethedig yng nghwmni Pádraig.

Doedd dim anhawster dod o hyd i Eglwys y Santes Fair. Gyferbyn iddi ar yr un diriogaeth mewn adeilad yr un mor urddasol roedd cartref Pádraig Ó Fiannachta. Ond roedd dewis o ddryse yno a finne heb gymryd sylw manwl o'r cyfarwyddyd ar y ffôn yn gynharach ar ba un y dylwn gnocio. Gwelwn olau egwan trwy'r ffenestr mewn ystafell wrth un drws a phenderfynais gnocio a chanu'r gloch ar hwnnw. Gwnaed yr eilwaith a phan na welwyd y ddôr yn agor ar ôl sefyllian am getyn, a düwch y nos yn ein hamgylchynu, penderfynwyd ein bod, hwyrach, wedi'i gadael yn rhy hwyr. Tebyg ein bod wedi loetran yn rhy hir uwchben y pryd bwyd yn An Canteen heb gymryd sylw priodol o'r amser. Doethach fydde dychwelyd ben bore.

Ond wrth i ni baratoi i fynd trwy'r iet clywsom lais o'n hôl a dyna lle'r oedd y gŵr bonheddig pedwar ugain a phedair blwydd oed wedi'i llusgo'i hun gerfydd ei ddwy ffon i'r prif ddrws. Roedd hwnnw, er wedi'i gau, heb ei gloi a phe byddem wedi'i agor, yn unol â'r cyfarwyddyd a roddwyd ynghynt, byddem wedi gweld y drws yn arwain at ystafelloedd Pádraig y tu fewn ar y dde. Rhaid oedd ymddiheuro am ein hamryfusedd wrth ei ddilyn i'w lolfa lle'r oedd llyfr trwchus o farddoniaeth Gwyddeleg ar y bwrdd yn ennyn ei sylw. Profiad rhyfedd oedd ei glywed yn siarad Cymraeg graenus ac, wrth gwrs, rhaid oedd ei holi am ei brofiad yn carthu twlc y moch.

"Wel, yn ugain oed ym 1947 roeddwn i o dan ofal y Tad O'Neill yn Llanbed. Roeddwn i'n cael fy hyfforddi i fod yn offeiriad ac os oeddwn i am wasanaethu yng Nghymru roedd yn ofynnol i mi feistroli'r Gymraeg wrth gwrs. Trefnwyd i mi fynd i weithio ar fferm o'r enw Lowtre yn ymyl Llanybydder a byddwn yn seiclo yno bob dydd am chwe wythnos. Un o'r gorchmynion cyntaf a gefais ar y fferm oedd 'ewch i garthu'r moch' ac roedd 'hogi'r cryman' yn orchymyn cyson arall hefyd.

"Wedi i mi gael fy ngwneud yn offeiriad bues i'n gweithio yn Llŷn am gyfnod ac yna yn Aberhonddu a Hwlffordd cyn dychwelyd i Iwerddon ym 1959 i Goleg Maynooth. Dwi'n cofio mynychu'r Eisteddfod Genedlaethol pan oedd hi yng Nghaernarfon ac ym Mhen-y-bont ar Ogwr. Fe ddechreuais ymddiddori ym marddoniaeth Waldo Williams ar ôl i mi glywed ei fod wedi'i garcharu am wrthod talu treth incwm. Deuthum i wybod mwy amdano a'i wahodd i ddarlithio dros dro yn y Gymraeg ar gyfer fy myfyrwyr yn Maynooth. Roedd i'w weld wrth ei fodd ymhlith y staff ond gwrthodai dderbyn tâl am ei waith. Yn hytrach, roedd am fanteisio ar y cyfle i ddilyn y darlithoedd Gwyddeleg i wella ei afael ar yr iaith ac i ddysgu am ei hanes a'i llenyddiaeth. Yn fy ngolwg i, roedd Waldo'n ddyn eangfrydig, cyfeillgar a chwbl egwyddorol," meddai'n gryno.

Doedd dim pall ar ei draethu a deallwyd fod Waldo wedi manteisio ar gyfeillgarwch a rhwyddineb ei deulu wrth drin y Wyddeleg.

"Roedd fy rhieni yn siarad Gwyddeleg ond roedd fy mam-gu yn fam i ddeuddeg o blant ac yn uniaith Wyddeleg a threuliais lawer o amser yn ei chwmni hi. Roedd aelodau'r teulu yn gerddorion a dawnswyr da mewn cyfnod pan oedd dawnsio ar y groesffordd yn boblogaidd yng nghefn gwlad. Aeth fy nhad-cu allan i America ac ennill cystadleuaeth ddawnsio o bwys yno. Am fod Waldo mor awyddus i feistroli'r Wyddeleg trefnais iddo dreulio chwe wythnos ar aelwyd fy chwaer, Máire Uí Mhurchú, fan hyn ger An Daingean. Doedd hi ddim yn disgwyl tâl am roi'r cyfle i Waldo glywed yr iaith yn cael ei siarad yn naturiol.

"Mae'n debyg, ar ddiwedd y cyfnod, penderfynodd Waldo roi cynnig ar sgwrsio mewn Gwyddeleg yn ffair y dref yn y cyfnod pan fyddai'r defaid ar y stryd a'r moch a gweddill yr anifeiliaid mewn cae gerllaw. Gwelodd un o gymdogion fy chwaer o benrhyn Slea a mentrodd ei chyfarch mewn Gwyddeleg a chael yr ymateb nad oedd hi'n medru'r iaith. 'Wel, wel, ers pryd ydych chi'n byw yma 'te?' gofynnodd Waldo. 'O, dwi'n byw 'ma ers pum mlynedd a deugain,' oedd yr ateb. 'Wel, wel,' meddai Waldo eto gan chwerthin, 'dim ond chwe wythnos dwi wedi bod yn byw 'ma a dwi'n siarad Gwyddeleg yn barod'!"

Roedd Waldo'n hynod werthfawrogol o'r cyfle a ddaeth i'w ran ond, ar yr un pryd, mewn llythyr at Pádraig, wedi'i ddyddio Mai 14, 1961, o'r 'Ysgol Haf', yn cyfaddef mai mater o ymlafnio oedd hi:

> Daeth Séamus allan â mi yma o'r dre. Yr oedd y Tad Ó'Morchú wedi bod ar y ffôn y noson cynt, a theimlais yn gartrefol ar unwaith gyda'ch chwaer a'ch brawd yng nghyfraith er tristáu am nad oedd gennyf Wyddeleg i'r plant. Am ddiwrnod neu ddau yr oedd y moroedd o Wyddeleg o'm cwmpas a'r mynyddoedd mawr ohoni y byddai rhaid imi eu dringo, neu fethu â'u dringo, yn fy llethu, ond erbyn hyn yr wyf ar un llaw yn cynefino â'm cefndir annirnad, ond ar y llaw arall, yn dechrau dod i adnabod ambell damaid yma a thraw, ac felly y mae gennyf obaith, a gallaf ddweud yn siŵr nad ar eich chwaer a'i gŵr y bydd y bai os na wireddir y gobaith hwnnw.
>
> Mae eich chwaer yn ymroi mor fynych i egluro pethau imi ac i geisio ehangu fy ngeirfa, nes imi ofni ar y dechrau fy mod yn achosi gormod o drafferth, ond nid oedd eisiau imi ofni hynny. Daeth eich mam neithiwr – yr oedd Séamus, yr oedd ef wedi dod â hi, wedi mynd yn ôl cyn imi ei weld y tro hwn, yr oeddwn yn

darllen yn fy ystafell. Ond bu allan yma nos Wener a rhoddodd dipyn o wers imi ynglŷn â'r llafariaid.

Nid euthum i'r eglwys heddiw. Deuthum i lawr ychydig yn hwyr yn y bore pan oeddynt ar gychwyn, Tomas, Beti a Pádraig. Nid oedd llawer o hwyl ar Seán a bu raid iddo aros gartref, er bod y cyfan yn barod gydag ef, ei ddillad Sul amdano a'r geiniog yn ei law. Bûm allan y prynhawn ar ben y tir ac i lawr ar y traeth yn darllen tipyn rhagor, yn rhy araf, ar y llyfr a gefais gan y Tad Ó'Morchú sef *Eireaball Spideoige*. Darllenais *Cnoc Mellerai* y prynhawn. Yr wyf wedi cael blas ar y farddoniaeth, nid wyf yn ei deall i gyd ychwaith.

Am ei bod hi'n hwyrhau ac er gwaethaf bwrlwm Pádraig roedd cwsg yn galw a'r rheidrwydd i ddal bws yn gynnar trannoeth. Gofynnais yn betrusgar a fedrwn ddychwelyd ben bore cyn naw o'r gloch i dynnu ei lun, am fy mod wedi anghofio fy nghamera os nad, yn wir, wedi'i golli yn ystod y ffwdan a fu'n gynharach yn y dydd. Fe'n hysbysodd y byddai fwy na thebyg yn ei swyddfa mewn rhan arall o'r adeilad erbyn hynny ac y byddai'n falch o'n gweld. Felly, ar ôl bwyta brecwast oedd wedi'i baratoi gan bâr o Ddwyrain Ewrop a gyflogid gan Mr O'Connor, roeddem yn swyddfa Monsignor Pádraig Ó Fiannachta ac ynte wrth ei gyfrifiadur yn cywiro proflenni llyfr Gwyddeleg arall roedd yn ei olygu. Roedd rhaid bod yn ofalus o'r treigliade, meddai, neu fe allai'r ystyr gael ei weddnewid fel y digwyddodd gyda theitl llyfr y cyfeiriodd ato oedd wrth ei ymyl.

Hawdd credu i Waldo ymserchu yn y fath bolymath o ddyn a ddechreuodd gyfieithu'r Beibl i'r Wyddeleg ym 1962, o'r Hebraeg a'r Groeg gwreiddiol, trwy gyfieithu Llyfr Daniel, am mai hwnnw oedd yr anoddaf, a chwpla'r dasg ym 1982 pan gyhoeddwyd *An Bíobla Naofa*. Ar yr un pryd treuliodd bymtheng mlynedd yn cydweithio ar y Geiriadur Hen Wyddeleg yn ogystal â llunio catalog o Lawysgrifau Gwyddeleg Maynooth, a chyhoeddi sawl cyfrol o farddoniaeth ei hun. Cyn gadael roedd am adrodd y stori honno am Waldo o gwmpas y bwrdd bwyd yng nghwmni ysgolheigion Prifysgol Maynooth, yng nghanol sgwrs ddeallusol, yn cael ei holi beth oedd y peth mwyaf nodedig am Iwerddon yn ei olwg, ac ynte'n ateb, ar ôl ysbaid o ddistawrwydd, pan ddisgwylid sylw treiddgar a fyddai'n dyrchafu'r cwmni, trwy ddweud, yn unol â'i arfer, "Bara brown". Ac mi oedd Waldo o ddifrif hefyd, meddai Pádraig, am ei fod yn awyddus i ddysgu sut oedd pobi bara soda.

Rhaid oedd ffarwelio â'r Esgob William Morgan Gwyddeleg, a oedd yn dipyn o garthwr tylcie moch a hogwr crymane yng Nghymru yn nyddie ei ieuenctid. Defnyddiodd ei nerth a'i awch aruthrol am waith yn ogystal â'i fin deallusol i gyflawni llawer yn enw'r Wyddeleg. Fe'i clywais yn sôn rhywbeth am lythyre eraill o eiddo Waldo oedd ganddo yn rhywle ac y dylem gysylltu ag ef eto pan fyddai wedi cael cyfle i chwilio amdanyn nhw. Moelodd fy nghlustie wrth i mi godi fy nghoes dros y beic. Ond na, doedd dim amser i ollwng y beic er mwyn ei holi ymhellach am ein bod ar frys i ddal y bws a fyddai'n ein cludo i Rosslare erbyn diwedd y dydd. Galwad sydyn yn Bórd Fáilte i ddiolch i'r merched am eu hynawsedd ac i ofyn a fedrwn fenthyca'r ddau bâr o sbectols tan y tro nesaf y byddwn yn ôl yn An Daingean. "Dim problem, siwrne dda i chi, a bendith Duw ar eich taith," oedd yr ymateb siriol.

Telais ymweliad sydyn â'r fferyllfa drws nesaf a chael fy ngweini mewn Saesneg bratiog gan weinyddes o Ddwyrain Ewrop. Mae'n rhaid ei bod yn gynyddol anodd i'r brodorion gynnal eu hiaith trwy ei defnyddio wrth siopa mwyach wrth i economi'r Gaeltacht, fel pob ardal arall, efelychu'r patrwm o gyflogi tramorwyr i wneud y swyddi hynny nad ydyn nhw'n talu'n ddigonol yng ngolwg ieuenctid lleol sydd wedi dilyn cyrsie coleg ac ennill cymwystere.

Eisoes, o fewn ychydig funude wrth yr arhosfan bws, roedd Teifryn wedi taro sgwrs â dynes o'r penrhyn a oedd yn berthynas pell i Pádraig. Wel, roedd ei fam-gu wedi magu dwsin o blant, wedi'r cyfan. Roedd hon hefyd ar ei ffordd i Tralee ond, yn wahanol i ni, ni fyddai'n mynd ymhellach am y byddai'n cael triniaeth ysbyty i'w hasgwrn cefn yno. Ein diddordeb penna ein dau ar y daith oedd canfod pa mor anodd fyddai wedi bod i seiclo i Tralee ar hyd y ffordd fyrraf am ein bod wedi ystyried y posibilrwydd o wneud hynny ben bore ac yna dal bws yn Tralee. Ond doedd y bws ddim yn mentro dros y ffordd fynydd ond yn hytrach yn ei hanelu 'nôl am Anascaul cyn mentro ar draws y penrhyn. Tebyg na fydde teithwyr i'w codi o fynd ar hyd y ffordd fynydd beth bynnag er efalle y byddai bws llawn yn ei chael yn anodd i gyrraedd y copaon. "Rhywbryd eto," meddai'r ddau ohonom mewn unsain.

Rhaid oedd oedi a newid bws er mwyn parhau â'r siwrne lled faith i Cork. Gwnaem yn siŵr o holi nifer o bobol fwy nag unwaith, yn ogystal â bwrw golwg fanwl ar yr amserlenni, er mwyn gosod y ddau feic yng nghrombil y bws cywir. Roeddem yn effro i bob cyhoeddiad a wnaed yn yr orsaf rhag ein bod yn cael ein gwahanu a'n harwain ar gyfeiliorn trwy amryfusedd. Doedd fawr o sgwrsio i'w glywed ar y bws pan ddechreuodd y siwrne. Nid trip Ysgol Sul o daith mohoni gyda phawb yn clebran ar draws ei gilydd. Yn wir, roedd y gŵr ifanc wrth fy ymyl â'i drwyn yn sownd mewn llyfr, ac roedd yn amlwg mai ymyrraeth oedd fy ychydig gwestiyne iddo nes i mi benderfynu'n lled fuan adael llonydd iddo orffen ei lyfr trwchus, ar gyfraniad yr Iddewon i fyd masnach America, cyn pen y siwrne.

Yn hytrach na gwerthfawrogi'r prydferthwch o bob tu ar hyd y daith, meddyliais am y modd yr anrheithiwyd y prydferthwch hwnnw dros y canrifoedd gan frwydre, y newyn a rhagor o ymladd gwaedlyd. Prin fod neb wedi cyfrannu'n fwy at hanes cythryblus y wlad nag Oliver Cromwell ym 1649 pan dreuliodd naw mis yn Iwerddon yn arwain ei filwyr yn erbyn y Pabyddion oedd yn ochri â'r Brenhinwyr, a drechwyd eisoes yn Lloegr gan ildio grym i'r Piwritan Seneddol. Roedd ei ymgyrch hefyd yn rhannol yn ddialedd o gofio am y gwrthryfel a fu wyth mlynedd ynghynt pan gyflawnwyd erchylltere gan y Pabyddion brodorol yn erbyn y Protestaniaid. Roedd rhai o'r gweithredoedd hynny mor filain ac annynol nes eu bod yn gywilydd i ddynoliaeth ac ni thâl eu hailadrodd. O'r herwydd maent wedi ymffurfio'n rhan o ymwybyddiaeth y Protestaniaid hyd y dydd heddiw nes bod casineb tuag at Babyddion yn rhan o'u DNA.

Roedd y Protestaniaid yn eu tro wedi'u 'plannu' yng ngogledd y wlad, ar archiad gwŷr cefnog Llundain, mewn ymdrech i goloneiddio rhanne helaeth o Iwerddon. Atgyfnerthwyd eu nifer gan fewnfudwyr o Bresbyteriaid o'r Alban. Roedd y Pabyddion Gwyddelig yn eu gweld yn fygythiad i'w hunaniaeth. Bu Cromwell fawr o dro yn gorfodi ei awdurdod ar y wlad am ei bod yn anodd gwrthsefyll ei fagnelau pwerus. Dywedir bod ei filwyr wedi lladd os nad bwtseria dwy fil o drigolion Drogheda gan gynnwys dau gant o wragedd a phlant. Wedi'r gwrthdrawiad cyntaf hwnnw ildiodd ardaloedd eraill yn lled gyflym.

Er mwyn hau hade dialedd a gwrthryfel pellach, ymhen amser, yr hyn a wnaeth Oliver Cromwell oedd amddifadu'r Pabyddion o'u tiroedd gan eu herlid i bellafion y gorllewin. O fewn fawr o dro collodd 37% o'r Pabyddion eu tiroedd ac erbyn 1714 dim ond saith y cant o diroedd y wlad oedd yn eiddo iddyn nhw o gymharu â 59% cyn ymgyrch Cromwell. Rhannwyd y tiroedd wedyn rhwng milwyr Cromwell a'r holl gyfoethogion hynny yn Lloegr oedd wedi ariannu ei ymgyrch dreisgar.

Am gyfnod, gorchmynnwyd lladd offeiriaid Pabyddol. Amcangyfrifwyd bod 54,000 o filwyr y lluoedd Pabyddol wedi ymuno â byddinoedd yn Ffrainc a Sbaen ac anfonwyd miloedd lawer yn gaethweision i India'r Gorllewin. Tebyg mai oherwydd digwyddiade dirdynnol fel y rhain y soniodd W. B. Yeats am 'a terrible beauty is born' yn gymaint ag am Wrthryfel y Pasg 1916. Deil enw Oliver Cromwell i fod yn gyfystyr â rheg yng ngolwg Pabyddion y wlad hyd y dydd heddiw a hynny am y modd y gorfododd ei awdurdod ar y wlad a'r erchyllterau a'r erlid a gyflawnwyd yn ei enw.

Rhaid cyfaddef ei bod y tu hwnt i fy nirnadaeth i ddeall pam y dymuna'r un wlad orfodi ei hun ar wlad arall a'i meddiannu yn ei henw ei hun. O weld fod gan y wlad y ceisir ei gorthrymu ei theithi meddwl ei hun yn cael eu mynegi trwy gyfrwng ei hiaith unigryw, ac ynghlwm wrth bob iaith, wrth gwrs, ceir diwylliant y mae'n rhaid ei swcro, onid dyletswydd yr estron wlad bob amser yw gwarchod y nodweddion hynny os teimla reidrwydd i gynorthwyo ffyniant y wlad honno? Ac onid gwell ei bod, bob amser, yn cynorthwyo ar wahoddiad ac ar delere'r wlad honno yr enfyn ei chynrychiolwyr iddi yn hytrach na gormesu a gorfodi ei thelere ei hun?

Cyrhaeddwyd dinas Cork gan sylweddoli bod ymron i awr o ddisgwyl cyn cychwyn y cymal nesaf o'r daith i Waterford. Ond ni feiddiwyd symud o'r orsaf. Manteisiwyd ar fyrbryd o giosg yn cael ei weini gan ŵr ifanc a oedd yn darllen un o lyfre Kafka pan nad oedd yn cael ei boeni gan gwsmeriaid. Roedd yn sefyllfa Kafkaidd ynddi'i hun o ran ei goblygiade swreal. Cadwem un llygad ar y bysie hefyd er mwyn bod ymhlith y cyntaf i osod ein beicie yng nghrombil y bws fyddai'n mynd i Waterford. Doedden ni ddim am gael ein dal heb le i'w gosod a gorfod oedi am orie os nad dros nos cyn y deuai'r bws nesaf. Gallai hynny fod yn hunllef ddiangen, yn deilwng o un o straeon Franz Kafka ei hun.

Cyrhaeddwyd Waterford yn ddidramgwydd a chael ar ddeall bod gennym ymron i ddwy awr i aros cyn cychwyn ar gymal olaf y siwrne i Rosslare. Cafwyd caniatâd i osod y ddau feic o'r golwg yn un o ystafelloedd swyddogion yr orsaf. Holwyd y swyddogion fwy nag unwaith, a hynny'n fân ac yn fanwl, nes iddyn nhw ddechre syrffedu, mae'n siŵr, pryd ac o ble'n union fydde'r bws a wnâi ein cludo i gyfeiriad y porthladd yn gadael. Roeddem hefyd am wybod pryd byddai'n cyrraedd ar gyfer gadael er mwyn bod gyda'r cyntaf i osod ein beicie arni. Gwyddem pe bai'r crombil yn llawn o fagie a chesys ni fyddem yn medru gosod y beicie'n unman arall, a thebyg na fedrem ddisgwyl i'r teithwyr eraill geisio ad-drefnu pob dim er ein mwyn ni, er bod gennym docynne ar gyfer teithio'r siwrne gyfan y diwrnod hwnnw.

Manteisiwyd ar y cyfle i anghofio am bob mân ofid a chwennych pryd o fwyd maethlon. Wrth grwydro rhai o'r strydoedd cefn daethpwyd o hyd i fwyty o safon yn cynnig pryde am bris gostyngol i gwsmeriaid cynnar. Y bwriad, mae'n debyg, oedd denu pobl ar eu ffordd adref o'r gwaith. Mentrodd y ddau ohonom i lawr y grisie ac i mewn i'r ystafelloedd tywyll wedi'u goleuo â chanhwylle yn hongian o'r parwydydd gwynion.

Ni wnaed unrhyw sylw o'r ffaith ein bod yn gwisgo trywsuse byr a chryse-T. Bwyta i fyw oedd ein bwriad ac nid bwyta i fwynhau. Prin wedi agor oedd La Bohème ond cawsom ein tywys at fwrdd a chael ein gweini mewn steil wrth i'r bwydlenni a'r rhestr win gael eu rhoi ger ein bron. Ein cyfarch yn gwrtais a wnaed yn hytrach na thorri'r garw trwy holi ein hynt. Doedd neb arall yno. Roedd y lle'n wag. Ai doeth oedd ein dewis? Ai rhy ddrud oedd y lle at ddant y lliaws neu a oedd y bwyd mor wachul nes eu bod yn gorfod gostwng y prisie yn y gobaith o ddenu cwsmeriaid trwy'r drws? Hwyrach mai dyna pam na chawsom ein troi 'nôl wrth y drws. Roedden nhw'n falch o weld unrhyw Dai, Wil ac Eben yn galw heibio, waeth beth oedd eu gwisg.

Erbyn i ni gladdu'r cwrs cyntaf cyrhaeddodd rhagor o gwsmeriaid, gan ychwanegu at yr awyrgylch y gellid ei ddisgrifio'n Ffrengig foneddigaidd. Erbyn i ni gwpla'r prif gwrs roedd rhai partïon, yn ogystal â chyple, wedi cyrraedd i ddathlu rhyw achlysur neu'i gilydd a'r prisie erbyn hynny wedi'u codi drachefn. Deil blas y stecen yn fy ngheg hyd y dydd heddiw a hynny'n bennaf am fy mod wedi gorarllwys pupur du cryf arno. Daethpwyd â sawl jwged o ddŵr at y bwrdd o'r herwydd. Coeliwch neu beidio, pysgodyn oedd dewis saig Teifryn eto!

Erbyn i ni gyrraedd 'nôl yn yr orsaf, roedd y brif swyddfa wedi'i chau ac mewn tywyllwch a'r drws ar glo. Doedd dim modd cael gafael ar y ddau feic. Yn hytrach na cholli pwyll penderfynwyd eistedd ymhlith y twr o dwristiaid ifanc â'u bagie di-ri gan edrych mor ddidaro â phosib. Doedd dim y medrem ei wneud ar y pryd ond codi ysgwydde mewn anghrediniaeth a syberdod. Euthum am dro ar hyd y rhes o fysie a chanfod swyddog yn y pen draw ar ganol sgwrs ag un o'r gyrwyr. Mentrais dynnu ei sylw a thorri ar ei draws gan ddweud fy neges mor araf a chroyw â phosib. Ni wn a ddeallodd beth oedd fy mhicil ond cododd ei law mewn rhyw fath o gydnabyddiaeth a pharhau â'i sgwrs am wn i ddim beth.

Dychwelais at Teifryn gan ddweud, efalle fod rhywun ar ei ffordd, efalle, i ddatgloi stabal y beicie ar ein cyfer, efalle...

Gwir a ddywedais. Fe ddychwelodd y swyddog ond bu'n ffwndro wrth y clo am getyn am nad oedd yr un allwedd o blith y bwndel a oedd ganddo yn gwneud y tro. Diflannodd. Eiliade pryderus oedd y rheiny i ni'n dau wrth i amser ymadael y bws nesáu a'n gobeithion o fod ar ei fwrdd yn dechre pylu. Diolch i'r drefn, daeth y swyddog yn ei ôl ag allwedd yn ei law a oedd yn troi'r bwlyn yn ddidrafferth. Neidiodd y ddau ohonom ar ein traed ar amrant gan daro ysgwydd yn ysgwydd wrth fynd trwy'r drws. Gwelwyd ecsodus o'r ystafell aros wrth i fws Rosslare agor ei ddryse a ninne'n ceisio gwau ein ffordd i'w gefn i aros ein tro i osod y ddau feic yn ei grombil. Cael a chael oedd hi wrth i ni ad-drefnu'r bagie a'r cesys i gael lle digonol i'r meirch dur.

Am nad oeddem am groesi ar y fferi am hanner nos a chyrraedd Doc Penfro am dri o'r gloch y bore, ein bwriad oedd lletya rywle ger yr harbwr a dal y cwch ben bore trannoeth. Roedd pellter ac amser yn ein herbyn i ddychwelyd i'r ffermdy ardderchog hwnnw y tu hwnt i Bridgetown er nid yw bob amser yn ddoeth dychwelyd i'r un man yr eilwaith, rhag cael eich siomi. Doedd dim prinder arwyddion gwely a brecwast yn y pentref er bod nifer ar hyd y brif stryd yn nodi eu bod eisoes yn llawn wrth i gysgodion y nos ddisgyn ar ein penne.

Gwelsom arwydd yn dynodi bod cyfleuster gwely a brecwast o fewn hanner milltir ar hyd feidir i'r chwith, a chan gredu mai'r pellaf y lleolid llety o'r briffordd y tebycaf y bydde yno le yn hwyr y nos, aethom amdani. Yn ôl yr arfer ar siwrne ddieithr roedd yr hanner milltir i weld yn debycach i filltir os nad yn ddwy wrth i ni droi un cornel ar ôl y llall a dim golwg o arwydd gwely a brecwast yn unman er i ni seiclo heibio rhibidirês o dai. Wrth i ni ddechre danto gwelsom ffordd yn troi i'r chwith i ystâd o dai. Yno o'n blaene roedd dau dŷ drws nesaf i'w gilydd yn dangos arwyddion y feillionen a'r geirie Gwely a Brecwast.

Penderfynwyd cnocio ar ddrws y mwyaf graenus ei olwg o'r ddau dŷ. Agorwyd y drws gan ddynes drwsiadus a oedd yn amlwg yn ein llygadu'n ofalus o'r corun i'r sawdl wrth i ni bledio am wely dros nos. Diflannodd gan adael y drws yn gilagored cyn dychwelyd a dweud braidd yn betrusgar bod ganddi un ystafell nad oedd wedi'i chymryd. Doedd hi ddim am golli'r cyfle i ennill crystyn hyd yn oed os nad oeddem y math o gwsmeriaid y byddai hi'n dymuno eu cael o dan ei chronglwyd dros nos. Roedd gan y lletywyr eraill gar. Ni fedrem ei beio os cafodd yr argraff ein bod yn llofruddwyr ar ffo oherwydd, wedi'r cyfan, onid dillad carpiog sydd gan droseddwyr o'r fath a golwg fel petaen nhw ar eu cythlwng?

Gobeithio ein bod, wrth adrodd ein hynt, wedi'i darbwyllo nad dihirod mohonom a'n bod gyda'r anwylaf o blant dynion os nad gyda'r mwyaf dysgedig a moesgar ar ben hynny. Mae'n bosib y bydde'r lletywraig wedi gwrthod rhoi allwedd y drws i ni petaem wedi'i holi am y dafarn agosaf a'i hysbysu ein bod yn dyheu am alwyn o Guinness yr un cyn noswylio. Ond cwsg oedd ein hangen pennaf a doedd dim amdani ond edrych mlân at frecwast ac roedd hwnnw'n fwy na'n gwala. Prin ei bod yn werth yr ymdrech i sôn am ein hynt y diwrnode cynt wrth ein cyd-letywyr wrth y bwrdd brecwast o sylwi bod ganddyn nhw lipryn o grwt na fwytâi frecwast ond, yn hytrach, a draflyncai losin ffwl pelt. Aed fel chwiban o Carragh Lodge i lawr i'r porthladd ac ar fwrdd y llong ac yna hepian cysgu gydol y fordaith am nad oedd sgwrsio â neb yn arferiad gan Teifryn pan fyddai'n teithio ar ddŵr.

Cymaint brafiach oedd glanio am hanner dydd nag ym mherfeddion nos cyn iddi oleuo, er y bydde seiclo ar doriad gwawr wedi bod yn brofiad bywiogus i wrthweithio'r blinder, mae'n siŵr. Dilynwyd y llwybr seiclo wedi croesi Pont Cleddau wrth i Teifryn fy hebrwng mor bell â gorsaf reilffordd Johnston. Clywsom sŵn hwtian trên yn y pellter wrth seiclo ling-di-long trwy'r coed. O'r herwydd cododd fy ngobeithion y medrwn gael fy nghludo i Hwlffordd os nad mor bell â Heol Clarbeston. Ond na, roedd y trên wedi mynd heibio ac ni ddeuai'r un nesaf am yn agos i deirawr; gallwn seiclo i Heol Clarbeston ac yn ôl deirgwaith yn y cyfamser.

Euthum tua thre yn ôl fy mhwyse. Cefais gip ar yr hyn oedd wedi denu serch Waldo yng ngwlad y Gwyddyl. Cyfarfûm â dau o drigolion y wlad a oedd wedi adnabod gogoniant Waldo. Gwelodd y Chwaer Bosco ei fawredd yn ei ystâd o blentyndod yn ystod ei waeledd olaf. Gwelodd y carthwr moch o ysgolhaig, Pádraig Ó Fiannachta, fawredd Waldo yn gwrthod cymryd tâl am ddarlithio am ei fod yn gwerthfawrogi'r cyfle a'r fraint o fynychu darlithoedd eraill yng Ngholeg Maynooth a chael rhannu aelwyd y teulu er mwyn clywed y Wyddeleg ar ei mirieniaf. Nid oedd, wrth gwrs, yn rhan o'i feddylfryd i gyflawni'r un dim am arian. Roedd ei gymhellion bob amser yn anrhydeddus uwch. Cefais fy nghyfoethogi. Roeddwn ar ben fy nigon. Gwyddwn am y dewrder o dan y tynerwch.

21

Abergweun a dal ati

DOES DIM FEL awel fain y bore i ddadebru dyn a goglish gwe'r ymennydd wrth seiclo ar hyd Feidir Gwrês i gyfeiriad Twffton. Daw dŵr i'r llygaid wrth fynd ar hyd y gwaered ar hyd y B4329 am getyn, heibio fferm a enwyd yn Poll Tax ac yna troi i'r dde ar y groesffordd, sydd o fewn golwg i Bantycabal, i gyfeiriad Treletert. Eir heibio pen feidiroedd ffermydd Stoneyhook a'r Hen Glowty sy'n adlewyrchu bodolaeth dwy iaith gymunedol yn cydoesi dros ganrifoedd yn yr ardal a adwaenir yn ôl dau enw, sef Treamlod ac Ambleston. Enwau eraill yn y cyffinie yw Bigws a Henne, Slouthy a Stradland, a tybed a yw'r Cymry Cymraeg yn cyfeirio at Longhook fel Clunhir?

Pedlaf yn rhydd ac yn rhwydd wrth i adar mân y cloddie fy nghyfarch. Af yn syth drwy'r groesffordd lle medrwn fod wedi troi am Spittal i'r chwith neu i gyfeiriad Cas-mael i'r dde ond ar y groesffordd nesaf trof i'r dde i gyfeiriad Casnewydd Bach, gan fynd heibio ffermydd Colston a Whitehall nes cyrraedd y bont sy'n croesi afon Angof. Bydd hithe fawr o dro cyn ymuno â Chleddau Wen yng Nghas-blaidd. Dring am i fyny yw hi nawr ac oedaf dro wrth adeilad capel Beulah lle dywedir i Waldo oedi rywdro i gynnal sgwrs â gŵr a oedd wrthi'n cadw pob dim yn gymen.

"Capel bach yw e," oedd sylw Waldo i dorri'r garw yn weddol ddidaro o weld y gŵr yn hogi'i gryman.

"Ie, ma fe'n 'drych yn fach o'r tu fas ond ma fe'n fowr o'r

tu fewn," oedd yr ateb a gafodd Waldo'n ddiffwdan. Ymhen y rhawg rhoes yr ateb hwnnw gryn ffrwyth myfyrdod i Waldo ynghylch ei ddefnydd mynych o ddelwedd y 'tŷ' yn ei farddoniaeth.

Dyna roes iddo'r ateb 'cael neuadd fawr/Rhwng cyfyng furiau' pan holodd ei hun 'Beth yw byw?' wrth agor y gerdd 'Pa Beth yw Dyn?' Ceisiaf inne nawr, wrth ddynesu at Gasnewydd Bach, holi ac ateb cwestiyne eraill y gerdd i mi fy hun ond heb fod yn gwbl lwyddiannus. Rhaid oedi ar gilcyn glas y pentref i dynnu'r copi o *Dail Pren* o fy sach a darllen y gerdd yn uchel wrth y garreg goffa a godwyd i'r môr-leidr Barti Ddu – hwyrach, yr enwocaf ohonyn nhw i gyd o ran ysbeilwyr y môr mawr oni bai am y Cymro arall hwnnw, Harri Morgan. Tebyg na fydde Waldo wedi'i gynhyrfu i lunio hyd yn oed faled am yr un o'r ddau ddihiryn. Wedi'r cyfan, 'Beth yw'r byd i blant y llawr?' Wel, 'Crud yn siglo', wrth gwrs.

Af yr un mor ddidrafferth heibio stable'r hyfforddwr ceffyle rasio, Peter Bowen, yn Yet-y-rhug, a heibio Skyber a Mynydd Sgubor nes cyrraedd pentref Treletert. Troi i'r dde wedyn ar hyd yr A40 am getyn cyn troi'n sydyn i'r chwith i gyfeiriad Rhysgwyllt a chael fy amgylchynu'n sydyn gan goed tewfrig. Cwyd haid o sguthanod o'm blaen gan awgrymu fod yna berci sofl yn ymyl. Af ar draws dwy groesffordd â'r feidiroedd yn dal yn dew gan goed ynn a derw praff ynghyd â chryn wlypter mewn ambell fan ar hyd tir gwndwn cyn cyrraedd hen blasty Llangwarren. Gwibia dwy wiwer lwyd ar draws y ffordd a disgyn dau guryll yn y ffos rhyw ugain llath o'm blaen gan hedfan yn eu blaene rhyw ugain llath arall wrth imi nesu. Ai ceilioga sydd wrth y gweill wrth imi wasgu'r pabwyr nes eu dychryn a'u gorfodi i godi i'r coed uwchben gan ollwng cawod o ddom yr un pryd? Mae'n rhaid fy mod yn ddwfn yng nghanol gwlad hud a lledrith erbyn hyn.

Wrth gyrraedd Trefwrdan, byddai'n ofynnol teithio'n lled bell i weld ffarm o'r un maintioli â Jordanston Hall, petai dim ond o sylwi ar nifer yr adeilade a'r tractore a welir ar hyd y clos ac yn yr ydlan. Nid bwthyn o adeilad mo'r tŷ ffarm chwaith, wedi'i osod y tu ôl i Eglwys Sant Cawdra, sydd â'i hysbysfwrdd uniaith Saesneg wrth y fynedfa yn dynodi mai cyrchfan i 'wŷr mawr' yr ardal fu'r man o addoliad ar hyd yr oesoedd. Pery gogoniant y byddigions a phwys ar amaethu da ar raddfa eang yn Nhrefwrdan o hyd. Wrth groesi'r groesffordd nesaf peidia'r holl goed talsyth. Perthi isel a welir rhwng feidiroedd Llain-yr-esgob, Hendre Ganol a Phant-y-coch a hwythe'n gyforiog o gropyn eithin.

Cofiaf mai yn y cyffinie hyn yn nes at olwg y môr y cyffrowyd Waldo i gyfansoddi englyn yn mawrygu'r grefft o arddyd:

> Ton hir y tir yn torri – ac yno
> Yn ceisio mewn cwysi
> Urdd ddu ddisglair brain heb ri
> A gwylanod goleuni.

O'm blaen, yn rhythu arnaf fel petai'n fy ngwahodd i'w gesail, mae Carn Gowil a gwn pe bawn yn troi trwyn y beic i'r cyfeiriad hwnnw y deuwn i wlad Glaniad y Ffrancod ym 1797. Bydde Jac Pontiago yn fwy na pharod i'm goleuo ynghylch digwyddiade'r deuddydd hwnnw ym mis bach pan oedd ei gyndeidie'n rhan o'r miri. Edrydd John Williams yr hanes gydag afiaith ac awdurdod a hynny nid ar sail yr hyn a ddarllenodd mewn llyfre dysgedig ond ar sail yr hyn a gyflwynwyd o genhedlaeth i genhedlaeth ers y dyddie hynny pan oedd ei hen hen dad-cu, fel y bu ynte, yn of yn y cyffinie. Byddai ei wraig, Joyce, yn cofio am y siarad ar yr aelwyd yn nyddie ei phlentyndod yn Solfach am arhosiad Waldo yno fel athro ysgol ar ddiwedd y 1920au ac am y modd y bu raid i'w brodyr hŷn fynd i chwilio amdano rywdro pan ofnid ei fod ar goll.

Ond doedd Waldo ddim ar goll rhyw ddeng mlynedd ar hugain yn ddiweddarach pan ofynnwyd iddo annerch cyfarfod cyntaf CND (Campaign for Nuclear Disarmament) Sir Benfro, yn Neuadd Goffa Solfach, tuag adeg y Calan 1961, wedi'i drefnu gan yr hyglod Dai Evans, ysgrifennydd y Blaid Lafur yn lleol. Y siaradwyr eraill oedd Gordon Parry (Arglwydd Parry yn ddiweddarach), Jack Sheppard a'r Parch. W. E. Passey. Roedd gohebydd y *Western Telegraph* yn bresennol:

> Following was pacifist Waldo Williams, honest, sincere, slow and deliberate, his lilting Welsh voice rising to a crescendo and falling to a whisper, filled with emotion... rather like a preacher giving one of those 'inspiring sermons' we sometimes read about but so seldom hear.
>
> Waldo Williams said he was appalled that the use of nuclear weapons could ever be contemplated. But after giving facts and figures of how many were expected to perish in a nuclear war, his speech drifted to pacifist ideals. He urged Britain to walk out of NATO saying we had nothing to lose, not even the friendship of the USA.

Dof i'r ffordd A487, sy'n rhedeg o Dyddewi i Abergweun, yng nghyffinie Hendrewen a lleoliad Eisteddfod Genedlaethol fwdlyd 1986 a phentre Panteg a pherci 'moron' o bob tu. Oedaf wrth gapel yr Annibynwyr sy'n dweud wrthym, o edrych ar ei dalcen, iddo gael ei godi ym 1865 ond does dim i ddweud pryd y cafodd y clo cadarn ei roi ar ei ddrws a phryd y gorchuddiwyd y ffenestri. Mae'n rhaid ei bod yn barhaol arswydus y tu fewn am ei bod yn dywyll, dywyll, ddiolau liw dydd, a hynny wedi iddo gynnig goleuni i gynifer o fynychwyr dros y blynyddoedd.

Wrth adael i'r ceffyl haearn redeg yn ôl ei bwyse gan wasgu'r brêc yn ysgafn yn awr ac yn y man wrth fynd ar hyd y gwaered trwy Fanorowen ac i Wdig, cofiaf i Waldo fod yn athro yn ysgol y pentre yn ystod ei flynyddoedd olaf ac i'r prifathro, Lloyd Evans, gael ei syfrdanu un prynhawn pan ofynnodd Waldo iddo a allai archebu wigwam ar gyfer ei defnyddio yn ei wersi. Fe ddaeth y wigwam, gyda sêl bendith y swyddfa addysg yn Hwlffordd, ac o'i gosod ar ganol llawr y dosbarth bydde'r disgyblion yn cael mynd i mewn iddi bob hyn a hyn fel gwobr am ymdrech a gwaith da. Diau y byddai Waldo'n mentro i mewn iddi o bryd i'w gilydd hefyd.

Ar iard Ysgol Gynradd Wdig y tynnwyd y llun hwnnw yng nghyfres nodedig Cyngor y Celfyddydau o lenorion Cymru, o

Waldo wedi'i amgylchynu gan chwech o fechgyn hawddgar yr olwg: Emyr Davies, Chris Harries, Clive Kinsella, Teifion Cotton, Robert Reynolds a Nicky Howells. Byddai Teifion, a fagwyd ar fferm Cila yn Llanwnda, yn gyfarwydd â gweld Waldo yn cerdded o amgylch Pen-câr a Phen Strwmbwl yng nghwmni ei chwaer, Dilys, pan fydde ynte wrth ddyletswydde'r ffarm yn hôl da i odro neu yn eu hala mas i borfa.

Tystia'r llun eiconaidd hwnnw i hoffter Waldo o blant ac, yn wir, o hoffter plant ohono ynte. Trigiannent yn yr un byd. Portreade pen ac ysgwydd a gafwyd o'r rhelyw o lenorion, heb neb arall yn y ffrâm, ond cafodd rhywun syniad athrylithgar wrth dynnu llun o Waldo yng nghwmni haid o blant ar gyfer y gyfres o bosteri.

Byddai'n gamp i seiclwyr proffesiynol y Tour de France ddringo'r rhiw serth o waelod y pentre, heibio capel Ebenezer, sydd ynte wedi'i gau, i'r pen uchaf lle saif yr ysgol, heb ddod oddi ar y cyfrwy. Ni fentraf inne am y gwn mai danto a wnawn, ond gwn am yr ardal ac am y wlad hudolus i gyfeiriad Llanwnda sy'n llawn o gernydd megis Carn Goed, Carn Hendy a Charn Fathach yn wynebu'r môr mawr gloyw yn ei holl hwylie oriog. Does dim modd mynd ymhellach na'r penrhyn ond am yn ôl. Bydde Waldo'n adnabod yr ardal fel cefn ei law o ganlyniad i'w fynych grwydro pan fydde'n lletya gyda Benni ac Elsie Lewis yn Wdig, ac yn ddiweddarach yng Nglasfryn, Llanwnda, heb fod ymhell o Bwllderi, fel y tystia nai'r masiwn, y Parch. Wynn Vittle.

"Bydde Waldo'n dod i aros drws nesa i ni yn Wdig am fod ei chwaer, Dilys, yn lletya yno gyda brawd fy mam a'i briod, Benni ac Elsie, yn rhif 1 Stryd y Parc, pan oedd Dilys yn athrawes yn yr ysgol gynradd sydd drws nesa i'r stryd. Bydde hyn ar ddechre'r 1940au cyn i Waldo briodi. Nawr, oherwydd agosrwydd y ddau deulu â Dilys, bydde Waldo'n rhyddhau fy mam o ofalu am ei mab ac yn barod i fynd â fi mas am dro, a finne tua phedair oed, mae'n siŵr.

"Bydde rhaid mynd lan am wâc i Weun Rhosloyw uwchben y pentre, ar y ffordd mas i Ben-câr, rhyw hanner milltir o gerdded, i weld a oedd sipsiwn yn gwersylla yno, fel oedd arfer teuluoedd y Lovells a'r Boswells yr adeg hynny, sawl gwaith y flwyddyn. Bydde Waldo wastad yn loetran i siarad â nhw a deuthum i adnabod dau o'r bechgyn, Cecil ac Albert. Nawr, os gwyddem fod y sipsiwn yno, rhan o'r ddefod bob tro oedd galw yn siop Dai Miles yn Stop and Call ar y ffordd i brynu orenne i'w rhoi i blant y sipsiwn. Bydde Waldo'n gwneud hynny'n ddi-ffael. Fe fydden ni'n clywed y plant, wrth i ni nesáu, yn gweiddi 'The orange man is coming'!

"Dro arall wedyn falle bydde hi'n rhy wlyb i fynd mas am wâc a bydde Waldo'n cnoco ar y wal rhwng y ddau dŷ i ddangos ei fod yno a'i bod yn rhydd i fi fynd mewn ato fe. 'Beth 'yn ni'n mynd i whare 'te?', fydde fe'n gofyn, a finne'n dweud, 'Whare sipsiwn'. Bydde fe'n gofyn i Elsie wedyn am fenthyg llien ford i'w ddodi dros gefn dwy stôl uchel, a dyna ni wedyn wedi creu pabell debyg i'r rhai lan ar Weun Rhosloyw. Bydde'r ddau ohonom y tu fewn i'r 'babell' ar y llawr ac yn defnyddio'n dychymyg i 'whare sipsiwn'. Ond, cofiwch, nid dim ond gyda fi fydde fe'n whare achos mae'n debyg fy mod i wedi dweud wrth rywun rhywbryd, pan holwyd lle'r oedd Waldo, ei fod e wedi mynd i whare gyda D.J!

"Ym 1942 aethom i fyw i Lanwnda, a chollais gwmni Waldo wedyn wrth i fi dyfu lan. Aeth Waldo i ardal Botwnnog a thros Glawdd Offa ond fe ddaeth yn ymwelydd cyson unwaith eto yn y 1950au. Erbyn hynny roedd Wncwl Benni ac Anti Elsie, ynghyd â Dilys, wedi dod i fyw yn weddol agos atom yng Nglasfryn, Llanwnda. Ar y pryd roedd materion fel Rhyfel Corea'n pwyso'n drwm ar Waldo, a fynte'n ffaelu deall pam oedd dynion yn ymddwyn mor frwnt tuag at ei gilydd. Roedd yna gyfnode pan oedd yn isel ei ysbryd.

"Ta beth, does dim dwywaith bod Glasfryn yn dipyn o hafan i Waldo'r adeg hynny a doedd dim terfyn ar gymwynase Benni ac Elsie tuag ato mewn nifer o ffyrdd. Bydde fe'n aros yno am gyfnode meithion ar y tro. Pan ddeuai i aros gyda nhw yn Stryd y Parc, moto-beic oedd gan Benni'r pryd hynny, ac yn fynych gwelwyd Waldo yn cael ei gludo ganddo ar y piliwn ar hyd a lled y wlad i wahanol gyfarfodydd neu ddosbarthiade nos. Yna pan oedden nhw'n byw yng Nglasfryn roedd dyddie'r motobeic wedi mynd heibio a lorri oedd gan Benni ar gyfer ei waith fel masiwn, ac yn y lorri fydde fe'n mynd â Waldo i lle bynnag y bydde angen. Doedd dim yn ormod iddyn nhw ei wneud er lles ei gysur.

"Pan fydde hi'n gynhaea gwair arnon ni wedyn, dwi'n cofio Wncwl Benni yn dod draw yn ei lorri i garto'r gwair a Waldo ganddo yn y cab yn barod i bitsho'r gwair ar y parc, fel y bydde'r adeg hynny cyn dyddie'r llwythwr. Dwi'n galler ei weld e nawr. Os fydde hi'n ddiwrnod twym iawn bydde fe wedi clymu necloth am ei ben a phedwar cwlwm iddo i gadw'r hade gwair rhag mynd i'w wallt – wel, yr ychydig wallt oedd ganddo – ac i dymheru rhywfaint ar nerth yr haul. Bydde fe wrth ei fodd yng nghanol y cwmni gan adrodd storiâu wrth ei gyd-bitshwyr pan fyddai'r llwythi wedi'u tywys o'r parc i'r ydlan.

"Dro arall wedyn bydde fe'n galw heibio gyda'r nos, fel y bydde pobol yn gwneud yr adeg hynny cyn dyfodiad y teledu, a bydde'r storiâu'n llifo. 'Glywoch chi'r stori hon?' fydde fe'n dweud a chyn pen dim bydde ei ruddie'n wlyb gan ddagre wrth iddo chwerthin am ben ei stori ei hun, a chithe'n chwerthin gyda fe, ond heb wybod pam, am y bydde ergyd y stori wedi mynd ar goll yn y chwerthin. Doedd mo'i debyg fel cwmnïwr pan oedd yn ei hwylie.

"Ges inne a Nia fy ngwraig y fraint wedyn o ganfasio drosto yn etholiad 1959 pan oeddwn i'n 23 oed a newydd briodi. Cynnal cyfarfodydd cyhoeddus oedd y drefn yr adeg hynny ond mewn ambell fan doedd fawr neb yn bresennol. Ond roedd brwdfrydedd Eirwyn Charles, y trefnydd, yn heintus yr un fath. Dwi'n cofio Waldo, D.J., Nia a finne'n mynd i ganfasio yn Hwlffordd ar fore Sadwrn olaf yr ymgyrch. Roedd tipyn go lew o wirfoddolwyr ar hyd y strydoedd a chafwyd hwyl go lew arni yn y bore.

"Ond 'nôl yn y swyddfa yn y prynhawn – rhyw stafell roedd y Blaid wedi ei llogi am ryw bythefnos – dyma Waldo'n dod mewn a dim byd ganddo i ddweud. Neb yn deall beth oedd yn bod. Eirwyn yn dweud bod rhaid mynd mas â'r corn siarad. 'Na,' medde Waldo, 'dwi wedi cal digon' gyda phendantrwydd. Neb yn deall pam eto nes bod D.J. yn cael ar ddeall iddo gael ei glwyfo gan bresenoldeb George Thomas yn y dre.

"Doedd e ddim wedi cwrdd â George, dim ond wedi clywed ei fod yno i gefnogi ymgyrch Desmond Donnelly, yr ymgeisydd Llafur. Roedd Waldo'n gweld hynny fel brad am fod George ac ynte'n aelodau o'r ILP cynnar ac yn pledio ffordd heddwch ac, o ganlyniad, yn ffaelu deall 'shwt o'dd George yn gallu neud hyn i fi'. Dangosai hynny, wrth gwrs, nad oedd Waldo'n wleidydd confensiynol. Roedd teyrngarwch yn cyfrif yng ngolwg Waldo. Dwi'n meddwl i ni i gyd fynd i'r Cleddau Caffi am ddishgled o de wedyn," yw tystiolaeth Wynn, un o bartners whare Waldo.

Un arall a gofia'n dda am ymweliade Waldo â Phen-câr yw'r Parch. John Young a fu'n weinidog ar gapel Harmoni yno am naw mlynedd yn y 1960au. Weithie, bydde Waldo yn y gynulleidfa:

"Ishte yn sêt y gwt fydde Waldo a bydde ei bresenoldeb yn creu pob math o gymhlethdode i mi bob amser. Byddwn yn teimlo'i lyged yn pefrio wrth i mi ddarllen ac ni fedrwn llai na theimlo ei bresenoldeb wedyn wrth weddïo. Bydde fe gyda mi tra fyddwn yn rhagymadroddi'r bregeth er bydde ei feddwl ar chwâl wedyn yn ei fyd bach ei hun ond, chwarae teg, bydde fe'n hynod gwrtais ar derfyn yr oedfa.

"Dwi'n cofio D. J. Williams, a oedd fel yr Apostol Paul ei hun yn ffwdan i gyd, yn mynnu fy mod yn trefnu cyfarfod yn enw Plaid Cymru ym Mhen-câr. Doeddwn i ddim yn ffyddiog y bydde neb yn troi lan am nad oedd yna genedlaetholwyr cydnabyddedig yn yr ardal. Ond, ta beth, dyma fi'n mynd i moyn D.J. a Waldo o Abergwaun i annerch y cyfarfod. Wrth fynd lan rhiw Stop and Call dyma D.J. yn holi faint tybed fydde yn y cyfarfod ac, yn wir, fedrwn i ddim addo y bydde fawr neb yno. Dyma Waldo'n ateb: 'D.J.,' meddai, 'os troiff pobl Pen-câr lan rhwbeth tebyg i ddynion Hwlffordd bydd un dyn ac wythfed rhan o ddyn yno'. Yn wir, fe ddôth llond festri, er parch i'r ddau ddyn dwi'n meddwl, ond pyncie diwylliannol yn hytrach na gwleidyddol oedd y testun siarad gydol y nos, cofiwch.

"Roeddwn i'n hoff iawn ohono, cofiwch. Bydde fe'n galw yn y Mans weithie am hanner nos ac yn cymryd dishgled o de ond yn dweud fawr o ddim. Bryd arall bydde fe'n galw yn llawn asbri ac yn gwmnïwr heb ei ail. Un fel 'na oedd Waldo. Na, doedd e ddim yn wleidydd fel r'yn ni'n adnabod gwleidyddion heddiw, roedd e'n rhy onest, a diolch am hynny," meddai.

Ped anelwn am ardal Dyffryn o Wdig ac yn benodol i Allt-y-carne, hwyrach y deuem ar draws Raymond Wynfford John, neu Togo fel y'i hadwaenir, a diau y bydde ganddo ryw friwsionyn blasus o atgof am ei gyfeillgarwch â Waldo. Arferai Waldo alw yng nghartre teulu'r Johniaid yn Grove Terrace, Tyddewi, yn lled gyson yng nghanol y 1960au. Roedd ganddo reswm penodol dros wneud hynny am fod Raymond wedi syrthio oddi ar ras braidd a Waldo wedi cymryd arno'i hun i geisio ei adfer i droedio'r llwybr cul.

Er iddo raddio mewn Saesneg ac Athroniaeth ym Mhrifysgol Leeds a dilyn cwrs diwinyddol yn Wells yng Ngwlad yr Haf, gyda golwg ar fynd i'r offeiriadaeth, roedd y gasgen gwrw wedi cael gafael yn Raymond i'r fath radde nes y gwrthodai Esgob Tyddewi ar y pryd ei dderbyn i wasanaeth yr eglwys.

"'Beitwn ni'r jawl,' wedodd Waldo wrtha i," meddai Raymond, "ond dda'th hi ddim i ben chwaith. Ddele Waldo am ddiod i'r Farmers Arms bob hyn a hyn, falle gyda J. J. Evans, sgwlyn yr Ysgol Ramadeg ambell waith; a rhaid cifadde bydde fe'n gweud wrtha i, 'Slaca lawr ar y peth ifed' yn amal ond 'nes i ddim. Dwi'n cofio ca'l copi o *Dail Pren* 'dag e wedyn. 'Dail y Pren ddyle'r teitl fod,' wedodd e, ond dwi wedi colli'r copi, wedi rhoi fentyg e i rywun. Fuodd Waldo a finne'n aros draw ar Ynys Bŷr am getyn gyda'r mynachod un sbel. A dwi'n cofio Mam yn mynd ati i weitho cyrtens iddo pan brynodd e dŷ yn Hwlffordd am £700. Ond chas yr hen garan ddim cyfle i setlo 'na am iddo ga'l ei daro'n dost. Wi'n cofio mynd i weld e yn yr ysbyty gyda Mam a Anti Kitty a nhw'n ei cha'l hi'n anodd ei ddeall e'n siarad, druan."

Deil Togo i drysori'r atgofion sydd ganddo am Waldo ac am ei ymdrechion i'w gynorthwyo yn ei adfyd. Ym meddiant un o neiaint Waldo mae llythyr oddi wrth Mrs Mary John yn diolch i Waldo am ei ymdrechion i gynorthwyo ei mab rhag difoli ar y dablen yn ogystal â siec yn gydnabyddiaeth am ei ymdrechion. Ni chafodd y siec honno erioed ei chyfnewid am arian. Dros y blynyddoedd, profodd Raymond John yn un o ffyddloniaid llysoedd ynadon Sir Benfro am iddo gael ei erlyn dros gant o weithie am fod yn feddw ac afreolus. Ie, Raymond oedd 'y gŵr ifanc' hwnnw y soniodd y Crynwyr amdano wrthyf yn Aberdaugleddau y bydde Waldo'n ymweld ag ef yn gyson i geisio ei gynorthwyo.

Bydde Waldo, yn ei dro, yn galw gyda'i chwaer, Mary Francis, ym Mhlas-y-gamil, ym mhen isa pentre Wdig, lle bydde Eluned a Gareth, ei neiaint, yn disgwyl yn eiddgar am ddyfodiad 'Bill' fel y bydden nhw'n cyfeirio at eu hwncwl. Rhaid bwrw draw ar hyd y gwastad i gyfeiriad Abergweun ar hyd y morfa a'r Parrog ac yna tyn am i fyny yw hi drachefn. Af heibio Ysgol Gatholig yr Enw Santaidd ar y dde wrth fynd lan y tyle gan godi fy nghapan mewn gwrogaeth i'r gŵr a ddenai'r plant lleiaf ato o bell, gan dynnu wrth ei lewys a'i holi, "Are you a real teacher?" Tystiolaeth y Chwaer Bosco oedd bod pob un o'r dosbarthiade yn deisyf cwmni Waldo adeg y parti Nadolig ac ynte'n gorfod gwibio o un man i'r llall i'w cadw oll yn hapus. Fe'i dychmygaf yn gorwedd ar y ddesg â'i freichie ar led yn ystumio nofio fel rhan o'i ddull anghonfensiynol o ddysgu iaith.

Yn y neuadd gerllaw y cyflawnodd Waldo un o'i orchestion llwyfan pan gyflwynodd gywydd mawl ar achlysur anrhegu ei gyfaill mawr, a'i fwci bo pennaf ar adege, D. J. Williams, am ei oes o ymrwymiad i achos Plaid Cymru pan gynhaliwyd Ysgol Haf Plaid Cymru yn y dref ym 1964. Cofia Dafydd Iwan yr achlysur yn dda a'r argraff a gafodd Waldo'r pencerdd ar y dorf, fel y tystiodd mewn rhifyn arbennig o'r papur bro *Clebran* a gyhoeddwyd adeg dathliadau canmlwyddiant geni Waldo yn 2004:

> Cofiaf yn iawn fel y bu raid inni ddisgwyl am hydoedd er mwyn i Waldo dreiglo'i ffordd yn araf, fel pe na bai am gyrraedd, drwy'r dorf i ben y llwyfan. Wedi cyrraedd, yr arweinydd yn ei dywys at y meic, ond roedd Waldo yn swil o fynd yn rhy agos at bethau felly, ac yna'r seremoni o fynd drwy ei bocedi, yn gyntaf i ddod o hyd i'r cywydd, ac, wedi dod o hyd i hwnnw, i chwilio am ei sbectol. Erbyn i Waldo ddechrau darllen, roedd y gynulleidfa wedi rhyw ddechrau lled-chwerthin (yn gyfeillgar) am ei ben, a'r bardd yn rhyw hanner borthi'r difyrrwch drwy oedi mwy nag oedd rhaid. Am ei fod yn gwrthod closio at y meic, prin y clywem ef, ond rhywsut daeth y perl o gwpled bythgofiadwy fel taranfollt o'r nef:
>
> Pen-y-berth, y berth lle bu
> Disgleirwaith England's Glory.
>
> Darllenwr sâl oedd Waldo, a pharablwr aneglur, ond deallais y cwpled syfrdanol hwn ar unwaith, ac nid anghofiaf fyth yr ebychiad o chwerthiniad a ddaeth o'i enau yntau cyn i'r dorf ymateb i athrylith y dweud gyda bonllefau o gymeradwyaeth.

O fynd draw i gyfeiriad y Slâd, down at gartref y Parch. John Roberts, a fu'n brifathro Ysgol Gynradd Brynconin, Llandysilio, rhwng 1960 a 1977, cyn iddo droi at y weinidogaeth, ac yn ystod y cyfnod hwnnw o brifathrawiaeth yr agorwyd estyniad i'r ysgol gan Waldo ac ynte, wrth gwrs, wedi cyrraedd yn hwyr yn ei sliperi.

"Roedd yna barch mawr iddo yn Llandysilio, cofiwch chi. Fydde gan neb air drwg iddo fe ac roedd ganddo gyfeillion da yn y pentre wedyn fel Gwilym Phillips yn y garej. Bydde fe'n galw yno'n gyson pan ddeuai am dro ac yn hala orie yn cwmnïa. Fe fydde fe'n cymysgu gyda'r dysgedig a'r cyffredin yr un mor rhwydd â'i gilydd. Roedd pawb, yn ddiwahân, yn hoff o Waldo. Dwi'n cofio mynychu un o'i ddosbarthiade rywbryd ac mae'r ffaith na ches i fawr ddim o flas arni yn fwy o adlewyrchiad arna i nag ar Waldo, dwi'n meddwl," meddai John yn bwyllog.

Ond pam na chafodd Waldo brifathrawiaeth ysgol yn gynnar yn ei yrfa yn Sir Benfro o gofio mai dyna fydde'r patrwm i raddedigion fydde'n dychwelyd i'r sir, ac o gofio bod tad Waldo ei hun yn brifathro?

"O, wel, 'machgen i, dwi'n credu falle bod Waldo yn ormod o fardd ac yn ormod o feddyliwr. Pan fydde rhyw feddwl neu syniad yn ei daro bydde fe'n dal gyda hwnnw wedyn heb sylwi beth fydde'n digwydd o'i gwmpas. Falle nad oedd y ddisgyblaeth ganddo o ran trefnu ysgol a delio â llywodraethwyr a swyddogion addysg a bant â hi. Doedd mo'r anian honno'n dod yn hawdd iddo a thebyg nad oedd e'n moyn y fath gyfrifoldeb, hyd y gwn i," meddai John gan bwyso a mesur pob gair yn ofalus.

O gyrraedd sgwâr y dref a thaflu sbec i gyfeiriad Hwlffordd gwelwn bileri Groegaidd capel Hermon, y Bedyddwyr, nid nepell o'r fan, a fu'n ganolbwynt i weithgaredde Undeb Bedyddwyr Cymru ym mis Mai 1956. Gwahoddwyd D. J. Williams, aelod o'r Hen Gorff, i annerch cyfarfod y Gymdeithas Heddwch ond, oherwydd ei salwch, bu'n rhaid i Waldo, y Crynwr, ddirprwyo yn ei le ar fyr rybudd. Yng nghapel Tabernacl, yr Annibynwyr, y cynhaliwyd yr union gyfarfod hwnnw a dyna lle y traethodd Waldo, yn bennaf o'r frest yn ôl y rhai a gofia'r achlysur, am berthynas yr unigolyn â'r wladwriaeth o dan y teitl 'Brenhiniaeth a Brawdoliaeth'. Bu'r ddarlith honno, a gyhoeddwyd cyn diwedd yr haf ar dudalenne *Seren Gomer*, chwarterolyn y Bedyddwyr, yn gymorth i ddeall safbwynt Waldo ynglŷn â heddychiaeth.

O barhau ar hyd y Stryd Fawr i gyfeiriad y dwyrain, down at rif 49 a arferai fod yn dafarn a adwaenid wrth yr enw Bristol Trader. Yn ddiweddarach bu'n gartref i D. J. Williams a'i wraig, Siân, am gyfnod maith wedi iddyn nhw ymgartrefu yno ym 1919. Bu Siân farw ym 1965 a D.J. ym 1970. Mynych y bydde Waldo yn cnocio ar y drws a chael croeso cynnes gan y ddau breswylydd bob amser, waeth pa adeg o'r dydd oedd hi. Ond doedd hynny ddim i ddweud y bydde Waldo a D.J. bob amser yn gytunus. Yn wir, fydde hi ddim yn anghyffredin i'r ddau anghytuno'n chwyrn ar adege ond, serch hynny, fyddai'r *contretemps* ddim yn tarfu ar y cyfeillgarwch dwfn a fodolai rhyngddynt. Prawf o hynny oedd y cywydd cyfarch hwnnw y soniwyd amdano uchod.

Dros y blynyddoedd anfonodd Waldo amal i lythyr at D.J. a Siân a hynny ar adege pan oedd hi'n olau ac yn dywyll arno o ran ei fywyd personol. Oni bai bod D.J. wedi cadw'r llythyron a ddanfonwyd o Gas-mael, Llŷn, West Perry a Lyneham, yn ogystal ag o amrywiol gyfeiriade yn Sir Frycheiniog a Sir Benfro, ac ambell un annisgwyl arall o lefydd megis Iwerddon a Bro Gŵyr, bydde ein gwybodaeth am helyntion Waldo yn ystod cyfnode o hindda ac o dywydd garw yn ei fywyd yn dipyn llai. Mae'n rhaid bod agor llythyr oddi wrth Waldo yn ddigwyddiad y bydde'r ddau ar yr aelwyd yn y Bristol Trader yn ei drysori. Tebyg yw'r teimlad wrth eu harchwilio yn eu cartref parhaol yn y Llyfrgell Genedlaethol yn Aberystwyth.

22

Cysgod D.J.

TROF AM YN ôl i gyfeiriad y dref cyn troi i'r chwith ac i'r chwith drachefn i gyfeiriad Cwm Gwaun. Gwn y bydd tafoli'r holl lythyre hynny a welswn, a dychmygu'r awyrgylch ar yr aelwyd pan alwai Waldo heibio cartref D.J. a Siân, yn fy nghynnal ar hyd y daith i gyfeiriad Llanychâr gan y bydd yna amal i ripyn serth i'w tramwyo pan fydd rhaid ildio i wthio'r beic, mae'n siŵr.

Danfonwyd un o'r llythyre cynharaf o Solfach ar ddiwedd mis Tachwedd 1928 pan oedd Waldo newydd ei benodi'n athro yno ac yn amlwg wrth ei fodd ac yn llawn direidi. Roedd wedi rhoi'r gore i gyfansoddi cywydd i'r pentref am na fedrai gael gwell cyfatebiaeth gynganeddol i'r gair Solfach na Sylvestr. Treuliai ei amser yn y Clwb lle'r oedd casgliad da o lyfre a chylchgrone, meddai, â'i dafod yn ei foch, am eu bod bron i gyd wedi'u cyhoeddi yn y ganrif flaenorol. Chwarae chwist a wnâi'r mwyafrif o'r brodorion lleol a fynychai'r lle, gan anwybyddu'r deunydd llenyddol.

Ond roedd Waldo ei hun wedi bod yn lled gynhyrchiol am ei fod wedi cyfansoddi cyfres o limrige ac wedi'u hanfon at ei gyfaill yn ystod ei ddyddie coleg yn Aberystwyth, yr arch ddigrifwr, Idwal Jones. Daeth un o'r rheiny, beth bynnag, yn gyfarwydd ar dafod leferydd trigolion Shir Bemro:

Rhyw ffarmwr yn byw yng Nghwm Cuch,
Nid oedd fel ymgomiwr yn wych,
Ond sawl gwaith y clywyd
Athroniaeth ei fywyd:
'Mae'n wêr ond mae'n neis cael hi'n sych'!

Byr oedd byrdwn y llythyr a anfonwyd o Elm Cottage, cartref ei rieni yn Llandysilio, ar Fai 30, 1932, i ddweud bod ei fam wedi marw'r bore hwnnw a hynny mae'n debyg pan oedd ynte'n hepian cysgu. Cafodd gyfle i'w hymgeleddu yn ystod ei chystudd olaf. Bydde'i dad byw am ddwy flynedd arall.

Mewn llythyr o Elm Cottage ym 1934 wedyn cafodd D.J. wybod bod Twm Becca, ceidwad y tollborth yn Efail-wen pan ymosodwyd arni ym 1839, wedi cael swydd fel postmon gan y llywodraeth ar ôl yr helynt a bod ei fab wedi'i olynu yn y swydd. Roedd llythyr wedi'i ysgrifennu yn Rhosaeron, y cartref teuluol yn Llandysilio, ym mis Tachwedd 1938, yn esbonio cefndir y gerdd 'Y Tŵr a'r Graig' gan ddatgelu bod y tŵr yn symbol o ormes, a'r graig yn cynrychioli'r werin arw. Cyfeiria Waldo at Stephen Mortimer, un o drigolion ardal Camros, lle lleolir y graig dan sylw, yn ei disgrifio wrtho mewn sgwrs: 'She's a big lump our a 'awld rock, and she've a bin there no dewt since the fewndation'.

Mae'n rhaid bod D.J. a Siân wedi darllen y llythyr a anfonwyd o Rosaeron ym mis Gorffennaf 1939 droeon gan ei fod yn llawn o ddoniolwch a Waldo yn ei hwylie gore. Disgrifiai fel y bu raid iddo fynd ar ben to Elm Cottage i dorri onnen a oedd yn bygwth hollti'r simne. Roedd un o'i gymdogion, Tom Pwllcwarre, masiwn a oedd yn rhy hen i fynd ar ben y to ei hun, yn ei gynorthwyo, ond yr unig arf oedd ganddo at y gwaith oedd cyllell garfo. Dywed iddo sefyll ar ben y to yn gweiddi ar bawb oddi tano, gan chwifio'r gyllell, "Beth 'ych chi moyn, aden neu damed o'r frest?"!

A doedd Tom ddim yn fyr o ymuno yn yr hwyl wrth i Waldo ei ddyfynnu'n dweud, 'Er ei holl fodder yn erbyn y llywodreth, ma Waldo wedi mynd i weitho o dan y llywodreth yn torri coed nawr'. Ateb Waldo wedyn oedd cadarnhau hynny trwy ddweud ei fod yn gweithio yn Allt-y-drum sef 'internment camp' i'r 'undesirable aliens' yn ystod yr Ail Ryfel Byd. Ond byrdwn y stori oedd mai rhannol lwyddiannus fu'r dasg 'am na roddwyd bwyell yng ngwraidd y pren'.

Mae'n rhaid bod Elm Cottage yn wag ar y pryd oherwydd

dyfynna Waldo eirie Gwilym Pencwarre yn dweud, 'Own ni ddim yn leico gweld yr hen dŷ yn mynd 'nôl i fynwes Natur'. Yn yr un nodyn sonia bod 'Linda'n dod lawr wythnos i'r Sadwrn a Dil yn dod 'nôl 'run diwrnod'. Profa hynny, felly, fod yna garwriaeth eisoes yn bodoli rhwng Waldo a Linda a hynny, mae'n siŵr, yn fater o wybodaeth gyhoeddus. Ymhen rhyw ddeunaw mis wedyn y byddai'r cwlwm priodasol yn cael ei glymu. 'Dil', wrth gwrs, oedd ei chwaer Dilys, a tybed ai dychwelyd adre wedi i'r ysgol dorri dros yr haf oedd hi?

Ond yn gopsi ar y difyrrwch, edrydd stori am ddau golier yn cwrdd â'i gilydd ar y stryd a'u sylw'n cael ei dynnu gan ddau berson dieithr yn cerdded heibio iddyn nhw. Meddai un o'r ddau Shoni wrth y llall, "Pwy yw'r rheina, bachan?" A'r ateb, "Dwi'm yn gwpod pwy uffarn yw hwnna nesa 'ma, ond bachan diarth yw'r llall"! Tebyg bod Waldo'n cysylltu'r stori â chefndir glofaol Linda yn ei chynefin yn y Maerdy a'i fod wedi'i chlywed pan oedd ar ymweliad â'r pentref yng Nghwm Rhondda Fach.

Cyfeiriwyd eisoes at y llythyre a ddanfonwyd o Gas-mael, a diau fod Waldo wedi galw gyda D.J. a Siân droeon, yn y cyfnod hwnnw, i drafod ei bicil a'r ansicrwydd ynghylch p'un a fyddai'n cael ei ddiswyddo neu beidio, gan y pwyllgor addysg yn Sir Benfro, oherwydd ei safiad fel gwrthwynebydd cydwybodol i ryfel. Prin y bydde'r llythyre cynharaf o Ben Llŷn wedi codi gwên yn Abergwaun am eu bod yn sôn am amgylchiade truenus Waldo a Linda o ran ansawdd eu cartref.

Mewn llythyr a ysgrifennwyd o Greigir Uchaf, Aber-soch, ar Ionawr 6, 1943, datgelir nad oedden nhw wedi cymryd y llety gwreiddiol a gynigiwyd iddyn nhw wedi'r cyfan. Doedd Tŷ Nant ddim wedi'i lanhau ac roedd un ystafell llofft 'yn llawn dodrefn ac awyrgylch cyfnod y cathau'. Penderfynwyd mai'r cam doethaf oedd ymryddhau o'r ymrwymiad 'trwy dalu deufis o rent rhag codi helynt'. Symudwyd, felly, i Greigir Uchaf cyn bod eu dodrefn yn cyrraedd gorsaf Pwllheli a chafwyd cryn helynt i'w cael i'r tŷ.

Cludwyd y dodrefn o'r stesion ar gefn lorri ond roedd un lôn at Greigir Uchaf yn 'rhy gul a throellog a phorfaog' i'r lorri ac oherwydd y gwlybaniaeth ni fedrai'r lorri fentro ar draws y caeau at y tŷ anghysbell. Bu'n rhaid gadael yr holl ddodrefn yn un o dai mas Creigir Goch ac yna eu cludo bob yn dipyn ar gart i Greigir Uchaf pan beidiodd y glaw. Er bod Waldo'n canmol y llecyn fel 'lle brenhinaidd teg uwchben y weilgi' gyda golygfeydd ysblennydd o fynyddoedd Meirion, Ynys Enlli, Porth Neigwl ac Eryri, doedd yna fawr i'w ganmol am gyflwr yr adeilad am ei fod yn hynod o laith fel y disgrifia mewn manylder:

> Cefn y tŷ yn is na'r graig y tu ôl iddo ac y mae'r dwfr weithiau yn tarddu i fyny trwy lawr yr hen laethdy, sydd trwy lwc, step yn is na'r lloriau eraill. Un prynhawn Sul buom wrthi am oriau yn ysbydu – yw'r gair a arferir yma – a chawsom ddeuddeg a phedwar ugain bwcedaid i fyny a'u taflu trwy'r drws ffrynt. Nos Fawrth o'r ail wythnos ar ôl hynny cawsom ryw bymtheg ar hugain. Bu'r dŵr i fyny neithiwr hefyd ond aeth yn ôl trwy'r llawr heb godi nemor, trwy lwc. Ni fu neb yn byw yma yn y gaeaf ers dros bymtheg mlynedd – rhyw bobl o Fanceinion a gafodd les arno fel tŷ haf am dair blynedd ar ddeg, ac wedi hynny bu rhai'n byw yma am ysbeidiau byr.

Roedd y siwrne i Ysgol Botwnnog yn ddeng milltir o daith bob bore am fod Waldo'n teithio ar fws y plant a hwnnw'n mynd trwy Lanbedrog a Mynytho ar ôl ei godi ar ben lôn Creigir Uchaf am chwarter wedi wyth. Bydde'r disgrifiad lliwgar o'r daith ben bore wedi goglish D.J. a Siân:

> Mae'r bws yn orlawn o blant wedi eu heidio ar ben ei gilydd fel pe baent Hindŵaid a Mohometaniaid ar reilffordd gwladwriaethol yr India. Oherwydd hyn oll rwyf yn golygu cael beiseicl rywbryd, os parhawn i fyw yng Nghreigir Uchaf.

Pryder arall ynghylch parhau i fyw yng Nghreigir Uchaf oedd yr effaith ar Linda fel y datgela'r frawddeg or-gynnil ganlynol: 'Tipyn yn unig yw Creigir Uchaf i Linda yr wy'n meddwl'.

Roedd ei ddyfarniad am yr amgylchiade yn Ysgol Botwnnog yn ddeifiol: 'Gallem fod yn yr oesoedd canol o ran fel yr ydym yn cario ymlaen'. Prinder llyfre ar gyfer y disgyblion oedd y gŵyn fwyaf a hynny'n dyblu'r gwaith paratoi. Bydde Waldo, wrth gwrs, yn colli'r bws adref am hanner awr wedi tri'r prynhawn yn gyson am ei fod wedi ymgolli mewn rhyw weithgaredd neu'i gilydd. Bydde'n cerdded y pedair milltir adref ar hyd y ffordd fyrraf a hawsaf wedyn.

Mae'r llythyr a ddanfonwyd ar ddechre mis Chwefror wedyn yn cyfeirio at y lleithder drachefn â'r dŵr yn morio dros dri llawr yn llwyr neu'n rhannol a hynny mae'n debyg, yn ôl Waldo, am fod yna darddiant a redai i afon Soch o dan yr adeilad. Doedd y fath anghysur ddim yn teilyngu limrig nac englyn ac, yn wir, roedd yna gyfeiriad poenus drachefn at gyflwr iechyd Linda: 'Mae'r lleithder wedi rhoi annwyd i Linda fwy nag unwaith'.

Oherwydd difrifoldeb y sefyllfa, roedden nhw wedi bod yn gweld tŷ arall ac wedi rhoi eu bryd ar symud yno. Roedd y perchennog yn byw drws nesaf i'r tŷ hwnnw ond doedd e ddim yn fodlon rhoi'r allweddi i Waldo a Linda chwaith a hynny am nad oedden nhw'n 'ddigon arhosol yn yr ardal' wrth ei fodd. Sylw Waldo am y gwrthodiad rhyfedd oedd y 'gwyddai fwy am fy nyfodol nag a wyddwn i fy hun'! Ar yr un pryd, wrth wynebu'r gwanwyn, dywed y byddai cael tŷ arall yn rheidrwydd erbyn y gaeaf dilynol. Tua'r adeg honno y dechreuodd salwch Linda, mae'n debyg, er roedd sôn y bydde hi'n 'pango' weithie pan oedden nhw yng Nghas-mael.

Yn wir, erbyn dechre mis Mawrth roedd trefniade i symud i dŷ o'r enw Glasfryn yn nes at bentref Aber-soch, a fydde'n fwy ymysg dynion a lle na fydde Linda'n teimlo mor unig yn ystod y dydd. Hwnnw fydde'r chweched tro i'w dodrefn gael eu symud o fewn dwy flynedd, meddai Waldo wrth D.J.. Roedd y llythyr hwnnw'n dipyn mwy hwyliog ei gynnwys wrth iddo sôn am Bob Owen, Croesor, yn darlithio'n lleol am Fedyddwyr cynnar Llŷn, Crynwyr Llŷn, Wesleaid Llŷn a Brutus. Ac yna'r frawddeg ddeifiol am y darlithydd: 'Gan fod ei faes mor gyfyng fe ddywedodd gryn dipyn am Grynwyr America i lenwi'r amser'.

Roedd ganddo sylw am golofn 'Y Babell Awen' gan Dewi Emrys yn *Y Cymro* hefyd gan wneud hwyl am ei ben yn cystwyo prentis fardd am beidio â rhoi 'dot' uwchben 'i' yn y gair 'drycin' a'i rybuddio i 'ymddisgyblu'. Ar yr un pryd cyffesodd fod y dasg a wynebai o feirniadu'r adrodd yn Eisteddfod Rhoshirwaun yn fwrn arno ac y bydde'n ofynnol iddo ynte hefyd dynnu sylw'r adroddwyr at y dot a'r coma. Credai fod yna ormod o steddfode yn yr ardal ac roedd ei fryd yn fwy ar fynd ati i drin yr ardd a hynny â 'phâl' am fod neb yn berchen 'rhaw' ym Mhen Llŷn.

Doedd llythyr diweddarach a ddanfonwyd o Lasfryn at D.J. a Siân ddim mor siriol ei gynnwys am fod Linda eisoes wedi treulio deufis yn yr ysbyty ac roedd yna ofid fod yna 'glefydau eraill y tu ôl i'r *ulcers*'. Roedd y pryder wedi gadael ei ôl ar Waldo fel y gwelir wrth iddo sôn am ddigwyddiad yn yr ysgol:

> Mi wnes un peth echdoe na wneuthum erioed o'r blaen: anhygoel, mynd i gysgu ar ganol gwers, a chadw ymlaen i siarad! Mazzini oedd gennyf dan sylw. Clywais fy llygaid yn cau ar fy ngwaethaf, ond cedwais ymlaen yn iawn nes dod i ddiwedd y pwynt oedd gennyf. Yna fe'm clywais fy hun o bell, bell yn dweud, 'Mae *rug* gyda ni yn y tŷ'. Rwy'n meddwl mai chi oedd y ddolen rhwng y wers a'r frawddeg honno. Roeddwn yn meddwl amdanoch chi D.J. wrth roi'r wers, a'ch rhodd inni oedd y *rug*. Rhwng yr ardd (ym Mangor trwy'r gwyliau), y tŷ a'r paratoi a'r eroplens drwy'r noson gynt ychydig o gwsg a gawsom.

Nid yw'r llythyre y bydde D.J. a Siân wedi'u hanfon at Waldo a Linda ar gael er mwyn i ni gael golwg lawnach ar y berthynas a chanfod beth fydde cyngor ac anogaeth y ddau yn Abergweun i'r ddau yn Aber-soch yn ystod eu hargyfynge. Hwyrach, o ran hynny, nad yw pob llythyr o eiddo Waldo at D.J. a Siân wedi'u cadw neu hwyrach mai'n ysbeidiol y bydde Waldo'n llythyru beth bynnag. Does dim sôn am lythyre o'i eiddo at D. J. Williams adeg helynt llosgi'r ysgol fomio yn Llŷn ym 1936 pan gafodd D.J. ei garcharu am gyfnod ynghyd â Saunders Lewis a Lewis Valentine.

Pan ysgrifennodd ar ddiwrnod cyntaf mis Hydref 1944, roedd Waldo wedi symud i Mur Poeth ym Mynytho ac roedd yn ŵr gweddw ers dros flwyddyn. Byrdwn ei lith at D.J. oedd sôn am ei brofiad yn galw i weld hen ŵr yn ei saithdege o'r enw Cybi a oedd yn dal i gario'r post. Roedd ei gartref yn llawn o lyfre, a sylw Waldo am y croeso oedd ei fod yn falch na chynigiwyd paned o de iddo am fod yr hen fachgen yn amlwg wedi rhoi'r gore i olchi llestri ers tro.

Bu raid i Waldo gysgu yn nhafarn pentref Llangybi'r noson honno gan hwyred y noson wedi iddo fod yn siarad am feirdd Eifionydd yng nghwmni'r criw oedd yno. Mae'n debyg iddo fentro'r ddamcaniaeth mai dal annwyd wedi iddo fod yn ymdrochi yn y môr a rwystrodd Siôn Wyn, nad oedd yn fawr talach na chorrach, rhag tyfu. Syndod i Waldo oedd parodrwydd y cyfeillion i gymryd y fath ddwli o ddifrif.

Anfonodd lythyr arall ymhen naw diwrnod yn rhybuddio D.J. a Siân i 'beidio â mynd mas i de bnawn Sul' am ei fod yn bwriadu galw i'w gweld pan fydde'n aros gyda'i chwaer, Mary, yn Dinas, a hynny mae'n rhaid ar adeg hanner tymor yr ysgolion, neu'r wythnos datws fel yr arferid ei galw yng nghefn gwlad. Er bod lle i gredu hefyd ei fod wedi rhoi'r gore i ddysgu yn Ysgol Uwchradd Botwnnog ar ddiwedd tymor yr haf ac, felly, ar ryw olwg, yn segura ar y pryd. Y mis Chwefror dilynol fe fyddai'n dechre dysgu yn Ysgol Kimbolton.

Dadlennol yw cynnwys y llythyre a anfonwyd o Sir Frycheiniog hefyd oherwydd ar un adeg, am ei bod mor drafferthus arno, ystyriai Waldo symud i wlad dramor am flwyddyn 'cyn setlo lawr' ac ynte wedi croesi'r deugain oed ers meitin. Ond roedd y llythyr a anfonodd o Old Pendre, 45, Heol y Garth, Llanelwedd, ar ddiwedd mis Gorffennaf 1949 yn llawn llawenydd.

Soniai am fynd i Ysgol Haf Plaid Cymru yn Ardudwy ac yna i'r Eisteddfod Genedlaethol yn Nolgellau lle'r oedd yn beirniadu cystadleuaeth cyfansoddi dychangerdd. Yn ôl y sôn roedd yna hwylie rhyfeddol o dda ar Waldo yn yr Ysgol Haf wrth iddo ymateb i gais ei gyfeillion gyda'r nos i adrodd rhibidirês o englynion. Roedd un digwyddiad wedi'i ogleisio'n fawr yn ystod y gynhadledd, sef dadleuon chwyrn Trefor Morgan ac Ithel Davies dros ffurfio mudiad gweriniaethol o dan adain

Plaid Cymru. Yn ei wely y noson honno, wrth ymyl gwely Waldo, ar lawr rhyw neuadd rhywle, sylwodd J. Eirian Davies fod Waldo'n troi a throsi'n ddi-baid. O'i holi a oedd yn dost cafodd yr ateb mai bwrw llinyn mesur dros ddigwyddiade'r dydd a wnâi a cheisio llunio englyn. Cafodd y criw glywed yr englyn yn y man.

Pan gyfyd Trefor fory – ac Ithel
 I'w gwaith o derfysgu,
I Lundain 'r â'r rhain â'u rhu,
Siôr Chwech sy'n siŵr o'i chachu.

Weithie bydde'r gair olaf yn newid i 'chochi' pan adroddai Waldo'r englyn yn ystod y dyddie dilynol, yn dibynnu ar naws y cwmni, ond ni fydde'r mwyaf sidêt yn ddall i'r posibiliade o newid y llafariad yn y gair olaf. Ac atgof Eirian Davies oedd bod Waldo wedi gollwng taran o rech wedi adrodd yr englyn am y tro cyntaf y noson honno yn Ardudwy!

Roedd haf 1949 hefyd yn haf da ar gyfer seiclo, am i Waldo deithio pedwar ugain milltir un Sadwrn i Henffordd, Ross a Symonds Yat ac yn ôl i Henffordd ac yna seiclo deugain milltir i Lanelwedd ar y Sul. Mentrodd hefyd i Dregaron dros ffordd fynydd Abergwesyn – pellter o dros ddeugain milltir – a chael cwmni Gwenlais Rees (Hope yn ddiweddarach), a oedd yn 28 oed ac yn athrawes Gwyddor Cartref yn Ysgol Uwchradd Llanelwedd ar y pryd, a chanfod eu bod yn perthyn o bell, ar ochr ei fam, ar ôl deall bod ei gwreiddie ym Mrynaman. Dywed Waldo iddo hefyd oedi i helpu ar y cynhaeaf gwair pan oedd yn seiclo yn ymyl Cefngorwydd yn ardal Trecastell. Bydde hynny, mae'n siŵr, wedi cyniwair atgofion dyddie ieuenctid o gynorthwyo ar y gwair yn Ffarm y Cross, Llandysilio.

Doedd hi ddim cystal arno pan anfonodd lythyr o Western Slade, Oxwich, Reynoldston, ym Mro Gŵyr, ar ddechre mis Hydref 1949. Roedd yn lletya ar y fferm ar ôl treulio pythefnos yng ngwersyll amaethyddol Scurlage gan fynd o gwmpas yr ardal yn gweithio ar y ffermydd yn codi 'mangolds' yn bennaf. Roedd ei gyfnod fel athro yn Ysgol Llanfair ac yn Sir Frycheiniog wedi dod i ben ar ddiwedd tymor yr haf pan gafodd dri mis o rybudd i ymadael. Rhoddai'r argraff bod hynny'n dipyn o ryddhad iddo am fod 'yr ysgol yng nghanol chwyldro'r pennaeth newydd a phawb yn edrych yn stresol iawn'.

Lletyai gyda J. Davies yn Western Slade er mwyn cynorthwyo gyda'r dyrnu a chodi tato ac am fod y telere o bunt y dydd o gyflog a thalu punt yr wythnos am ei lety a'i fwyd, yn rhagori ar y dewis arall o symud i wersyll amaethyddol yng Nghefn Mabli ar gyrion Caerdydd. A doedd hi ddim yn ofynnol iddo weithio ar benwythnose gan iddo dreulio un penwythnos yng Nghaerffili ac un arall ym Mhontsenni am fod un o'i gyn-ddisgyblion yn Ysgol Botwnnog, Gwyn Thomas, yn y gwersyll milwrol yno ac yn deisyf ei gwmni.

Ymhen y mis anfonodd lythyr arall o Graig Goch, Pontsenni, lle lletyai gyda Jack a Maggie Joseph, yn dweud ei fod yn ystyried cynnig am swydd yn Ysgol Trecastell drachefn am fod y sawl a benodwyd cynt wedi tynnu 'nôl. Gwelai hynny'n gyfle iddo wneud rhywbeth dros y Gymraeg mewn ardal lle'r oedd yn gyfyng arni a lle'r oedd rhywun wedi dweud wrtho, "We are all English in Sennybridge now". Roedd ganddo deimlade cryfion am yr hyn a welai fel diffyg Cymreictod yr ardal:

> Mor awyddus ydynt i fod yn Saeson nid digon ganddynt alw eu plwyf yn *Is-Clyde-ach* ond rhaid iddynt fynd i'w alw'n *Slide-ach* os clywsoch chi sut beth erioed. Ardal ddi-ddiwylliant hollol yw hi rwyn siŵr er na wn i ddim digon amdani i'w barnu mor bendant efallai. Yr oedd pedwar o fechgyn Trecastell yn y cwrt yr wythnos diwethaf am ymosod ar ferch ifanc... Ffolog fach o ardal yw hi ond mae'n debyg y bydd y plant yn iawn.

Mynna trigolion yr ardal sy'n cofio'r cyfnod fod dehongliad Waldo'n fyrbwyll a dweud y lleiaf gan dynnu sylw at y perygl o dynnu casgliade ar sail byr arhosiad. Roedd yno nifer o hen deuluoedd cadarn eu Cymreictod oedd wedi magu crefftwyr o fri yn ogystal â chantorion a pherfformwyr a wnaeth eu marc y tu hwnt i'r ardal. Ar yr un pryd cyfaddefir bod dyfodiad ymron i dair mil o filwyr i wersyll Pontsenni wedi Seisnigo'r ardal yn helaeth dros nos. Pan agorwyd y Garrison Theatre er mwyn darparu adloniant i'r milwyr, ar ffurf dawnsfeydd yn bennaf, buan yr hudwyd y genhedlaeth iau gan y byd Saesneg ac anghofiwyd am yr hen ddiwylliant yn raddol.

Ar ben hynny doedd dim lle i'r Gymraeg yn y gyfundrefn addysg am fod yr awdurdode'n awyddus i'r ysgolfeistri droi'r Cymry'n Saeson hyderus. Gwelai'r trigolion y perygl a phan ymddeolodd W. G. Lewis, wedi 27 mlynedd o wasanaeth fel prifathro, yng ngwanwyn 1949, penderfynwyd mewn cyfarfod cyhoeddus y dylid annog yr awdurdod addysg i benodi olynydd a fedrai'r Gymraeg.

Soniodd Waldo am fynd i Ffrainc pe na bai'n cael y swydd gan ddweud ar yr un gwynt gymaint y bu iddo fwynhau gweithio ar y tir yng Ngŵyr. Rhyfeddodd at yr ymdeimlad o Gymreigrwydd yno am fod Sais powld o ogledd Lloegr wedi treulio naw diwrnod yn yr ysbyty wedi iddo gyhoeddi'n huawdl mewn tafarn lleol bod y Cymry'n "bloody foreigners". Cafwyd y sawl a ymosododd arno yn ddieuog yn yr achos llys dilynol.

Yn ogystal ag ymhyfrydu yn y gwaith corfforol ni esgeulusodd yr ymennydd chwaith gan iddo fynd ati i ddarllen *Purgatoria* Dante yn yr Eidaleg ar ôl prynu copi ail-law yn Ninbych-y-pysgod yn ystod yr haf. Roedd ganddo eiriadur Eidaleg wrth law a chopi o gyfieithiad Cymraeg Daniel Rees, a hanai o Grymych, er mwyn ymdopi â'r gerdd faith a ystyrir yn un o glasuron llenyddiaeth Ewrop. Treuliodd Waldo ei amser meddai yng nghwmni'r ddau Ddan – Dan Felinucha a Dan Te.

Ni chynigiwyd y swydd yn Ysgol Trecastell i Waldo ac ni fentrodd i Ffrainc chwaith ac yn ystod y blynyddoedd dilynol byddai'n anfon llythyre at D.J. a Siân o gyfeiriade yn Sir Benfro, boed Tower Hill, Hwlffordd; 6, Heol Picton, Neyland; Rhosaeron, Llandysilio, neu Great Harmeston yng nghyffinie Johnston. Yn hydref 1950 cafodd ei gyflogi gan Adran Efrydiau Allanol Coleg y Brifysgol Aberystwyth fel athro dosbarthiade nos ar hyd y gaeaf a dyna a fu ei bennaf cynhaliaeth am y tair blynedd ar ddeg nesaf.

Doedd dim ame teyrngarwch D.J. tuag at Waldo pan ddychwelodd i Sir Benfro gan iddo wneud mwy na neb i godi dosbarth ar ei gyfer yn Abergwaun, trwy gyhoeddi pytie yn y *County Echo*, papur wythnosol y cylch, yn disgrifio'i hun fel 'esgus o ysgrifennydd dros dro'. Wedi cynnal y ddarlith gyntaf ar nos Fawrth, Medi 26, gan ddisgrifio ei gyfaill fel 'un o'r meddyliau disgleiriaf yng Nghymru' cyhoeddodd D.J. mai Dafydd ap Gwilym fyddai pwnc y ddarlith yr wythnos ddilynol.

Roedd Waldo'n llawn ffrwst pan anfonodd lythyr o Rosaeron ym mis Mehefin 1954 am ei fod yn awyddus i groesi i Iwerddon yng nghwmni Rhys Dafis Williams o Lansadwrn, ond ei fod yn ei theimlo'n ddyletswydd arno i aros adref i warchod ei nai, David, a oedd yn Rhosaeron ar ei ben ei hun ac yn wynebu ei arholiade terfynol yn Ysgol Ramadeg Arberth. Am fod 'Anti Gwladys', deilydd arferol Rhosaeron, yn anhwylus, roedd hi wedi mynd i aros at Dilys, chwaer Waldo, yn Wdig. Pryder arall Waldo oedd cyflwr yr ardd yn Rhosaeron am ei bod yn 'anialwch' ac ynte wedi prynu carreg hogi er mwyn mynd ynghyd â chael trefn arni â chryman neu bladur ond, o leiaf, broliai ei fod wedi cael 'goruchafiaeth ar lygod lawer'.

Ni pheidiodd yr ymweliade ag Iwerddon chwaith ac mae'n rhaid bod pobl 47, Stryd Fawr, Abergwaun, wedi croesawu'r llythyr annisgwyl o Glocca Morra, Spidéal, yng Nghonnemara, ar ddiwedd mis Gorffennaf 1955. Roedd Waldo yno'n dysgu Gwyddeleg ac wedi bod yn trafod y tebygrwydd rhwng y Gymraeg a'r Wyddeleg gyda neb llai nag Éamon de Valera, un o wleidyddion amlycaf y Weriniaeth. Roedd de Valera am wybod a oedd yr elfen 'is' yn bod yn y Gymraeg hefyd ac ateb Waldo oedd dyfynnu'r llinell 'Ys truan o ddyn wyf fi' gan ychwanegu bod 'truan' a 'dyn' bron yn eirie Gwyddeleg. Rhyfeddai Waldo fod yna gynifer â saith o enwe yn y Wyddeleg i ddisgrifio'r cyfnod rhwng glasiad y wawr a chochiad yr haul. Rhyfeddai fwy bod yr iaith i bob pwrpas o'r golwg fel lludw tyweirch o ran y defnydd a glywai ohoni.

Tebyg bod y gymhariaeth hon wedi deillio o'r ffaith y bydde

Waldo, ar ddiwrnode rhydd yn ystod yr wythnos, yn diflannu i dorri mawn yng nghwmni bechgyn lleol er mwyn ymarfer ei Wyddeleg. Dyna yw atgof Gwawr Davies, Porthmadog, a oedd yn un o dair Cymraes ar y cwrs yng nghwmni twr o blant ysgol o Ddulyn.

"Waldo oedd yr unig un ar y cwrs i gael gafael go iawn ar y Wyddeleg," meddai. Cofia'n dda amdani hi, Rhiannon Roberts o Ddyffryn Ardudwy a Rhiannon Williams o Lanuwchllyn, ill tair yn astudio Cymraeg yn y brifysgol ym Mangor, yn cael eu gyrru ar brynhawn Sul, 24 Gorffennaf, yng nghwmni Waldo, i Gonnemara a chael picnic cyn galw ym mwthyn Pádraig Pearse, a chyfarfod ag Éamon de Valera yno, a oedd hefyd trwy gyd-ddigwyddiad yn ymwelydd, a chael ysgwyd llaw ag ef ac ynte wedi colli ei olwg.

"Digon tawedog oedd o'r wsnos honno yn ein cwmni ni, hwyrach am ein bod ein tair yn fyfyrwyr ac ynte dipyn yn hŷn. Ond roeddwn i'n gyfarwydd â fo cynt am y byddai'n seiclo o Fotwnnog i Borthmadog i alw gyda fy nhad, y Parch. J. P. Davies, rhyw ddeng mlynedd a mwy ynghynt. Wedyn, dwi'n ei gofio fo'n dod aton ni ar faes Eisteddfod Llandudno 1963 gan ddweud fod ganddo berl o gynghanedd lusg. Ond cyn iddo ei dweud hi mi dynnodd rhywun arall ei sylw a chlywsom ni fyth mo'r 'perl'," meddai.

Erbyn canol y 1950au, prin fod angen i Waldo anfon llythyre at D.J. a Siân am ei fod yn galw ar yr aelwyd yn fynych pan fyddai'n cynnal dosbarth nos yn y cyffinie ac yna, wedyn, pan ymgartrefai gyda Dilys, Benni ac Elsie, ac ynte'n athro Cymraeg fel ail iaith yn Ysgol Gatholig yr Enw Sanctaidd yn Abergwaun, Ysgol Gynradd Wdig ac Ysgol Gynradd Barham yn Nhrecŵn am gyfnod hefyd. Sonnir am Waldo'n aml yn cyrraedd Ysgol Trecŵn yn hwyr yn y boreau a'r plant yn rhedeg ato i'w gofleidio. Mynych y sonia D.J. am ymweliade Waldo pan âi'n "gaclwm wyllt" rhyngddynt a hynny'n benodol yng nghanol y 1950au adeg helynt cyhoeddi'r gyfrol *Dail Pren*.

Roedd Waldo'n hwyrfrydig i gasglu ei gerddi ynghyd ac yn grac iawn pan ddeallodd fod dau academydd, J. Gwyn Griffiths a J. E. Caerwyn Williams, wedi gwneud hynny ar ei ran, heb yn wybod iddo, ac ar ben hynny wedi trefnu gyda Gwasg Gomer i baratoi proflen derfynol ar gyfer eu cyhoeddi yn gyfrol. Dadleuai ei bod wastad yn fwriad ganddo i gasglu'r deunydd ynghyd, a'i fod hyd yn oed wedi trafod y mater gyda'i wraig, Linda, cyn ei marw annhymig, ond ei fod am gyhoeddi yn ei amser ei hun. Barnai nad oedd diben cyflwyno cyfrol fel cyfrwng iachâd i'w genedl oni bai ei fod ef ei hun wedi cyflawni gweithred a oedd yn unol â'r hyn roedd yn ei fynegi yn ei farddoniaeth. Erbyn 1956 roedd wedi gwrthod talu treth incwm er 1950 ac roedd ei eiddo, o'r herwydd, wedi'i atafaelu ym 1953, a'i brotest yn parhau yn y llysoedd.

Roedd hefyd wedi hysbysu J. Gwyn Griffiths a'i wraig, Kate Bosse-Griffiths, mewn llythyr a anfonodd atynt ym mis Mehefin 1956, ei fod yn gyndyn i gyhoeddi cyfrol a oedd yn hyrwyddo heddychiaeth a'i nai, David, yn y lluoedd arfog yn gwneud ei dymor o orfodaeth filwrol ac, o bosib, yn gwasanaethu yng Nghyprus yn ceisio rhwystro'r Archesgob Makarios a'i ddilynwyr rhag gwaredu'r iau Prydeinig ymerodrol. Roedd D.J. hefyd wedi bod yn ceisio dwyn perswâd ar Waldo i gyhoeddi cyfrol a phan achwynodd Waldo wrtho am y modd y teimlai fod J. Gwyn Griffiths yn ei wthio'n ormodol, a D.J. wedyn yn dweud ei fod yn edmygu dycnwch yr academydd o Abertawe, a hynny tra oedd ef a Waldo'n cyd-gerdded ar hyd y stryd yn Abergwaun, gwelodd Waldo'r chwith, fel y nododd D.J. yn ei ddyddiadur, yng nghanol mis Hydref 1956:

> Edrychodd arnaf yn wyllt fel petai am fy nharo; yna trodd ar ei sawdl a chydio yn ei feic. 'Alla i ddim diodde peth fel hyn. Rwy i'n mynd adre,' mynte fe, ac adref yr aeth ar ei feic i fyny heibio'n tŷ ni yn High Street. Nid dyna'r tro cyntaf i fi weld Waldo'n fflachio'n ffrochwyllt fel hyn heb lawer o eisiau pan fynnwn i anghytuno ag ef ar rywbeth ynglŷn â'i waith weithiau. Arfer ei deulu, erioed, rwy'n deall, yw peidio â dweud gair yn groes iddo ynghylch dim. Mae ei deimladau'n angerddol danbaid ar rai pethau fel hyn. Proffwyd ydyw nid meidrolyn.

Ymhen tridie derbyniodd D.J. lythyr oddi wrth Waldo'n esbonio'n gyflawn ei deimlade ynghylch cyhoeddi cyfrol o farddoniaeth ac na ddylid rhuthro i wneud hynny nes bod yr amser yn briodol. Sylw D.J. yn ei ddyddiadur y noson honno, ar Hydref 17, ar gorn y llythyr oedd, 'Mae'n arswydus o onest, ond heb fod bob amser yn ddealladwy i'w gyfeillion'.

Dwy flynedd yn ddiweddarach, a'r gyfrol *Dail Pren* wedi'i chyhoeddi erbyn hynny, cododd mater 'ymyrraeth' Dr Griffiths a Dr Williams rhwng y ddau drachefn a hynny am fod Waldo wedi digio at erthygl yn *Y Faner* yn sôn am amgylchiade paratoi'r gyfrol. Sylw D.J. yn ei ddyddiadur ym mis Chwefror 1958 oedd:

> Rwyf wedi ceisio dadlau ochr Gwyn a Chaerwyn ag ef ar hyd yr amser – nes peri iddo ddigio'n chwyrn wrthyf ar droeon â'r mellt yn fflamio yn ei lygaid. Ond y mae'n un hoffus rhyfeddol, ac yn maddau'n rhwydd a llwyr ar ôl hynny. Athrylith yw Waldo ac fel llawer o'r cyfryw yn rheol iddo'i hun ar bob peth.

Bydde D.J., wrth gwrs, yn cofio'r noson honno, cyn cyhoeddi *Dail Pren,* pan alwodd Waldo heibio gan fwrw iddi i ddarllen y fersiwn ddiwygiedig, derfynol, o awdl 'Tŷ Ddewi'. Hawliai D.J. ran yn esgoriad yr awdl am iddo anfon y fersiwn wreiddiol i gystadleuaeth y gadair yn Eisteddfod Genedlaethol Abergwaun 1936 'pan oedd Waldo ei hun yn sâl heb fodd gwybod ble'r oedd o gwbl,' meddai yn ei ddyddiadur ym mis Medi 1956 wrth gofio am yr achlysur.

Mewn gwirionedd, roedd yr awdl wedi'i chyfansoddi ymron i flwyddyn cyn bod angen ei chyflwyno i'r gystadleuaeth ond roedd Waldo wedi gwrthod gwneud dim mwy â hi o ran ei chaboli a'i hadolygu. Y gwalle teipio a'r mân wendide yma ac acw y gellid yn hawdd fod wedi'u cywiro, petai rhywun wedi panso uwch ei phen, oedd un o'r rhesyme pennaf pam na ellid ei gosod yn uwch nag ail yn y gystadleuaeth yn ôl y tri beirniad, J. Lloyd Jones, Griffith John Williams a Gwenallt. Roedden nhw'n unfarn mai *Clegyr Boia* – ai D.J. luniodd y ffugenw tybed? – oedd bardd mwyaf y gystadleuaeth.

Ai awgrym sydd uchod wrth gyfeirio at 'ddiflaniad' Waldo mai dolur nerfol oedd yn ei boeni mewn cyfnod pan oedd yna fylche o ran ei gyflogaeth o dan awdurdod addysg Sir Benfro? A fu Waldo'n bresennol yn rhai o weithgaredde Eisteddfod Genedlaethol Abergwaun tybed ar ddechre mis Awst 1936? Does dim cyfeiriad ato yn adroddiade'r wasg am yr ŵyl ond, yn fwy arwyddocaol, does dim cyfeiriad ato yn yr adroddiad llawn o briodas ei gyfaill, Llwyd Williams, a ymddangosodd yn y *County Echo* a'r *Western Telegraph* yn ystod mis Awst. W.R. oedd y gwas a phetai Waldo yno yng Nghapel Blaenconin mae'n sicr y byddai wedi'i enwi ymhlith y gwesteion eraill. Mae'n rhaid ei fod 'ar goll' ar y pryd.

Gwyddys iddo fod yn brifathro dros dro yn Ysgol Mynachlog-ddu am dri mis ym 1936 – rhwng mis Medi a Rhagfyr – ond hwyrach nad oedd gwaith ar gael iddo'n barhaol beth bynnag os taw fel athro cyflenwi y câi ei gyflogi? Ond tystiolaeth y bardd offeiriad, Euros Bowen, oedd fod Waldo, ar ei gyfaddefiad ei hun, mewn ysbyty yng nghyffinie Caerdydd yn glaf ei feddwl tua'r cyfnod hwnnw. Treuliodd Euros, a fu'n fyfyriwr yng Ngholegau Mansfield a'r Santes Catrin yn Rhydychen, wythnos ryfeddol yng nghwmni Waldo, yn crwydro ar hyd Sir Benfro, rywbryd yn y 1950au, yn ôl erthygl o'i eiddo mewn rhifyn o gylchgrawn *Y Traethodydd* ym 1971.

Mae'n hysbys bellach fod Waldo wedi cofrestru fel claf yn Ysbyty'r Eglwys Newydd, Caerdydd, ar Fawrth 15, 1937, a'i fod wedi derbyn triniaeth yno yn wirfoddol am ymron i ddeng mis nes iddo adael ar Ionawr 6, 1938, o'i wirfodd pan oedd disgwyl iddo ddychwelyd i barhau â'r driniaeth. Yn ôl cofnodion yr ysbyty roedd Waldo'n dioddef o sgitsoffrenia a rhithdybiau cysylltiedig a nodir iddo ddioddef cyfnod o salwch cyffelyb ddwy flynedd ynghynt. Bydde hynny tua'r adeg pan na wyddai D.J. sut i ddod o hyd iddo pan fwriadai anfon yr awdl 'Tŷ Ddewi' o'i eiddo i gystadleuaeth y Gadair yn Eisteddfod Abergwaun. Mae'n bosib ei fod yn treulio cryn dipyn o'i amser yr adeg hynny yng nghartref teuluol ei gyfaill

Dr William Thomas, yn Trefloyne, Penalun, ger Dinbych-y-pysgod. Cynigiai Bella Jenkins, chwaer Bill, nodded iddo hefyd o bryd i'w gilydd.

Cafodd D.J. y fraint o glywed y darlleniad gorchestol hwnnw o awdl 'Tŷ Ddewi' a gwell dyfynnu'r hyn a nododd yn ei ddyddiadur ar Fedi 19, 1956, er mwyn gwerthfawrogi'r achlysur:

> Waldo yma nos Lun rhwng 8 a 9 ac yn darllen awdl 'Tŷ Ddewi', y tri chaniad, yr un mesur â'r Haf, o'r dechrau drwyddi mewn afiaith ysbrydoledig – dagrau angerdd yn llenwi ei lygaid am funud wedi gorffen a chymerodd beth amser iddo i'w adfeddiannu ei hun – i dân athrylith ei fron ddyhuddo. Gwelais hyn rai troeon o'r blaen ganddo. Roedd yn orfoleddus fodlon ar ei waith – a hawdd y gallai fod, gan ei fod wedi cyflawni gorchest dros ei genedl; rhoes iddi drysor yn ôl fy marn i a bery tra pery'r iaith.

Bu D.J. hefyd yn bwrw ei linyn mesur dros Waldo'r darlithydd gan ganmol ei driniaeth 'fanwl a goleuedig a hynod dreiddgar' o nofel Kate Roberts, *Y Byw sy'n Cysgu*, i derfynu'r tymor yn Abergwaun ym mis Mai 1959 ond nid felly oedd hi bob amser:

> Pan fo Waldo wedi paratoi ymlaen llaw y mae'n ddiguro. Ond fe ddaw ysywaeth heb baratoi fawr; a hynny'n diflasu'r dosbarth. Darlithiwr i ddosbarth anrhydedd disglair mewn Prifysgol ydyw Waldo mewn gwirionedd, nid ydyw'n llwyddiant, a bod yn onest, mewn dosbarth allanol o bobl gymharol anghyfarwydd â Llenyddiaeth fel y mae'r mwyafrif. Mae gan Waldo ei syniadau a'i safonau ei hunan ar bopeth, anodd ei ddeall a'u derbyn gan eraill ar adegau, mae'n wir – ond nid oes newid arno. Cyll ei dymer yn wyllt weithiau, fel y gwnaeth yma heno, a madael yn bwt os dadleuir ag ef. Oherwydd hyn rwy'n credu ei fod weithiau wedi gwneud cam â rhai o'i gyfeillion gorau fel â D. T. Jones.

D. T. Jones, wrth gwrs, oedd Cyfarwyddwr Addysg Sir Benfro adeg 'helynt Cas-mael' a'r awgrym yw bod Waldo ei hun wedi bod yn fyrbwyll ar y pryd, am nad oedd yn sicr o gefnogaeth y Cyfarwyddwr i'w benderfyniad i ymddangos gerbron tribiwnlys, i ddadle ei achos dros gael ei eithrio rhag cymryd rhan mewn rhyfela ar dir cydwybod Gristnogol.

Doedd hi ddim yn rheidrwydd, yn ôl gofynion trefn a chyfraith gwlad, i Waldo wneud y fath safiad, wrth gwrs, am ei fod eisoes y tu hwnt i'r oed y gallai'r wladwriaeth ei alw i gario bidog. Er ei bod yn ofynnol i ddynion hyd at 40 oed fod yn barod i ymateb i'r alwad i ymuno â'r Lluoedd Arfog, roedd prifathrawon dros 30 oed yn cael eu heithrio ac roedd Waldo eisoes yn 36 oed. A doedd hi ddim yn ofynnol i'r Cyfarwyddwr Addysg gefnogi na gwrthwynebu ei safiad fel y cyfryw. Teg dweud bod yna bobol o anian militaraidd o fewn y pwyllgor addysg oedd yn anniddig ynghylch safiad Waldo a theg dweud nad oedd D. T. Jones ymhlith y rhai a gynigiodd dystiolaeth cymeriad o blaid Waldo yn y tribiwnlys yng Nghaerfyrddin. Ond does dim tystiolaeth chwaith fod Waldo wedi'i atal fel y cyfryw rhag dal prifathrawiaeth dros dro Ysgol Cas-mael. Waldo ei hun a benderfynodd ymadael, boed hynny o'i wirfodd neu o'i anfodd, a hynny cyn cynnal y tribiwnlys.

Hwyrach mai'r her fwyaf i gyfeillgarwch Waldo a D.J. oedd eu safbwyntie gwrthgyferbyniol o ran yr angen i weithredu'n wleidyddol yn enw cenedlaetholdeb. Doedd dim ame'r parch dwfn oedd gan y ddau i alluoedd ei gilydd; wedi'r cyfan roedd D.J. wedi annog ei gyfaill – hyd at syrffed, hwyrach, yng ngolwg Waldo – i gyhoeddi cyfrol o farddoniaeth, ac roedd Waldo, yn ei dro, wedi cyfieithu'r clasur o hunangofiant o waith D.J., *Hen Dŷ Ffarm,* a gyhoeddwyd gan Harrap ym 1962, yn ogystal â llunio adolygiade'n cymeradwyo cyfrole eraill y llenor o Rydcymerau. Aeth D.J. i'w weld yng ngharchar Abertawe ar un achlysur a chanfod na châi ei weld wedi'r cwbwl am fod mwy wedi'i weld eisoes y diwrnod hwnnw nag oedd y rheole yn caniatáu. Ond roedd hi'n dân gwyllt rhyngddyn nhw ar fater dullie o wleidydda am eu bod yn coleddu safbwyntie cwbwl wahanol. Teifl yr un cofnod dyddiadurol ag uchod oleuni ar agwedd Waldo at wleidydda:

> Fel Crynwr o ran ei ddaliadau ni chred ychwaith mewn propoganda dros wahanol achosion. Yn ôl ei ddadl yma neithiwr, y mae'r goleuni mewnol gan rai yn reddfol, a heb fod gan eraill, ac ni ellir ei drosglwyddo'n effeithiol i neb. Yn ôl hyn gellid meddwl ei fod yn dipyn o Galfin, er na chredaf y cytunai ef â hynny chwaith. Bardd a chyfrinydd â thragwyddol heol athrylith yw Waldo ymhob dim. Eto, y mae'n un o ragorolion y ddaear yn ddi-os.

Yn ddiweddarach, ym mis Mai 1962, teimlai D.J. yn rhwystredig pan benderfynodd Waldo na wnâi sefyll eilwaith yn enw Plaid Cymru fel ymgeisydd seneddol yn Sir Benfro. Gwrthod sefyll oherwydd 'y cyfuniad o amgylchiadau a oedd yn ei roi o dan bwysau' oedd y rheswm swyddogol a ddyfynnwyd yn y wasg am ei wrthodiad. Gobeithid tan y funud olaf pan gynhaliwyd cyfarfod yn Hwlffordd y mis Mai hwnnw, y byddai'n cytuno i ddal ati i ysgwyddo'r baich. Roedd hyd yn oed Gwynfor Evans, Llywydd Plaid Cymru, yn bresennol yn ceisio dwyn perswâd ar Waldo:

'Roeddwn wedi gobeithio y byddai'r ymladdwr di-ildio dros heddwch a rhyddid cenedlaethol wedi cytuno unwaith eto i chwifio'r faner am ei fod yn ddyn sydd wedi ymrwymo ei hun i'r achos mawr heb ystyried uchelgais bersonol na hyd yn oed ddiddanwch personol. Fe wnaed Waldo Williams yn yr arfaeth arwrol. Fe yw'r gwrthwyneb i'r gwleidydd proffesiynol a dyna yw ei gryfder', oedd byrdwn sylwade Gwynfor Evans yn ôl adroddiad yn y *Western Telegraph*. Ond, yn ôl D.J., stwbwrna oedd Waldo wrth gwrs:

> Nid yw Waldo yn teimlo fod hyn yn genhadaeth bywyd iddo. Heb hynny nid yw'n werth bod yn ymgeisydd oherwydd rhaid i hwnnw arwain fel un â thân yn ei fol. Nid yw Waldo yn ymladdwr torchi llewys. Mae'n ormod o gyfrinydd neu rywbeth – protest oddefol yw'r eiddo ef – nid y gwrthryfelwr sydd byth yn bwrw arfau na edy ei gydwybod iddo wneud hynny. I fi a wnaed o ddefnydd tra gwahanol y mae Waldo'n treulio llawer gormod o amser ar ei drafels. I fi y mae colli pum munud yn boen a gwastraff anadferadwy am fy mod i yn weithiwr mor araf. Ond y mae fflach gan Waldo yn rhoi mwy o olau na

dyddiau o ymlafnio am berffeithrwydd gennyf i. Ac y mae'i gof yn anhygoel; ac eithrio Saunders ef yw'r darllenwr cyflymaf a welais erioed...

Roedd rhaid i D.J. fod wrthi fel lladd nadroedd byth a hefyd yn trefnu cyfarfodydd, yn codi arian, yn gwerthu cyhoeddiad Plaid Cymru, y *Ddraig Goch,* ac yn llunio erthygle a llythyru yn y wasg yn lladd ar imperialaeth Lloegr a mynychu pwyllgore di-ri. Anathema llwyr oedd y fath genhadu yng ngolwg Waldo. Roedd mynych ymweliade Waldo ag Iwerddon a'i ymdrechion i ddysgu Gwyddeleg yn wastraff amser yng ngolwg D.J. Pe gwyddai fod Waldo ar un adeg wedi chwennych swydd fel athro yn Iwerddon, mae'n siŵr y bydde wedi ymateb yn chwyrn.

Oherwydd y tensiyne hyn mae'n debyg nad oes sôn fod Waldo wedi bod yn lletya yn y Bristol Trader ar aelwyd D.J. a Siân. Byddai wedi bod yn dân gole rhyngddynt yn ddyddiol. Galw heibio a wnâi Waldo, a hynny'n fynych, cyn mynd ar ei rawd. Nid rhyfedd fod Waldo yn dweud wrth ei gyfaill weithie, ''Ych chi D.J. fel y crafu'i hunan' pan fydde'n ceisio darbwyllo Waldo i gyflawni hyn a'r llall.

Yn ôl gohebiaeth rhwng Waldo ac Oscar Mac Uilis, aelod o Goleg Hyfforddi Athrawon yn Coláiste Moibhí, Rathmines, roedd Waldo wedi chwennych geirda er mwyn cynnig am swydd yn Connaught yng ngorllewin y wlad. Ond mewn ymateb ym mis Mehefin 1956 ceisiodd y Gwyddel esbonio iddo nad oedd ganddo fawr o obaith am nad oedd yn Babydd ac am nad oedd yn rhugl mewn Gwyddeleg ac mai gwell fydde iddo gynnig am swydd mewn ysgol Brotestant yng nghyffinie Dulyn.

Ond doedd Waldo ddim am ildio ac ym mis Medi ysgrifennodd lythyr arall at Oscar. Y tro hwn roedd wedi ei ysgrifennu mewn Gwyddeleg a mynegodd Oscar syndod fod gan ei gyfaill gystal gafael ar yr iaith. 'Hawdd ei ddeall' oedd ei ymateb. Ond, ar yr un pryd, deallodd fod Máirín Ní Mhuirgheasa wedi ei gynorthwyo i lunio'r llythyr ac roedd wedi sgwrsio â hi i drafod ei gais gan ddod i'r penderfyniad nad oedd fawr ddim y medren nhw ei wneud i'w gynorthwyo ar y pryd. Roedd anhawster pellach am nad oedd nifer o bobol ddylanwadol ar gael ar y pryd chwaith am eu bod ar eu gwylie neu wedi 'diflannu', yn ôl Oscar.

Ond does dim ame brwdfrydedd nac ymroddiad Waldo dros fwrw ati i feistroli'r Wyddeleg. Daw hynny i'r amlwg mewn llythyr a ddanfonodd o gartref chwaer Pádraig Ó'Fiannachta – Dr Patrick Fenton – ar gyrion An Daingean ym mis Mai 1961 at griw o fyfyrwyr y bu'n darlithio iddyn nhw ychydig ynghynt yn y coleg Pabyddol yn Maynouth lle'r oedd Pádraig yn Athro Astudiaethau Celtaidd. Ysgrifennodd yn Gymraeg:

> Rwyf yma ers wythnos yn awr yn nhŷ chwaer y Tad Ó Fiannachta a dyma air i chi i roi ychydig o'm profiadau. Yr oeddwn i'n teimlo'n hollol gartrefol, ni allwn i lai yma, ar unwaith, ond bod yr iaith Wyddeleg o'm cwmpas ym mhob man yn feithder diddiwedd fel y môr a'r mynydd – mor llyfn â'r môr hefyd, fel yr oedd ef ddoe, ac eto mor gadarn â'r mynydd – ond pa bryd y gallwn i ddisgwyl bod yn gallu nofio a dringo'r Wyddeleg?
>
> Ni wn i eto pa bryd y daw'r bore hyfryd hwnnw. Ambell air a chymal yr wyf yn eu cael wrth wrando ar y teulu'n siarad a phan fyddant yn rhoi ymarfer i mi, y mae'n rhaid imi gyfaddef bod rhaid iddynt ddweud y brawddegau syml ddwywaith a theirgwaith cyn caf i afael arnynt. Eto, wedi cael y frawddeg, rwy'n cael fy mod yn adnabod pob gair, maent yn rhedeg ar ôl ei gilydd mor fuan does dim posib cael golwg ar eu hwynebau'n iawn. Wel, mae hyn yn nodwedd i'r iaith Gymraeg hefyd ac felly nid oes gennyf ddim lle i achwyn.
>
> Pan fydd Sais yn siarad, neu o leiaf pan fydd yn areithio mewn neuadd fawr, a'r pryd hynny y mae'r nodwedd hon i'r iaith yn dod i'r amlwg, a hefyd mewn ysgolion lle dysgir siarad, gellwch roi cyllell i mewn yn hawdd rhwng pob gair a'r nesaf ato. Ac yn sicr arnaf i mae'r bai am fod mor anystyriol am ynganiad yr iaith nes na allaf yn awr adnabod ar wefusau pobl y geiriau y bûm yn eu darllen.
>
> Ond yn erbyn y ddau anhawster hyn rhaid cyfrif y cymorth mawr yr wyf yn ei gael yn y tŷ gydag esboniadau ac enghreifftiau eraill. Y mae yma hefyd un ffynnon fawr loywlan i mi pe bae gennyf ddigon o raff i roi fy mwced i lawr ynddi sef siarad y plant. Daw hyn ryw dro rwyf yn gobeithio'n fawr.
>
> Credaf fod rhywbeth arall yn digwydd erbyn hyn wrth fy mod yn dal ar ambell air yma a thraw. Pan oeddwn yn grwt yn clywed

storiau am y tylwyth teg, yr oedd un am ddyn oedd yn mynd dros y bryn ac yn clywed y tylwyth teg yn siarad â'i gilydd – ac er nad oedd yn deall gair teimlai ei fod bron yn deall. Ni wyddwn sut y gallai hyn fod – ond mae'n rhaid mai dechrau adnabod ffurf y brawddegau yr oedd.

Mae gennyf ragor i'w ddweud ond mae'r postman wedi cyrraedd, ac rwyn'n gyrru'r llythyr hwn atoch heddiw rhag ofn yr â'n rhy ddiweddar.

Cynddeiriogi fyddai D.J. debyg iawn pe gwyddai am hyn, gan ychwanegu at y gwrthdaro rhyngddyn nhw. Tebyg na welwyd y gwrthdaro rhwng y ddau gyfaill yn gliriach nag ar ddiwedd mis Mehefin 1963 pan soniodd Waldo am fynychu cynhadledd ar 'Nationalism' yn Rhydychen a D.J. yn ymateb fel fflach mai 'Nationalism in Pembrokeshire' ddylai fod flaenaf:

Waldo'n colli ei dymer yn gaclwm gwyllt mewn amrantiad gan ddannod i fi fy mod i wedi ei boeni ef yn enbyd yn ystod y flwyddyn ddiwethaf yma drwy fy mod fel pe'n amau ei air a oedd o ddifri gyda gwaith y Blaid. Nid yw Waldo wedi cael ei feirniadu gan neb erioed, mae'n amlwg, gan mai ef oedd 'y machgen gwyn i' gan bawb – ei chwiorydd mae'n amlwg yn ofni dweud gair wrtho. Benni Lewis, y mae Dilys ei chwaer yn aros gydag e, ac un o'r hen fois gorau ei galon yn y Sir, ac Elsie ei wraig cystal ag ynte, a Siân yn cytuno fod gan Waldo athrylith i lunio rhwydwaith o esgusodion drosto'i hun dros beidio â gwneud y pethau hynny nad yw'n hoffi eu gwneud – a'r esgusodion hyn, mi gredaf yn sicr, yn rhesymau cryfion, didwyll iddo ef ei hun. Mae'n rhyfedd o boblogaidd ymhobman am resymau digon amlwg... nid yw Waldo wedi gwneud rhithyn o ddim er Etholiad 1959, ac eithrio annerch un cwrdd bach gyda fi ym Mhen-caer, cwrdd a drefnais i'n hunan drwy help y Parch John Young. Dywedais wrtho rywdro fod ganddo amser i fynd i bob man, ond i'w roi i Sir Benfro, ei Sir ei hun. Aeth yn gaclwm fel arfer. Ond dod yn ôl drannoeth yn gwbl gyfeillgar fel pe na bai dim wedi digwydd, whare teg iddo.

Ond, wedyn, rhoddodd Waldo £36 at goste'r etholiad, sef y tâl a dderbyniodd am draddodi cyfres o ddarlithie. Serch hynny, dal i edliw iddo am na wnâi fawr ddim ymarferol a wnâi D.J. drachefn ym mis Mai 1965 gan gyfeirio 'nôl at etholiad 1959:

> Os na fyn Waldo wneud rhywbeth y mae ganddo ddawn ryfeddol i lunio rhes o'r rhesymau mwyaf direswm i'w gyfiawnhau ei hun. Yn lle cytuno i fynd ma's gydag Eirwyn Charles a finne mewn ymgyrchoedd gwerthu pamffledi etc. drwy y Sir ar ôl etholiad 1959 ac ynte'n ymgeisydd, gwrthodai'n bendant wneud dim gan roi ym mhennau pobl eraill fel y bardd Jâms Niclas mai ofer oedd y peth.

Serch ei fod yn waldio Waldo drachefn ym mis Rhagfyr 1966 am ei anymarferoldeb gwleidyddol mae'n barod i gydnabod fod ganddo rinwedde eraill, er ni all ymatal rhag ychydig o gollfarnu eto:

> Mae Waldo'n ddi-os, yn un o'r goreuon o ddynion, ond ni fyn rannu ei brofiadau ysbrydol, cyfriniol o gwbl, gallwn feddwl, ond â'i gyd-gyfrinwyr yn eu cyfarfodydd bob Sul yn Milffordd, bob bore Sul, wedi cerdded dros 7 milltir yno, o bosib. Caiff ei gario'n ôl.

Yn wir, nid oes sôn fod Waldo yn darlithio amdano'i hun fel y byddai aml i grefyddwr neu fardd yn fwy na pharod i wneud, a chyndyn fyddai i drafod agwedde ar ei farddoniaeth ei hun, pan fentrai rhywun godi plwc i ofyn ambell gwestiwn personol iddo ar derfyn ei ddarlithie arferol. Er, mae'n debyg bod ei ddosbarth nos yn Nhalgarreg, Ceredigion, wedi llwyddo yn hynny o beth ar ôl bod yn hirymarhous a rhoi cyfle digonol i Waldo deimlo'n gartrefol yn eu plith.

Erbyn hyn cyrhaeddais y troad i'r chwith a fyddai'n fy arwain i Bontfaen ac ar hyd Cwm Gweun heibio Ysgol Llanychlwydog lle dywedir i Waldo 'dorri mewn' rhyw noson a gadael limrig ar y bwrdd du:

> Roedd bachan yn byw yng Nghwmgwaun
> Yn dioddef yn enbyd gan whain.
> Fe'i clywais nhw'n dweud
> Fod dim byd i'w wneud
> Ond crafu ymlaen fel y diain.

Pe bawn yn myned y ffordd honno ac yn croesi'r ffordd fynydd, nad oes ei hafal am olygfa wrth i'r haul fachlud dros y gorwel i'r bae, buaswn yn cyrraedd pentref Dinas a chartref Olive Williams wrth ymyl Capel Tabor, y Bedyddwyr. Cyfarfûm ag Olive yn Narlith Flynyddol gyntaf Cymdeithas Waldo yng nghapel Bethel, Mynachlog-ddu, ar ddiwrnod pen-blwydd Waldo yn 2010.

Roedd gan Olive lun y noson honno o ddisgyblion Ysgol Cas-mael dan brifathrawiaeth Waldo, a hithe yn eu plith. Cofiai'n dda amdani hi ei hun yn cael ambell shigwdad gan Waldo am ryw fisdimanars neu'i gilydd. O ddeall mai Len Williams oedd ei phriod, ac o gofio am ddamcaniaeth y gwragedd hynny y cyfarfûm â nhw ar sgwâr Cas-mael mai fe oedd y gwalch a darodd Waldo yn ei stumog, nes ei fod yn blèt, a hynny ar wahoddiad 'mishtir', ceisiais ei phrocio i ganfod ai gwir hynny neu beidio.

"Wel, alla i ddim dweud wrthoch chi'n gwmws. Ond weda i wrthoch chi fel hyn, fydden i ddim yn synnu dim, achos wedd e wastad mewn trwbwl. A wedd Waldo'n cofio am hynny'n burion pan ddethon ni ar ei draws e mewn caffi yn Hwlffordd rhywbryd. 'Ma ni'n mynd ato i siarad a holi shwd odd e. Wedd e ddim yn nabod ni a gorfod i ni ddweud wrtho iddo fod yn ein dysgu ni yn Ysgol Cas-mael. Fe nabyddodd e fi ar ôl tamed ond fe fu'n rhaid i Len ddweud ei enw wrtho fe a ymateb Waldo ar unwaith wedd, 'O, y bachgen drwg'! Ond fe fynnodd e dalu am bobo ddishgled o de i ni'r dwarnod hwnnw.

"Cofiwch, wên i'n ffrindie mowr 'da Waldo ond bydde fe'n colli'i natur yn amal. Clipsen am y cluste fydde'r bechgyn yn ga'l gan amla a hwpo ni rocesi mas tu fas drws nethe fe. Ond wedyn bydde fe'n mynd lan i siop y pentre amser cino a dod 'nôl â losin i rannu 'da ni'r plant fel byse fe'n flin 'i fod e wedi colli'i dymer a wedi'n cosbi ni, ch'wel. Cofiwch, hana i'n gweld bai arno achos wedd rhai o'r plant yn 'i bipsan e'n jogel a gwneud hwyl am ei ben e. Wi'n cofio fe un tro yn cydio yn nrws y cwpwrdd a'i shiglo fe yn ei natur ac yn troi aton ni'r plant a dweud, 'Chi'n gwbod blant, byse'n lawer gwell 'da fi fynd lan i'r Drovers i ga'l peint na'ch dysgu chi, rhag cywilydd i chi'n wherthin am ben y prifathro'.

"Wedd fath ben arno, 'ych chi'n gweld. Wên i'n ffrindie mowr 'da fe a dwi wedi cadw lot o bethe sy'n gysylltiedig ag e, ch'wel. Ma 'da fi ei lawysgrifen e ar gewn pwt o bennill wedd e wedi'i roi i fi. Ma 'Cofio' a 'Tangnefeddwyr' wedyn gyda'r pethe perta a sgrifennodd e, er rhaid cyfadde bod lot o'i gerddi fe'n weddol ddwfwn. Wedd shwt ben arno, chi'n gweld. A dwi'n 'i weld e nawr yn cered gyda claish y claw' wedi'r ysgol gau. Wedd e'n cerdded i dragwyddoldeb, ch'wel, a gweud y gwir weles ddim shwd beth eriôd, wastad yn cerdded. Sda fi ddim cof o'i weld e ar gewn beic chwaith. O wên, wên i'n ffrindie 'da fe. Ond fel 'ych chi'n gweud mae'n eitha posib taw Len fydde wedi'i fwrw fe yn 'i fogel nes bo fe'n blèt. Wedd e'n ishte tu ôl i fi yn y dosbarth, ch'wel."

Doedd dim ame cynhesrwydd na theyrngarwch Olive Williams tuag at ei chyn-brifathro dros dro wrth iddi dafoli ei gryfdere a'i wendide ar sail cof plentyn. Ymhyfrydai yn ei hadnabyddiaeth ohono a'r fraint a gawsai o fod yn ei gwmni.

Pe bawn yn mentro ymhellach fyth deuwn i Gwmyreglwys, ar yr arfordir, lle gwelir yr hyn sy'n weddill o'r eglwys a sgubwyd i'r môr gan stormydd geirwon ym 1859. Gan mlynedd yn ddiweddarach comisiynwyd Waldo, gan y rheithor ar y pryd, Gerwyn Stephens, i gyfansoddi emyn o fawl i'r eglwys ac, erbyn hyn, fe'i cynhwyswyd yn y llawlyfr emyne, *Caneuon Ffydd,* er yr hepgorwyd y trydydd pennill am ei fod yn cyfeirio'n benodol at Brynach Sant.

Ond yn fy mlaen yr af ar hyd y B4313 heibio Cilrhedyn a chanfod fod y pedlo'n haws erbyn cyrraedd pen feidir Cilciffeth a Mynydd Pen-banc nes cyrraedd cyffinie Fagwrlas, ac yna dring am i fyny heibio Mynydd Morfil am getyn nes cyrraedd y gwaered drachefn heibio Blaenpalis draw i Dafarn Newydd a chyrraedd adref toc, wedi cyfoethogi fy mhrofiad, gan ryfeddu at y modd yr hogid awch ymenyddie Waldo a D.J. pan fydden nhw'n seiadu'n frwd, y gweithredwr a'r breuddwydiwr yn benben.

O'r gwrthdaro deilliai cymod a gwerthfawrogiad dyfnach o gymhellion ei gilydd, mae'n siŵr, gydag amser. Mynych y meddyliodd D.J. yn ei rwystredigaeth y dylai anfon llythyr at Waldo yn ei gystwyo ar ddu a gwyn am yr hyn a ystyriai Defi John yn ddifaterwch ond yn cael ei atal rhag gwneud 'rhag sangu ar sancteiddrwydd personoliaeth'. Serch hynny, ni fedraf beidio â bwrw golwg ar un arall o'r nodiade hynny gan D.J., ym mis Medi 1961 y tro hwn, yn methu ag amgyffred cymhellion neu ddiffyg cymhellion Waldo mewn rhai cyfeiriade ond yn arddel y cyfeillgarwch dyfnaf:

> Mewn pethau cyffredin y mae'n barod i roi ffordd o flaen y rhwystrau lleiaf. Mae ef a finnau yn hyn o beth yn gwbl wahanol i'n gilydd mewn tymheredd. Po fwyaf y rhwystrau a'r anawsterau i fi, mwyaf oll y mae rhyw gyndynrwydd cynhenid yn fy ngorfodi i wneud yr eithaf i'w trechu... Math o gysêt ysbrydol o gredu fy mod i mor bwysig yn yr arfaeth yw hyn, yn ôl Waldo. Fe ddaw pethau'n iawn – neu fe beidiant â dod – nid yw hynny o fawr pwys yn y pen draw – heb ein help ni, yn ôl credo Waldo, hyd y gallaf i ei ddeall – ni ellais erioed dderbyn yr athroniaeth hon am fywyd. Cleddyf yr Arglwydd a Gideon yw hi gen i... er colli ei dymer yn gaclwm ar adegau... yr ydym yn ormod o ffrindiau yn y gwaelod i wahanu ein cyfeillgarwch byth, rwy'n deimlo, er ei bod yn dipyn o brawf ar y ddau ohonom weithiau.

Wrth gloriannu cyfraniad D.J. fel llenor, gwleidydd a chyfaill, ac wrth adolygu rhai o'i lyfre, gwelir mai edmygedd ac nid malais sydd yng nghalon Waldo. Diffoddai'r fatsien yr un mor sydyn ag roedd wedi'i chynne pan ddigwyddai rhyw fân anghydfod rhyngddynt. Wedi'r cyfan, bydde Waldo'n rhoi help llaw i D.J. osod yr ardd, a pha brawf rhagorach o gyfeillgarwch rhwng dau ddyn? Ac onid aeth ati gydag afiaith i gyfieithu *Hen Dŷ Ffarm* gan ddweud yn rhywle ei fod yn aml yn dyfalu beth oedd bod yn Gymro heb fedru'r Gymraeg ac yn amddifad o'r gallu i dreiddio i ganol y math o gymdeithas a ddisgrifir gan D.J. am blwyf Llansewyl a'r cylch.

'I mi o hyd, diluddedu ac ireiddio yw cyfeillach â hwy ar

yr aelwyd,' meddai Waldo am y profiad o alw gyda D.J. a Siân ar yr aelwyd yn yr hen Bristol Trader. Gwelir cip ar ogoniant Waldo Williams fan yna yn rhywle, debygwn i, ac ar ogoniant D. J. Williams hefyd, o ran hynny.

23

Dai'r nai

DAI, DAFYDD NEU David, neu hyd yn oed Deio, mab hynaf Roger, unig frawd Waldo, o blith yr holl neiaint, a adwaenai Waldo orau am iddo dreulio mwy o amser yn ei gwmni nag un o'r lleill. Pan oedd gwaith ysgol ac arholiade'n galw, symudodd David am gyfnod yng nghanol y 1950au o Fronysgawen, yn Efail-wen, at 'Anti Gwladys', yn Rhosaeron, Llandysilio, er mwyn cael chwarae teg. A byddai Waldo yno'n gyson yn fawr ei gonsýrn am ddyfodol addysgol ei nai.

Fydd y darlun o Waldo ddim yn gyflawn heb i ni wrando ar atgofion David am ei ewythr. Ond yn hytrach na theithio i Ruthun i'w weld ar aelwyd ei ymddeoliad, wedi iddo dreulio'r rhan fwyaf o'i oes waith yn fferyllydd yn y dre ar ôl cyfnod byr yn Llundain lle cyfarfu â'i Wyddeles o wraig, Cecilia, ac yna naw mlynedd yn Aberteifi, does dim ond angen i mi seiclo draw i westy Nant-y-ffin, yn Llandysilio, i'w gyfarfod ar un o'i fynych ymweliade â'r 'hen ardal'.

Tra disgwyliaf amdano wrth sipian coffi edrychaf ar draws y ffordd ar Gapel Blaenconin i synfyfyrio ynghylch cysylltiad Waldo â'r adeilad urddasol. Gallaf ddychmygu'r lle'n ddu gan alarwyr ar ddiwrnod ei arwyl ym mis Mai 1971. Darllenwyd adnode agoriadol y bumed bennod o Efengyl Mathew a'r un modd adnode agoriadol yr ail bennod ar hugain o Lyfr Datguddiad gan y Parch. Byron Evans, y gweinidog ar y pryd. Traddodwyd teyrnged drawiadol gan Jâms Nicholas sydd yn dal i beri ias wrth ei darllen yn y gyfrol deyrnged i Waldo a olygwyd ganddo.

Yn yr adeilad hwn y treuliodd Waldo a theulu Rhosaeron orie benbwygilydd yn meithrin eu donie. Y drefn yn y cyfnod hwnnw ar y Sabath oedd cyrdde pregethu yn y bore a'r hwyr, Ysgol Sul yn y prynhawn ac yna Cwrdd Gweddi ar nos Lun a Chwrdd Gweddi Cenhadol ar nos Lun gynta'r mis, Cwrdd Paratoad ar y nos Wener cyn Cymundeb, ac yn y gaeaf wedyn Cymdeithas y Bobl Ifanc yn cyfarfod ar nos Wener a'r Gobeithlu ar brynhawn Sadwrn. Coeled o weithgaredde, yn wir, i gadw'r gweinidog a'r diaconiaid yn brysur.

Penodwyd Waldo yn Ysgrifennydd Cof-Lyfr yr Ysgol Sul, yn cofnodi ffyddlondeb y mynychwyr ym 1921, sef y flwyddyn y cafodd ei fedyddio. Ym 1924 roedd ynte ac Eric Tucker wedi casglu £5.4.6. tuag at goste'r Trip Ysgol Sul i Ddinbych-y-pysgod a'r flwyddyn ganlynol roedd yn un o dri a gasglodd £12.12.1. tuag at y trip blynyddol.

Ym 1931 cyhoeddodd ysgrif wirioneddol ddoniol yng nghylchgrawn *Y Ford Gron* o dan y pennawd 'Hiwmor Yr Ysgol Sul' lle sonia am wreiddioldeb rhai o'r esbonwyr ym Mlaenconin. '"Cyfod dy wely a rhodia." Pa fath o wely ydoedd?' holai'r athro. "Wel, gwely codi, gallwn i feddwl," meddai rhyw sgolor. Dro arall wedyn gofynnwyd i'r dosbarth beth a awgrymid gan yr ymadrodd 'Y neb sydd ganddo glustiau i wrandaw, gwrandawed' a'r ateb, meddai rhyw Ddafi, "Mae'n awgrymu i mi o leiaf fod rhai dynion rhyfedd iawn ym Mhalestina gynt – dynion heb glustiau!".'

Ym 1934 cyflwynodd Dilys, ei chwaer, bapur gerbron y 'Guild', sef Cymdeithas y Bobl Ifanc, yn trafod y gosodiad 'A ddylai llwyr ymwrthod â militariaeth fod yn amod aelodaeth eglwysig?' Sgwn i beth oedd cyfraniad Waldo i'r drafodaeth y noson honno, os oedd yn bresennol?

Wedi iddo symud i Lŷn ym 1942 peidiodd cysylltiad Waldo â Chapel Blaenconin i bob pwrpas ac ym 1953 ymunodd â'r Crynwyr. Diflannodd ei enw oddi ar adroddiade blynyddol y capel ar ôl 1956 am nad oedd wedi cyfrannu'n ariannol ers tair blynedd, a'r llythrenne YH wrth ei enw'n dynodi Ymadael Heb Lythyr. Serch hynny, pan gynhaliwyd oedfa i anrhydeddu'r

Parch. D. J. Michael ar ei ymddeoliad ym 1962, gwahoddwyd Waldo i annerch ar ran y plant ar wasgar.

Ond enw a welir yn gyson yn yr adroddiade yw Gwladys Llewellyn, Rhosaeron, yn dynodi ei bod yn cynorthwyo gyda'r Gobeithlu ac am gyfnod maith yn gyfrifol am ddosbarthu *Seren Gomer* i'r rheiny o blith y 250 a mwy o aelode fyddai'n ei ddarllen. Pwy yn gwmws oedd hi? Dyna oedd fy nghwestiwn cyntaf i David wedi i ni setlo yng nghornel y bar.

"Roedd Anti Gwladys yn fenyw arbennig iawn, 'ych chi'n gweld. Merch i whâr fy nhad-cu, John Edwal, a gafodd ei geni yn Denver, Colorado, yn 1893. Ond buodd ei mam, Mary, farw ar ei genedigaeth ac fe ddaeth hi 'nôl i Rosaeron wedyn yng nghwmni mam faeth a chael ei magu gan fy hen dad-cu a mam-gu, Dafi a Martha, ynghyd â Gwilamus, ei hwncwl. Fe fuodd hi mas yn America ddwywaith i weld cysylltiade'r teulu. Gyda llaw, bachan o Glunderwen, Lewis Llewellyn, oedd tad Gwladys, a dwi'n meddwl iddyn nhw gadw mewn cysylltiad. Daeth ynte 'nôl i'r ardal yn ei hen ddyddie a chael ei gladdu ym mynwent capel Carmel, Clarbeston Road, ym 1923.

"Nawr, nai i Lewis Llewellyn oedd Morris Williams Llewellyn a oedd yn swyddog mewn pwll glo yn Maerdy, Rhondda Fach, ac un o'i ferched oedd Linda a ddaeth wedyn yn wraig i Waldo. Byddai Linda, os nad ei chwiorydd, Gertrude a Doris, yn dod lawr i Rosaeron ar ei gwylie'n gyson a dyna shwt ddaeth hi i nabod Waldo. Dwi'n cofio mynd yng nghwmni Waldo i weld y teulu yn Maerdy a'r peth doniolaf erioed oedd eu clywed yn siarad Cymraeg a Saesneg am yn ail frawddeg bron.

"Ond 'nôl at Anti Gwladys. Wel, roedd hi'n 47 oed pan euthum i fyw ati hi ac Albert yn Rhosaeron a finne newydd ddechre yn Ysgol Arberth. Y syniad oedd fy mod yn cael llonydd a mwy o chware teg i ganolbwyntio ar waith ysgol. Nawr, roedd hi'n fenyw gydwybodol iawn, yn Gristion piwr, yn athrawes yn Ysgol Brynconin ac yn chwarae rhan amlwg yng ngweithgaredde Capel Blaenconin. Dwi'n cofio cael stŵr ofnadwy ganddi un tro am fy mod wedi mynd i ryw ffair yng nghwmni Gerwyn, fy mrawd, heb yn wybod iddi. Roedd hi wedi bod yn chwilio amdana i ac wedi galw'r plismon a chwbwl. Mae'n siŵr fy mod i wedi mynd getre o'r ysgol i Fronysgawen yn hytrach na Rhosaeron y noson honno.

"Nawr, Albert Lewis wedyn oedd mab yr howsciper a gyflogwyd gan Anti Gwladys wedi i'w thad-cu a'i mam-gu farw. Ond fe fu farw Mrs Lewis, yr howsciper, ar ôl damwain ffordd ac yn Rhosaeron y cafodd Albert ei fagu wedyn. Roedd e'n gymen iawn ei ffordd yn hollol wahanol i ni fois Bronysgawen. Bydde Albert yn plygu ei ddillad yn dwt ac yn paratoi popeth mlân llaw. Fe fuodd e'n fferyllydd yng Nghaerdydd am y rhan fwyaf o'i oes wedyn wedi iddo fod yn y fyddin am getyn a sdim dowt mai ei ddylanwad e oedd yn gyfrifol fy mod i wedi mynd yn fferyllydd. Roedd e'n ffrindie mowr â Waldo a bydden ni'n cael cwmni Waldo'n fynych yn Rhosaeron.

"Ond y cof cynta sy gen i o Waldo yw amdano fe a Linda'n galw ym Mronysgawen â char pedlo a ffwtbol i ni. Fe dreuliodd e'r dwarnod yn whare 'da ni a dwi'n cofio Linda â'r cnwd o wallt coch 'na yn wherthin. Mae'n siŵr ei fod e wedi neud ei dric arferol o dynnu'i wasgod heb ddatod y botyme. Ond, wedyn, y digwyddiad a dynnodd y ddau ohonon ni'n agos oedd hwnnw pan oeddwn i adre'n Rhosaeron ar fy mhen fy hun. Mae'n bosib bod Anti Gwladys wedi mynd i aros at Anti Lizzie, gweddw un o frodyr fy nhad-cu, ym Mhorth Tywyn. Tebyg bod Teifryn, fy mrawd, ddim wedi dod i aros ata i pwrny er mwyn gwneud yn siŵr fy mod i'n bwyta'n gyson ac yn edrych ar fy ôl fy hun, os gwedon nhw.

"Beth bynnag, y nosweth 'ma, roedd y lamp Aladdin wedi dechre pardduo, roeddwn i wedi cloi'r drws – er bydde Anti Gwladys byth yn gwneud hynny – wedi mynd i gysgu â'n sgidie bron â bod yn y grat. Dyma fi'n dihuno'n sydyn a chlywed sŵn trâd y tu fas i'r tŷ a bwlyn y drws yn troi. Gesum i ofan. Tawelwch am ddeng munud wedyn. Roedd hi wedi deg o'r gloch a finne'n meddwl taw rhyw ddrygioni wedi stop tap wedd gyda rhywun. Ma'r sŵn yn dechre 'to. Bwlyn y drws yn troi ond neb yn cnoco chwaith na gweiddi dim byd. Peth nesa dyma'r ffenest yn dechre agor.

"Dyma fi'n cydio yn y pocer a gweiddi 'Get out from here'! Pwy ddaeth miwn trwy'r ffenest ond Waldo! Sai'n siŵr p'un o' ni gafodd yr ofan fwya. Roedd e'n meddwl 'mod i wedi mynd draw i Ffarm y Cross am swper at deulu Vernon Beynon, fel y byddwn i'n fynych a finne, wrth gwrs, ddim yn disgwyl Waldo i ddod heibio. Dyma fe'n dechre gwamalu wedyn a neud sbort fy mod i yn y llys wedi fy ngyhuddo o fod yn 'drunk in possession of a dangerous weapon – a poker' ac yn rhoi pob math o ddedfryde i fi.

"Fe ddylen i fod wedi gwrando llawer mwy ar Anti Gwladys pan oedd hi'n sôn am hanesion teuluol ond roedd mwy o ddiléit 'da fi mewn whare ffwtbol ar y pryd. Ond wedyn dwi'n cofio ambell beth. Llythyr yn dod o Denver wrth Mary, mam Gwladys, yn diolch am y llythyr blaenorol ac yn diolch am ddweud bod Gwilamus wedi peintio'r iet ond yn dannod bo' nhw ddim wedi gweud pwy liw oedd yr iet! Ma'r llythyr hwnnw 'da fi, gyda llaw. Roedd yna wncwl wedyn, William, brawd fy mam-gu, wedi mynd i'r Gold Coast (Ghana) yn Affrica. Bydde fe'n hala llythyre heb ddal beth fyddai ar yr amlen – Elm, Oak neu Ash Cottage falle. Mae'n debyg bod Waldo wedi dweud, a fynte yn ei arddege, y dylid hala llythyr 'nôl yn ei gyfeirio at Gold, Silver neu Ivory Coast!

"Fe fydde Anti Gwladys yn cadw at y traddodiad teuluol o fynd mas â basged picnic a llyfre i'w darllen i Barc yr Eithin, parc cadw '*chaff*', drws nesa i Barc y Blawd a Weun Parc y Blawd ar dir y Cross. Dwi'n rhyw feddwl mai fan 'ny fydde John Edwal ac Angharad yn mynd i ishte wrth fôn coeden a bydde Waldo wedyn yn crwydro ar hyd y perci cyfagos. Tipyn o owtin wedyn fydde gan Anti Gwladys os bydde rhywun yn dod i weld Waldo ac yn aros dros nos. Fy ngwely i oedd y mwyaf a bydde disgwyl i fi fynd i gysgu yn yr un gwely â Waldo ac Albert gyda stolion wrth ochr y gwely. Cysgwr aflonydd oedd Waldo.

"Dwi'n cofio Anti Gwladys un tro yn hala ni mas i gerdded tra bydde hi'n paratoi'r gwely ar gyfer y gŵr diarth. Dwi'n meddwl mai cyfaill i Waldo o Lunden oedd hwnnw, Emrys Roberts, roedd Waldo wedi'i gyfarfod pan oedd ym Motwnnog.

Roedd Emrys yn Sosialydd, yn athro ac yn gynghorydd yn ardal Wood Green. Fe gerddon ni am bellteroedd a Waldo, yn ôl ei arfer, yn bwrw miwn i un ohonon ni trwy'r amser. Roedd e'n lletchwith iawn fel 'ny. Roedd ei feddwl e ar bethe heblaw am gerdded, dwi'n meddwl. Dwi'n cofio Bobi Jones yn galw'n gyson wedyn a finne'n mynd miwn â'r llestri te iddyn nhw yn y parlwr. Fe fydden i'n clywed sôn am enwe lot o athronwyr a beirdd a dwi'n meddwl mai anghytuno fydden nhw'r rhan fwyaf o'r amser.

"Wedyn dwi'n difaru rhyw dro i mi beidio mynd miwn i'r Iron Duke gyda Waldo i gael diod. Roedd e ar ei ffordd i ddala'r trên i rywle a dyma fe'n dweud 'Dere lawr 'da fi i'r steshon'. Erbyn i ni gyrraedd roedd y trên awr yn hwyr a'i syniad e o ladd amser oedd mynd miwn i'r dafarn. Ond fe balles yn deg. Mae'n rhaid fy mod yn grefyddol iawn ar y pryd a newydd ga'l fy medyddio falle. Bydde Waldo wrth ei fodd yn rhannu cwmni â phobol mewn tafarn pan fydde fe'n codi ambell hanner peint. Cofiwch, dim ond unwaith y ces i stŵr 'da Waldo a hynny am i fi wamalu wrth drafod rhyw bwnc difrifol. Ma rhaid bo fi wedi bod yn dadle er mwyn dadle. Gesum i drimad eitha llym pwrny.

"Ond dwi'n dragwyddol ddiolchgar iddo am ddod o hyd i lety i fi yng Nghaerdydd pan esum i i'r coleg. Roeddwn i wedi'i gadael hi braidd yn hwyr ac yn ofni na fydde llety i gael yn unman. Ond aeth Waldo ati'n unswydd i ffeindio lle i fi. Fe fuodd e'n trampan y strydoedd ond heb gael lwc a hithe'n bwrw glaw'n drwm. Dyma fe'n cnoco ar ddrws 84 Stryd Llantrisant ond roedd Mrs Hargreaves yn dweud ei bod hi wedi rhoi'r gore i gadw stiwdents am fod ei mab yn y Chweched Dosbarth. Ond o weld Waldo yn wlyb diferol mae'n ei wahodd miwn i gael dishgled o de. Erbyn iddi hi ddod 'nôl o'r gegin roedd stêm yn codi o'r pentan am fod Waldo wedi tynnu'u sane i'w sychu nhw wrth ben y tân! Fe gymrodd hi drueni drosto a fe ges i'r llety gore yng Nghaerdydd. Dyna Waldo ar ei ore, weden i, yn barod i helpu ac yn anwylo ei hunan i bobol.

"Pan fydden i'n dod getre o'r coleg wedyn fe fyddwn i'n aros yn Glasfryn gyda Benni ac Elsie Lewis ac Anti Dilys a chael tipyn o gwmni Waldo fan 'ny. Fe wyddwn i fod Benni wedi mynd i whilo am Waldo ar gewn ei foto-beic bob penwythnos pan oedd wedi symud i Loegr a neb yn gwybod ble'n gwmws oedd e. Fe gas Dilys lythyr ganddo yn y diwedd. Dwi inne'n cofio sgrifennu ato pan oedd e yn Lyneham, rhyw gardie Nadolig falle neu lythyr yn gofyn am arian.

"Pan oedd Waldo'n sefyll lecsiwn ym 1959 roeddwn i yn Malaysia yn gwneud fy nghyfnod o orfodaeth milwrol. Dwi'n cofio dod getre yn fy nillad milwr a mynd i un o gyfarfodydd Plaid Cymru yn Hwlffordd. Roedd D. J. Williams yn pipo'n jogel arna i ond croeso ges i gan Waldo. Dwi'n credu ei bod hi'n rhan o fagwraeth Rhosaeron ac Elm Cottage i beidio â gorfodi eich syniade ar neb a ddwedodd Waldo ddim wrtha i eriôd i beidio â mynd i'r fyddin er ei fod e'n erbyn militariaeth.

"Desum i mas o'r fyddin wedyn ym 1961 ac ailgydio mewn fferylliaeth. Bues i'n gweithio dros yr haf yn Ninbych-y-pysgod a chael un prynhawn hyfryd yng nghwmni Waldo draw ar Ynys Bŷr. Dwi'n cofio dod 'nôl at y cei a Waldo'n dechre chwifio'i freichie a gweiddi wrth feddwl bod y cwch wedi gadael hebddon ni. Ond wedi iddo sylweddoli mai'r bad cludo nwydde oedd hwnnw ma fe'n wherthin am ben ei ddwli ei hunan.

"Rhyw atgofion fel 'na sy 'da fi amdano. Rhyw bethe bach wedyn, ar ein ffordd i'r cwrdd rhywbryd a ninne am basio dŵr a fynte'n troi at y clawdd a dweud 'cyd-bishwn' yn bregethwrol. Gyda llaw, fe ddes i ar draws englyn wedd Waldo wedi gweitho i Ynys Bŷr, ar ôl bod yno ym mis Awst, sy'n cyfeirio at ddau o'r seintie fu'n byw yno:

Llais hiraeth lle a sieryd – a'i gwaneg
A'i gwenith o'r henfyd,
Ewyn hallt a gân 'Illtyd',
'Samson' yw'r ymson o'r ŷd.

"Ond wedyn roedd y sgyrsie rhwng Waldo a Jac Beynon, y Cross, tad Vernon, pan fydden nhw'n sôn am gymeriade'r ardal yn sgyrsie i'w trysori. Roedd Sharcer yn hoff o dynnu'i wats boced mas i ddangos tamed bach o awdurdod. Rhyw fore roedd Waldo a'i dad mas yn yr ardd yn drychid lan ar yr awyr. Roedd Sharcer yn byw gyferbyn ag Elm Cottage ac yn gweld y ddou yn 'drych lan ac yn dod draw i holi beth oedd mlân 'da nhw. Dishgwl gweld clip ar yr haul am ddeg o'r gloch oedd yr esboniad ond doedd dim golwg o hynny'n digwydd nes o'r diwedd fe guddiwyd yr haul. Sharcer yn tynnu'i wats mas ac am ei bod hi'n ugen munud wedi deg yn dweud "Na fe, ma hwnna'n hwyr 'to'. Cafodd e'r llysenw Sharcer am ei fod e wastad yn trefnu gosod y mashîn ddyrnu yn ei lle ac yn dweud 'Un sharcad bach arall, bois' os bydde ishe ei symud hi gam neu ddau. Dwi ddim yn ame 'mod i wedi gweld cywydd gan Waldo i Sharcer rywbryd.

"Bydden nhw'n sôn am gymeriad o'r enw Eliazar o Fynachlog-ddu wedyn. Slingyn tal main o ddyn, mae'n debyg, a fydde'n cerdded draw i Landysilio i whare draffts a gwyddbwyll gyda Waldo a wedyn cerdded getre tua hanner nos. Mae'n debyg pan fydde'r trip Ysgol Sul yn mynd i Tudra'th mewn cart a cheffyl, fel oedd hi pwrny, bydde Eliazar yn cerdded o flaen y ceirt yr holl ffordd draw a 'nôl. Roedd rhyw ddifyrrwch rhyfedd gyda nhw wrth siarad am yr hen gymeriade 'ma.

"Englyn arall wedyn o waith Waldo i fwthyn Bwlch-y-ddwysir ger Ffarm y Cross lle'r oedd dynes dduwiol o'r enw Fanny, neu Frances Morgan, yn byw ar un adeg. Ma lle i gredu fod yr englyn hwn, a'r englyn i Ynys Bŷr, wedi'u cyfansoddi ym 1966:

Eiddot, bridd rhonc yw'r goncwest – ar y clom
    Hen furiau clyd, gonest,
  Amau cof mai yma cest
  Dŷ Ffani a'i dwy ffenest.

"Ie, dwi'n cofio wedyn derbyn cais gan Waldo i fynd i brynu trowser glaw iddo ar gyfer seiclo pan oeddwn ar fy mlwyddyn gynta yn y coleg yng Nghaerdydd. Ar ffurf penillion ar gefen carden bost ddaeth y cais.

> Deio annwyl, ei di drosto' i
> Ar neges fach sy'n hawdd ei chael?
> Ei di o'r Technegol Goleg,
> Lawr at Millets, siopwr hael?
>
> Syll i blith y trugareddau,
> Syll dy orau uwch neu is,
> Yno weli diced gochbrint
> Un-ar-ddeg a chwech yw'r pris.
>
> Ydyn wir, mae Chem a Physics
> Yn ddiddorol drwyddynt draw.
> Ond anghofia am y cwbwl
> Nes it gael fy nhrowser glaw.
>
> Ar ôl cael y trowser hwnnw
> Hal e yma maes o law.
> Pwy gaiff fod yn uwch na Deio
> Ar ôl cael fy nhrowser glaw?

Ie, dwi'n trysori hwnnw".

Roedd cyflenwad coffi'r ddau ohonom wedi hen oeri. Ni fu raid i mi brocio na holi fawr ddim. Ni chredaf i mi erioed wrando ar sgwrs mor wresog am Waldo a hynny gan rywun a'i hadnabu fel cyfaill agos, a fu'n chwarae â thegane yn ei gwmni ac a'i gwelai fel mwy nag ewythr consyrnol. Llifai'r atgofion yn un ffrwd. Doedd y ffaith fod David wedi cydsynio i wneud y ddwy flynedd o wasanaeth milwrol ar adeg pan oedd Waldo'n gwrthod talu treth yr incwm, mewn protest yn erbyn rhyfela a chonsgriptiwn, ddim yn mennu dim ar y berthynas rhwng y ddau.

Ni sylwn ar yr un berth na cholfen, yr un blodyn nac ysgallen, ar fy ffordd adref i Faenclochog gymaint oedd fy awydd i dafoli'r holl brofiade a ddaeth i'm rhan wrth fynd ar drywydd Waldo ar gewn beic. Ni chofiaf a oedd hi'n bwrw glaw mân neu beidio neu yn heulwen braf wrth i mi seiclo yn ôl greddf, â'r meddwl yn drech na'r corff. Ymestyn gïau'r ymennydd a wnawn yn hytrach na gïau'r cyhyre. Serch hynny, ni fedrwn beidio â gwenu wrth bedlo trwy Llandysilio wrth ail-fyw'r stori honno a adroddai Waldo amdano'n cerdded heibio cartref rhyw ddynes oedd wrthi'n fishi'n papuro.

"Wrthi'n papuro, dwi'n gweld," meddai Waldo.

"Wdw, wdw," oedd yr ateb.

Oedodd Waldo am getyn i'w gwylio wrth ei gwaith.

"Ma ambell bothell 'da chi fan hyn a fan 'co 'fyd," mentrodd wedyn wrth ffarwelio.

Ymhen tipyn dyma Waldo'n dod 'nôl ac yn ei chyfarch eto.

"Shwd ma'r papuro'n dod mlân?" holodd.

"O, dwi'n pothelli arni," meddai hi.

Gogleisiwyd Waldo gan yr ateb hwnnw.

A'r stori honno wedyn am ei dad, John Edwal, yn codi ei ysgwydde fel y gwnâi wrth chwerthin, pan ddarllenodd nodyn Mary Ann Evans, bwthyn clom Pontprenddu, yn esbonio pam nad oedd ei thri phlentyn yn yr ysgol y diwrnod cynt. Mae'n debyg bod bwch gafr fferm y Royal Exchange gerllaw wedi crwydro i diriogaeth y bwthyn y bore cynt. Bob tro yr âi George, Reggie a Maggie at ddrws y bwthyn i fynd i'r ysgol roedd y bwchyn yno'n eu hwynebu ac yn ymddwyn yn fygythiol. A'r un modd pan aent at ddrws y cefn. Roedd gan fwch gafr y Royal enw o fod yn un i'w ofni ac o'r herwydd bu rhaid i blant Pontprenddu ildio i'w oruchafiaeth y diwrnod hwnnw ac aros adref o'r ysgol. Ond roedd rhaid i'r fam ysgrifennu nodyn i'r prifathro a'r hyn a ogleisiodd John Edwal oedd, 'Sorry children were not in school yesterday. Royal billygoat took possession of the place'.

Ond wrth fynd heibio Capel Pisgah, ym mhen ucha Llandysilio, roedd rhaid sobreiddio a galw i gof un o'r darlithoedd mwyaf treiddgar a gafwyd hyd yma am awen Waldo gan neb llai na'r Archesgob Rowan Williams. Roedd y capel dan ei sang pan draethai Archesgob Caergaint ym mis Mawrth 2012 ychydig fisoedd cyn iddo ymddeol a throi ei olygon 'nôl i fyd academia. Nododd fod yna eirie penodol ym marddoniaeth Waldo sy'n apelio at 'yr uchelgais goll am gymod' wrth iddo ddadansoddi cerddi megis 'Mewn Dau Gae' ac 'Elw ac Awen'.

Pwysleisiodd fod Waldo'n ymwybodol o wir werth barddoniaeth fel awen ddwyfol yn cynnig ei hun fel ffynnon fywiol i dynnu maeth oddi arni er mwyn trawsnewid y byd, a bod ei farddoniaeth o'r herwydd yn gyfystyr ag ymgyrchu dros heddwch a chymod. Dywedodd fod y gwir fardd yn awyddus i gyfleu cyfanrwydd geiriau trwy symlrwydd mynegiant a thrwy hynny osgoi ystrydebau ac odli geiriau'n ddi-ben-draw. Celfyddyd yw barddoniaeth, meddai, sy'n awyddus i greu cymod, a dyna pam y gwrthwynebai Waldo drachwant sy'n creu elw a rhwygo'r ddaear gan beiriannau rhyfel am ei fod o'r farn mai hau hadau Duw y dylid ei wneud yn y pridd.

Cyfeiriodd at ddisgrifiad Waldo ohono'n dyst i fedydd bachgen ifanc oedd ar y ffordd i ryfel ac fel roedd yn dyheu y byddai'n bosib i'r gŵr ifanc drawsnewid ei deyrngarwch i'r wladwriaeth i deyrngarwch i'r awen, sy'n meddu ar ddyfnderoedd cudd a fedr weddnewid y byd. Mynnai Rowan Williams fod yr 'Awen yn codi o'r cudd' y cyfeirir ati yn 'Mewn Dau Gae' yn ymwneud ag ynni cyntefig cychwynnol a'r ysbryd dychmygus sy'n medru trawsnewid y byd.

Priodol fod yr Archesgob y noson honno wedi derbyn dwy golfen o Weun Parc y Blawd a Pharc y Blawd, o law Vernon Beynon, i gofio mai profiad llencyndod yn y perci hynny a gyffrôdd Waldo i gyfansoddi 'Mewn Dau Gae' ddeugain mlynedd yn ddiweddarach. Gadawodd Landysilio gan adael ei ostyngeiddrwydd ar ôl ynghyd ag adnabyddiaeth o'r newydd o fawredd Waldo Williams.

Epilog

MAE'N RHAID BOD rhywfaint o nodweddion Waldo yn amlygu eu hunain ymhob un o'i neiaint. O wrando ar David yn traethu mae'n rhaid gen i mai fe yw'r tebycaf i'w wncwl o ran lleferydd am ei fod yn tueddu i oedi nawr ac yn y man cyn ailgydio mewn sgwrs â rhaeadr o frawddege. Yna, oedi drachefn a gostwng ei lais nes ei bod yn ofynnol gwrando'n lled ofalus wrth iddo fwyta ei eirie neu dorri i chwerthin cyn gorffen brawddeg. I'r sawl nad oedd yn gyfarwydd â Waldo gallai gwrando ar ei sgwrs fod yn fwrn weithie. D. Tecwyn Lloyd lwyddodd i ddisgrifio union nodweddion ei lefaru:

> Siaradai dafodiaith sir Benfro ond yr oedd ganddo duedd i wasgu ei eiriau'n ôl yn ei wddf rywsut ac at hynny, amrywiai traw ei lais yn fawr; weithiau, traethai allan yn hyglyw ac yna, yn sydyn, tawelai ei lais fel petai'n siarad ag ef ei hun yn hytrach na gyda'r cwmni. Ar brydiau eraill, deuai rhyw dôn neu dinc i'w lais, braidd yn drist er nad cyfleu tristwch oedd yr amcan o gwbl; yn wir, byddai'r dôn hon yn dod i'w lais wrth draethu'r pethau mwyaf doniol-afieithus. Rwyf wedi ei chlywed, ar ôl hyn, yn lleisiau pobl eraill o gylch yr hen Ddyfed a synnwn i ddim nad yw hi'n nodweddu'r Ddyfedwys yn yr un ffordd ag y mae gan gofis tre Caernarfon neu bobl Dyffryn Clwyd eu tinc a'u sigl eu hunain wrth siarad.

Wrth deithio adref i Faenclochog ceisiaf ddirnad pam nad oedd Waldo fel pob meidrolyn arall ac wedi bodloni ar yrfa gymharol ddi-nod? Pam na fyddai wedi sicrhau swydd prifathrawiaeth iddo'i hun yn gynnar iawn yn y 1930au wedi iddo ddychwelyd i Sir Benfro? Dyna oedd y patrwm o ran y rhelyw o raddedigion a ddychwelai i'r sir i ddysgu. Ai dymuniad Waldo oedd bod yn grwydryn o athro teithiol er mwyn dod i adnabod y sir gyfan? Neu a oedd gan hyn rywbeth i'w wneud â'i gyflwr nerfol ac nad oedd, felly, yn chwennych cyfrifoldeb? A oedd yn ymwybodol o'r effaith a gafodd y swydd ar ei dad yn gynnar yn ei yrfa ynte? Neu ai'r gwir plaen amdani yw nad oedd ynddo ddefnydd prifathro?

Fel y nodwyd eisoes, anodd yw olrhain gyrfa Waldo fel athro yn Sir Benfro yn y 1930au wedi i'w gyfnod yn Ysgol Solfach ddod i ben ym 1930 am fod yna fylche di-ri o ran cofnodion yn cadarnhau ei gyflogaeth. Efallai mai'r esboniad am hynny yw'r ffaith iddo gael ei gyflogi fel athro cyflenwi parhaol ym mis Medi 1932 a'i fod o'r herwydd yn symud o ysgol i ysgol ar fyr rybudd yn ôl y galw am gyfnode byr ac nad oedd angen cofnodi hynny. Mae'r cofnod yn llyfr lòg Ysgol Dale ym mis Tachwedd 1932, yn ôl pob tebyg, yn nodweddiadol o'i batrwm byw ar y pryd pan nodir iddo fod yno yn brifathro dros dro am gwta fis tan ddiwedd y tymor. Does dim sôn iddo wasanaethu yn ei hen ysgol ym Mrynconin chwaith, ond pwy a ŵyr?

Ymddengys iddo fod heb waith am gyfnod wedi gadael coleg hefyd am mai ym mis Ionawr 1928 y dechreuodd ddysgu yn Ysgol Dinas 'ar dymor o brawf'. A gwyddom, wrth gwrs, iddo fod yn Ysbyty'r Eglwys Newydd yng Nghaerdydd am y rhan helaethaf o 1937 yn derbyn triniaeth i'w anhwylder nerfol.

Roedd yn lled amlwg, er y gallu cynhenid a berthynai i Waldo, nad oedd â'i fryd ar ddringo ysgol llwyddiant yn yr ystyr arferol a roddir i lwyddiant. Er iddo gynnal cyfeillgarwch gyda'r Athro Gwilym James a'r Athro Brinley Thomas ers dyddie coleg, doedd e ddim am efelychu eu campe academaidd nhw ill dau. Perthynai i Waldo ormod o anian ei gyfaill, Idwal Jones, yr athrylith o ddigrifwr, iddo fedru cymryd dilyn gyrfa yn fater o raid. Doedd hynny ddim i ddweud nad oedd yna bethe y bydde'n eu cymryd o ddifri chwaith. Tebyg mai arall oedd digofaint Waldo o gymharu ag eiddo ni'r meidrolion.

Pam na fyddai wedi bodloni ar fod yn aelod yng Nghapel Blaenconin heb o reidrwydd fynychu'r oedfaon yn gyson yn union fel cynifer o aelode eraill dros y blynyddoedd? Roedd gan Waldo barch tuag at ei weinidog, y Parch. D. J. Michael, a mynychai gyfarfodydd Y Gymdeithas Ddiwylliadol yn gyson yn ei ieuenctid gan gymryd rhan flaenllaw. Ond wrth iddo fynd yn hŷn ymddengys fod yr elfen a ddisgrifiai fel 'shwd enjoioch chi'r bregeth?' yn rhwystro Waldo rhag cyrraedd y dyfnion brofiade a ddisgwyliai wrth fynychu addoliad mewn capel Anghydffurfiol.

Nid oedd ei ethol yn ddiacon fel y disgwylid i bob sgwlyn yn y cyfnod hwnnw yn rhan o'i orwelion damed mwy nag oedd yn rhan o orwelion ei dad. Ymunodd â'r Crynwyr am iddo weld goleuni na wêl y mwyafrif ohonom mohono. Daeth i ddeall a theimlo presenoldeb Duw yn y tawelwch sy'n disgwyl amdanom oddi fewn. Ni theimlai angen na chapel na gweinidog, na bara na gwin nac emyn. Yn wir, rhwystre iddo oedd yr allanolion hynny am ei fod yn medru cyfathrebu â Duw wrth fynd i'w gyfarfod mewn tawelwch affwysol. Roedd Waldo'n llawer mwy anghydffurfiol na'r rhelyw o Anghydffurfwyr a fynychai gapeli enwadol. Cynorthwyai'r Eglwys Gatholig i ddysgu Cymraeg i'w plant a chanodd gerdd yn mawrygu'r merthyron Pabyddol.

O wybod am ei brofiade yn dysgu yn Lyneham hawdd deall nad oedd llenwi ffurflenni a chadw cofrestre a threfnu cyllidebe, fel y byddai'n ofynnol iddo wneud petai'n brifathro, yn apelio ato. Y cyswllt uniongyrchol â phlentyn a apeliai ato a gore i gyd po ddiniweitiaf fydde'r plentyn er mwyn iddo ei gynorthwyo i flaguro fel yr egyr blodyn ei betale. Pa ddisgwyl oedd i ddyn a ddarllenai Dante a Berdayev gyda'r nos i lenwi colofne mewn llawysgrifen traed brain ar adroddiade plant yn y bore? Tebyg na flodeuodd fel athro nes ei ddyddie olaf pan ddysgai Gymraeg i blant lleiaf ysgolion Pabyddol yn bennaf, a hynny'n rhydd o gyfrifoldebe trefnyddol.

Roedd yr un peth yn wir am ei agwedd tuag at wleidydda. Er cymaint y gwelai D. J. Williams ei amharodrwydd i rannu taflenni yn wendid, roedd cryfder Waldo yn ei awydd i gyffwrdd â chalonne'r pleidleiswyr ar bob cynnig gan rannu â nhw werthoedd a ystyriai'n dragwyddol. Pa ddiben oedd i Waldo gyflawni'r manion etholiadol pan oedd ei grebwyll ar yr un donfedd ag eneidie gloyw megis Mahatma Gandhi?

Pam na fyddai wedi ailbriodi a byw bywyd cysurus gyda thyaid o blant? Dyna fyddai'r rhelyw o ddynion gweddw wedi'i wneud ar ôl cyfnod o alaru. Does dim sôn iddo ddod yn agos at wneud hynny. Pan feiddiai ei gyfeillion ei holi i'r cyfeiriad hwnnw fflachiai ei lygaid mewn dicter i ddynodi ei fod yn dal i ystyried ei hun yn briod â Linda, er bod angau wedi'u gwahanu dros dro. Pan gynigiwyd copi o'r cylchgrawn dychanol *Lol*, gyda'i lunie o ferched bron-noeth, iddo yn Eisteddfod Genedlaethol y Drenewydd ym 1965, ei ymateb, ar ôl talu amdano ond heb ei gymryd, oedd "Mae'n dda ichi ei alw yn *Lol*.".

Pam na fydde wedi'i gyfyngu ei hun i raffu englynion a limrige i ddifyrru dynion yn hytrach na llunio cerddi astrus sy'n dal i beri penbleth i'r mwyaf deallus o ddarllenwyr? Oni fydde'r elfen dalcen slip wedi gwneud y tro wrth drin geirie yn hytrach na'r delwedde llwythog o arwyddocâd ymhob llinell? Ond hwyrach nad eu deall sy'n bwysig ond eu hamgyffred. Cafodd Waldo ei dywys i fyd barddoniaeth yn ifanc iawn gan ei chwaer, Morvydd, y bu ei marw annhymig, yn 12 oed, yn gymaint o wewyr iddo.

Yn ddiweddarach cafodd ei hudo gan y beirdd Rhamantaidd Saesneg a chafodd brofiade cyfriniol pan oedd yn ifanc na fedrai eu mynegu heblaw ar ffurf barddoniaeth. Penderfynodd gynnig y gyfrol *Dail Pren* fel iachâd i'w genedl ac nid oedd angen iddo, felly, gyhoeddi cyfrol arall am nad oedd angen i'w goeden ef fwrw ei dail fwy nag unwaith. Pa fardd arall sydd erioed wedi cyflwyno cyfrol o'i farddoniaeth i'w ddarllenwyr fel pe bai'n boteled o foddion wedi'i rhagnodi gan feddyg i'w gleifion? Cofier na wnaeth erioed astudio llên Cymru yn ffurfiol fel rhan o gwrs addysg neu academaidd. Ni fedrai neb heblaw Waldo fod wedi cyfansoddi'r amrywiaeth o gerddi ar yr amrywiaeth o fesure sydd i'w gweld yn *Dail Pren*. Dim ond un Waldo oedd ac sydd. Diolch amdano ac am frawdoliaeth dyn.

Doedd y ffaith iddo ennill gwobr o £100 gan Gyngor y Celfyddydau am ei gyfraniad i lenyddiaeth Cymru ym 1958 ddim yma nac acw o ystyried gwerth parhaol *Dail Pren*. Beth bynnag, cyflwynodd Waldo'r wobr i goffre UNESCO er mwyn hybu addysg tuag at heddwch yn y byd. Yr un ysbryd a gynhyrfai Waldo ag oedd wedi cynhyrfu'r proffwydi slawer dydd ac nid rhyfedd bod llawer o'i linelle'n adleisio cyfeiriade Beiblaidd yn llyfre Daniel a'r Datguddiad. Diolchwn ei fod wedi esbonio'r cymhellion y tu ôl i rai o'r cerddi ac iddo gael ei brocio i wneud hynny neu hwyrach y byddem yn dal yn y tywyllwch.

Pam na fyddai wedi annog eraill i efelychu ei safiad ynghylch gwrthod talu treth incwm gan arwain ymgyrch dorfol yn erbyn rhyfela a llenwi'r carchardai â *refuseniks*? Tebyg nad dyna ddull Waldo o weithredu. Nid arweinydd mohono ond unigolyn. Nid gimic oedd y mater iddo ond argyhoeddiad. Nid ei ddull ef oedd pregethu ac annog eraill i rannu ei gydwybod ynte. Dilyn y gole oddi mewn a wnâi.

Roedd yn haws iddo ef nag i eraill wneud y safiad am ei fod wedi trefnu ei holl fywyd i'r diben hwnnw. Nid oedd ganddo gyfrifoldebe cynnal teulu a chyflawni gofynion swydd na thalu morgais. Roedd yn rhydd i ddilyn ei gydwybod. Ar yr un pryd, credai'n angerddol na wnâi dim y tro 'ond inni wynebu ein heuogrwydd a'i droi'n gydwybod, a chydwybod yn gyfrifoldeb' o ran ein perthynas â rhyfel.

Pam na fydde wedi sefyll etholiad eilwaith yn enw Plaid Cymru a bwrw ati i gynyddu'r bleidlais a chanfasio'n ddi-baid rhwng etholiade? I'r sawl a'i hadwaenai, roedd ei ystyried ei hun yn ddarpar aelod seneddol yn dân ar ei groen am nad oedd yn ei anian i gymryd y fath swydd. Tuedd Waldo oedd ame grym a gafael gwladwriaeth ac nid ei chofleidio a dyheu i fod yn rhan ohoni. Roedd ei weledigaeth y tu hwnt i'r gallu i ddosbarthu taflenni o ddrws i ddrws a mynychu ffair sborion fan hyn a bore coffi fan draw.

Pam na fydde'n aelod blaenllaw o Gymdeithas y Cymod ar sail ei sêl dros heddychiaeth? Yn ôl pob tebyg am yr un rheswm nad oedd yn flaenllaw yn rhengoedd Plaid Cymru chwaith er ei fod yn cefnogi ei hamcanion. Nid oedd am wneud gyrfa o'r naill na'r llall. Nid oedd yn un i ganiatáu i drefniadaeth na hierarchaeth i gyfyngu ei ddonie. Ymdrech ymwybodol i Waldo, yn groes i'w anian, oedd mynd ati i gyflawni prosiect penodol lle'r oedd yn ofynnol glynu at amserlenni a chanllawie. Tebyg bod ei ymlyniad at Grynwriaeth a'r ffordd rydd ac agored ddilyffethair o addoli yn ei arwain i fabwysiadu agwedd gyffelyb tuag at ranne eraill o'i fywyd yng nghyfnod diweddar ei oes. Nid oedd Waldo'n ddyn pwyllgor wrth reddf. Nid oedd yn chwennych swydd o gyfrifoldeb a olygai gyflawni dyrys anghenion arwynebol bywyd.

Pam na fydde wedi dysgu gyrru a phrynu cerbyd iddo'i hun er mwyn gwneud teithio'n dipyn haws ac ynte'n gymaint o grwydryn? Tebyg nad Waldo fyddai Waldo petai wedi rhoi'r gore i seiclo. Fedrwch chi ei ddychmygu'n cyfnewid ei feic am gar ac yn llunio englynion tra fyddai'n gyrru?

Tebyg bod nodweddion amlwg eu hewythr yn perthyn i dri o'r neiaint eraill a adwaenaf petai'n unig o ran eu hosgo a'u ffordd o symud. Mentraf fod Gerwyn, Teifryn a Selwyn o tua'r un maintioli corfforol â Waldo a phetai'r pedwar yn sefyll yn un rhes byddai'r tebygrwydd yn amlwg. Gwn am addfwynder Selwyn sydd, yn ôl ein disgrifiad ni, 'yn grwtyn ffel'. Cofiaf amdano yn fy adnabod ar ôl bwlch o tua ugain mlynedd ers dyddie ysgol ac ynte'n dod ataf i sgwrsio fel pe bai dim ond ddoe roeddem ein dau ar iard Ysgol y Preseli. Felly y pery rhyngom ym mha archfarchnad bynnag y gwelaf ef wrth ei briod waith yn casglu'r trolis. Daw'r wên a'r cyfarchiad yn rhwydd iddo.

O ran Teifryn, clywsom sawl un ar y daith yn dweud yn ddigymell ei fod yr un ffunud â'i ewythr o ran golwg ac o ran ei hiwmor. Ni wn a fedd yr un o'r pedwar y duedd i golli tymer yn gaclwm, chwedl D. J. Williams. Mae'n siŵr y cafodd Teifryn ddigon o achos i wneud hynny wrth ddelio â'm cwircs inne yn ystod ein pererindod ond ymataliodd rhag gwneud hynny waeth faint o dreth oeddwn ar ei amynedd. Gwn amdano fel cymwynaswr yn ardal Aberdaugleddau, a thu hwnt, a phrin fod yr un diwrnod na noson ganddo heb fod rhyw dasg neu'i gilydd wedi'i threfnu. Mae'r awch i deithio, a hynny ar gewn beic gan amlaf, yn sicr wedi'i hetifeddu oddi wrth ei wncwl.

Cefais fy mreintio o gael cwmni Teifryn Williams cyhyd wrth deithio ar drywydd Waldo a hynny am nad oedd fyth yn clodfori nac yn brolio gŵr a oedd, er yn addurn i ddynoliaeth ac yn arwr i lawer, yn ddim mwy nag ewythr iddo ynte o ran cig a gwaed. O'm rhan i, gwelais frawdoliaeth ar waith o fod yn ei gwmni. Ac nid yw'r daith wedi cwpla eto am fod llefydd fel Tyddewi a Sgeifiog, Doc Penfro a machlud haul uwchben fferm Hoplas, yn Rhoscrowther, lle lluniwyd y gerdd 'Cofio', yn dal i ymhŵedd.

Wrthi'n cynorthwyo ei gyfaill, Willie Jenkins, i godi erfin a wnâi ar y pryd ym 1931 pan 'ddaeth' y gerdd iddo, oedd esboniad Waldo gan amlaf neu moyn y da i'r clos oedd hi bryd arall ond pan holai rhywun mwy hygoelus na'i gilydd, byddai'r elfen gellweirus yn dod i'r amlwg, a mynnai mai carthu catsh y lloi a wnâi ar y pryd a bod yr ammonia wedi mynd i'w ben. Digon tebyg ei fod yn gwneud yr oll a nodir uchod yn ystod yr orie y dynesai'r gerdd at ei thymp.

Draw yn Nhyddewi wedyn, cofiwn mai ar y sgwâr wrth y groes Geltaidd y cychwynnodd Waldo ei ymgyrch etholiadol ym 1959 a'i gorffen hi yn Neuadd y Ddinas. Bu'n lletya wedyn yn Avondale, Heol Non, ac yn ogystal â dysgu yn Ysgol Gynradd y Cyngor mynna rhai iddo ddysgu Saesneg yn yr Ysgol Ramadeg am getyn hefyd. Hwyrach, o holi'n ddyfal, y deuwn ar draws rhai o aelode cast y ddrama *Y Cilion* o waith Jean-Paul Sartre, a gyfieithwyd gan Waldo, i'w pherfformio gan gwmni Theatr Dewi Sant o dan arweiniad Islwyn Thomas ym 1963.

Bydd rhaid rhoi gwaedd ar deulu'r Jamesiaid draw yn Sgeifiog, gerllaw, wedyn, i'w clywed yn adrodd hanes Waldo'n cyfansoddi'r cywydd hwnnw i'w rhieni ar achlysur eu priodas aur ym 1960. Roedd y clocsiwr, Tomi James, a'i briod, Anni, yn gymeriade prin o ran glendid eu ffordd o fyw. Byddwn hefyd am loetran ar ben Carn Llidi i geisio teimlo peth o'r ias min nos hwnnw a deimlodd Waldo rywbryd yn ei ieuenctid cyn mynd ati i lunio'r awdl 'Tŷ Ddewi' pan oedd undod cosmig rhyngddo a'r cread.

A phan gnociwn ar ddrws 2, Eastback Street, yn Noc Penfro, lle bu Waldo'n lletya pan oedd yn dysgu yn y dref, tybed a fydd rhywun yno yn medru ein cyfeirio at gydnabod iddo neu rai o'i gyn-ddisgyblion? Tybed ai ar ddechre'r 1950au fyddai hynny ac iddo ddod yn gyfeillgar â phrifathro'r Ysgol Ramadeg, Rowland Mathias, ac un arall o'r athrawon, Raymond Garlick, oedd wrthi'n sefydlu'r cylchgrawn *Dock Leaves* ar y pryd, a ddatblygodd yn *Anglo-Welsh Review* yn ddiweddarach, am iddo gyfrannu dwy erthygl i'r cylchgrawn ym 1953.

Mae'n debyg y byddai Willie Jenkins, Hoplas, yn Rhoscrowther gerllaw, yn galw'n fynych i seiadu â'i gyfaill ers dyddie bore oes ym Mhrendergast, Hwlffordd, lle'r oedd y naill yn byw yn y Mans a'r llall yn Nhŷ'r Ysgol. Sgwn i a fydde'r ddau'n pledo ynghylch i bwy y dylid cyflwyno'r gyfrol *Dail Pren*? Dymuniad Waldo oedd ei chyflwyno i Willie ond ni fynnai ynte hynny ar unrhyw gyfrif a'r canlyniad oedd na chafodd ei chyflwyno i neb yn benodol ond yn hytrach i bawb o blith ei gyd-Gymry.

Tybed, wedyn, wrth drafod gwleidyddiaeth, a fydde Willie'n datgelu pam na fyddai wedi ymuno â Phlaid Cymru gan efelychu Waldo a D.J. yn hynny o beth, gan i'r tri fod yn aelode o'r ILP cynnar? Tebyg bod Willie wedi'i ddadrithio i'r fath radde ar ôl sefyll etholiade seneddol chwe gwaith yn enw'r Blaid Lafur yn Sir Benfro fel na fedrai fwrw ei hatlin gyda'r un blaid arall. Cymaint haws oedd hi i'r ddau arall am nad oedden nhw wedi ymrwymo i'r fath radde i obeithion y Blaid Lafur Annibynnol ac roedd eu traed, beth bynnag, yn solet ar dir y Gymru Gymraeg. Serch hynny, doedd dim ame cyfeillgarwch dwfwn Waldo a Willie; "Ni allaf sgrifennu ei enw'n awr heb deimlo gwres edmygedd ac ymlyniad," meddai Waldo am ei gyfaill un tro.

Seiclo i Ddoc Penfro o Hwlffordd, gan groesi ar y fferi o Neyland, a wnâi Waldo'n ddiweddarach, yn y 1960au, pan fynychai ddosbarth nos D. Tecwyn Lloyd a gynhelid o dan nawdd Adran Efrydiau Allanol, Coleg y Brifysgol, Aberystwyth.

Hwyrach bod yr Athro Thomas Parry wedi pwyso a mesur cymeriad crwn Waldo cystal â neb o blith y Cymry, mewn erthygl a gyfrannodd i gylchgrawn o'r enw *Y Genhinen* ym 1971:

Yr oedd gallu ymroi i londer bywyd, a hefyd bryderu ynghylch y gwerthoedd uchaf a phuraf, yn peri fod Waldo Williams yn byw bywyd tra chyfoethog, er gwaethaf y boen yr oedd ei argoeddiadau yn ddiau yn ei hachosi iddo ar brydiau. Praw o hynny oedd y serennedd tawel oedd yn amlwg yn ei ymarweddiad, a hynny mewn argyfyngau llethol. Cafodd fy ngwraig a minnau y fraint o fod yn agos iawn ato pan fu farw ei wraig, a hwythau heb fod yn briod ond am amser byr – oriau mwyaf adfydus ei einioes – ac yr oeddem yn rhyfeddu at fwynder gwastad ei feddwl, er ei bod yn amlwg fod sylfeini ei fyd yn siglo.

Yr esboniad ar hyn, os esboniad hefyd, yw fod ganddo ffynhonnell o nerth yn ei enaid ei hun. Er gwaethaf rhai ysbeidiau o wendid ac o fethu ymgynnal heb help, yr oedd y nerthoedd mewnol yn gadarn iawn, a'r 'canol llonydd' yn sadio ac yn sefydlogi ei holl gymeriad yn y diwedd.

Nid drwg o beth yw cydnabod bod yna adege tywyll wedi wynebu Waldo yn ei fywyd personol, fel y digwydd i'r rhelyw ohonom, ond tebyg bod ei brofiade tywyll ynte'n fwy dirdynnol na'n heiddo ninne oherwydd ei natur dra hydeiml. Do, wynebodd dostrwydd meddyliol a'i llethai ar adege ond cafodd driniaeth a'i hiachaodd. Lleddfwyd y dioddefaint yn ystod y deng mis hynny a dreuliodd yn Ysbyty'r Eglwys Newydd, Caerdydd. Cyfeiria Emyr Llywelyn at yr eithafion ym mhersonoliaeth Waldo mewn cyflwyniad i ddadansoddiad meistrolgar o'r gerdd 'Cwmwl Haf':

Dyn llawen oedd Waldo, dyn siriol a difyr ei gwmni, ac roedd ei lawenydd yn tarddu'n naturiol o'i burdeb calon. Ond tu mewn i Waldo roedd dyn dioddefus. Roedd ganddo oherwydd ei gyfansoddiad cynhenid ac effaith trasiedïau yn ei fywyd, sensitifrwydd nerfol eithafol. Yn wir, roedd y straen nerfol a'r gofid a ddioddefai yn ei lethu'n llwyr ar adegau.

Byddai meddygon yn galw ei gyflwr yn 'anhwylder straen post trawmatig', am ei fod pan oedd o dan straen nerfol, yn ailfyw y trawma mawr yn ei fywyd sef colli Morfudd ei chwaer pan oedd hi'n ddeuddeg oed ac yntau'n ddeg oed...

Wedi colli Linda disgynnodd Waldo i waelodion dyfnaf, duaf anobaith ac iselder ysbryd. Dyn unig iawn, dyn trist iawn yn ymgodymu â thrasiedïau mawr ei fywyd oedd y Waldo alltud a ysgrifennodd y gerdd fawr hon yn Lyneham ym 1947.

Yn wir, wrth gyflwyno Darlith Flynyddol Gyntaf Cymdeithas Waldo yng Nghapel Bethel, Mynachlog-ddu, ar ddiwrnod pen-blwydd Waldo yn 2010, mynnodd Emyr ei osod ar yr un gwastad â Simone Weil. Ystyrid y ferch o Ffrainc a fu farw yn 34 oed ym 1943 yn un o athronwyr a chyfrinwyr Cristnogol mwyaf Ewrop. Haedda'r gosodiad ystyriaeth fanwl a myfyrdod dwys.

Ond, wedyn, doedd dim hafal i Waldo fel cwmnïwr pan oedd yn ei hwylie. Adroddai straeon am smaldod ei bobol nes bydde'r dagre o lawenydd yn arllwys ar hyd ei ruddie a'i chwerthin yn ddilyffethair. Ond ni fydde fyth malais yn y dweud. Efallai mai sôn am un o'i droeon trwstan ei hun a wnâi gan ryfeddu at gwircs y natur ddynol. Ni fydde'r un plentyn yn pellhau oddi wrtho. Câi'r plentyn dywys y chwarae ac roedd rhamant mewn cwato o dan llien ford wedi'i roi dros gefn dwy stôl yng nghwmni Waldo.

Cafodd brofiade dwys megis cyfnode o garchar a oedd yn rhan o'r broses o buro calon. Ni fu neb yn fwy o dyst i'r purdeb hwnnw na'r Wyddeles o leian Babyddol, y Chwaer Bosco, a fu'n driw iddo ar ei wely angau, a'r plantos hynny yn yr offeren a fu'n gweddïo amdano wedi'i farw, trwy yngan ei enw drosodd a throsodd.

Roedd gan Waldo y gallu i gysylltu â chalonne pobol ar draws yr enfys grefyddol ar sail ei brofiad uniongyrchol o Dduw, heb orfod dibynnu ar yr un gyfundrefn na dogma. Gwladwyr diwylliedig yn hytrach nag ysgolheigion hyfedr oedd mwyafrif y galarwyr yn angladd Waldo. Roedd ymhlith ei bobol ei hun.

Mae'n siŵr y down ar draws eraill a fydd am rannu eu hatgofion am Waldo a'r rheiny, hwyrach, yn gwbl annisgwyl. Wedi'r cyfan nid oes odid neb a'i cyfarfu yn ddilornus ohono. Ymfalchïa llawer iddyn nhw ei gyfarfod gan ychwanegu nad oes ganddyn nhw ddim o bwys i'w ddweud am y cyfarfyddiad. Ond i'r sawl sy'n ymhyfrydu yn y cof am Waldo mae'r manion hynny'n dalpe o aur pur. Hwyrach y gwnawn ailymweld ag ambell fan lle buom eisoes er mwyn blasu rhin yr oesoedd drachefn.

Yn gopsi ar y cwbwl, hwyrach y caf wahoddiad i'r ciniawe a drefnir gan Teifryn yn ei gartref bob nos Wener, ers tro byd, er mwyn codi arian at amrywiol elusenne sy'n cynorthwyo dynoliaeth yn ei thrueni. Wedi'r cyfan, roedd yna flas anghyffredin ar y darten fale a goginiwyd gan Waldo, medden nhw, a bwyta tafell o darten yw'r cof pennaf sydd gan Teifryn o alw i weld ei wncwl yn y bwthyn hwnnw ar gyrion Pont Fadlen. Hwyrach, hefyd, y caf gip ar ei gasgliad helaeth o feicie, sydd ar ryw olwg fel petaen nhw'n goffâd ymarferol i'w wncwl, oherwydd bob tro yr â ar gefn un ohonyn nhw mae'n ail-fyw siwrneie Waldo. Dyna a wnaethom ninne ein dau yn ystod ein pererindod.

Ac fel y dywed Bobi Jones am Waldo yn ei *Hunangofiant Tafod – O'r Bedd i'r Crud* – 'Cymeriad mytholegol yw ef bellach'. Oni bai ei fod yr hyn ydoedd, ni fyddai'r fath fri a'r fath ddadansoddi ar ei farddoniaeth, a'r hyn ydoedd, yng ngolwg llawer, oedd sant, waeth beth yw'r union ddiffiniad o'r fath berson. Ond, yn sicr, roedd Waldo yn berson a oedd yn olau i eraill. Roedd yn sant a hoffai lunio rheffynne o limrige ac englynion ar amrant, yn ôl y gofyn neu yn ddiarwybod i bwy bynnag a fyddai yn ei gwmni, er mwyn coffáu pob math o achlysuron doniol a dwys.

Rhaid oedd llunio englyn hyd yn oed wedi iddo lyncu llond llwy ford o lanhawr carped mewn camgymeriad pan gredai mai'r boteled o donig a gafodd gan ei feddyg i gryfhau oedd yn ei law. Credai mai'r ffaith nad oedd wedi ysgwyd y botel oedd yn gyfrifol am y blas cas oedd ar yr hylif. Taerai ei fod yr un lliw â'r hyn a arferai gymryd.

Mil ac un, mawl a ganaf – i'm corpws
Mae carped o'r ceinaf.
Wrth ei lanhau mi ddeuaf
Lot yn well, dal ati wnaf.

A beth am yr englyn hwnnw wedyn, a ddaeth mewn chwinciad o weld ei gyfaill, Eirian Davies, yn eillio â rasel drydan?

Chwyrnu dros ên a chernau – a'i hymgais
O amgylch y gweflau;
Eirian sy ar ei orau,
A'i wefl ef yn datflewhau.

Hwyrach bod rhai o'i nodweddion wedi eu hamlygu eu hunain ym mhersonoliaeth ei neiaint ond anodd credu nad oedd ynte yn ei dro yn amlygu nodweddion ei ewythrod ei hun, yn arbennig Gwilamus, y postmon diwylliedig a roddodd y gore i grefft y teiliwr er mwyn crwydro'r fro a neilltuo ei amser i ddarllen. Wedi'r cyfan, dywedir am Gwilamus pan oedd yn grwt iddo hysbysu'r teulu, "Bues ma's yn yr ardd, a gweles Iesu Grist yn hedfan ar gewn y cwmwle".

A diau bod ymdeimlad a chonsýrn ei dad, John Edwal, heb anghofio ewythr ei fam, yr athronydd Syr Henry Jones, ynghylch hynt y ddynoliaeth a dyrys bethe bywyd yn rhan hanfodol o gyfansoddiad Waldo Goronwy hefyd. Roedd y llythyr a gyflwynodd John Edwal i'w fab ar achlysur ei fedyddio'n gyflawn aelod yng Nghapel Blaenconin ym 1921 yn brawf o'r gyfathrach glòs oedd rhyngddyn nhw hyd yn oed os oedd ymddygiad ei dad wedi peri gofid i'r Waldo ifanc ar un adeg. Cofier fel y bu'n rhaid i John Edwal roi'r gore i'w ddyletswydde fel prifathro Ysgol y Bechgyn Prendergast, Hwlffordd, ym 1911, oherwydd anhwylder nerfol a chwennych iachâd yn y brynie a bagad gofalon na fyddai'n gymaint o dreth arno.

Does dim dwywaith fod John Edwal yn ddyn arbennig o ran ei gyneddfe moesol a hwyrach mai ei awydd i gyflawni'r gore a berthynai i ddyn a arweiniai weithie at dyndra yn ei amlygu ei hun ar ffurf nerfol. Hyd yn oed o dderbyn mai ei blawdo hi a wneir wrth lunio geirda i gefnogi'r sawl sy'n chwennych swydd mae'r clod a roddwyd i John Edwal yn tystio ei fod yn ddyn cydwybodol yn arddel y safone a'r gwerthoedd uchaf.

Meddai Aelod Seneddol Sunderland, F. W. Goldstone, amdano ym 1914:

> I have known Mr J. Edwal Williams for more than 20 years. In Sheffield, where we first met, he established a reputation for quiet, unostentatious work of the kind known as 'thorough'. What I admire most in Mr Williams is his devotion to principle. He is the soul of honour, and a Schoolmaster under whose care and teaching I would place my own children with the confidence born of my knowledge of his worth and qualifications.

Y Parch. Thomas Phillips, Bloomsbury, Llundain, wedyn, eto pan oedd John Edwal yn cynnig am swydd prifathrawiaeth Ysgol Brynconin, Llandysilio:

> With a fairly wide experience of men of all kinds and conditions, I can sincerely say I have never known a man whose high ideals are more high, whose conscientiousness is more exacting, or whose work is more thorough and capable. My only fault with him is that he has slaved far more than any Education Authority has a reasonable right to expect, but I know that the reason for this is that he regards any child put under his charge as a sacred trust, and feels the responsibility of making the utmost of the material at his disposal.

O ystyried hyn oll rhaid cytuno ag Alan Llwyd pan ddywed am ddylanwad yr aelwyd ar Waldo: '... hafan rhag cynddaredd y storm a ruai yn y byd mawr y tu allan a seintwar rhag gwallgofrwydd dyn'.

Mae'n werth dyfynnu paragraff ola'r llythyr rhyfeddol hwnnw a roddwyd i Waldo gan ei dad er mwyn tanlinellu dylanwad yr aelwyd gariadus yn Elm Cottage ar Waldo. Llythyr a ysgrifennwyd yn Saesneg am mai dyna'r iaith lywodraethol yn y cartref ac am nad oedd yn fwriad gan y rhieni i drosglwyddo'r Gymraeg i'w plant er eu bod ill dau'n medru'r iaith yn ôl tystiolaeth Cyfrifiad 1911:

> My boy, you are very dear to me. I have done what I could to help you. You have worked well and done much. We are proud of you. I trust that nothing will come between us all our days. Above all your achievements in this world, your mother and myself rejoice in the thought that all your life you would continue to be imbued with the spirit of reasonableness. Live simply and straightforwardly endeavour to see the Best and follow the best you see. Keep a brave heart in the darkest night.
>
> Our hopes and wishes and love go with you,
>
> Dad

Er yr arswyd a deimlodd y Waldo ieuanc o weld ei dad yn ymylu ar orffwylledd yn nyddie Prendergast, mae'n deg tybio na fu neb yn fwy o ddylanwad arno yn y pen draw na'i dad ar sail ei ddarllen eang a'i ymddygiad egwyddorol. Os oedd y berthynas fregus rhyngddo a'i dad ar un adeg yn un ffactor a arweiniodd at dreulio cyfnod mewn ysbyty meddwl, rhaid edmygu Waldo gymaint â hynny'n fwy am wirfoddoli i wynebu ei ddiafoliaid ei hun. Mawrygwn ef am wneud hynny. Mae'n rhaid bod llythyr ei dad ar achlysur cyflwyno ei hun i gyflawn aelodaeth eglwysig yng Nghapel Blaenconin wedi'i serio ar lechen ei gof. Ni ddylid anghofio dylanwad ei fam, Angharad, chwaith. Wedi'r cyfan, yn ei llawysgrifen hi y mae'r copi o'r llythyr sydd ar glawr ac roedd hi'n rhannu dyheade ei gŵr.

> 'Mae Gwirionedd gyda 'Nhad
> Mae Maddeuant gyda Mam,'

oedd dyfarniad Waldo am ei rieni a'r defnydd o'r prif lythrenne'n awgrymu ystyr trosgynnol i'r priodoledde.

Roedd ei ewythr, Gwilamus, yn hofran yn y cefndir hefyd. Cofier amdano'n herian Morvydd a Waldo i gyfansoddi'r pennill hwnnw am y basin cawl slawer dydd:

The basin stands on the table,
And beneath it lies the cloth,
And well is the basin able
To hold a basinful of broth.

Ond yr eironi pennaf yw fod rhieni o Gymry Cymraeg nad oedden nhw'n bwriadu trosglwyddo'r iaith i'w plant wedi magu un o feirdd, os nad y mwyaf un, a fedd cenedl y Cymry.

Pan benodwyd John Edwal yn brifathro Ysgol y Bechgyn Prendergast, Hwlffordd, ym 1900, wedi cyfnod helaeth o ddysgu yn Lloegr, roedd yn lled amlwg nad oedd yn fwriad ganddo i wasanaethu yn y Sir Benfro Gymraeg ac, yn ôl ffasiwn yr oes, nid oedd ynte nac Angharad am osod yr hyn a ystyrid, yn ôl pob tebyg, yn iau y Gymraeg ar warrau eu plant. Hap a damwain ei salwch a'r orfodaeth i gymryd awenau Ysgol Mynachlog-ddu i ysgafnhau'r baich a deimlai neu'r 'amhwylledd', chwedl D.J., a roddodd y cyfle i'r plant gydio yn heniaith y teulu.

Rhoddaf y beic i orffwys yn y garej am getyn. Ond pwy a ŵyr, hwyrach y daw galwad o Aberdaugleddau o fewn dim o dro yn awgrymu pererindod arall. Hwyrach y daw galwad ddisymwyth gan rywun annisgwyl fydd wedi dod o hyd i lun o Waldo ar ei feic. Er chwalu a thwrio a holi a stilio methwyd yn hynny o beth hyd yma er y mynych gyfarchiad "O, wês, wês, ma un i ga'l rhwle, ch'wel".

Wedi'r cyfan roedd Waldo'n gymaint o seiclwr ag oedd o fardd, o heddychwr, o Grynwr ac o wladgarwr. Nid oedd yn seiclo er mwyn ennill gwobre mewn gorneste mwy nag oedd am ennill gwobre am farddoni. Doedd e chwaith ddim am arwain yr un mudiad heddwch nac annog neb i efelychu ei safiad yn wynebu carchar cyn talu dyledion treth yr incwm mewn gwrthwynebiad i ryfela. Doedd e ddim am dynnu sylw at ei Grynwriaeth na recriwtio neb i ymuno â'r Crynwyr. Ni chwenychai hyd yn oed y distadlaf o swyddi o fewn y mudiad cenedlaethol. Roedd byw a gweithredu yn ôl ei gydwybod yn ddigon iddo fel y gwnâi'r seintie cynnar. Dyrchafodd ei hun i ddistadledd sant.

Mae Waldo'n ein gwahodd i ddyfnderoedd o wirionedd na cheir gan wleidyddion, athronwyr na thraethodwyr confensiynol waeth pa mor huawdl yw eu taerineb. Gallwn weithie ddannod Waldo am beidio â rhoi i ni esboniad rhyddieithol o rai o gymale mwyaf astrus ei gerddi. Ond peidio byddai ei fawredd wedyn. Nid propagandydd mohono. Bardd yw sy'n ein tywys i gilfache ei enaid. Mae'n disgwyl i ni ddyfalu a theimlo'r profiade y tu ôl i'r geirie. O wneud, medrwn gofleidio ein gilydd a chwennych tawelwch i werthfawrogi anian dyn.

Crynodeb o fywyd Waldo

1904	Medi 30. Ganwyd Waldo Goronwy Williams yn Hwlffordd.
1911	Y teulu'n symud i Fynachlog-ddu pan benodwyd J. Edwal Williams yn brifathro'r Ysgol Gynradd yno. Morvydd, chwaer hŷn Waldo, yn sicrhau 525 o farcie o'r 600 posib yn yr arholiad *scholarship* i Ysgol Ramadeg Arberth. Roedd ganddo ddwy chwaer arall, Mary a Dilys a brawd, Roger.
1915	Y teulu'n symud i Landysilio ym mis Ionawr pan benodwyd John Edwal yn brifathro yno. Bu farw Morvydd ym mis Ebrill. Treuliodd Waldo gyfnod ym Mangor gyda rhieni ei fam. Dychwelodd i sefyll ei arholiad *scholarship* ar gyfer mynediad i Ysgol Hendy-gwyn.
1917–23	Disgybl yn Ysgol Ramadeg Arberth.
1921	Cael ei fedyddio a'i dderbyn yn gyflawn aelod yng Nghapel y Bedyddwyr Blaenconin. Derbyn llythyr gan ei dad yn tynnu sylw at ei gyfrifoldebau fel crediniwr.
1922	Ennill ei wobr eisteddfodol gyntaf yn Eisteddfod Llungwyn Capel Horeb, Maenclochog. Cyhoeddi'r gerdd 'Horeb. Mynydd Duw' yn *Seren Cymru*.
1923–7	Myfyriwr yng Ngholeg Prifysgol Cymru Aberystwyth. Graddiodd mewn Saesneg.
1928	Athro yn Ysgol Gynradd Dinas (Ionawr–Hydref).
1928–30	Athro yn Ysgol Gynradd Solfach.
1930au	Athro llanw parhaol mewn ysgolion cynradd ledled Sir Benfro yn cynnwys Camros, Dale, Cresselly, Carew, Redberth, Abergwaun, Bridell, Mynachlog-ddu, Rudbaxton cyn cael ei benodi'n brifathro dros dro Ysgol Cas-mael ym 1939 pan alwyd y prifathro i'r fyddin.
1931	Cyfansoddi 'Cofio' ar ffarm Willie Jenkins, Hoplas, Rhoscrowther.

1932	Bu farw Angharad, mam Waldo, yn 56 oed.
1934	Bu farw ei dad, John Edwal, yn 70 oed.
1936	Cyhoeddi *Cerddi'r Plant* ar y cyd ag E. Llwyd Williams. Dyfarnu ei awdl 'Tŷ Ddewi' yn ail yn Eisteddfod Genedlaethol Abergwaun.
1937	Derbyn triniaeth yn Ysbyty'r Eglwys Newydd, Caerdydd, ym mis Mawrth a gadael o'i wirfodd ym mis Ionawr 1938.
1939	Anfon llythyr dirdynnol at y Parch. E. Llwyd Williams yn sôn am y berthynas rhyngddo a'i dad yn y dyddiau cynnar.
1941	Priodi Linda Llewellyn o'r Maerdy, Rhondda Fach, ar Ebrill 14 yng Nghapel y Bedyddwyr, Blaenconin.
1942	Gadael Ysgol Cas-mael a symud i Ysgol Botwnnog, Pwllheli, ym mis Ionawr oherwydd y tensiynau rhyngddo a Phwyllgor Addysg Sir Benfro ar fater ei safiad fel heddychwr. Ymddangos gerbron tribiwnlys yng Nghaerfyrddin ym mis Chwefror a chael ei gofrestru fel gwrthwynebydd cydwybodol.
1943	Bu farw Linda ym mis Mai.
1944	Gadael Ysgol Botwnnog ar ddiwedd tymor yr haf.
1945	Ymuno â staff Ysgol Uwchradd Kimbolton, Swydd Huntingdon, ym mis Chwefror.
1946	Ymuno â staff Ysgol Gynradd Lyneham, ger Chippenham, Wiltshire, ym mis Tachwedd.
1948	Dychwelyd i Gymru ym mis Rhagfyr a dysgu am gyfnod byr fel athro cyflenwi yn Sir Frycheiniog.
1949	Gweithio ar fferm Western Slade yn Reynoldston, Bro Gŵyr, a sôn ei fod am fynd i Ffrainc am flwyddyn. Gwrthod talu ei dreth incwm mewn protest yn erbyn gorfodaeth filwrol a'r rhyfel yn Corea. Rhoi'r gorau i ddysgu rhag bod ei gyfraniadau treth y incwm yn cael eu tynnu o'i gyflog.
1951–63	Athro Dosbarthiadau Nos Adran Efrydiau Allanol, Aberystwyth.
1953	Ymuno â'r Crynwyr. Bu'n lletya mewn amryw o lefydd gan gynnwys Great Harmeston ar gyrion Johnston, bwthyn ar gyrion Pont Fadlen, Hwlffordd, ac uwchben swyddfa cyfreithwyr yn Victoria Place yn Hwlffordd yn ogystal â Tower Hill, Hwlffordd; 2, Eastback Street, Doc Penfro; Avondale, Heol Non, Tyddewi; Kyte Hermitage, Camros a 6, Heol Picton, Neyland.
1954–59	Atafaelwyd ei eiddo. Ymddangosodd o flaen comisiynwyr y dreth incwm i egluro pam y gwrthodai dalu. Gwrthodwyd ei gais i gyflwyno ei achos mewn llys cyhoeddus. Ymddangosodd

gerbron yr awdurdodau yn Llundain. Gwrthod ei ryddhau ar sail cydwybod. Ymddangos gerbron yr Uchel Lys yn Llundain.

1956 Cyhoeddi'r gyfrol *Dail Pren*. Traddodi anerchiad *Brenhiniaeth a Brawdoliaeth* gerbron Undeb y Bedyddwyr yn Abergwaun. Cyhoeddi llythyr 'Pam y Gwrthodais Dalu Treth yr Incwm' yn *Y Faner*. Traddodi sgwrs radio ar y testun 'Paham yr wyf yn Grynwr'. Cynnig am swydd ddysgu yng Ngweriniaeth Iwerddon.

1958 Cyflwyno siec o £100 a roddwyd iddo gan Gyngor y Celfyddydau yn gydnabyddiaeth am ragoriaeth *Dail Pren* i'r Cenhedloedd Unedig i'w wario ar waith dyngarol.

1959 Ymgeisydd etholiadol cyntaf Plaid Cymru yn Sir Benfro. Yn sicrhau 2,253 o bleidleisiau y tu ôl i'r ymgeisydd Llafur a'r ymgeisydd Ceidwadol.

1960 Ei anfon i garchar Abertawe am chwe wythnos (Medi–Hydref) am wrthod talu ei dreth incwm.

1960 Ei garcharu eto am chwe wythnos (Chwefror–Mawrth) a'i anfon i garchar Ashwell Road, Rutland, y tro hwn.

1963 Am fod gorfodaeth filwrol wedi'i ddiddymu dechreuodd Waldo dalu ei dreth incwm.

1963–9 Dysgu Cymraeg fel ail-iaith yn Sir Benfro: Ysgol Gatholig Doc Penfro, Ysgol Gynradd Barham, Trecŵn, Ysgol Gatholig Abergwaun ac Ysgol Gynradd Wdig.

1970 Prynu tŷ yn Hwlffordd ond ni chafodd gyfle i fyw yno. Cafodd lawdriniaeth ym mis Hydref.

1971 Effeithiwyd ar ei leferydd wedi iddo gael strôc ym mis Ionawr 1971. Treuliodd fisoedd olaf ei fywyd yn Ysbyty Sant Thomas, Hwlffordd. Bu Waldo farw ar Ddydd Iau Dyrchafael ar Fai 20. Fe'i claddwyd ym mynwent Capel y Bedyddwyr, Blaenconin, ar Fai 24.

1978 Dadorchuddiwyd cofeb iddo ar dir comin Rhos-fach, Mynachlog-ddu, ar Fai 20.

2004 Dathliadau canmlwyddiant geni Waldo gan gynnwys sioe awyr agored 'Môr o Oleuni' wrth y garreg goffa.

2010 Sefydlwyd Cymdeithas Waldo www.cymdeithaswaldo.com

Llyfryddiaeth

- *Dal Pridd y Dail Pren*, Dafydd Owen, Llyfrau'r Dryw (1972)
- *Waldo: Cyfrol Deyrnged i Waldo Williams*, James Nicholas (golygydd), Gwasg Gomer (1972)
- *Waldo Williams: Thema yn ei Waith*, Dyfnallt Morgan, Darlith Flynyddol Asgell Addysg Bellach y Preseli (1975)
- *Waldo Williams: Cyfres y Meistri*, Robert Rhys (golygydd), Gwasg Christopher Davies (1981)
- *Waldo: Llên y Llenor*, Ned Thomas, Gwasg Pantycelyn (1985)
- *Chwilio am Nodau'r Gân: Astudiaeth o Yrfa Lenyddol Waldo Williams hyd at 1939*, Robert Rhys, Gwasg Gomer (1992)
- *Cerddi Waldo Williams*, J. E. Caerwyn Williams (golygydd), Gwasg Gregynog (1992)
- *Bro a Bywyd Waldo Williams*, James Nicholas (golygydd), Cyhoeddiadau Barddas (1996)
- *Waldo – Un funud fach*, Pigion 2000, Tegwyn Jones (golygydd), Gwasg Carreg Gwalch (1998)
- *Waldo Williams: Rhyddiaith*, Damian Walford Davies, Gwasg Prifysgol Cymru (2001)
- *Môr o Oleuni*, Hefin Wyn (gol.), Cyhoeddiadau Clebran (Awst 2004)
- *Môr o Oleuni: Cyflwyniad ar fideo o sioe dathlu canmlwyddiant geni Waldo Williams*, Clychau Clochog (2005)
- *Daw Dydd, Detholiad Mererid Hopwood o gerddi Waldo Williams*, Llyfrau Llafar, Tympan (2005)
- *Cof ac Arwydd: Ysgrifau Newydd ar Waldo Williams*, Damian Walford Davies a Jason Walford Davies, Cyhoeddiadau Barddas (2006)
- *Stori Waldo Williams, Bardd Heddwch*, Alan Llwyd, Cyhoeddiadau Barddas (2010)
- *Dail Pren*, Rhagymadrodd Mererid Hopwood, Gwasg Gomer (2010)

Mynegai

Aberdaugleddau 14, 16, 18, 20, 22, 26, 66, 92, 100, 112, 118–9, 123, 199, 200, 209, 211, 214, 220, 225, 233, 266, 336, 382, 391
Abergwaun 34, 102, 105, 167, 174, 178, 182, 230, 256, 334, 342, 350–5, 393–5
Abersoch 74, 86, 88, 90–1
Abertawe 100, 107, 110, 129, 151, 183, 189, 195, 204, 222, 235, 262, 263, 352, 356, 395
Aberteifi 48, 102, 114, 150, 156–8, 201–2, 207, 366
Aberystwyth 11–2, 25, 41, 57, 77, 89, 98, 137, 152, 165, 168–9, 179–81, 187, 220, 239, 339–40, 349, 384, 393–4
Adams, Alan a Val 211, 213
Alacoque, Chwaer 293
Amwythig 67, 70, 72, 98–9, 165
An Daingean (Dingle) 265, 295, 297, 307, 309–10, 313, 317, 319, 359
Arberth 24, 27, 30, 35, 38, 48, 58, 63, 99–100, 136, 140, 166, 176–7, 198, 350, 368, 393, 397
Artemus 186, 188, 194, 197–8, 397

Bangor 87, 89, 136, 156, 179, 345, 351, 393
Beaumont, Mark 202–3, 215–7
Bethel, Capel 30, 37, 40–1, 208, 362, 386
Beynon, Jac 46, 372
Beynon, John 61
Beynon, Tom 61
Beynon, Vernon 5, 46, 54–5, 241, 370, 376
Blaenconin, Capel 28, 61, 134–5, 171, 354, 366–8, 378, 388, 390, 393–5
Boncath 152, 158
Bosco, Chwaer 21, 264, 284–5, 288, 290–1, 294, 326, 336, 386
Botwnnog 75, 77, 84–9, 93, 113, 168, 255, 332, 343, 346, 348, 351, 370, 394
Bowen, Euros 261, 263, 328, 354
Boyce, Jennifer 199
Bridell 157, 393

Bridgetown 269, 271, 275–6, 324
Bristol Trader 338–9, 358, 365
Bro Gŵyr 339, 394
Bronysgawen 366, 369
Brynconin, Ysgol 38, 134, 136, 139, 177, 196, 205, 337, 368, 389
Burden, Parch. 293
Bwlchtocyn 75, 82–3
Bwlch-y-groes 37, 128, 161

Caerdydd 37, 69, 88, 100, 137, 139, 168, 175, 222–4, 238, 258–9, 261, 348, 354, 369, 371, 374, 378, 385, 394
Cahir 21, 264, 276, 280, 283–9, 298, 307
Canaan, Wil (William Evans) 17, 26–7, 44, 54, 271
Canaston, Pont 136, 192, 215
Carn Ingli 143–4
Carpenter, Edward 57
Cas-fuwch 104–5, 108–9
Cas-mael 89, 103, 105, 107, 109, 112–4, 116, 129, 175–6, 327, 339, 342, 344, 355–6, 362, 393–4
Cas-wis 22, 205–7
Charles, Eirwyn 184, 236–7, 239, 304–5, 333, 361
Chippenham 250–3, 394
Cilmeri 10–2, 14
Clancy, James P. 303
Clunderwen 22, 52, 62–3, 65, 99–100, 125, 129, 131, 133, 173, 194, 220, 260, 368
Cnwclas 70, 73
Corea 122, 153, 184, 196, 332, 394
Cork 292, 301–2, 304–5, 313, 320, 322
Cousins, Mary 275–6
Cowper, William 233
Creigir Uchaf 74, 86–7, 91, 342–3
Cromwell, Oliver 176, 320, 321
Crymych 7, 10, 25, 45–6, 55, 129–30, 150–1, 163, 168, 349
Crynwyr 118–9, 121–3, 190–1, 212, 214, 336, 344, 367, 379, 391, 394

Dail Pren, 115, 129, 131, 156, 174, 180, 214, 261, 328, 335, 351, 353, 380, 384, 395–6
Davies, Andrew 134
Davies, Beti 42–3

Davies, Parch. Ddr Cerwyn 124
Davies, Damian Walford 57, 63, 396
Davies, Grahame 223–4
Davies, Gwawr 351
Davies, Jason Walford 57, 63, 396
Davies, Ithel 346–7
Davies, Parch. J. Eirian 347, 388
Davies, Parch. J. Llanfair 38
Davies, Keith 124
Davies, Tom 9
de Valera, Éamon 350–1
Deudrwyn, Gwilym 166
Dinas 169, 346, 362, 378, 393
Dinbych-y-pysgod 51, 100, 214, 355, 367
Doc Penfro 37, 46, 100, 186, 266, 268, 324, 383–4, 394–5
Donnelly, Desmond 158–9, 199, 334
Drenewydd, Y 70–3, 380

Efail-wen 29–30, 32, 48, 50, 103, 182, 341, 366
Eglwys Newydd, Ysbyty'r 168, 354, 378, 385, 394
Eisteddfod Genedlaethol 37, 138–9, 156, 173, 181, 261–3, 307, 316, 330, 346, 353–4, 380, 394
Elm Cottage 58, 129, 139, 341, 372–3, 389
Eltham 226, 235–7, 240
Emerson, Waldo 56
Emrys, Dewi 9, 116, 178, 263, 344, 370–1
Evans, Parch. Byron 366
Evans, Gwynfor 178, 357
Evans, J. J. 186, 335
Evans, Lloyd 330
Evans, Thomas (Twm Blew) 195
Evans, Tomi 163, 263
Evans, W. R. 29, 31–2, 37, 116, 161–3, 262, 354

Faner, Y 112, 154, 174, 257, 261, 353, 395
Farranfore 306–7
Fenton, Patrick (Pádraig Ó Fiannachta) 297, 309, 312–5, 326, 359
Ford Gron, Y 29, 261, 367
Francis, Mary 336
Francis, Yvonne 221

Ffarm y Cross 59, 347, 370, 372–3

Gandhi, Mahatma 94, 123, 248, 379
Garlick, Raymond 384
George, Dai 58
George, Glen 158
George, Parch. Huw 135
George, John 88
George, Tana 88
Glôg, Y 7–8, 10, 15
Glynsaithmaen 13, 29, 31, 36, 163
Goldstone, F. W. 38, 389, 399
Great Harmeston 21, 119, 190, 211, 213, 290, 349, 394
Griffith, D. R. 88
Griffith, Steffan 34, 36, 120, 122
Griffiths, J. Gwyn 155, 351–2
Griffiths, Mary 108
Gruffydd, Robin 90, 92, 207, 231, 400–1

Hakin 20, 112
Harlech 98
Harries, Dici (Richard) 53, 104, 331
Hebron, Capel 48
Hickling, Diana a John 229
Hoplas 383–4
Horeb, Capel 24–5, 393
Howells, Roscoe 119, 151, 331
Huws, Arfon a Beti 83–4, 88
Hwlffordd 18–22, 27, 30, 33, 36, 51–2, 60, 63, 66, 102–3, 112–4, 118, 123–4, 128, 136, 153, 155, 159, 160, 167, 170, 182–7, 189–91, 195, 201, 208, 210–11, 213–4, 238, 266, 289, 290, 292, 307, 316, 325, 330, 333–5, 338, 349, 357, 362, 372, 384, 388, 391, 393, 394–5
Hyland, Edward Keating 294, 296

Ifans, Alun 107
Ingram, William 230
Iwan, Dafydd 10, 34, 336
Iwerddon 21, 24, 99, 123, 167, 264–7, 269–70, 275, 281–2, 284, 286–8, 291–2, 294, 302, 304–5, 314–6, 319–21, 339, 350, 358

James, Elin a Buddug 35
James, Gwilym 220–1, 259, 378
James, Parch. Joseph 28
James, Rachel Philipps 159
James, Sam a Vera 291
James, Tomi 383
Jenkins, Eiri 222
Jenkins, Sid 34
Jenkins, Willie 180, 187–8, 383–4
John, G. W. 117, 194, 197
John, Mary 336
John, Raymond 'Togo' 335–6
Jones, Aneurin 150, 152–3
Jones, Anna Wyn 92, 110, 246, 255, 259, 263
Jones, Dr Bobi (a Beti) 11, 172–6, 371, 387
Jones, D. T. 355–6
Jones, Dafydd 162
Jones, Dic 41, 153–4
Jones, Glenys 77–8
Jones, Idris 293
Jones, Idwal 37, 137, 165–6, 340, 378, 393
Jones, John Gruffydd 90
Jones, John Lloyd 165
Jones, Meirion 152–3
Jones, Syr J. Henry 53, 388
Jones, T. James (Jim Parc Nest) 61, 234, 264
Josephine, Chwaer 290, 294

Kilroy, Jim 211–2, 290, 293
Kimbolton 142, 220, 230–1, 234, 241, 246, 262, 346, 394
Kinsella, Thomas 303, 331

Lewis, Albert 137, 369
Lewis, Benni 93, 214, 331–3, 351, 360, 372
Lewis, E. T. 43
Lewis, Euros 137–8
Lewis, Parch. O. Morley 28
Lewis, Saunders 63, 160, 178, 179, 180, 192, 231, 345, 358
Lewis, Titus 216
Lewis, W. G. 349

Linda 21, 50, 74, 86–9, 91–2, 94, 105, 108, 110, 112, 136–7, 169, 171, 175, 233, 252, 289, 342–5, 352, 368–9, 380, 385, 394
Lloyd, D. Tecwyn 98, 177, 377, 384
Lovell, Marjorie 185, 332
Lyneham 225, 237, 241, 244, 246, 253, 255, 257, 260, 262–3, 339, 372, 379, 386, 394

Llanbedrog 90, 92–3, 95, 343
Llandybïe
Llandysilio 14, 28, 38, 41, 46, 50–1, 54, 58–9, 65, 101, 106, 129, 134, 155, 194–5, 208, 214, 219, 221, 337, 341, 347, 349, 366, 373, 375–6, 389, 393
Llandysul 189
Llanengan 83, 86
Llanelli 8, 67, 99, 125, 133, 221–2, 262, 263, 306
Llanelwedd 346–7
Llangïan 92–3
Llangwnadl 74
Llanidloes 230
Llewellyn, Gwladys 59, 137, 221, 350, 366, 368–70
Llundain 5, 38, 99, 112, 143, 182, 190, 208, 220, 224, 226, 234, 236–7, 240–3, 245, 247–8, 304, 321, 366, 389, 395
Llwyd, Alan 110, 389, 396
Llyfrgell Genedlaethol, Y 34, 37, 167, 170–1, 185, 339
Llywelyn, Emyr 34, 41, 155, 223, 385

Machynlleth 70, 75–7, 91, 97–8, 402
Maenclochog 16, 23–4, 26, 28, 47, 63, 101, 115, 137, 164, 204, 210, 216, 218, 264, 374, 377, 393
Mallow 299–302, 304–5
Mathias, Rowland 384
Maynooth, Coleg 265, 316, 318, 326
McSwiney, Terence 292
Mhurchú, Máire Uí 317
Michael, Parch. D. J. 28, 137, 171, 368, 378
Michael, Teifryn 178, 289
Miles, Gareth 178–9, 181, 332
Millin, Capel 201, 204, 207
Morgan, Frances (Fanny) 373
Morgan, John 176–7

Morgan, T. J. 113
Morgan, Trefor 346
Morris, Morris a Willie 114–6
Mortimer, Stephen 341
Mynachlog-ddu 12, 14, 24–5, 28, 30, 33–4, 38, 40–1, 43, 51, 58, 114, 135, 152, 166–7, 208, 214, 285, 354, 362, 373, 386, 391, 393
Mynytho 86, 92, 168, 343, 345

Narberth Weekly News 138, 166, 192
Naylor, Robert Norman 113
Nebo, Capel 48, 51
Nicholas, David 219
Nicholas, James (Jâms) 10, 18, 34, 45, 92, 107, 136, 150, 186, 212, 217, 237, 239, 262, 361, 366, 396
Nicholas, Kay 63
Nicholas, T. E. 41
Nickolls, Jenny a Richard 245
Norris, Linda 63

O'Toole, Fintan 275, 302, 304
Owen, Bob 292, 344
Owen, Carnedd Meibion 143, 148
Owen, Wynmor 145, 149
Owens, Ben G. 34, 36
Owens, Wyn 39, 44

Pantycabal 115, 327
Parry, Cit 82–4, 87
Parry, Dilys 189, 191
Parry, Gruffudd (Gruff) 82
Parry, Thomas 261, 384
Partridge, Graham 158, 199
Pearse, Pádraig 292, 351
Phillips, Bessie 134
Phillips, Parch. Thomas 38, 389
Piwritan Newydd, Y 56
Plaid Cymru 8, 95, 151, 159, 175, 178, 180, 186, 192, 197–9, 200, 222, 238–9, 334, 336, 346–7, 357–8, 372, 381, 395
Pont Fadlen 18, 20, 189, 210, 266, 307, 387, 394
Pontsenni 348–9

Porth Ceiriad 89, 96
Porth Tywyn 221–2, 369
Prendergast 18, 38, 187, 191, 195, 221, 293, 384, 388, 390–1
Pwllheli 73–8, 90, 95–6, 156, 342, 394

Quinn, Paul Bryant 230–1

Rees, Derek 182–5, 198
Rees, Gwenlais 347
Rees, Thomas (Twm Carnabwth) 30
Reynoldston 347, 394
Rich, Mick 231, 234
Richards, Eluned a Ken 34, 168
Richards, Lloyd ac Anita 17
Roberts, Eirlys Pugh 91
Roberts, Emrys 178, 370
Roberts, Parch. John 337–8
Roberts, Kate 159, 224, 355
Roberts, Parch. R. Parri- 41–2, 238
Roche, Liam 295–6
Rosslare 21, 268, 319, 322, 324
Rutland 193, 195–6, 395

Rhosaeron 54, 56, 59, 61, 134–5, 137, 139, 173, 177, 221, 224, 307, 341, 349–50, 366–9, 372
Rhos-fach 12, 33, 35, 395
Rhydaman 126–7, 161, 163
Rhydwilym 26–7, 52, 112, 153, 271
Rhydyclafdy 78–9, 94–5
Rhys, Manon 29
Rhys, Syr John 179

Simon, Ted 20
Solfach 88, 186, 238, 268, 329, 340, 378, 393
Spidéal, An 350
St Neots 229, 235–6
Strongbow, Richard 270

Tailby, Michael 232
Thomas, Catrin a Tecwyn 79

Thomas, Dewi 125, 127, 139, 141
Thomas, Dewi Picton 157
Thomas, George 334
Thomas, Herbert 193
Thomas, John 138–9
Thomas, Susan 206
Thomas, Dr William 214, 354–5
Thoreau, Henry 190–1
Tivyside 163
Treamlod 107, 327
Trecŵn 112, 351, 395
Trecastell 347–9
Trefdraeth (Tudra'th) 17, 145
Trefyclawdd 70
Trotting Horse 235, 244–5, 247, 249, 259
Tudur, Gwilym 178
Twffton 114–5, 118, 266, 327
Twigg, Brenda 45
Tŷ Ddewi (Tyddewi) 41, 353–5, 383, 394

Uilis, Oscar Mac 358

Vaughan, Dilwyn 144, 195
Vittle, Parch. Wynn 331

Waterford 269, 271, 274–8, 301, 322
Webb, Miss 256–7
Weil, Simone 155, 223, 386
Western Telegraph, 64, 94, 110, 115–7, 185–6, 188, 193–4, 330, 354, 357
West Perry 227, 229, 246–7, 339
Wexford 271
Whitman, Walt 56, 135
Williams, Angharad 53, 56, 57, 60, 61, 62, 171, 370, 390, 391, 394
Williams, Archesgob Rowan 96, 375–6
Williams, Alun Llywelyn- 259, 261
Williams, Berian 198–9
Williams, Parch. Cynwil 96
Williams, D. J. 10, 95, 105, 130, 153, 159, 167, 178, 180, 214, 222, 230, 237–8, 256–7, 293, 333–4, 336, 338–46, 349–60, 365, 372, 379, 382, 394

Williams, David (Dai'r nai) 75, 350, 352, 366, 368, 374, 377
Williams, Dilys 53, 58, 93, 137, 152, 169, 171, 175, 188, 211, 224, 257, 331–2, 342, 350–1, 360, 367, 372, 393
Williams, Parch. E. Llwyd 32, 112, 116, 161, 168, 170, 188, 394
Williams, Gerwyn 22, 50–1, 53, 315, 368, 382
Williams, Gwilamus 56, 135, 176, 368, 370, 388, 390
Williams, J. E. Caerwyn 352, 396
Williams, John (Jac Pontiago) 329
Williams, John Edwal 134–5, 140, 168, 171–2, 177, 216, 368, 370, 375, 388–9, 391, 393–4
Williams, Len 109, 362–3
Williams, Morvydd 24, 38, 58, 136, 171, 390, 393
Williams, Olive 362–3
Williams, Roger 51, 58, 61, 205, 366, 393
Williams, Roland 106, 176
Williams, Teifryn 14, 18–22, 50, 63, 66–80, 82–4, 88–90, 92–8, 100, 119, 123, 126, 201–5, 207, 209–15, 217, 220–1, 223–8, 232–4, 236–7, 240–1, 243–5, 247–8, 252–3, 258, 260, 264, 265–71, 273–5, 278–80, 282–5, 287, 289, 291, 298, 300, 302, 305–10, 315, 319, 323–5, 369, 382, 387
Wordley, Michael 231

Yeats, W. B. 296, 321
Young, Parch. Glasnant 41
Young, Parch. John 334, 360

Hefyd gan yr awdur:

£14.95

Am restr gyflawn o lyfrau'r Lolfa, mynnwch
gopi am ddim o'n catalog
neu hwyliwch i mewn i'n gwefan

www.ylolfa.com

lle gallwch archebu llyfrau ar-lein.

TALYBONT CEREDIGION CYMRU SY24 5HE
ebost ylolfa@ylolfa.com
gwefan www.ylolfa.com
ffôn 01970 832 304
ffacs 832 782